DE LELIES VAN CAÏRO

REBECCA DEAN

De lelies van Caïro

H&W

VAN HOLKEMA & WARENDORF
Unieboek BV, Houten/Antwerpen

Oorspronkelijke titel: *Palace Circle*
Vertaling: Corrie van den Berg
Omslagontwerp: Wil Immink
Omslagfoto portret: James Darell / Getty Images
Omslagfoto landschap: BL Images Ltd / Alamy
Opmaak: ZetSpiegel, Best

www.unieboek.nl

ISBN 978 90 475 0883 0 / NUR 302

© 2009 Rebecca Dean
© 2009 Nederlandstalige uitgave: Uitgeverij Unieboek bv, Houten
Oorspronkelijke uitgave: Broadway Books, an imprint of The Doubleday
Publishing Group, a division of Random House, Inc., New York.

Voor alle mensen die zich inzetten voor het
Brooke-dierenhospitaal

Deel I

Delia

1911-1930

1

*D*e halfopen blinden van de grote slaapkamer filterden de eerste stralen van de opkomende zon. De achttienjarige Delia Conisborough verroerde zich even, haar warrige rode haar prachtig vlammend tegen het met kant afgezette hagel-witte beddengoed.

De zachtjes snurkende man naast haar bleef stil liggen, en ze wilde hem niet wakker maken, hoe innig ze hem ook lief-had. Dit was de ochtend waarop ze – sinds vijf dagen zijn bruid – het huis van haar jeugd zou verlaten om te beginnen aan een lange reis, een reis naar Engeland en naar een nieuwe manier van leven, in ieder opzicht verschillend van alles wat ze gewend was. Ze moest afscheid nemen van heel veel din-gen. Nog niet van mensen. Dat zou pas later komen, als de hele Chandler-clan naar Sans Souci was gekomen om hen uit te wuiven wanneer ze per trein naar Richmond vertrokken. Na Richmond wachtte de langere reis naar New York en dan – het opwindendst van allemaal – de vijfdaagse oversteek van de Atlantische Oceaan aan boord van de Mauretania, het meest luxueuze vaartuig ter wereld.

Het bleef een onwennige gedachte dat ze niet langer Chandler maar Conisborough heette en dat ze een titel bezat, die van burggravin, al had Ivor haar uitgelegd dat ze voort-aan als lady Conisborough aangesproken zou worden. Ze zwaaide haar benen uit bed, waarbij haar zijden nachtpon om haar enkels zwierde. Het was nog niet eens zes uur; ze had minstens twee uur tijd om afscheid te nemen van haar favoriete paarden en haar favoriete plekjes – en van Sans Souci zelf.

De slaapkamer die ze de afgelopen vier nachten met Ivor had gedeeld, was niet de kamer die ze als haar eigen domein beschouwde. Die bevond zich in de andere vleugel van het huis en ze draafde er nu blootsvoets door de gang naartoe, terwijl ze haar haar in een vlecht draaide.

'Mogge, juffie Delia,' zei een bediende toen ze de deur van haar vaders slaapkamer passeerde. Hij was al zolang ze zich kon heugen op Sans Souci. 'Ik vind het toch zó jammer dat u bij ons weggaat.'

'Ik ook, Sam,' zei ze, zonder zich een moment te generen dat ze in haar nachtpon liep. 'Maar mijn man heeft beloofd dat we hier af en toe zullen terugkomen.'

Ze schonk Sam een oogverblindende glimlach. Als ze was aangekleed zou ze hem hebben omhelsd. Op Sans Souci hechtte niemand erg aan decorum. Dat de familie en bedienden gemoedelijk met elkaar omgingen vond iedereen hier vanzelfsprekend. Het had Ivor geschokt.

'Goeie genade, Delia!' had hij ongelovig uitgeroepen toen hij voor het eerst meemaakte hoe de Chandlers hun personeel behandelden. 'In Engeland kun je je zo écht niet gedragen. Ze zullen denken dat je niet goed bij je hoofd bent!'

Ze glimlachte bij de herinnering, terwijl ze in haar meisjeskamer de nachtpon over haar hoofd uittrok en haar tot de enkels reikende amazonerok en ruiterjasje uit de kast haalde.

Ze was pas achttien, maar intelligent genoeg om te snappen dat het juist haar Amerikaanse manieren waren die haar kersverse echtgenoot zo in haar hadden aangetrokken. Hij had haar in ieder geval niet om haar geld getrouwd. Er waren Engelse mannen van adel – aristocraten met een uitgestrekt landgoed en te weinig geld om het te onderhouden – die bewust met Amerikaans geld trouwden, maar Ivor Conisborough behoorde niet tot die categorie. Hij was tweeëntwintig jaar ouder dan zij, kwam uit een zeer voorname familie, en was financieel raadsman geweest van koning Edward VII, die een jaar geleden gestorven was. Nu was hij financieel adviseur van de binnenkort te kronen koning George V. Door zijn positie en hoge afkomst was hij kind aan huis aan het koninklijk hof. En Delia zou als zijn echtgenote weldra ook tot de koninklijke kringen worden toegelaten.

Terwijl ze haar rijlaarzen aantrok, ging er een golf van verwachtingsvolle opwinding door haar heen. Ivors bezoek aan Virginia – en zijn kennismaking met haar vader – had haar toekomst een volledig ander aanzien gegeven. Als dochter uit een vooraanstaande familie in Virginia had ze uiteraard toch wel een goed huwelijk kunnen sluiten en haar leven in welstand hebben kunnen slijten, maar het leven dat ze nu tegemoetging was onvergelijkbaar met alles wat ze zich ooit had kunnen voorstellen.

Chandlers zagen vrijwel nooit een reden om uit Virginia weg te gaan, en als Delia niet met Ivor was getrouwd, zou ze ongetwijfeld een echtgenoot hebben gekregen die in de verte verwant aan haar familie verwant was. Beau Chandler misschien, een achterneef in de tweede of derde graad – dat kon ze nooit onthouden. Beau was een knappe jongen en leuk bovendien, maar drinken en gokken waren zijn voornaamste interesses waardoor het plezier dat je met hem had altijd maar van korte duur was. Met Beau had ze misschien geregeld uitstapjes naar White Sulphur Springs kunnen maken, een kuuroord dat een zekere faam genoot, en misschien waren ze af en toe naar de Niagara-watervallen gegaan, maar van een transatlantische reis zou beslist nooit sprake zijn, laat staan van een mondain leven in de hoogste sociale kringen, zoals haar in Londen wachtte. Over slechts enkele weken mocht ze zelfs aanwezig zijn bij de kroningsplechtigheid in Westminster Abbey.

Het afscheid van haar vaders paarden in de stallen viel haar zwaar. Haar vader was een geboren ruiter. Hij was lid van de befaamde Deep Run Hunt Club en had haar nog voor ze kon lopen leren paardrijden. Toen Ivor haar ten huwelijk vroeg, was dit haar grootste zorg: 'Kan ik dan wel blijven paardrijden?' had ze gevraagd, terwijl haar hart als een razende tekeerging.

'In Londen kun je elke dag rijden,' had hij geruststellend geantwoord, met het afgebeten Engelse accent dat haar ruggengraat deed tintelen. 'Veel vrienden van mijn overleden vrouw rijden iedere dag op Rotten Row in Hyde Park, dat is een ruiterpad, vlak bij de stallen. En als je wilt gaan jagen...'

'Jagen doe ik niet,' onderbrak ze hem. 'Mijn pa jaagt, ik heb het nooit gedaan.'

'Misschien bedenk je je wel als je vriendinnen elk jaar in november naar Leicestershire verdwijnen,' reageerde hij droogjes. 'We zullen zien. Eén ding is zeker: als mensen jou over een hek van twee meter zien springen weten ze meteen dat je een eersteklas amazone bent.'

Ze had willen vragen hoe ver Shibden Hall, het landgoed van zijn familie, van Leicestershire verwijderd was. Ze wist dat het in Norfolk lag, maar had geen idee hoe ver de beide graafschappen van elkaar en van Londen verwijderd waren.

'Maar we zullen het grootste deel van de tijd in Londen zijn,' zei ze nu tegen haar paard Sultan, terwijl ze zonder enig hulpmiddel op zijn rug klom.

In handgalop reed ze op het ongezadelde paard het met kinderhoofdjes geplaveide erf af, tot voorbij de omheinde weide. Het was een stralende lenteochtend en de lucht was al vervuld van zomerse geuren. Op ochtenden als deze was het alsof het weelderige, golvende landschap van Virginia zich tot in de oneindigheid uitstrekte. De enigszins stompe toppen van het Blue Ridge-gebergte waren wazig in de verte en dichterbij waren de oevers van een snelstromende rivier en een zestal kreken bedekt met dicht geboomte. Ze kende de namen van alle bomen: rode esdoorn, tulpenboom, tupelo-boom, sassafras, bitternoot, kornoelje en zuurboom. In de herfst was hun gebladerte een kleurenzee. Nu, in april, waren de wilde bloemen op hun prachtigst.

Aan de rand van de dichtstbijzijnde kreek ving ze een glimp op van het tere lila van wilde geraniums en verderop flakkerde het diepe rood van boslelies en glansden dotterbloemen, hun diepgele blaadjes glinsterend als goud.

Ze hield Sultan in en keek met de teugels slap in haar handen uit over het landschap waar ze zo van hield. Het punt was dat ze ook dol op Ivor was, en Ivors leven speelde zich nu eenmaal af in Londen, of... niet alleen in Londen. Hij voelde zich net zo thuis in Parijs, Rome en Sint-Petersburg als in New York en Washington.

Dat ze de vrouw was van zo'n voorname kosmopolitische man was, vond ze een opwindende gedachte. Al bij hun eerste ontmoeting was ze diep van hem onder de indruk geweest; maar hij behoorde tot de generatie van haar ouders, niet tot de hare. Ook toen haar vader had verteld dat hij weduwnaar was, was het geen moment in haar opgekomen dat hij wel eens romantische interesse voor haar zou kunnen hebben.

Tante Rose, de ongetrouwde zus van haar moeder, was degene die haar best had gedaan om zijn aandacht te trekken. En haar moeder had gedacht dat Rose misschien wel een kans maakte toen Ivor langer dan gepland in Virginia bleef. Maar haar vader had meteen gezien hoe het zat.

'Lord Conisboroughs huwelijk is kinderloos gebleven,' zei hij toen Delia zeer terloops over de hoopvolle verwachtingen en aspiraties van haar tante Rose begonnen was. 'Als Conisborough hertrouwt, dan zal het zijn met een vrouw die veel jonger is dan Rose. Hij zal een erfgenaam willen hebben en snel ook, gezien zijn leeftijd. Arme Rose. Ik vrees dat ze alweer bot zal vangen.'

Haar vader had gelijk, maar toen Rose hoorde dat lord Conisborough om Delia's hand had gevraagd, was ze totaal verbluft.

Ook Delia had moeite gehad het te geloven.

Maar haar vader geloofde het meteen. Hij was erg in zijn nopjes. 'Een Engelse burggraaf! Een lid van het Hogerhuis!

Verdorie, meid! Ik zéí toch dat hij op zoek was naar een jonge vrouw! Wacht maar tot *The New York Times* hier lucht van krijgt. Ze zullen ons nu wel tot de Virginische aristocratie moeten rekenen!'

Haar moeder toonde zich heel wat terughoudender. 'Hij is nog maar zo kort weduwnaar, Delia,' had ze gezegd, gezeten op de rand van het bed van haar dochter, terwijl ze Delia's hand vasthield. 'En hij is zoveel ouder. Ik zou het vreselijk vinden als je trouwt omdat je je het hoofd op hol hebt laten brengen door een Engelse adellijke titel.'

'Dat is niet zo,' had Delia heftig geantwoord. 'Ik trouw met hem omdat ik verliefd op hem ben. Ik trouw met hem omdat hij anders is dan alle mannen die ik ooit heb ontmoet, of die ik ooit nog zou kunnen ontmoeten als ik in Virginia blijf. Hij is ontwikkeld, verfijnd en intelligent – en hij is ontzettend knap om te zien. Vindt u hem ook niet ontzettend knap?'

Haar moeder dacht aan Ivor Conisboroughs gelijkmatige trekken – zijn adelaarsneus, zijn ietwat ingevallen wangen, zijn welgevormde mond, die een nooit geheel te maskeren arrogantie verried – en aan zijn donkerblonde, steile haar, glad als zijde. Ze gaf haar dochter gelijk, zij het met een onmiskenbaar gebrek aan enthousiasme.

Delia liet Sultan omkeren naar de richting van Sans Souci. Ze hoopte maar dat haar moeders terughoudendheid te maken had met het feit dat Ivor de volmaakte tegenpool was van haar vader. Die liep altijd en eeuwig op een pruim te kauwen en was tamelijk kort van stuk – hij haalde de één meter vijfenzeventig niet eens. Daarbij had hij brede schouders en een borstkas van het model kleerkast. Hij voelde zich het meest thuis in slonzige, versleten ruiterkleren en droeg zelden iets anders. Overal waar hij kwam werd er altijd druk gepraat en gelachen.

Ivor was lang, bijna één meter negentig, rookte bij voorkeur Cubaanse sigaren en liet zich op al zijn reizen vergezellen door een persoonlijke bediende. Zijn gesteven boorden waren hoger dan die van welke man in Virginia ook, en altijd droeg hij een vilten of – met het oog op de Virginische warmte – een strooien hoed bij zijn modieuze daagse pakken. Die waren van uitstekende snit, maar het kwam Delia voor dat hij zich er nooit echt gemakkelijk in voelde. Hij was bij uitstek iemand voor formele kleding. In het rokkostuum en met de hoge hoed die hij droeg als ze naar Richmond gingen, zag hij er op zijn voortreffelijkst uit.

Anders dan haar vader sprak hij alleen wanneer hij iets relevants te melden had en iets in zijn houding dwong onmiddellijk respect af. Zelfs Beau, die had lopen roepen dat hij heus niet van plan was kruiperig te gaan doen tegen een Engelse edelman, had hem met 'uwe excellentie' aangesproken toen ze kennismaakten.

Tegen die tijd wist Delia maar al te goed hoe Ivor aangesproken diende te worden. Beau had een flater geslagen.

'Noem me Ivor. Of Conisborough,' had Ivor gezegd, die er genoeg van begon te krijgen Delia's talrijke familieleden de een na de ander hetzelfde te moeten uitleggen. 'Alleen hertogen worden aangesproken als "uwe excellentie", en dan alleen nog door bedienden of door lieden met wie ze geen sociale omgang hebben.'

Beau was niet gewend aan Ivors afgebeten spreektrant en vond het een kleinerende opmerking; Delia deed haar best om hem van die gedachte af te brengen, maar Beau bezwoer dat hij het Ivor nooit zou vergeven. Toen ze een maand later in Richmond in de episcopale St James-kerk met Ivor trouwde, straalde Beau slechts door afwezigheid.

Ondanks haar kostbare bruidsjurk van zijde en satijn met een hoog lijfje, bezet met zaadparels, een spits toelopende rok en een weelderige sleep, was het niet de buitenissige bruiloft geworden die ze zich ooit had voorgesteld – of die haar moeder voor haar in gedachten had gehad, omdat het allemaal zo snel was gegaan.

'Vanwege de aanstaande kroning moet ik al bijna terug naar

Engeland. Het is voor mij onmogelijk om dan weer naar Virginia terug te komen voor een huwelijk in de lente,' had Ivor tegen haar vader gezegd, op de toon van een man die gewend is zijn zin te krijgen. 'En het zou hoogst ongepast zijn als Delia me naar Engeland vergezelde voordat ze mijn vrouw is. En dat is ook niet wat ze wil.'

Haar vader wilde dit ook niet: vandaar de gehaaste trouwerij, die alle tongen in Virginia in beroering had gebracht.

Toen ze een heuvel naderde die een volmaakt uitzicht op Sans Souci bood, zette Delia Sultan aan tot handgalop, nog steeds denkend aan haar man en aan de intimiderende indruk die hij mensen gaf. Soms voelde ook zij zich een beetje geïntimideerd, maar haar gezonde verstand zei haar dat dit heel natuurlijk was, omdat haar respect voor hem geen grenzen kende en omdat hij in veel opzichten nog steeds een vreemde voor haar was.

Tegen een achtergrond van de altijd groene bomen lag Sans Souci ingebed tussen welig groene heuvels. Dicht bij het huis bevonden zich de omheinde weilanden en iets opzij ervan de stallen en de aparte schuren voor de eenjarige paarden, de fokmerries en de wintervoorraden. Daarachter lagen keurig aangelegde appelboomgaarden.

Maar het huis domineerde alles.

Het was een groot bakstenen gebouw met een zuilengalerij, elegante ramen in georgiaanse stijl, geflankeerd door lichtgele luiken, en een stenen trap die naar de dubbele voordeur leidde. De zon glansde op het leistenen dak en de kamperfoelie spreidde zijn geur uit over de veranda waar haar vader 's avonds graag met vrienden zat, met glazen ijskoude muntcocktail binnen handbereik.

Het was het enige huis waarin ze had gewoond en plotseling greep het vooruitzicht het te moeten verlaten haar bij de keel. Sans Souci betekent 'zonder zorg' in het Frans, en haar moeder had vanaf de dag dat ze het als jonge bruid betrad gezorgd dat het huis deze naam eer aandeed.

Delia pakte Sultans teugels steviger beet. Ivor had gezegd dat ze het grootste deel van de tijd in Londen zouden zijn, maar ze wist zeker dat Shibden Hall een belangrijke rol in hun leven als echtpaar zou gaan spelen wanneer ze Ivor een erfgenaam had geschonken. Ze was vastbesloten er het soort thuis van te maken dat haar moeder op Sans Souci had gecreëerd. Het zou een huis worden dat ondanks zijn indrukwekkende pracht ook hartelijkheid en gastvrijheid zou uitstralen, met verse boeketten in elk vertrek. Een huis dat iedereen die het betrad meteen op zijn gemak zou stellen. Bovenal moest het een huis worden waar Ivor graag naar terug wilde wanneer hij kans had uit Londen weg te komen en zich aan zijn verplichtingen aan het hof te onttrekken.

Terwijl ze over het open grasland uitkeek, ging de dubbele voordeur van het huis open. Haar hart sprong op, want heel even dacht ze dat ze Ivors lange gestalte zou zien verschijnen. Ze was al bijna twee uur weg en hij moest intussen zijn opgestaan en zich hebben aangekleed, zich afvragend waar zij was. De gedachte dat hij de wei in zou lopen om haar te begroeten, even ongeduldig om bij haar te zijn als zij was om hem te zien, wond haar op.

Ze drukte haar hielen in Sultans flanken, maar al terwijl ze dit deed, zag ze dat het niet Ivor was die de veranda met zuilen betrad: het waren twee bedienden die zware zwarte hutkoffers naar buiten sleepten.

Haar teleurstelling was intens, maar ze zette zich er snel overheen. De bagage kon elk moment in een van de vele lichte rijtuigen worden geladen die hen zouden vergezellen als ze vanaf Sans Souci naar het station reden. Ze had niet veel tijd meer om in bad te gaan, te ontbijten en haar reiskleren aan te trekken. Ze zag Ivor niet, maar ergens in Sans Souci wachtte hij op haar.

In volle galop sprong ze over het verraderlijk hoge hek van rijshout dat de grens van het land van de Chandlers markeerde, verlangend naar het moment waarop ze, aan boord van

2

*H*et land waarin ze kwam wonen was volslagen anders dan ze had gedacht. Toen de Mauretania na een winderige transatlantische oversteek land naderde, had ze steile witte rotsen met daarop sappig groen gras verwacht. Maar in plaats daarvan zag ze een grimmige stad van steen. De grauwheid van Liverpool schokte haar; ze had zoiets nog nooit gezien, zelfs niet in New York.

De treinreis naar Londen bleek ook een teleurstelling. Ze zag geen pittoreske huisjes met rieten daken en voordeuren omlijst met rozenstruiken, geen kinderen die om de meiboom dansten. Ze zag alleen hier en daar kerktorens in de verte en groepen koeien die troosteloos bijeenstonden terwijl de regen neergutste. Toen de trein station King's Cross binnenstoomde, realiseerde ze zich ten volle dat het echte Engeland vreselijk afstak bij haar naïeve verwachtingen ervan, die op geïdealiseerde prenten waren gebaseerd.

Maar haar nieuwe huis was bepaald geen teleurstelling. Het was groot en imposant en had een prachtig portiek, en het stond aan een fraai plein dat slechts enkele minuten lopen van Buckingham Palace verwijderd was. De eerste verrassing die haar hier wachtte, was de strenge etiquette waarmee ze onmiddellijk werd geconfronteerd.

Het personeel, een waar leger van livreiknechten en dienstmeisjes met witte mutsen, stond in een rij opgesteld om haar te begroeten, en toen ze uit de Conisborough-Rolls Royce stapte, was hun reactie er een van algemeen ongeloof.

Ivor had haar al gewaarschuwd. 'Bereid je voor op enige ontsteltenis, lieverd,' had hij gezegd toen ze het huis naderden. 'Wat het personeel ook verwacht, in ieder geval geen achttienjarige met vlammend rood haar die uitdrukkingen bezigt als 'wat mieters', 'reuzeleuk', 'als de wiedeweerga' en – ontken het maar niet, want ik heb het je echt horen zeggen – 'sakkerloot'.

'Ik zou u erop willen wijzen,' had ze schalks geantwoord, 'dat ik reuze mijn best heb gedaan om al mijn Virginische *slang* af te schudden. Ik ben er alleen nog niet toe gekomen het door acceptabel, loepzuiver Engels te vervangen.'

De strakke rechte lijn die zijn lippen vormden, was geamuseerd opgekruld en ze had hem een liefdevol kneepje in zijn hand gegeven.

Een groter contrast dan tussen het gemoedelijke Sans Souci en de formele strengheid van het huis aan Cadogan Square leek onmogelijk. De volgende dagen had Delia koppige pogingen ondernomen haar nieuwe huis met iets van de Virginische vriendelijkheid te vullen. Af en toe schraapte Ivor zijn keel of tuitte hij zijn lippen om zijn afkeuring te uiten, maar daar trok ze zich niets van aan. Bellingham, de butler, werd al gauw haar slaaf; hij adoreerde haar en duldde van de rest van het personeel geen woord van kritiek op haar. Ze was op Cadogan Square aangekomen zonder persoonlijke bediende, maar had Ivors suggestie om een jonge vrouw met de nodige ervaring aan te nemen naast zich neergelegd. In haar plaats had ze een jong dienstmeisje uitgekozen dat ze erg aardig vond, Ellie.

Ellie was een kletskous en daar was Delia blij om, want ze wist nog steeds even weinig van Ivors eerste vrouw als op de dag dat hij haar een aanzoek deed.

'Lady Olivia was bijna nooit in Londen, mevrouw,' had Ellie gezegd toen Delia haar met klem om informatie had verzocht. 'Ze bleef veel liever op Shibden Hall.'

Deze informatie bracht Delia van haar stuk. Ze had zich Olivia nooit voorgesteld als iemand die lange perioden van Ivor gescheiden leefde.

Het was ook een mysterie waarom er tussen alle familieportretten die de wanden van het huis aan Cadogan Square sierden, niet één van Olivia hing.

Opnieuw was het Ellie die haar erover vertelde.

'Er hing er wel een, mevrouw,' zei ze terwijl ze Delia's springerige rode haar borstelde tot het knetterde, 'maar het is weggehaald.'

'Weggehaald?' Delia draaide zich achter haar kaptafel naar haar om. 'Maar waarom dan, Ellie?' vroeg ze. 'Wat kan daar in hemelsnaam de reden voor zijn?'

Verlegen op een manier die haar doorgaans vreemd was, zei Ellie: 'Ik denk dat mijnheer dat beter vond, mevrouw. Ik denk dat hij dacht dat u er liever niet voortdurend aan herinnerd wilde worden dat hij eerder met iemand anders getrouwd is geweest.'

Dat Ivor rekening hield met haar gevoelens deed haar adem stokken en ze vergaf hem op hetzelfde moment alle lange uren dat ze van elkaar gescheiden waren en die hij in het paleis, het Hogerhuis of zijn club in Pall Mall doorbracht.

Een vriend van hem, sir Cuthbert Digby, was zelfs zo vrij geweest om Ivor, luttele minuten nadat hij Delia haar nieuwe woning had binnengeleid, mee te tronen naar Buckingham Palace. Ze had haar best gedaan niet boos te worden, maar was wel gealarmeerd door de gedachte dat als sir Cuthbert model stond voor Ivors vrienden, hun echtgenotes net zo oud moesten zijn als haar moeder of, erger nog: haar grootmoeder.

Gwen, Ivors oudere zus en enige naaste verwante, was dichter bij de vijftig dan bij de veertig. Delia had al heel snel een diepe genegenheid voor Gwen opgevat, maar verlangde heel erg naar vriendinnen van haar eigen leeftijd en was bang dat die er niet zouden komen. Een troost was dat Ivor haar verzekerde dat al zijn vrienden haar in hun hart hadden gesloten.

'Cuthie vindt je een heerlijke vrouw,' had hij gezegd, terwijl hij zich haastig klaarmaakte om naar het paleis te gaan. 'O, aan dat vrijen 's ochtends moet trouwens maar eens een einde komen, liever, want anders kom ik steeds te laat.'

Ze lachte, want ze wist dat hij haar maar plaagde, en ze hielp hem zijn geklede jas aantrekken.

Hij pakte zijn hoge hoed, gaf haar een haastige kus, en was verdwenen.

Ze wilde juist om Ellie bellen toen ze zag dat Ivor in zijn haast zijn agenda had laten liggen. Ze pakte hem op met de bedoeling hem na te rennen. Er viel een foto uit de agenda en toen ze knielde om hem op te pakken, zag ze dat het een portret was van een vrouw die veel te jong was om Ivors moeder te kunnen zijn en veel te oud voor een nichtje of petekind.

Ze liet zich op haar hielen zakken, beseffend dat het alleen maar een foto van Olivia kon zijn. Ze had verwacht dat Ivors gestorven vrouw er mooi en waardig zou uitzien. Wat ze niet had verwacht, was dat ze van een oogverblindende schoonheid was.

Olivia was betoverend mooi. Ze had donker haar en donkere ogen en droeg een diamanten tiara in haar, ingewikkeld opgestoken kapsel. Haar wenkbrauwen tekenden zich scherp af en hadden een dramatische boogvorm. Haar ogen met dichte wimpers keken vrijmoedig en met een uitdrukking van wulpse schaamteloosheid de wereld in. Ze had hoge jukbeenderen en haar donker gestifte lippen waren sensueel gewelfd. De avondjurk die ze droeg was laag uitgesneden en onthulde een volle boezem en een wespentaille. Behalve de diamanten in haar haar droeg ze ook nog diamanten om haar hals, aan haar oren, haar polsen en haar vingers. Zelfs op de foto schitterde en straalde ze, een toonbeeld van exotische elegantie en glamour.

Bevend draaide Delia de foto om. 'Al mijn liefde, liefste Ivor, is voor jou en voor jou alleen' stond met zachtpaarse inkt in een uitbundig handschrift op de achterkant geschreven.

Nog heviger trillend schoof ze de foto weer terug in de agenda.

Dat Ivor klaarblijkelijk veel van zijn eerste vrouw had gehouden, had haar nooit eerder dwarsgezeten. Ze had zich zeker genoeg gevoeld van zijn liefde om zichzelf niet toe te staan jaloers te zijn op een veel oudere vrouw die gestorven was.

Maar dat was voordat ze wist hoe onweerstaanbaar mooi Olivia Conisborough was geweest. En voordat ze wist dat Olivia's portret weliswaar van de muur was gehaald, maar dat Ivor haar beeltenis nog altijd bij zich droeg op een plek waar hij deze vaak kon zien.

Met bevende handen klapte ze de agenda dicht op het moment dat ze de voordeur hoorde dichtgaan, en legde hem terug op de plek waar ze hem gevonden had.

Ze wist dat ze hierover nooit met Ivor zou kunnen praten en ook dat ze ermee moest leren leven, al was ze nog zo geschokt.

Een dag na haar aankomst in Engeland maakte ze kennis met een vriend van Ivor die ze meteen graag mocht. Ivor en zij liepen op Piccadilly toen Ivor zo plotseling bleef stilstaan dat ze bijna struikelde. Een tel later kwam er een man op hen af gelopen, die volgens Delia ergens in de dertig moest zijn. Hij had de bouw van een bokser in de klasse zwaargewicht en droeg een duifgrijs daags kostuum en zwierig schuin op zijn hoofd stond een slappe vilthoed. Hij had een air van nonchalance dat haar aan Beau deed denken en niet direct verwachtte bij iemand die blijkbaar op vriendschappelijke voet verkeerde met haar echtgenoot, die de formele uitstraling van een man van de staat bezat.

'Jerome, ik wil je graag voorstellen aan mijn vrouw,' zei Ivor, met een eigenaardige klank in zijn stem. 'Delia en ik zijn iets meer dan twee weken geleden in Richmond in Virginia getrouwd. Delia, sir Jerome Bazeljette.'

Even gleed over Bazeljettes knappe, getaande gezicht een uitdrukking die zo ondoorgrondelijk was als de buiging in Ivors stem.

'Mijn gelukwensen, lady Conisborough.' Hij gaf haar een hand en lichtte terwijl hij dat deed zijn hoed op, waardoor ze zijn haar zag, zo zwart als van een zigeuner en zo dik en krullerig als de vacht van een schaap. 'Jij ook gelukgewenst, Conisborough, uiteraard,' voegde hij eraan toe.

Tot Delia's verwondering stokte de conversatie.

Het kostte Delia nooit moeite om met wie dan ook – hoog of laag, rijk of arm – een praatje aan te knopen en nu vroeg ze op aangename toon: 'Bent u wel eens in Virginia geweest, meneer Bazeljette?'

'Nee.' Hij schrok blijkbaar een beetje van haar ontwapenende directheid. 'Nee. Is het een van de staten ten zuiden van de Mason-Dixon-lijn?'

In zijn stem klonk oprechte interesse en vriendelijkheid door ze reageerde blijmoedig. 'Ja zeker. En de Virginiërs vergeten dat ook nooit. Op Sans Souci wappert nog steeds de vlag van de zuidelijken.'

'Op Sans Souci?' In zijn bruine ogen zaten gouden vlekjes.

'Sans Souci is de naam van mijn geboortehuis, meneer Bazeljette,' zei ze, onderwijl bedenkend wàt een ontzettend knappe man er voor haar stond...

Ivor maakte een abrupt einde aan het gesprek: 'We moeten gaan, Jerome, voordat Piccadilly Circus op een dixielanddeuntje wordt vergast.'

Het was een opmerking die als grappig bedoeld kon worden opgevat, maar de hardheid die in Ivors stem doorklonk deed Delia naar adem happen.

'Misschien kan ik dan een andere keer het genoegen smaken om dixielandzang te horen,' zei Jerome. Iets in zijn stem verried dat ook hij de ijzigheid in Ivors toon had opgemerkt. Hij richtte zich tot Ivor en zei kortaf: 'Sylvia verblijft aan de Rivièra, zoals je volgens mij wel weet, Ivor. Ik weet niet precies wanneer ze van plan is terug te komen.' Zonder een antwoord af te wachten, lichtte hij zijn hoed nogmaals op en kuierde verder.

Zodra hij buiten gehoorsafstand was, zei Ivor grimmig: 'Het is niet mijn taak een man te vertellen wanneer zijn vrouw van plan is naar Londen terug te komen, maar ik kan je wel beloven, Delia, dat Sylvia op tijd terug zal zijn om jou aan het hof te introduceren.' In zijn mondhoek trilde iets en zijn lippen waren samengeperst. 'En Jerome is een baronet,' zei hij toen ze verder liepen in de richting van het Ritz. 'Iedereen met zijn titel wordt aangesproken met ofwel "baronet" ofwel "sir". Hem aanspreken met "meneer Bazeljette" was zeer ongepast. In gesprekken wordt de achternaam van een baronet nooit gebruikt, behalve door hun mannelijke vrienden. Alleen hun doopnaam wordt gebruikt, met daarvoor de titel "sir".'

Delia beet op haar lip, niet omdat het haar verdriet deed dat ze op zo'n manier werd toegesproken, maar omdat ze zó verschrikkelijk kwaad was dat ze vreesde haar stem niet in bedwang te kunnen houden.

'En hoe had ik dat moeten weten?' vroeg ze uiteindelijk toen ze het Ritz binnengingen. 'En hoe moet ik sir Jeromes vrouw aanspreken als ik kennis met haar maak?'

'Totdat je op intieme voet met haar verkeert – en ik hoop dat dat heel snel zo is – spreek je haar aan als lady Bazeljette. Echtgenotes van baronets worden nooit formeel aangesproken bij hun doopnaam, want dat wordt alleen gedaan bij de dochters van een hertog, markies of graaf.'

Het was allemaal zo idioot ingewikkeld dat Delia haar ogen ten hemel sloeg.

Gelukkig zag Ivor het niet.

Terwijl ze door de weelderig ingerichte eetzaal naar een tafel met uitzicht op het terras werden begeleid, haalde Delia even diep adem om enigszins tot rust te komen en zei toen: 'Waarom is Sylvia degene die mij aan het hof gaat introduce-

ren, Ivor?' Ze hoopte hun conversatie hierdoor een wat vriendelijker wending te geven. 'Ik zou het veel prettiger vinden als
jij het deed.'

Het veranderen van onderwerp had het beoogde effect.
Hij glimlachte vaag. 'Een presentatie aan het hof kan alleen
geschieden door een dame die zelf aan het hof geïntroduceerd
is. En aangezien Sylvia zelf geen dochters heeft, zal het haar
groot plezier doen om jou te introduceren.'

Delia maakte geen bezwaar meer. Als lady Bazeljette net zo
aardig was als haar echtgenoot zou Delia zich maar al te graag
aan haar zorgen overgeven.

Twee dagen later werd haar hoop dat ze al zwanger was de
grond in geslagen. Enkele uren gaf ze zich over aan somber-
heid, maar daarna kreeg haar gezonde verstand weer de over-
hand. Niet iedereen was als haar nicht Bella, die al in haar
wittebroodsweken zwanger was geraakt. Het zou heel goed
twee, drie maanden kunnen duren voordat ze Ivor het nieuws
zou kunnen melden waar hij zo naar uitzag. Maar ze wist dat
hij nu in ieder geval teleurgesteld zou zijn.

Hij was niet zomaar teleurgesteld. Hij was zonder meer
aangeslagen.

'Ik dacht dat een jonge vrouw als jij heel gemakkelijk baby's
kreeg,' zei hij, terwijl hij haar aankeek alsof ze zich misschien
vergist had. 'Goeie god, het is niet alsof we niet hard genoeg
ons best hebben gedaan...'

Zijn onbeschoftheid was zo onverwacht en paste zo slecht
bij hem, dat Delia naar adem snakte.

'Het spijt me, liever.' Hij trok haar op zijn knie en omhelsde haar stevig. 'Ik hoopte alleen zó op goed nieuws. Misschien
volgende maand dan, hè?'

'Ja,' zei ze, met haar hoofd tegen zijn borst aan. 'Volgende
maand misschien.' Maar terwijl zijn lippen haar haar beroer-
den, had ze het gevoel dat ze hem in de steek had gelaten...

Een week later. Ze zat bij madame Colette, de naaister die Gwen haar had aangeraden.

'Wat vreselijk jammer dat Sylvia nog steeds niet terug is uit de Rivièra,' zei Gwen terwijl ze toekeek hoe madame Colette iets verschikte aan de witsatijnen jurk die Delia aan het hof zou dragen. 'Ze laat alles altijd op het laatste moment aankomen, maar omdat Ivor zei dat ze het zo heerlijk vond dat ze jou mocht presenteren, had ik toch echt gedacht dat ze ons *au fait* zou houden van haar reisplannen.'

Delia was toch al erg gespannen bij de gedachte dat ze op Buckingham Palace voor koning George en koningin Mary zou moeten verschijnen. Ze werd nu nog zenuwachtiger.

'Als ze niet op tijd terug is, Gwen, kan jij me dan niet presenteren?' vroeg ze nerveus.

'Nee, lieve schat, dat kan ik niet.' In Gwens stem klonk spijt door. 'Alle documenten voor je presentatie zijn al bij de opperkamerheer.' Terloops voegde ze eraan toe: 'Je moet niet "kan" maar "kun" zeggen, Delia, lieve schat.'

Als Ivor haar corrigeerde, was Delia vaak uit het veld geslagen, maar van Gwen kon ze het heel goed hebben. Al vanaf hun eerste ontmoeting had Gwen haar een soort moederlijke genegenheid betoond en Delia wist dat Gwen haar alleen maar verbeterde om haar te helpen; haar hulp was altijd allervriendelijkst bedoeld.

Toen madame Colette tevreden was over het resultaat van het spelden en verschikken vroeg ze haar medewerkster de witsatijnen geborduurde sleep te brengen en die met spelden vast te zetten aan Delia's jurk, om een goede indruk te krijgen van het geheel.

'Lady Conisborough zal de waaier dragen die ik droeg bij mijn introductie.' Gwen, die er majestueus uitzag in een jurk van grijze zijde en met een breedgerande, door een rode roos gesierde hoed op haar hoofd, keek goedkeurend naar Delia's smalle taille. 'En Delia zal ook de familietiara dragen,' voegde ze peinzend aan toe.

'En nog andere sieraden?' vroeg madame Colette, die niet zou willen dat de keuze viel op iets dat de fraaie halslijn van de japon teniet zou doen.

'Een parelketting met drie snoeren,' zei Delia, 'en bijpassende oorhangers.'

'Ach! Ook een familie-erfstuk, lady Conisborough?'

Delia schudde het hoofd. 'Nee, een geschenk van mijn echtgenoot toen we tijdens onze huwelijksreis in New York waren.'

'Een volmaakte keuze voor een presentatie aan het hof, als ik het zeggen mag, mevrouw.'

Toen het passen voorbij was, stond Gwen erop dat ze de thee zouden nuttigen bij Fortnum & Mason.

Toen Delia het St. James's Restaurant binnenliep, wist ze heel goed dat ze er op haar voordeligst uitzag in haar koningsblauwe wandelkostuum: een korte bolero over een hooggesloten blouse van witte chiffon met een overdaad aan ruches, een lange rok die over haar elegante knooplaarsjes zwierde, een breedgerande blauwe hoed met smaragdgroene pauwenveren die in een verleidelijke stand op haar hoofd stond.

Gwen wisselde beleefdheden uit met verschillende andere dames die aan de thee zaten en toen, luttele minuten nadat ze waren neergestreken, kwam Jerome Bazeljette naar hen toe.

'Goedemiddag, dames,' zei hij, zich niet bewust van de vele vrouwenhoofden die zich hadden omgedraaid en hem vol bewondering nakeken.

Er verscheen een blos op het gezicht van de al wat oudere Gwen.

'Kom toch bij ons zitten, Jerome,' zei ze, op een toon die aangaf dat Jerome een veel intiemere vriend van de familie was dan Delia had gedacht. 'Je hebt mijn nieuwe schoonzuster al ontmoet, meen ik?'

'Jazeker.' Hij kwam aan tafel zitten en glimlachte. 'Helaas leent deze omgeving zich al even weinig voor een vertolking van dixielandliederen als die waarin we elkaar voor het eerst ontmoetten.'

Gwen sperde verwonderd haar ogen en Delia giechelde on-
derdrukt.

'Ik ben erg nieuwsgierig naar de high society van Virginia,
lady Conisborough,' vervolgde hij. 'Is het daar erg anders dan
hier in Londen?'

Delia had plotseling last van heimwee. 'Ja, totaal anders. In
Virginia zijn vrijwel alle leden van de hogere kringen op een
of andere manier aan elkaar verwant. En hoe ver die verwant-
schap ook is, iedereen is ervan op de hoogte. Genealogie is een
erg populair tijdverdrijf in Virginia. En daarom doet klasse er
daar veel minder toe dan hier.'

'Hemeltje!' Gwen streek haar servet glad, nauwelijks in
staat te geloven dat het er aan de overkant van de Atlantische
Oceaan zo anders aan toe ging.

'En wij zijn republikeins,' vervolgde Delia, want ze dacht
dat dit misschien iets was waaraan ze Gwen moest helpen
herinneren. 'Ons openbare leven wordt niet bepaald door een
monarchie. Hier in Londen draait Ivors leven om wat er aan
het hof gaande is, en dat van bijna alle andere mensen met
wie hij omgaat ook. En als het een keer niet gaat over zaken
die met het hof verband houden, dan gaat het wel over de
politiek.'

'Maar, liefje, dat is toch ook niet meer dan normaal.' Gwen
negeerde de decadent ogende taartjes op de etagère met
gebak. 'Gezien Ivors positie als financieel adviseur van koning
Edward bevindt hij zich in het hart van het Britse politieke
leven, nietwaar, Jerome?'

Jerome knikte. In het schijnsel van de kroonluchters, die
volop brandden ook al was het nog zo'n zonnige dag, had zijn
krulhaar een blauwzwarte gloed.

'Maar koning George,' vervolgde Gwen, 'is veel conser-
vatiever dan wijlen zijn vader – en lang niet zo kosmopoli-
tisch. Zijne Majesteit zul je niet zien ronddartelen in Biarritz
en Monte Carlo, of aantreffen in modieuze kuuroorden als
Marienbad en Karlsbad.'

'Mij daarentegen wel,' bracht Jerome te berde.

'Dat is waar,' zei Gwen op verwijtende, maar liefdevolle toon. 'En ik begrijp niet dat Sylvia dat soort gedrag door de vingers ziet.' Ze wendde zich tot Delia. 'Sylvia is zo'n sprankelend type, Delia. Als societygastvrouw kent ze haar gelijke niet. Zelfs Margot Asquith kan zich niet met haar meten.'

Margot Asquith was de echtgenote van de premier. Delia, die haar de avond ervoor had ontmoet tijdens een diner, had gemerkt dat het een vrouw was die geen mensen verdroeg die niet geweldig intelligent, scherpzinnig en geestig waren, laat staan dwazen. Het vooruitzicht dat ze als gastvrouw voor deze dame zou moeten optreden – en volgens Ivor zou dat weldra het geval zijn – vervulde Delia met ontzetting.

'Vertel ons nog meer over Virginia,' zei Gwen. 'Eten Virginiërs erg rare dingen?'

Delia nam een slokje thee, dankbaar dat de conversatie een andere wending nam, en zei: 'Misschien zou jij sommige dingen erg vreemd vinden, Gwen, maar Virginiërs denken daar anders over. Wij eten krabben met zachte schaal, kuit van elft, gebraden kip, watermeloen en huisgerookte ham – allemaal even heerlijk. En vergeleken met het leven hier gaat alles er heel gemoedelijk en informeel aan toe.'

Ze vertelde over het schitterende landschap in Virginia, over de geur van kornoeljebloesem, die in mei overal in de lucht hing, over de Blue Ridge-bergen die soms vanaf de schaduwrijke veranda van Sans Souci vaag in de verte te onderscheiden waren. Ze vertelde over de paarden van haar vader – vooral over Sultan – en over de zwoele hitte in de zomer, die in Virginia zo anders was dan het weer dat ze tot dan toe in Engeland had meegemaakt.

'Vandaag is het anders een verrukkelijk milde dag,' zei Gwen ter verdediging van het Engelse klimaat. 'Mei is in Engeland meestal de heerlijkste maand van het jaar. Maar nu moet ik echt gaan. Ik heb over twintig minuten een afspraak in de schoonheidssalon, in het House of Cyclax. Het spijt me ont-

zettend, Delia, ik had gedacht dat we samen een rijtuig konden nemen en dat ik je vooraf op Cadogan Square kon afzetten, maar daarvoor is geen tijd meer. Ik zal rechtstreeks door
moeten naar South Molton Street.'

Delia glimlachte. Ze was in het geheel niet van haar stuk gebracht. 'Dat is helemaal geen probleem, Gwen. Neem jij maar
gewoon een rijtuig en ga naar je afspraak, dan loop ik wel naar
huis.'

Gwens ogen, blauw als Chinees porselein, gingen wijd open
van schrik. 'Hemeltjelief, Delia, dat kun je niet doen! Het is
veel te ver... En zelfs al was het niet te ver, dan nog kun je niet
in je eentje naar huis lopen!'

Delia wilde juist tegenwerpen dat ze daar heel goed toe in
staat was, toen Jerome tussenbeiden kwam. Op een toon die
geen tegenspraak duldde, zelfs niet van Gwen, zei hij: 'Maak
je maar geen zorgen, Gwen. Ik zal Delia wel veilig op Cadogan Square afleveren.'

'Dat zou erg aardig van je zijn, Jerome.' Een zeer opge-
luchte Gwen liet zich door hem meevoeren, het restaurant en
het gebouw uit. Terwijl ze in een van de huurrijtuigen stapte
die bij Fortnum's op klanten stonden te wachten, zei ze tegen
Jerome en Delia: 'Ik zie jullie vanavond allebei op de verjaardag van die lieve Cuthie.'

Toen het rijtuig wegreed, leunde ze nog even naar buiten om
Jerome toe te roepen: 'Maar laat Delia alsjeblieft niet dat hele
eind naar Cadogan Square lopen, Jerome! Het is veel te ver.'

Jerome wuifde slechts totdat het rijtuig was verdwenen in
een zee van andere rijtuigen, door paarden getrokken bussen
en enkele verspreide automobielen met open kap. Toen zei hij
tegen Delia: 'Is het echt zo ver? Het is misschien net een kilometer, misschien nog wel minder.'

Ze glimlachte hem stralend toe en zei spottend: 'Voor iemand
uit Virginia is het niks. Zo ver is het bij ons van het huis naar
de stal.'

Hij grinnikte, en gezamenlijk begaven ze zich in de richting van Hyde Park Corner en Kensington, blij met elkaars gezelschap.

'Hoe bevalt het je tot nu toe, je leven in de paleiskringen?' vroeg hij, terwijl ze bij het park kwamen dat aan de andere kant aan Buckingham Palace grensde.

'Ik heb hunne majesteiten...' – ze aarzelde even, want ze wist niet of ze zich wel correct uitdrukte – 'nog niet ontmoet. Dat gebeurt pas als ik aan het hof geïntroduceerd ben. Ik ben wel naar een diner geweest waarbij ook de premier en zijn vrouw aanwezig waren. En ik heb sir Cuthbert een aantal keren ontmoet. En lord Curzon.'

'Cuthie is af en toe een beetje een zenuwpees, maar Curzon is een geweldige vent. Hij was tot een aantal jaren geleden onderkoning van India, een van de machtigste heersers op aarde dus. Kun je het je voorstellen? Op zijn achtendertigste lag het lot van miljoenen mensen in zijn handen.'

'Hij moet er imposant hebben uitgezien in zijn onderkoninklijke gewaden op een olifant,' zei ze, met een lach in haar stem. 'Hij zal ze wel vreselijk missen.'

'Wat, zijn gewaden of de olifanten?'

'De olifanten.'

Ze lachten nu allebei en eensklaps was Delia's heimwee, die voortdurend op de achtergrond aanwezig was geweest, verdwenen. Ze had eindelijk een goede vriend gevonden, en dat gaf haar een heel fijn gevoel.

Toen ze de hoek van Green Park om sloegen vroeg hij: 'Wie gaat jou aan het hof presenteren, Delia? Gwen?'

Haar ogen vlogen wijd open, zo verrast en ontsteld was ze. 'Nee, ik word geïntroduceerd door...' Ze zweeg gegeneerd. Ivor had haar verteld dat ze Sylvia moest aanspreken als lady Bazeljette – en haar waarschijnlijk ook zo moest aanduiden – zolang ze nog geen echte vriendinnen waren, maar tegen Jerome zeggen dat lady Bazeljette haar ging introduceren terwijl lady Bazeljette diens vrouw was, leek haar belachelijk formeel, vooral omdat zij en Jerome elkaar bijna als vanzelf met 'jij' en 'jou' waren gaan aanspreken. 'Je vrouw gaat mij presenteren,' zei ze, stomverbaasd dat hij dit niet wist.

Als ze gezegd had dat de Dalai Lama haar ging introduceren had Jerome er niet geschokter kunnen uitzien.

'Sylvia?' zei hij. 'Heeft Ivor Sylvia gevraagd om jou te introduceren?'

'Ja.' Haar verbazing dreigde om te slaan in paniek. 'Daar is toch niets verkeerds aan, Jerome?' Maar toen, in de veronderstelling dat zijn verbijstering een gevolg was van het feit dat Sylvia waarschijnlijk nog steeds aan de Franse Rivièra verbleef, zei ze geruststellend: 'Ivor is ervan overtuigd dat ze op tijd in Londen is voor de presentatie.'

'O ja, is dat zo?' Zijn stem klonk bijna net zo grimmig als die van Ivor toen hij zei dat het niet zijn taak was een man te vertellen wanneer zijn vrouw van plan was naar Londen terug te komen. Toen hij de verbijstering zag in haar ogen, groen als van een kat, zei hij snel: 'Ivor heeft natuurlijk gelijk. Als Sylvia gezegd heeft dat ze jou zal introduceren, dan zal niets op aarde haar daarvan kunnen weerhouden.'

Ze deden een minuut of twee het zwijgen toe. Toen zei Delia, op het moment dat ze langs Hyde Park Corner liepen, op een voor haar ongebruikelijk bedeesde toon: 'Ik vind het heel erg lastig om al die Engelse titels te onthouden en wie met wie connecties heeft, Jerome. En als ik dat nu al zo moeilijk vind, hoe moet het dan als ik in koninklijk gezelschap kom te verkeren? Want dat zal heel vaak zo zijn, heeft Ivor gezegd.'

'Onthoud gewoon dat koning George wordt aangesproken met "sir", en de prins van Wales ook. Tegen koningin Mary zeg je "ma'am". En tegen leden van het koningshuis spreek je niet, behalve wanneer ze zelf het woord tot je richten. Als er koninklijke personen bij een plechtigheid aanwezig zijn, mag je pas vertrekken nadat zij weg zijn. En als de koning en de koningin naar Shibden komen – dat hebben ze wel gedaan toen Olivia nog leefde, want Ivor heeft een zeer nauwe band met koning George, en Sandringham ligt dicht bij Shibden –

dan gelden zij, vanaf het moment dat ze het huis binnenkomen totdat ze weer weggaan, als de eigenaar ervan.'

'Maar hemeltje, wat houdt dat dan precies in?' vroeg ze. De schrik sloeg haar om het hart.

Hij schonk haar een geamuseerde grijns. 'Het betekent om te beginnen dat jij en Ivor jullie plaats aan het hoofd- en aan het andere einde van de tafel aan hen afstaan en tussen jullie gasten in gaan zitten. Maak je geen zorgen om de koninklijke etiquette. Ivor zorgt wel dat je niet de fout in gaat. Andere dingen zijn een stuk gecompliceerder.'

Ze kreunde, waarop zijn grijns nog breder werd.

'Je moet weten dat de Londense high society een ingewikkeld web van cliques en coterieën is, Delia. Sommige zijn intellectueel, terwijl het er in andere veel onstuimiger, bohémienachtiger aan toe gaat. Ivor behoort bijvoorbeeld tot de eerste groep, ik tot de tweede. En nu we het er toch over hebben... Er is iets waarvoor ik je moet waarschuwen.'

Ze wachtte verwachtingsvol af, en toen zei hij, plotseling serieus: 'Ik vertel je dit omdat ik liever heb dat je het van mij hoort dan van iemand anders... Als je eenmaal meer vrienden in Londen hebt, krijg je het namelijk beslist te horen. Ik bezit de reputatie van rokkenjager, een berucht rokkenjager zelfs, vrees ik. En voordat je me gaat vertellen dat die reputatie natuurlijk volstrekt onverdiend is, moet ik je toch even zeggen dat dat niet zo is.'

'O!' Ze wist niets anders te bedenken dan dit. Maar ineens werden haar een heleboel dingen duidelijk, want ze begreep nu waar de onmiskenbare spanning tussen Jerome en Ivor vandaan kwam, want de zo rechtlijnige, eerzame Ivor had natuurlijk grote moeite met de bedenkelijke naam van Jerome.

Ze wist dat ze ontdaan en boos zou moeten zijn over deze onthulling, maar ze zei alleen maar: 'Geen wonder dat je me aldoor aan mijn neef Beau doet denken.'

Hij barstte in zo'n bulderend gelach uit dat mensen die in de buurt liepen afkeurend naar hen omkeken.

Het kon hem niets schelen, en haar ook niet.

'Je moet me maar eens een keer vertellen over je neef Beau,' zei hij. Toen fronste hij, opeens weer ernstig. 'Luister eens, Delia, ik weet niet hoe het met de echtelijke trouw in Virginia is gesteld, maar bij de Britse aristocratie staat deze deugd niet zo erg hoog aangeschreven. Het is hier gebruikelijk om een verstandshuwelijk te sluiten en pas daarna op zoek te gaan naar liefde. En dat geldt voor echtgenotes, zodra ze een erfgenaam hebben voortgebracht tenminste, net zo goed als voor hun echtgenoten.'

'Maar... maar... wat schandalig.'

'Het doet me genoegen dat je er zo over denkt. Maar het gebeurt nu eenmaal en iedereen weet dat ook. Op het platteland houdt men bij het toewijzen van slaapkamers in het weekend tegenwoordig altijd rekening met wie op een bepaald moment met wie een verhouding heeft; dat scheelt een hoop geloop door de gangen 's nachts, want dat vindt niemand prettig. Eén ding is wel een vereiste, en dat is dat je je door niemand laat betrappen, ook al weet iedereen hoe de vork in de steel zit.'

'Want anders is het uit met de pret?'

Hij begon opnieuw te schateren. 'Ja, Delia, dan is het uit met de pret.'

Omdat ze zo openlijk met elkaar spraken, durfde Delia het aan hem een vraag te stellen die haar al een tijdje op de lippen brandde, maar die ze eerder te persoonlijk had gevonden. Ivor had gezegd dat Sylvia geen dochters had. Het was dus mogelijk dat ze ook geen zoons had en dat het huwelijk van de Bazeljettes net als dat van Ivor en Olivia kinderloos was gebleven. 'Heb je kinderen, Jerome?' vroeg ze, 'Daar heb je nog niets over gezegd.'

'Ik dacht dat je het nooit zou vragen. Ja, ik heb een kind, een zoon. Jack.'

Hij bleef stilstaan en haalde een fotootje uit zijn vestzak. 'Hij is drie. Vind je dat hij op mij lijkt?'

De foto mocht dan klein zijn, het was wel een formeel stu-

dioportret. Een jongetje dat een groot zelfvertrouwen uitstraalde, stond op een oosters tapijt naast een Chinese sierpot
met een aspidistra erin. Hij had lange donkere lokken met pij-
penkrullen waar menig meisje jaloers op zou zijn. Zijn ogen
waren even donker als die van zijn vader en hadden een stralende, pientere uitdrukking. Hij droeg een matrozenpakje,
lange witte kniekousen en witte schoenen.

'Ach, wat een schattige kleine jongen!' zei ze met oprechte
bewondering. 'Wat zul je trots op hem zijn.'

De idolatie straalde van zijn gezicht af toen hij zei: 'Dat ben
ik ook, ja.' Hij borg de foto weer behoedzaam weg in zijn vestzak.

Ze hadden de hoek van Cadogan Square bereikt en toen hij
haar had begeleid tot onder aan de trap naar het portiek met
de Griekse zuilen van het herenhuis van de Conisboroughs,
zei ze: 'Ivor is misschien al terug van het Hogerhuis. Wil je
misschien even mee naar binnen om hem gedag te zeggen?'

Hij schudde zijn hoofd. 'Nee, ik spreek hem vanavond wel
bij de Digby's. Tot vanavond, Delia.'

Ze zei hem goedendag, ongeduldig omdat Ivor misschien al
thuis was. Toen Bellingham de deur voor haar opende met de
woorden: 'Mijnheer is in de salon, mevrouw,' griste ze haar
hoed met de pauwenveren van haar hoofd, wierp hem in de
richting van het eerste het beste geschikte oppervlak en rende
naar de salon, hevig verlangend naar de omhelzende armen
van haar echtgenoot.

3

$\mathcal{H}$et was heel goed mogelijk dat er een dienstmeisje of livreiknecht binnen zou komen, maar toch kuste hij haar innig en vol passie. Ze hief haar armen, sloot haar handen om zijn hals en beantwoordde zijn kus vurig en volledig uit het hart.

Toen hij eindelijk zijn gezicht weer ophief, zei hij: 'Ik heb goed nieuws, lieveling. Sylvia is een uurtje geleden in Londen aangekomen. Ze zal vanavond aanwezig zijn op het feestje ter gelegenheid van Cuthberts verjaardag.'

'Ach, wat een heerlijke verrassing zal dat voor Jerome zijn.'

'Een verrassing? Dat denk ik niet, Delia. Hij zal haar wel van de boottrein hebben afgehaald.'

Ze schudde haar hoofd, nog steeds in zijn armen. 'Nee, dat is niet zo. Gwen en ik kwamen hem bij toeval tegen toen we bij Fortnum's aan de thee zaten en hij is met mij mee naar huis gelopen, omdat Gwen snel weg moest voor een afspraak in South Molton Street.'

Ivor trok zijn wenkbrauwen op. Zijn leigrijze ogen hadden een verschrikte uitdrukking. 'Heeft hij je naar huis gebracht? Lopend? Vanaf Piccadilly? En sinds wanneer spreken jullie elkaar bij de voornaam aan?'

'Sinds hij bij Gwen en mij aan tafel kwam zitten, bij Fortnum's. Ik weet niet precies hoe het zo gekomen is, Ivor, maar het is heel plezierig, dus wees er alsjeblieft niet boos om.'

Hij maakt zijn armen los van haar middel, maar tot haar opluchting zag ze dat hij niet boos was, alleen wat geïrriteerd. 'Ik had zoiets van Bazeljette wel kunnen verwachten,' zei hij geringschattend. 'Hij is veel te veel bohémien om zich in werkelijk goed gezelschap te gedragen zoals het hoort.'

Delia dacht dat Ivor op Jeromes privéleven als trouweloze echtgenoot doelde en hield wijselijk haar mond, omdat ze niet wilde dat haar man onmiddellijk een einde zou maken aan hun prille vriendschap. Ze pakte alleen maar liefdevol Ivors arm vast.

Zijn lichte ogen verduisterden van begeerte. 'Ik heb tegen Willoughby gezegd dat ik hem de eerste paar uur niet nodig heb.' Willoughby was zijn secretaris. 'En aangezien je toch al thee hebt gebruikt, heb je vast geen behoefte aan nog een keer. Van deze situatie kunnen we profiteren, vind je ook niet?'

Meteen gloeide ze van hartstocht. De middag was nog niet eens voorbij en toch wilde hij met haar naar bed. Ze toonde zich meteen gewillig, en had stilletjes pret. Want door met haar te vrijen terwijl het nog licht was, gedroeg haar knappe en o zo correcte echtgenoot zich zelf als een bohemien.

De mintkleurige satijnen avondjurk die Ellie haar enkele uren later hielp aantrekken was niet afkomstig uit een Londens of Frans modehuis. Ivor had hem in New York voor haar gekocht voordat ze scheepgingen. De ketting van drie rijen grote parels die hij diezelfde dag voor haar had gekocht, had precies de juiste lengte voor de gewaagd gedecolleteerde halslijn. Haar soepele glanzende rok was modieus recht van snit en raakte haar voeten maar net.

Ellie had Delia's bruinrode haar met een scheiding in het midden geborsteld, zodat het deels in golven haar gezicht omlijstte, terwijl ze de rest in een hoge chignon had opgestoken.

'Ik wil geloof ik liever geen juwelen in mijn haar,' zei Delia toen Ellie een diamanten haartooi wilde pakken. 'In de salon staan witte rozen en ik denk dat een roos in mijn chignon veel mooier staat.'

Dat was ook zo. Toen ze haar toilet volledig had gemaakt en Ivor de slaapkamer in kwam, had hij een zeer tevreden uitdrukking op zijn gezicht. Hijzelf was gekleed in een rokkostuum met witte das en een overhemd met stijve front en paarlemoeren knopen in de manchetten. Zijn haar glansde.

'Kan ik zo?' vroeg ze, zoals ze ook altijd aan haar vader had gevraagd voordat ze naar een bal in White Sulphur Springs ging.

'Jij bent het straks stralende middelpunt en alle mannen zullen jaloers op me zijn,' beloofde hij, terwijl hij tegelijk met haar de slaapkamer uit liep. Ze begaven zich door de brede gang naar de magnifieke trap met de bronzen balustrade.

Toen ze naar beneden liepen viel het haar voor het eerst op dat er op de muur tegenover de trap een plek was waar vroeger kennelijk een groot schilderij had gehangen.

Onwillekeurig greep ze Ivors arm even steviger vast, want ze twijfelde er geen moment aan dat het een portret van Olivia moest zijn geweest.

'Gaat het wel, lieveling?' vroeg hij, terwijl hij haar een snelle blik toewierp.

Ze knikte en dwong zichzelf tot een vrolijke glimlach, dankbaar dat het portret was weggehaald, omdat ze wist dat de schitterende, priemende zwarte ogen haar van haar stuk zouden hebben gebracht.

Sir Cuthbert en lady Digby bewoonden een huis aan Fitzroy Square, een halfuur rijden bij Cadogan Square vandaan. 'Niet al te gunstig voor wie vaak op Buckingham Palace of het Hogerhuis moet zijn, zei Ivor droogjes, terwijl de Rolls-Royce van de Conisboroughs door Oxford Street reed in de richting van Regent's Park.

Ivors chauffeur sloeg een aantal malen rechts af en toen ze in de buurt van Fitzroy Square kwamen, merkte Delia dat Ivors gespannenheid toenam. Dat hij ernaar uitzag om met haar te pronken wond haar op en haar nervositeit zwakte af tot een aangenaam gevoel van verwachting.

Toen sir Cuthbert en zijn bejaarde echtgenote hen ontvangen hadden, besefte Delia al snel dat het 'verjaardagsfeestje' niet zomaar een feestje was, maar een grootscheeps bal. In Virginia golden de bals die in White Sulphur Springs gehouden werden als het toppunt van elegante grootsheid, maar die vielen volledig in het niet bij dit grandioze gala.

Onder een zee van glinsterende kroonluchters hadden zich verscheidene leden van de koninklijke familie verzameld. De koning en de koningin waren er niet, maar ze wist al dat die vrijwel nooit acte de présence gaven op avondlijke evenementen bij onderdanen thuis. Er was ook een aantal koninklijke gasten uit het buitenland – zo herkende ze een Montenegrijnse prins en een Russische groothertog die ze bij de onthulling van het monument voor koningin Victoria had gezien. De rest van de gasten bestond uit Britse aristocraten en politici. Een heleboel mannen droegen militaire onderscheidingen – de Montenegrijnse prins leek wel een kerstboom – en alle vrouwen waren rijkelijk getooid met juwelen.

Aan de andere kant van de zaal zag ze Jerome praten met de minister-president en ze was blij dat er in ieder geval iemand aanwezig was die ze goed genoeg kende om een vriendschappelijk gesprek mee te kunnen voeren.

Ze walste met Ivor. Ze walste met de Montenegrijnse prins. Ze walste met lord Curzon. Op de momenten dat ze niet danste, stelde Ivor haar aan zoveel mensen voor, dat haar hoofd uiteindelijk omliep van alle namen. Juist op het moment dat ze meende met Jerome te kunnen praten, verstevigde Ivor zijn greep op haar arm en zei met een geëmotioneerde stem: 'Sylvia is gearriveerd. Eindelijk kan ik je aan haar voorstellen, Delia.'

Ze liet zich door hem tussen een menigte mensen door meevoeren naar een vrouw met donker haar, die op een vergulde stoel met dunne poten zat, met een waaier van pauwenveren in haar loom neerhangende hand.

Ze zag eruit als een koningin die onderdanen aan het hof

ontvangt, want om haar stoel had zich een halve kring van heren verzameld die volledig in haar ban leken te zijn. Haar glanzende haar lag in een vlecht opgerold op haar hoofd. Haar diepblauwe met lovertjes bezette japon was zeer nauwgesloten, zeer *soignée*. Delia wist, zelfs al voordat de vrouw bij hun nadering haar hoofd omwendde, dat haar gelaat van een oogverblindende schoonheid zou zijn.

Ivor schraapte zijn keel. 'Sylvia... ik zou je graag mijn vrouw voorstellen. Delia, Sylvia, lady Bazeljette.'

Toen Sylvia Bazeljette naar hen opkeek, realiseerde Delia zich drie dingen. Het eerste was dat ze gelijk had gehad met haar veronderstelling, want Sylvia Bazeljette was de mooiste vrouw die ze ooit had gezien. Het tweede was dat Ivor ongelijk had gehad. Haar zorgen waren nu niet ten einde. Ze vermenigvuldigden zich zo pijlsnel dat haar de adem werd afgesneden, want het gezicht van de vrouw die haar nu met een spottend-geamuseerde blik aankeek, was dat van de foto die uit Ivors agenda was gevallen. Jeromes echtgenote was de vrouw wier portret Ivor dag in dag uit bij de hand wilde hebben om haar steeds opnieuw te kunnen zien. Jeromes echtgenote was de vrouw die op de achterkant van de foto had geschreven dat al haar liefde voor hem en voor hem alleen was.

Het was zo verbijsterend, dat ze het niet kon bevatten.

'Wat heerlijk om je eindelijk te ontmoeten.' Sylvia's hese stem klonk als vergruizeld ijs en de glimlach op haar fraai gewelfde robijnrode lippen was hautain. 'Ik begreep van Ivor dat jij mijn protégée wordt.'

Delia hapte naar adem, niet langer verbijsterd.

Ze wist nu volkomen zeker dat Sylvia Bazeljette Ivors maîtresse was geweest. De veelzeggende uitdrukking in haar blauwzwarte ogen liet daarover geen onduidelijkheid bestaan. Ivors nauwelijks bedwongen ongeduld in de Rolls-Royce was niet omdat hij niet kon wachten om te pronken met haar, Delia. Hij kon niet wachten om Sylvia te zien. Toen Jerome haar had gewaarschuwd voor de ontrouw die in de Britse hoogste kringen gebruikelijk was, had hij dat gedaan om haar op dit moment voor te bereiden.

Dit besef bracht haar zo van haar stuk dat ze bijna flauwviel.

Het was Jerome, niet Ivor, die haar ervoor behoedde dat ze tegen de vlakte ging. Als uit het niets stond hij ineens naast haar en greep haar bij haar elleboog vast. Intussen zei hij nonchalant tegen Sylvia en iedereen om haar heen: 'Het is verdraaid warm hier, niet? Ik geloof dat de warmte lady Conisborough iets te veel is geworden. Misschien is het beter als we haar even mee naar buiten nemen voor wat frisse lucht.'

Zonder Ivors reactie af te wachten, leidde hij haar weg van het groepje. Pas toen ze via openstaande dubbele deuren op een balkon waren gekomen, waar godzijdank verder niemand was, draaide hij haar naar zich toe en zei op felle toon: 'Hoe is het in godsnaam mogelijk dat je het wéét.'

'Haar foto zit in Ivors agenda.' Ze begon te beven. 'Ik dacht dat hij van Olivia was.'

Hij vloekte binnensmonds.

'Ik begrijp het niet, Jerome. Was het nadat Olivia gestorven was dat... dat...' Ze wilde zeggen: *dat mijn man en jouw vrouw minnaars werden*, maar ze kreeg de woorden niet over haar lippen.

Hij maakte de zin niet voor haar af. In plaats daarvan zei hij bruusk: 'Je hebt het koud. Ik loop even naar de garderobe om je avondcape te halen.'

'Nee!' Ze legde haar hand op zijn arm, geschrokken bij het vooruitzicht alleen op het balkon achter te blijven. 'Ik heb het niet koud, Jerome. Het komt door de schok. Ik dacht dat Ivor de foto op die plek had opgeborgen zodat hij er iedere dag naar kon kijken, omdat hij nog steeds om haar treurde, al was hij nog zo verliefd op mij. Dat kon ik begrijpen...'

'Wacht hier,' zei hij. In zijn stem klonk grote emotie door. 'Ik zal je bij lady Digby verontschuldigen. Ik zeg wel dat je hoofdpijn hebt en dat ik je naar huis zal begeleiden. Ik zal zeggen dat ik dat doe in plaats van Ivor omdat de koning hem gevraagd heeft in een onofficiële hoedanigheid met een van zijn gasten te spreken. De Montenegrijnse prins lijkt me een goede keuze, omdat algemeen bekend is dat hij morgen weer terug naar de Balkan gaat.'

'En hoe moet het dan met Ivor?' vroeg ze. Ze wist dat ze het niet zou kunnen verdragen haar man in deze omgeving in de ogen te kijken, dat dat moest wachten tot ze weer in de beslotenheid van hun huis waren.

'Ik zal hem dezelfde boodschap geven, publiekelijk, zodat er niet geroddeld zal worden over het feit dat je met mij weggaat. Hij zal de smoes over de Montenegrijnse prins met beide handen aangrijpen. En als we weggaan, hoeven we niet de hele balzaal door, want er is een kleine zijtrap pal links van de balkondeuren.'

Hij verdween, zonder af te wachten of ze nog iets wilde zeggen.

Ze sloot haar ogen. Het allerergste aan alles wat er was gebeurd, was dat ze beslist niet in staat was geweest om haar eigen conclusies te trekken. Jerome had het niet met zoveel woorden gezegd, maar het was zonneklaar dat hij wist dat zijn vrouw Ivors minnares was geweest, daar kon ze niet omheen.

Door de openstaande deuren bereikten haar het gelach en het geroezemoes van geanimeerde gesprekken. En toen begon het orkest een wals van Strauss te spelen, oorverdovend hard.

Ze begroef haar nagels in haar handpalmen bij de gedachte dat ze zou moeten leren leven met het feit dat ze de ex-geliefde van haar man regelmatig zou ontmoeten. Erger nog, het was Sylvia die haar aan het hof zou presenteren.

Ze beet zo hard op haar lip dat ze bloed proefde. Ze had gedacht dat Ivor gevoelig van aard was, maar door Sylvia te vragen haar aan het hof te introduceren gedroeg hij zich onvoorstelbaar wreed. Ze herinnerde zich de geschoktheid van Jerome toen ze hem dit verteld had, de manier waarop hij had gezegd: *Heeft Ivor Sylvia gevraagd om jou te introduceren?*

Ze probeerde zich voor te stellen hoe het zou zijn om naar Buckingham Palace vergezeld te worden door een vrouw die Ivors lichaam net zo goed kende als zij, een vrouw die precies wist hoe hij kuste, die wist dat hij altijd schreeuwde als hij zijn hoogtepunt bereikte.

Het was een situatie die zo ver afstond van alles wat ze ooit had meegemaakt, dat ze geen flauw idee had hoe ze ermee om zou moeten gaan. Het enige dat ze wilde was teruggaan naar huis en daar wachten tot Ivor thuiskwam. Ze was ervan overtuigd dat alles dan weer goed zou komen. Hij zou haar uitleg geven over de foto, hij zou zeggen dat hij vergeten was dat die nog in zijn agenda zat. Hij zou haar vertellen dat hij na Olivia's dood zó verschrikkelijk alleen was geweest dat hij een verhouding met Sylvia was begonnen. Ze probeerde er niet aan te denken dat Sylvia Jeromes vrouw was en dat het ploerterig van Ivor was om haar als minnares te kiezen. Daar moest ze later mee in het reine zien te komen. Op dit moment was voor haar alleen van belang dat Ivor haar gerust zou stellen, dat hij zou zeggen dat zij de enige was die hij met heel zijn hart beminde en dat zijn tedere gevoelens voor Sylvia tot het verleden behoorden.

De deuren naar het balkon gingen weer open en Jerome kwam naar haar toe met haar cape over zijn arm. 'We kunnen vertrekken zonder dat er geroddeld zal worden, Delia,' zei hij, terwijl hij de avondcape over haar schouders drapeerde. 'Clara Digby betuigt je haar medeleven en ze zal je morgenochtend een bezoekje brengen. Ben je in staat om het kleine stukje naar de zijtrap te lopen?'

Ze knikte en hij nam haar bij de arm. Zijn woede jegens haar man en zijn eigen vrouw was zo intens dat hij dacht te zullen ploffen.

Jeromes auto stond op het plein; er was geen chauffeur. Hij opende het voorste portier aan de passagierskant. 'Ik rijd altijd zelf,' verklaarde hij, in de wetenschap dat Ivor dat nooit deed. 'Ik hoop dat je je veilig genoeg bij mij voelt.'

'Natuurlijk.' Ze schonk hem een beverige glimlach, die de ziedende woede in zijn binnenste nog verder opzweepte.

Ze dook diep weg in haar warme gevoerde cape terwijl hij de auto startte.

Even later reden ze het plein af en Fitzroy Street in. Met ontwapenende eenvoud vroeg ze: 'Ben jij Sylvia ontrouw omdat ze jou ontrouw is geweest?'

Hij stak Howland Street over naar Charlotte Street, vechtend tegen de verleiding om ja te zeggen en haar medeleven op te wekken. Hij wist dat zij, als hij dat deed, misschien over een tijdje troost bij hem zou zoeken.

Bij elke andere vrouw – vooral een vrouw die zo verpletterend begeerlijk was – zou hij dit verleidingstrucje ogenblikkelijk hebben toegepast. Maar Delia was anders dan alle vrouwen die hij ooit had ontmoet. In de korte tijd dat ze elkaar kenden was ze een vriendin geworden, en ook al hield hij er over het algemeen weinig scrupules op na, vrienden zou hij beslist nooit bedriegen.

'Nee,' antwoordde hij. 'Ik ben Sylvia ontrouw omdat dat nu eenmaal in mijn aard ligt. Het spijt me als ik je teleurstel, Delia.'

Ze schudde haar hoofd om aan te geven dat het haar niet uitmaakte; de enige die haar op dat moment kon schelen was Ivor. Ivor die ze, zo besefte ze ineens, totaal niet kende.

Jerome schakelde naar een andere versnelling. 'Wil je dat ik je ergens heen breng waar je even rustig kunt nadenken voordat je naar huis gaat? We zouden naar Hampstead kunnen rijden, als je dat wilt.'

Ze schudde haar hoofd. 'Nee, ik wil thuis zijn als Ivor terugkomt. Ik wil dat hij me uitleg geeft over die foto. En ik wil dat hij me zegt dat ik nooit meer met Sylvia hoef om te gaan als ze me eenmaal aan het hof heeft gepresenteerd.'

Ze reden door Park Lane, met rechts van hen, donker en mysterieus, Hyde Park.

Hij fronste, zijn gezicht stond grimmig. Hij had gedacht dat ze alles begreep, maar nu drong tot hem door dat ze feitelijk geen idee had. Hij zei nogal treurig: 'Als je me nodig hebt, hoef je alleen maar naar mijn club, de Carlton Club, te telefoneren en een boodschap voor me achter te laten.'

'Dank je. En ook bedankt dat je me naar huis brengt,' zei ze, toen hij Cadogan Square op draaide. 'Maar maak je over mij geen zorgen, Jerome. Je vertelde me dat huwelijkstrouw geen deugd is die bij de Britse aristocratie hoog in het vaandel staat, maar met mijn huwelijk is het anders. Hoe de situatie ook geweest is in de periode na Olivia's dood, dat is nu voorbij. Ivor houdt nu van mij en hij zal mij net zo trouw zijn als ik hem.'

Hij bracht de auto abrupt tot stilstand. Hij wist dat hij iets zou moeten zeggen.

Zijn hart klopte pijnlijk in zijn keel, terwijl hij om de auto heen liep en haar hielp uitstappen.

Ze drukte zijn hand stevig en rende toen, nog voor hij iets had kunnen zeggen, de stoep over en de trap op.

Bellingham, Ellie en de rest van het personeel waren mogelijk erg nieuwsgierig naar de reden van haar vroege thuiskomst zonder Ivor, maar daar lieten ze niets van merken. Bellingham was onverstoorbaar als altijd en toen Ellie de witte roos uit Delia's haar haalde en de chignon losmaakte, deed ze dat snel en zwijgend.

Later, toen Ellie haar alleen had gelaten, ging Delia aan haar kaptafel zitten en staarde naar haar beeltenis in de spiegel. De persoon die haar aankeek, was niet meer het zorgeloze jonge meisje dat drie uur eerder van huis was gegaan.

In haar mondhoeken waren diepe rimpels van spanning verschenen. Ze had tegen Jerome gezegd dat, wat er na Olivia's dood tussen Ivor en Sylvia ook had gespeeld, nu voorbij was, maar nu ze terugdacht aan de uitdrukking op Sylvia's gezicht flakkerde de angst in haar boezem op.

Sylvia had zich niet gedragen als een vrouw wier minnaar verliefd op iemand anders was geworden. Ze keek als een vrouw die weet dat het huwelijk van haar minnaar er totaal niet toe doet.

Voor Ivor was dat anders, dat wist ze zeker.

Ze keek naar het klokje op haar kleedtafel. Het was een uur geleden dat Jerome haar voor de deur had afgezet en met een beetje geluk had die Sylvia inmiddels verteld dat haar verhouding met Ivor voorbij was, al waren haar verwachtingen nog zo anders.

Bevangen door nervositeit begon Delia woest haar haar te borstelen. Toen hoorde ze het geluid van een dichtslaand autoportier. Ze hield haar adem in, de haarborstel bewegingloos in de lucht geheven. Even later ging de voordeur open.

Langzaam legde ze de borstel neer.

Ze hoorde het gedempte geluid van mannenstemmen, maar kon niet uitmaken of Ivor tegen Bellingham sprak of tegen zijn persoonlijke bediende. Ze hoorde zijn voetstappen op de brede trap.

Ze bleef zitten waar ze zat.

De deur ging open en hun ogen ontmoetten elkaar in de spiegel.

Hij glimlachte en deed de deur achter zich dicht. 'Ik neem aan dat je hoofdpijn weer over is,' zei hij. Terwijl hij naar haar toe liep maakte hij zijn das los. 'Het was erg jammer dat je nu juist op zo'n moment een aanval kreeg. Sylvia was erg bezorgd om je.'

Ze geloofde het geen ogenblik, maar ze zei, verbaasd dat haar stem zo vast klonk: 'Ik had geen hoofdpijn, Ivor. Ik heb het bal verlaten omdat ik een grote schok te verwerken had.'

'Een schok?' Hij wierp zijn das op haar kaptafel en informeerde geïntrigeerd: 'Wat voor schok dan?'

'Laatst toen je zo'n haast had om op tijd op het paleis te komen, vergat je je agenda mee te nemen. Ik pakte hem op om je achterna te gaan en hem je te geven, maar toen viel er een foto uit. Ik dacht dat het een foto van Olivia was en dat je nog steeds verdriet om haar had, al waren wij nog zo gelukkig samen. Maar vanavond... vanavond zag ik dat de vrouw op die foto niet Olivia was. Het was Sylvia.'

'Ik heb foto's van heel veel intieme vrienden tussen mijn persoonlijke bezittingen zitten, Delia. Over die foto van Sylvia hoef je je geen zorgen te maken.'

Ze stond niet op van haar stoel, maar draaide zich om om hem aan te kijken. 'Er stond een zeer persoonlijke boodschap achter op de foto,' zei ze. Haar stem klonk nu minder vast. '"Al mijn liefde, liefste Ivor, is voor jou en voor jou alleen," dat stond erop.'

Ze zweeg.

Aan de zijkant van zijn hoofd werd een kloppende ader zichtbaar.

Ze bevochtigde haar lippen, die ineens droog aanvoelden, en zei: 'En daardoor... daardoor weet ik dat ze vroeger je maîtresse is geweest. Ik zou willen dat je... dat je het me had verteld en dat je... en dat je niet háár had gevraagd om mij aan het hof te presenteren... Maar ik begrijp het wel. Althans, ik denk dat ik het begrijp.'

Hij mocht dan een man van de wereld zijn, maar hij zag eruit alsof hij klem zat. Hij zag eruit als iemand die niet goed weet wat hij moet aanvangen. Opeens wist ze zeker dat ze hem gerust moest stellen, dat ze hem moest zeggen dat ze niet van plan was hun geluk door Sylvia te laten vernietigen. Ze moest hem duidelijk maken dat ze volwasen genoeg was om begrip te hebben.

Ze begon, bijna struikelend over haar woorden, rap te praten. 'Mijn oom, Ellis Chandler, werd weduwnaar toen hij nog maar net veertig was en hij begon vrijwel meteen een hoogst ongepaste verhouding met een revuemeisje uit White Sulphur Springs. Een van mijn tantes was daar ontzettend boos over, maar mijn moeder zei tegen me dat het voor Ellis niet meer was dan een manier om met zijn verdriet om te gaan. En dus weet ik dat mannen die pas weduwnaar zijn geworden dikwijls een ongepaste relatie hebben.'

In plaats van dankbaar te zijn voor de excuses die ze voor hem aandroeg, barstte hij uit: 'Delia! In godsnaam! Sylvia is geen revuemeisje uit White Sulphur Springs! En er zijn totaal geen overeenkomsten tussen mij en jouw oom!'

Zijn reactie was zo tegengesteld aan wat ze verwacht had, dat ze naar adem snakte.

Hij wreef met nijdige, woeste halen over de achterkant van zijn nek en toen hij zichzelf weer in bedwang had, zei hij afgebeten: 'Het spijt me, Delia. Ik had niet zo mogen uitvallen. En het spijt me heel erg dat ik zo oneerlijk tegen je ben geweest.'

'Oneerlijk?' Het gesprek ging een richting uit die haar zo verbaasde dat ze zich duizelig begon te voelen. 'Oneerlijk op wat voor manier dan, Ivor?'

'Oneerlijk omdat ik met je getrouwd ben zonder je te vertellen van mijn relatie met Sylvia.'

'Je gewézen relatie met Sylvia,' zei ze, met een stem zo geknepen dat ze hem zelf nauwelijks als de hare herkende. 'Dat bedoel je toch, Ivor, je gewézen relatie?'

Hij schudde zijn hoofd en ze raakte door paniek bevangen. Vergeefs probeerde ze de zaken van zijn kant te bekijken en zei: 'Ik besef dat ons huwelijk een schok voor Sylvia moet zijn geweest, Ivor. En ik begrijp heel goed dat je, gezien je vriendschap met haar voordat je relatie met haar veranderde, vindt dat je haar nog iets verschuldigd bent, maar...'

'Nee, Delia.' De uitdrukking in zijn ogen was er een van hevige spijt over het verdriet dat hij haar ging aandoen. 'Sylvia en ik zijn nooit alleen maar bevriend met elkaar geweest.'

Ze knipperde met haar ogen, een en al verwarring. 'Ik begrijp het niet.'

'We zijn altijd minnaars geweest,' zei hij, en toen, alsof hij niet in staat was de verdrietige uitdrukking in Delia's ogen te verdragen, draaide hij zich om en liep naar het raam.

Ze zei niets. Ze kon geen woord uitbrengen.

Hij hield het gordijn opzij en keek naar buiten. 'Al voor

mijn huwelijk met Olivia waren we minnaars. Al voor Sylvia's huwelijk met Jerome.' Hij liet het gordijn weer vallen en draaide zich weer naar haar om. 'Ik zou het je verteld hebben als we wat langer getrouwd waren, als je wat wereldwijzer zou zijn geworden en beter begreep hoe mijn wereld in elkaar zit.'

'Je bent met mij getrouwd terwijl je van een ander hield?' Ze had het gevoel op de rand van een peilloze afgrond te staan. 'Je bent met mij getrouwd zonder van me te houden?'

'Ik geef toe dat ik een bijkomend motief had toen ik je vroeg met mij te trouwen, maar dat wil niet zeggen dat ik niet van je houd, Delia. Dat doe ik wel, op mijn manier. Ik vind het heerlijk om naar je te kijken en ik vind het heerlijk om bij je te zijn... en ik beleef onnoemelijk veel plezier aan jou.'

Ze stortte in de afgrond. 'Maar ik ben niet degene van wie je zielsveel houdt.' Haar gezicht stak doodsbleek af bij haar vuurrode haar. 'Dat is Sylvia. Je houdt meer van haar dan van mij.'

'Ik houd van haar op een andere manier.' Hij zweeg, zoekend naar woorden. 'Ze is mijn gelijke op intellectueel gebied,' zei hij uiteindelijk. 'En we zijn al twintig jaar aan elkaar verknocht. Het is een situatie die je zult moeten accepteren, Delia.'

Haar hart bonkte. Toen ze met Jerome onderweg was naar huis had ze zich van alles in haar hoofd gehaald, maar geen enkel scenario dat ze had bedacht was vreselijker dan dit.

'Je wilt haar niet opgeven?'

Hij schudde zijn hoofd. 'Nee, het spijt me.'

Ze wilde op hem af vliegen en zijn gezicht openhalen, tegen hem schreeuwen dat hij Sylvia móést opgeven, maar ze deed het niet. Ze was zo geschokt dat ze als verlamd was, en ze wist ook dat het zinloos was. In de korte periode dat ze met Ivor getrouwd was, was ze gaan beseffen dat hij, ondanks zijn beminnelijke charme, een onverzettelijke kant had. Hij zou zich nooit iets aantrekken van tranen, scènes en eisen.

Ze besefte dat hij haar voor een keuze plaatste. Ze kon haar positie accepteren – die van een pasgetrouwde vrouw wier man al heel lang een minnares had – of ze kon dat weigeren. En als ze dat laatste deed, zou het uiteindelijk op een echtscheiding uitdraaien.

Feitelijk was er helemaal geen sprake van een echte keuze.

Ze zou het beste moeten zien te maken van wat het lot haar had toebedeeld, maar ze zou niet meer de Delia zijn die Ivor had getrouwd, een liefdevolle, zorgeloos gelukkige Delia, die een en al vertrouwen was. Er zou een nieuwe Delia opstaan. Een door de wol geverfde Delia. Een Delia die zich heel goed staande zou kunnen houden in de luisterrijke, cynische, amorele wereld waarin ze terechtgekomen was.

'Er zijn maar twee dingen die ik wil weten,' zei ze, terwijl haar prachtige luchtkastelen in het niets oplosten. 'Als je al van Sylvia hield voor je huwelijk met Olivia, en voor haar huwelijk met Jerome, waarom ben je dan niet met háár getrouwd?'

Hij haalde een zilveren sigarenkoker uit de binnenzak van zijn rokkostuum en haalde de sigaar eruit. 'Olivia was de enige dochter van de hertog van Rothenbury,' zei hij, terwijl hij de punt van de sigaar afknipte met het sigarenschaartje dat aan zijn horlogeketting hing. 'Sylvia's vader was weliswaar miljonair, maar hij zat in de handel – niet dat veel mensen dat nu nog weten. Het onderscheid was voor mij toen nog erg belangrijk. Wat is het tweede dat je wilt weten?'

Ze begon te beven, ze begreep niet waarom ze niet ter plekke van verdriet bezweek. 'Je zei dat je een bijkomend motief had om met me te trouwen.' Het kostte haar enorme inspanning de woorden over haar lippen te krijgen. 'Wat was dat?'

Hij stak zijn sigaar aan, inhaleerde en blies kringelende blauwe rook uit.

'Ik wilde een erfgenaam,' zei hij eenvoudig. 'En dat wil ik nog steeds.'

De tijd leek haperend tot stilstand te komen en ze wist dat niets ooit nog hetzelfde zou zijn.

Ze herinnerde zich wat haar vader had gezegd over tante Rose, die hoopte Ivor aan de haak te slaan: 'Als Conisborough hertrouwt, dan is het met een vrouw die veel jonger is dan Rose. Hij zal een erfgenaam willen hebben en gezien zijn leeftijd snel ook.'

Ze dacht aan al die keren dat hij zo hartstochtelijk de liefde met haar had bedreven. Was dat steeds alleen maar geweest omdat hij behoefte had aan een erfgenaam? Ze wist dat ze dit nooit zou weten en dat ze het ook in de toekomst als ze met elkaar naar bed gingen nooit zou weten.

Het enige dat ze met zekerheid wist, was dat hij niet van haar hield op de manier die ze verdiende... en dat haar hart gebroken was.

4

'Ik denk dat ik vanavond maar de geborduurde goudzijden japon van Poiret aantrek, Ellie. Over vier weken is het al Kerstmis en het brengt me vast in een passend feestelijke stemming.'

'Op Shibden zal het er binnenkort ook passend feestelijk uitzien, mevrouw,' kwetterde Ellie terwijl ze de enorme hangkast van Delia opende om de avondjurk eruit te halen. 'De hoofdtuinman zorgt altijd dat er een heel grote spar in de hal staat en in de tijd dat lady Olivia nog leefde, mocht al het personeel helpen bij het optuigen.'

'O ja?' Delia ging door met het openen van het ene juwelenkistje na het andere. 'Dat is interessant. Dat wist ik niet.'

'Ik denk dat mijnheer er niet aan heeft gedacht het te vertellen, mevrouw.' Ellie legde de japon op het bed. 'Maar iedereen beleefde er altijd wel veel plezier aan.'

Het was duidelijk wat haar bedoeling was en Delia stelde haar niet teleur. 'Als het een traditie is geworden, dan zal ik die in stand houden,' zei ze, terwijl ze probeerde te kiezen tussen een halssnoer van smaragden en een van diamanten. 'Weet je of de premier al is aangekomen?'

'Hij kwam ongeveer een kwartier geleden, mevrouw.' Ellie hielp haar de jurk aantrekken. Mevrouw Asquith is op haar kamer, met haar dienstmeisje. Mijnheer en de premier voeren een privégesprek in de Blauwe Kamer.'

Delia hield haar adem in terwijl Ellie de haakjes en oogjes van de japon vastmaakte, totaal niet verbaasd dat Ellie zo precies wist waar de belangrijkste gasten van die avond waren. 'En sir Cuthbert en lady Digby?'

'Die zijn nog op hun kamer. Parkinson zei dat sir Cuthbert er bij aankomst nogal moe uitzag.'

Parkinson was de butler van Shibden Hall en net als Ellie ontging hem niets.

'En zijn de meeste andere gasten er ook al?' Delia was al verscheidene malen eerder gastvrouw tijdens weekendfeesten op Shibden Hall geweest, maar dit was de eerste keer dat de premier er was en ze zou heel graag zien dat alles gladjes verliep. Dat iemand zou afzeggen, was het laatste wat ze wilde.

'Ja, mevrouw.'

'De *damn yankee* ook?'

Ellie grinnikte. Delia gebruikte die aanduiding wel vaker, meestal op een minachtende toon, maar in dit geval was het een uiting van innige genegenheid. 'Nee, de hertogin van Marlborough staat erom bekend dat ze altijd te laat is.'

'Ach, wat maak 't uit. Geen mens zo aardig als zij en dus kannen we het wel hebben.' Delia verviel niet meer zo gauw in plat taalgebruik, maar als ze het deed moest Ellie altijd lachen.

Ze giechelde nu ook terwijl Delia haar de smaragden ketting aanreikte.

'En sir Jerome en lady Bazeljette?' vroeg ze terwijl Ellie het halssnoer vastmaakte. Ze liet uit niets blijken hoe veel moeite het haar kostte de naam van lady Bazeljette uit te spreken.

'Nog niet, mevrouw.'

Delia deed haar smaragden oorhangers in. Ze wist dat het uitgesloten was dat Sylvia zou afzien van een weekend op Shibden Hall.

Het was een kwestie waarover zij en Ivor grote ruzie hadden gehad. 'Ze kwam niet naar Shibden toen Olivia nog leefde,' had Delia hem woedend voorgehouden. 'Dat weet ik, want Jerome heeft me verteld dat hij hier nooit werd uitgenodigd. Hij liet zich niet duidelijk uit over de precieze reden, maar de enige reden die ik kan verzinnen is dat Olivia er een stokje voor stak.'

'Zij kreeg dat voor elkaar omdat zij de dochter van een hertog was,' zei Ivor. 'Maar jij, lieveling, bent nog niet in die positie. En als zij niet hier wordt uitgenodigd door jóú, dan leidt dat precies tot het soort roddels dat jij zo graag zou vermijden.'

Delia, die allang geen ontzag meer voor hem had, had hem een boek naar zijn hoofd gegooid.

Dergelijke scènes waren godzijdank zeldzaam, wat iets te maken had met het feit ze veel minder vaak samen waren dan ze ooit voor mogelijk had gehouden. Dat kwam niet doordat Ivor zoveel tijd aan Sylvia spendeerde, maar doordat hij als adviseur van de koning een zwaar programma had.

Delia was genoodzaakt geweest zich in rap tempo aan te passen aan een leven waarin het hof en de koninklijke entourage het middelpunt vormden en had daardoor nauwelijks de kans gehad om te tobben. Om te beginnen was er de presentatie aan het hof. Delia had erop gestaan dat Ivor Sylvia meldde dat zij van hun verhouding op de hoogte was, dat ze besefte dat ze er niet omheen zou kunnen door Sylvia aan het hof te worden gepresenteerd, maar dat ze niet van zins was met Sylvia over het onderwerp van gedachten te wisselen, wanneer dan ook.

Ivor had zich van deze opdracht gekweten en vanaf dat moment was er geen geringschattend vermaak meer te lezen geweest in Sylvia's donkere paarsige ogen wanneer ze elkaar ontmoetten. Sylvia spreidde, achter een vernisje van onberispelijke beleefdheid, alleen nog maar kille hooghartigheid ten toon tegenover Delia, die van haar kant precies hetzelfde deed.

De introductie aan het hof was Delia's vuurdoop geweest, maar ze had zich er met glans doorheen geslagen. Daarna was er niets meer geweest waar ze tegen opzag en kon ze alles aan, zelfs de ontzagwekkende kroningsplechtigheid. In haar rode met hermelijn afgezette gewaad had ze er zo vorstelijk uitgezien – en zich ook zo gevoeld – dat ze niet dacht dat iemand uit Virginia haar nog zou herkennen. De lengte van de sleep en de breedte van het hermelijn gaven iemands rang aan en zij droeg, als burggravin, een sleep van één meter vijftien terwijl de hermelijnen rand van haar japon vijf centimeter breed was. Het deed haar genoegen dat de sleep van Sylvia Bazeljette een stuk korter was en haar hermelijnen rand veel smaller.

Drie weken na de kroning hadden zij en Ivor de inhuldiging van Edward, de prins van Wales, bijgewoond op kasteel Caernarvon. Ook dit was een plechtigheid van middeleeuwse grandeur geweest. De zeventienjarige goudblonde prins zag er ondanks zijn zware gewaden en zijn met Franse lelies gesierde kroon uit als een kind.

Ze was zo verrukt van het hele schouwspel dat ze Ivors arm steviger had vastgegrepen en hem bijna buiten adem had toegefluisterd: 'O, wat een mieterse bedoening, Ivor! Ik ben zo blij dat ik erbij mag zijn!'

Hij had een klopje op haar hand gegeven en glimlachend op haar neergekeken, en even was het bijna zoals het tussen hen was geweest voordat ze van zijn ontrouw weet had. Bíjna, maar niet helemaal... En dat deed nog steeds pijn.

Ze bekeek zichzelf nu een laatste maal in de driedubbele spiegel en was ingenomen met wat ze zag. De smaragden pasten volmaakt bij haar rode haar, en haar goudzijden japon sloot zo verleidelijk om haar jeugdige lichaam dat ze zich niet kon voorstellen dat iemand er stralender uit zou zien dan zij, ook Sylvia niet.

Er werd op de deur geklopt en Ellie deed open. Het was Gwen.

'Lieve schat, bijna iedereen is al in de salon en het wordt echt tijd dat je verschijnt,' zei ze, terwijl ze zwierig de kamer binnenkwam. Haar hoekige postuur was gehuld in een schitterende avondjurk van grijze met kraaltjes bezette zijde en om haar hals droeg ze een ketting van parels en diamanten die tot haar taille afhing. 'Ik zag Margot Asquith zojuist. Ze ziet er erg indrukwekkend uit, maar ach, dat doet ze altijd. Toen ze aankwam droeg ze een heel lange, vuurrode mantel. Je weet toch dat je haar voornaam uitspreekt zonder de "t"? Ik zeg het alleen maar omdat je wel nerveus zult zijn en omdat Amerikanen zo'n moeite hebben met Engelse namen. De Amerikaanse ambassadeur sprak Pugh ooit aan als Pug. Die arme man van mij raakte geheel en al buiten zichzelf en bleef maar sputteren totdat iemand hem een groot glas cognac bracht om hem te kalmeren.'

Delia grinnikte. 'Het verbaast me totaal niet dat mijn landgenoot volledig de kluts kwijt was. Het verschil tussen uitspraak en spelling van Engelse namen is soms zo groot dat je er hoofdpijn van zou krijgen. Namen als Cholmondeley, Dalziel en Geoghegan... daar kom je alleen maar uit als iemand je ze voorzegt. Maar ik ben niet nerveus, hoor, Gwen. Echt niet.'

Gwen hield haar hoofd schuin. 'Nee, dat ben je niet, hè? Je bent nog zo jong en zo heerlijk levenslustig... Maar toch heb je jezelf volledig in bedwang. Je bent inmiddels echt een societyjuweel voor Ivor, een grote aanwinst, en dat weet hij ook.'

'O ja?' Delia trok een wenkbrauw op. Toen liep ze arm in arm met haar schoonzuster naar beneden om haar gasten te begroeten.

Er waren twintig gasten voor het diner. De premier en mevrouw Asquith. De hertog en hertogin van Girlington. Consuelo, hertogin van Marlborough. De graaf en gravin van Denby. Gwen en haar echtgenoot. Sir Cuthbert en lady Digby. Lord Curzon. Mevrouw Marie Belloc Lowndes, een vermaard romanschrijfster en een intieme vriendin van Margot Asquith. Winston Churchill, minister van Marine, en zijn vrouw Clementine. Sir John Simon, advocaat-generaal. En sir Jerome en lady Bazeljette.

Toen Delia haar plaats tegenover Ivor aan het hoofdeinde van de tafel innam, glimlachte hij even naar haar, zoals hij nog maar zelden deed. Zo wist ze dat hij ingenomen was met haar verschijning en met het zelfvertrouwen dat ze uitstraalde. Al na een paar minuten begon Sylvia ruzie te zoeken. Ze wist dat Marie Belloc Lowndes de suffragettebeweging zeer toegewijd was en dat Ivor en de meeste andere gasten, met name de premier, lord Curzon en de heer Churchill, daar niets van moesten hebben. Ze vroeg liefjes: 'Ik heb begrepen dat je laatst aan de mars voor vrouwenkiesrecht hebt meegedaan, verkleed als koningin Boadicea. Was het niet te killetjes voor je, Marie?'

'Ik liep niet met naakte boezem hoor, Sylvia.' Marie nam een slokje wijn. 'En als het je bedoeling was me het schaamrood naar de kaken te jagen, dan is dat mislukt.'

De heer Asquith, wiens regering weigerde toe te geven aan de druk van de suffragettebeweging, schraapte zijn keel.

Zijn vrouw, die het zat was dat er aldoor ramen sneuvelden op Downing Street nummer 10 en zeker wist dat de suffragettes haar echtgenoot het liefst geweld zouden aandoen, kwam met krakende stem tussenbeide: 'Heus, Sylvia, is het niet voldoende dat we in ons dagelijks leven last hebben van die suffragette-nonsens? Moeten we er op huiselijke partijtjes nu ook al een probleem van maken?'

Sylvia die gekleed was in een glinsterende zwarte jurk die haar schouders vrijliet, maakte een onverschillig gebaar. Delia zag dat haar blik die van Ivor ontmoette.

Delia voelde woede in zich opkomen, want ze was ervan overtuigd dat Sylvia haar opmerking niet had geplaatst om Marie te kijk te zetten, maar om haar, Delia, ertoe te brengen dingen te zeggen waar Ivor kwaad om zou worden en die de Asquiths van haar zouden distantiëren.

Ze was een groot bewonderaarster van de suffragettes en het kostte haar enorme inspanning om niet in Sylvia's val te trappen. Maar juist toen ze het gevoel had dat ze zich niet langer kon beheersen, zei de minister van Marine, zich niets aantrekkend van de duidelijke hint om het onderwerp te laten rusten strijdvaardig: 'Vrouwen hebben geen kiesrecht nodig.

Ze hebben vaders, broers en echtgenoten die hun standpunten kunnen uitdragen.'

'Is dat echt zo?' Viola Girlington tilde veelbetekenend een naakte schouder omhoog uit een zee van indigokleurige tule. 'Girlington draagt míjn standpunten anders niet uit.' Ze keek naar haar man, die aan de andere kant van de tafel tussen Consuelo Marlborough en Clementine Churchill in zat. 'Ik weet zelfs niet zeker of hij ze wel kent.' Ze zei het met humor in haar stem, wat de angel uit haar woorden haalde. 'En wat zou ik onze lieve Marie graag uitgedost als koningin Boadicea willen beeldhouwen.'

'Ik zou het prachtig vinden als je dat deed,' zei Jerome, 'vooral als je haar uitbeeldt met ontblote boezem.'

Er ging gelach op en aangezien Viola een echte kunstenares was, ging het gesprek daarna verder over kunst, niet meer over de suffragettes.

Jerome zocht de blik van Delia en gaf haar een discreet knipoogje, wetend dat zij zich alleen maar had ingehouden om Sylvia geen plezier te doen.

Terwijl de livreiknechten afruimden na de eerste gang, nam Delia zich voor zich bij de eerste de beste gelegenheid bij de Sociale en Politieke Unie van Vrouwen aan te sluiten. Ivor zou het niet prettig vinden, maar daar zou ze zich geen fluit van aantrekken.

Consuelo sneed een nieuw onderwerp aan. Ze zei met haar zachte stem: 'Wisten jullie dat de aanstaande bruid van lord Croomb een Amerikaanse is?' Ze glimlachte naar Delia. 'Wij Amerikanen zullen aan deze zijde van de Atlantische Oceaan niet lang meer in de minderheid zijn.'

'Ik heb gehoord dat de bruid miljoenen waard is en dat de bruidegom rijk aan grond is, maar bij kas zit,' zei Sylvia met een schor lachje. 'Dus is het eerder een zakelijke fusie dan een huwelijk.'

Weer werd er gelachen, maar Consuelo lachte niet. Delia lachte ook niet, want ze wist dat Consuelo's moeder haar gedwongen had tot haar huwelijk, puur om een titel in de wacht te slepen, terwijl de hertog spoorwegaandelen ter waarde van miljoenen dollars van Consuelo's vader had ontvangen. Delia was dol op Consuelo en wist dat ze diepongelukkig was.

Toen ze de uitdrukking in Consuelo's ogen zag, drong ineens tot Delia door dat Sylvia waarschijnlijk lang niet zo populair was als ze gedacht had – in ieder geval niet bij andere vrouwen.

Die gedachte monterde haar op. Ze wilde niet dat mensen Sylvia aardig vonden. Ze wilde dat ze haar niet konden luchten of zien.

Tegen de tijd dat het dessert werd geserveerd, werd er over politiek gepraat.

'Het lijkt erop dat Europa zich in rap tempo in twee gewapende kampen aan het opsplitsen is,' zei George Curzon, met zijn vork in zijn pêches à la reine Alexandra prikkend. 'Aan de ene kant is er de Triple Entente tussen Engeland, Frankrijk en Rusland; aan de andere de alliantie tussen Duitsland, Oostenrijk-Hongarije en Italië. Wat denk jij dat er gaat gebeuren?'

Hij keek naar Herbert Asquith toen hij dit zei, maar het was Winston Churchill die antwoord gaf. 'Het wordt oorlog,' zei hij nadrukkelijk. 'En daarop moeten we voorbereid zijn, is het niet zo, premier?'

Asquith zuchtte diep. Delia, die hem inmiddels verscheidene malen had ontmoet en een van zijn favorieten was geworden, begreep dat hij op een ontspannen weekeinde had gehoopt, ver weg van de beslommeringen die zijn ambt meebracht. Hij was niet erg lang, maar was forsgebouwd en bezat een massieve kop. Enigszins vermoeid wendde hij zich tot zijn minister van Marine en zei: 'De minister van Buitenlandse Zaken komt binnenkort met een voorstel om hier een conferentie met Duitsland en Italië te houden. Daar zouden we de zaken moeten kunnen regelen. Want niemand van ons wil oorlog, nietwaar Winston?'

Winston keek alsof hij maar al te graag oorlog wilde en aan de uitdrukking van zijn gezicht te oordelen wilde George dat ook.

Terwijl het gesprek werd voortgezet door de gravin van Denby, die met een stem als zijde verklaarde: 'Nu buitenlanders hun legers aan het uitbreiden zijn, ben ik geheel vóór een versterkte marine,' beleefde Delia een ogenblik van verscherpt zelfbewustzijn.

Ze was niet direct gelukkig – zolang Ivors relatie met Sylvia standhield, kon ze niet gelukkig zijn – maar ze voelde zich op dit moment toch opgetogen. Hoe kon het ook anders? Ze mocht gastvrouw spelen voor mensen die enorm voornaam, machtig en intelligent waren. Ze vroeg zich af hoe het moest zijn om niets prikkelenders te hebben om naar uit te kijken dan een weekendje in White Sulphur Springs, en rilde bij de gedachte. Ze miste Sans Souci en haar moeder nog heel erg, maar ze wist ook dat ze het er niet meer zou kunnen uithouden, niet nu ze zo genoot van haar leven als burggravin Conisborough.

Met behulp van Jerome had ze heel veel geleerd over de Europese politiek, zodat ze de gesprekken die nu bij haar aan tafel werden gevoerd niet alleen kon volgen, maar er ook aan kon bijdragen. Ze was republikeins tot op het bot, maar ze genoot desondanks van al het theater dat aan het koninklijk ceremonieel te pas kwam. Ze had ontdekt dat een diner op Buckingham Palace een verbluffend saaie aangelegenheid was, maar het was een ervaring die ze voor geen goud had willen missen. Hetzelfde gold voor een bezoek aan het nabijgelegen Sandringham, waar ze met de prins van Wales had kennisgemaakt. Hij was maar een jaar jonger dan zij en ze hadden het geweldig met elkaar kunnen vinden.

Met de meeste van Ivors vrienden en bekenden was het hetzelfde verhaal. Ze deed erg haar best om het hun naar de zin te maken, maar vooral met hun kinderen had ze meestal meteen een band. Daphne, een van de dochters van de hertog en hertogin van Girlington, was bijvoorbeeld net zo oud als zij en gedroeg zich heerlijk onconventioneel. Ook met de schoondochter van de premier, Cynthia, had ze vaak veel plezier.

De enige echte wanklank in haar leven was Sylvia, die ze tegenkwam bij vrijwel alle sociale gelegenheden die zij en Ivor bezochten. Wat dit nog enigszins draaglijk maakte, was dat Ivor zich altijd onberispelijk gedroeg wanneer Sylvia op Cadogan Square of op Shibden Hall was. Bij logeerfeesten op Shibden House maakten veel gasten nachtelijke uitstapjes naar een andere dan hun eigen kamer, maar Ivor deed dat nooit. Wat hij elders uitspookte, was uiteraard een andere kwestie.

Een van de grootste schokken die ze te boven had moeten komen, was dat Jerome inderdaad niets dan de waarheid had gesproken toen hij haar vertelde dat amoureuze intriges in de high society aan de orde van de dag waren. Sir Cuthbert was bijvoorbeeld in een gepassioneerde affaire met lady Denby verwikkeld; hun beider partners, die nu aan tafel deelnamen aan de algehele vrolijkheid, leek dit niet in het minst te deren. Het was een welbekend feit dat de affectie van de hertog van Girlington grotendeels uitging naar Violet Vanburgh, een actrice, in plaats van naar zijn vrouw Viola, die op haar beurt echter, fraai als ze was, kon kiezen uit een schare van aanbidders. Zelfs van de premier was bekend dat hij zijn vrije uurtjes liever doorbracht met de dochter van lord Sheffield dan met Margot, maar aangezien Margot een met zo'n formidabele, scherpe tong uitgeruste dame was, was dat niet al te verbazingwekkend.

Delia keek naar Winston en Clementine. Ze waren nog niet zo lang getrouwd en tot nu toe deden er geen geruchten over ontrouw de ronde; Delia dacht ook niet dat die er ooit zouden komen. Jerome was uiteraard de kampioen wat betreft overspel. Na een lange verhouding met prinses Sermerrini, een lid van het koninklijk huis Savoye, onderhield hij nu een relatie met twee getrouwde vrouwen, want dit was, zo zei hij, wel zo uitdagend.

Jerome was net teruggekeerd van een vakantie op het Europese vasteland – hij was in Berlijn, Rome en Parijs geweest.

Hij zat nu achterovergeleund met een cognacglas in zijn hand; met zijn gebruinde huid en zigeunerzwarte krullen stak hij scherp af bij de andere mannen, die allemaal op leeftijd waren en grijze haren hadden of anders, zoals Ivor, George en Winston, hun vaalblonde haar plat op het hoofd droegen. Terwijl ze de tafel zo af zat te kijken, zag ze de premier een veelbetekenende blik met Jerome uitwisselen. Ze vroeg zich af hoe de verhouding tussen die twee lag, want Jerome maakte geen deel uit van de regering, maar had blijkbaar een verrassend goed contact met de heer Asquith.

Winston vertelde moppen, de champagne vloeide rijkelijk, de geestigheden vlogen over en weer over tafel, en Delia wist dat iedereen zich kostelijk vermaakte. Na de maaltijd toonde Ivor zich van zijn informeelste kant: hij zag geen reden de dames de eetkamer te laten verlaten toen de mannen de port lieten rondgaan. Toen ze later allemaal in de salon bijeen waren, vroeg Gwen aan George Curzon of hij Tennysons gedicht 'De vergelding: een ballade van de vloot' wilde voordragen.

'Nu de goede Winston minister van Marine is, vind ik dit zeer toepasselijk,' zei ze, toen Ivor voor de grap kreunde. 'Vooral omdat onze marine mogelijk al spoedig vijandelijke schepen moet weerstaan.'

'Zeker, Gwendolyn.' Curzon kwam overeind, nam een plechtstatige pose aan en begon sonoor het gedicht te declameren over sir Richard Grenville die bij Flores op de Azoren voor anker lag toen een pinas kwam melden dat er drieënvijftig Spaanse oorlogsschepen aan de einder waren verschenen. Toen Curzon bij de laatste woorden van het tiende couplet was aangekomen – 'Vecht door! Vecht door!' – werd er daverend geapplaudisseerd.

Daarna haalde Consuelo Viola Girlington over te zingen terwijl ze zichzelf op de piano begeleidde. Toen Viola was uitgezongen, zei Sylvia op een valszoete toon: 'Nu is het jouw beurt, Delia. We hebben jou nog nooit horen zingen, maar ik ben ervan overtuigd dat je een prachtige stem hebt.'

Delia begreep ogenblikkelijk dat Sylvia dit voorstel alleen maar deed omdat ze dacht dat Delia geen toon kon houden. Ze aarzelde net lang genoeg om aan Sylvia's ogen te kunnen zien dat ze gelijk had. Haar Virginische accent sterk overdrijvend, zei ze: 'Wat een verrekkes goed idee! Ik zal maar wat graag voor jullie zingen.'

Ivor trok zijn voorhoofd in een waarschuwende frons, geïrriteerd door haar taalgebruik; hij meende bovendien dat iedereen die na Viola zong vreselijk moest klinken.

Delia negeerde hem en liep naar Viola die nog achter de piano zat. Ze fluisterde haar iets in het oor. Toen Ivor de uitdrukking op Viola's gezicht zag veranderen, maakte hij zich pas echt zorgen.

'Dit is speciaal voor Consuelo,' zei Delia, en barstte los in een jubelende vertolking van 'Dixie's land', het volkslied van de zuidelijke staten van Amerika.

Consuelo begon heftig te protesteren. Jerome barstte in lachen uit. Bij het refrein begon iedereen, zelfs Winston, wiens moeder net als Consuelo aan de verkeerde kant van de Mason-Dixielijn was geboren, uit volle borst mee te zingen. Iedereen, behalve Sylvia. Maar omdat al haar andere gasten, met inbegrip van de premier, Delia aanmoedigden en luid klapten trok ze zich van Sylvia niets meer aan.

Later, ver na middernacht, toen al hun gasten naar bed waren gegaan, zei Ivor tegen Delia: 'Het was een schitterende avond, Delia. Het is lang geleden dat ik de eerste minister zich zo heb zien vermaken.'

'Waarom kijk je dan zo ernstig?'

Hij keek peinzend naar de sigaar in zijn hand. 'Omdat Winston me gevraagd heeft naar Duitsland te gaan.'

'Naar Duitsland?' Haar ogen gingen wijdopen. 'Waarom in 's hemelsnaam?'

'Omdat ik zeer hooggeplaatste vrienden heb in Duitse financiële kringen. Een van hen, Albert Ballin, staat net zo dicht bij keizer Wilhelm als ik bij koning George. Winston wil dat ik een informeel gesprek met hem voer over het tempo van de uitvoering van het Duitse scheepsbouwprogramma. Er is een kleine mogelijkheid dat een man die zoveel invloed heeft als Ballin de keizer ertoe kan bewegen het programma stop te zetten. Zo niet, dan is een oorlog vroeg of laat onvermijdelijk.'

Delia's adem stokte even. Toen Winston het woord 'oorlog' in de mond had genomen, had ze gedacht dat het alleen maar was omdat hij anderen zo graag choqueerde, niet dat het om een serieuze mogelijkheid ging.

'Wanneer vertrek je?'

'Maandagochtend.'

Ze herinnerde zich de blik van verstandhouding die de premier en Jerome hadden uitgewisseld en zei aarzelend: 'Denk je dat Jerome ook een dergelijke opdracht had toen hij in Berlijn en Rome was? Denk je dat hij uit naam van de premier met mensen heeft gesproken?'

'Jerome als diplomatiek onderhandelaar? Dat kan ik me niet voorstellen, Delia.' Hij grinnikte. 'De enige reden die Jerome zou kunnen hebben om naar Berlijn te gaan is een bezoekje aan een van zijn vele maîtresses. En hetzelfde geldt voor zijn uitstapje naar Rome... tenzij hij overweegt om zich tot het katholicisme te bekeren.'

Nog nagrinnikend liep hij met haar de salon uit, het aan het dienstmeisje overlatend om alle lichten uit te doen.

Het was een van die momenten van verbondenheid die redelijk vaak voorkwamen toen de kille lente van 1912 overging in een warme zomer. Toch had Ivors persoonlijkheid iets zo koel afstandelijks en ongenaakbaars dat Delia betwijfelde of hun verhouding heel erg anders zou zijn als Sylvia niet in het spel was geweest.

Er waren momenten dat ze zich in die geest tegenover Jerome had willen uitspreken, maar toen ze de kwestie voor de eerste keer hadden besproken, toen Delia eenmaal wist dat de verhouding met Sylvia niet beëindigd zou worden, waren ze overeengekomen niet meer over hun echtgenoten te praten tenzij het absoluut noodzakelijk was. En doordat ze zich hier ook aan hielden, waren de momenten dat ze samen waren heel aangenaam. De buitenechtelijke betrekkingen van haar andere vrienden en vriendinnen vond Delia schokkend, maar die van Jerome nooit, waarschijnlijk omdat hij ze zelf nooit serieus nam. Ze plaagde hem er meedogenloos mee. Hij plaagde haar met haar gebrek aan minnaars terwijl bijna al haar vriendinnen er minstens één hadden.

Naarmate het jaar vorderde, begon het optimisme dat ze aan Ivors onberispelijke gedrag ontleende, te tanen. Hij bracht een groot deel van zijn tijd bij Sylvia door in plaats van thuis.

In september, toen Sylvia weer een maand lang in Nice op vakantie was, bracht Ivor diezelfde periode door in het nabijgelegen Monaco. In november, toen Sylvia naar Market Harborough vertrok om een maand te jagen, ging Ivor ook, vergezeld door lord Denby en Cuthie, die allebei aan de jacht verslingerd waren. Dat kon van Ivor niet gezegd worden. Delia wist dat hij alleen maar een maand lang in afgrijselijke weersomstandigheden te paard over het platteland van Leicestershire joeg om bij Sylvia te kunnen zijn.

Het was een situatie die ze wel moest accepteren, maar ze werd er niet gelukkig van. Ze hoopte maar steeds dat er een verandering ten goede zou optreden als ze zwanger werd, dat Sylvia in dat geval een geringere rol in Ivors leven zou gaan spelen. Maar begin 1913 kondigde zich nog altijd geen baby aan.

'Ik begin te geloven dat ik net zo onvruchtbaar ben als Olivia,' zei ze een keer tegen Jerome toen ze in het St. James's Park aan het wandelen waren. 'En als dat zo is, zal Ivor van me scheiden.'

'Heeft hij dan gezegd dat hij van je zal scheiden?' Jerome klonk verbaasd. 'Ivor is toch zeker geen Hendrik de Achtste?'

Het was een zonnige dag en Delia droeg een parasol. Ze liet

hem peinzend ronddraaien. 'Nee, hij heeft nooit gezegd dat hij van me zal scheiden als er geen baby komt. Misschien zou hij dat wel willen, maar ik betwijfel of hij het zou doen. Gescheiden mannen worden toch niet aan het hof getolereerd? Het stigma zou voor hem heel veel uitmaken.'

'En zou een einde maken aan zijn positie als financieel adviseur van de koning,' zei Jerome droogjes. 'Dus ik zou me over die mogelijkheid niet al te veel zorgen maken.'

'Maar dat doe ik wel, want ik wil net zo graag een baby als Ivor!' In een plotselinge aanval van emotie ging ze voor Jerome staan om hem aan te kijken. 'Dat zou toch al te wreed zijn! Dat ik een heel ander huwelijk heb dan ik zo vurig wens en dat ik dan ook nog eens geen kinderen zou kunnen krijgen! Dat zou ik niet kunnen verdragen, Jerome! Echt niet!'

Hij pakte haar vrije hand en kneep er even in. 'Je bent pas eenentwintig, Delia. Jij krijgt kinderen, heus.'

Zijn ogen straalden vol overtuiging en ze zou het bijna geloven.

Ze werd zich bewust van de aandacht die ze van voorbijgangers trok. 'Het spijt me dat ik zo uitbarstte,' zei ze met een berouwvolle glimlach. 'Denk je dat Jacks gouvernante het erg zou vinden als we hem een uur of twee van haar overnemen? We kunnen een boottochtje maken of naar de dierentuin gaan.'

Ze namen zijn zesjarige zoon 's middags vaak mee voor een uitje. Aanvankelijk had Delia de kleine Jack liever niet ontmoet, omdat ze bang was dat ze niet naar hem zou kunnen kijken zonder aan Sylvia te worden herinnerd. Toen ze hem eindelijk te zien kreeg, was ze enorm opgelucht geweest. Hij had ravenzwart haar, net als zijn beide ouders, maar verder was er geen gelijkenis met zijn moeder. Hij had niet de donkere ogen van Sylvia, en bezat ook niet haar volmaakte prerafaëlitische trekken. Hij had net als Jerome gouden vlekjes in zijn bruine ogen en zijn haar was net zo krullerig. Ook zijn karakter leek op dat van Jerome, want hij hield erg van plezier maken en was altijd opgewekt. Als ze zijn kleine hand in de hare voelde, kreeg ze altijd een brok in haar keel, en ze koesterde de momenten die ze gedrieën doorbrachten.

'Dan gaan we naar de dierentuin,' zei Jerome terwijl ze het park uitliepen. 'Jack heeft een liefdesverhouding met de chimpansees.' Hij hield een taxi aan om hen naar Chelsea te brengen.

Ze lachte toen hij het portier van de taxi voor haar openhield, dankbaar dat het Sylvia niet kon schelen wie er met haar zoon omging, dankbaar dat er iemand was die ze zo graag in haar buurt had... Jerome.

In de zomer ging ze naar haar ouders in Virginia. Ze legde hen uit dat Ivor haar gezien zijn taken aan het hof niet had kunnen vergezellen. Zes weken lang reed ze iedere dag urenlang door het landschap dat haar zo dierbaar was en sprong ze over alle heggen die ze tegenkwam. Ze bracht zelfs een weekend in White Sulphur Springs door, waar haar neef Beau haar steeds weer aan het lachen maakte door haar bij mensen te introduceren als 'mijn nicht, burggravin Conisborough. Haar echtgenoot, de burggraaf, staat op zeer vriendschappelijke voet met de koning van Engeland, ik lieg als het niet waar is!'

Ze ontving geregeld brieven van Jerome. In een ervan schreef hij dat hij ziek was geweest. *Niets om ongerust over te zijn. Gewoon een van die kinderziekten waar volwassenen erg veel last van hebben. Wordt er in Virginia veel gesproken over het tumult op de Balkan?*

Nauwelijks, schreef ze terug, en om hem te amuseren: *wat ook niet zo verwonderlijk is aangezien de meeste Virginiërs geen enkel idee hebben waar de Balkan ligt.*

Toen ze in de herfst weer in Londen was, ontdekte ze dat Sylvia tijdens haar afwezigheid op Cadogan Square voor Ivor als gastvrouw had opgetreden.

'Ben je hier ook met haar naar bed geweest?' Delia was zo

woedend en zo gekwetst dat ze dacht dat ze zou ontploffen.
'Heb je met haar in míjn bed gelegen?'

'Zo'n hysterische manier van doen past je niet, Delia.' Ivors stem en ogen waren kil als de Noordzee. 'Als Gwen in staat was geweest voor mij als gastvrouw op te treden bij het uiterst belangrijke diner dat ik hier gegeven had, dan had ze dat gedaan. Maar aangezien Gwen griep had, is Sylvia voor haar ingevallen. Je maakt een zeer onwaardige scène om niets.'

'Je maîtresse gedraagt zich in het openbaar alsof mijn huis het hare is en dat noem jij niets?' Haar gezicht was lijkbleek. 'Wie waren je gasten? Waren Margot en de premier er ook? George Curzon?'

Hij bewaarde een ijzig stilzwijgen. Ze keerde zich woest van hem af en stormde blindelings het huis uit. En ze zocht troost in de armen van de enige persoon bij wie ze altijd terecht kon.

Vier maanden later was de politieke crisis zodanig uit de hand gelopen dat een oorlog met Duitsland een zeer reële mogelijkheid werd. Het deerde Delia niet in het minst, want ze was gelukkiger dan ze in bijna drie jaar was geweest: ze was zwanger.

Ivor was verrukt, maar ook weer niet zo verrukt dat hij in Londen bleef toen Sylvia haar vertrouwde reisje naar Nice maakte.

'Hij is naar Monaco gegaan,' zei Delia op bittere toon tegen Jerome. 'Het ziet er niet naar uit dat er ooit iets zal veranderen.'

'Nee,' zei hij grimmig. Haar teleurstelling voelde als een dolksteek in zijn hart.

Zes maanden later werd de veelvuldig voorspelde oorlog met Duitsland werkelijkheid.

Delia zag Ivor nauwelijks meer, want met het uitbreken van de oorlog ging een crisis in het bankwezen gepaard en als lid van de Geheime Raad was hij vrijwel aldoor aan het vergaderen. Maar het was Jerome die Delia het meest miste, want toen de oorlog pas een paar dagen oud was, vertrok hij naar zijn eigen graafschap om zich als vrijwilliger te melden voor de bereden infanterie van Noord-Somerset.

Als gevolg van haar ochtendmisselijkheid en Ivors bijna voortdurende afwezigheid kwam haar sociale leven bijna tot stilstand. Ze lunchte af en toe met Margot Asquith, een groot bewonderaarster van sir John French, de bevelhebber van de Britse Expeditiemacht. 'Met sir John aan het hoofd zal de oorlog binnen zes weken voorbij zijn,' zei Margot opgewekt tegen Delia, een dag nadat de expeditiemacht scheep was gegaan. 'Laten we God bidden dat het ook echt zo is, Delia, want ik heb vier stiefzonen die oud genoeg zijn voor militaire dienst, en twee van hen zijn getrouwd en hebben kinderen.'

Twee weken later kwam het schokkende nieuws dat het leger van sir John bij een treffen met de vijand bij Mons een grote nederlaag had geleden en zich aan het terugtrekken was.

'De oorlog is met de kerst dus nog helemaal niet voorbij,' zei Gwen, voor haar doen bijzonder aangedaan. 'Godzijdank is Ivor te belangrijk om te worden opgeroepen.'

Eind augustus moest er opnieuw een grote nederlaag worden verwerkt. De Russische troepen aan het Oostfront werden in een slag bij Tannenberg teruggeslagen.

Delia was hoogzwanger en kon de aanblik van de steeds maar aangroeiende lijsten met namen van gesneuvelden en het gezelschap van angstige vrienden met zonen in militaire dienst niet meer verdragen. Ze verliet Cadogan Square en nam haar intrek op Shibden Hall.

Ze schreef Jerome, die nog in Somerset was.

Het is hier in ieder geval rustig, zo rustig zelfs dat het bijna niet te geloven is dat op slechts luttele kilometers afstand zo'n verschrikkelijke slachting aan de gang is. Als Amerika maar naar Europa zou

komen om Engeland te helpen, dan zou de oorlog misschien echt bin-
nen enkele maanden voorbij zijn. Ik wilde dat je hier bij me was om
te genieten van het werkelijk stralende weer en de weergaloze zons-
ondergangen in plaats van dat je je voorbereidt op de hemel weet wat
voor verschrikkelijke toestanden in Frankrijk. Ik bid dat er een won-
der zal gebeuren en dat je niet hoeft te gaan.

Al terwijl ze de laatste woorden neerschreef, wist ze dat
Jerome het niet met haar eens zou zijn. Uit iedere brief van
hem sprak overduidelijk dat hij popelde om aan de oorlog mee
te gaan doen.

Eind september riep de premier nog eens vijfhonderddui-
zend mannen op om dienst te nemen.

'Hoelang denkt Winston dat het nog gaat duren?' vroeg
Delia aan Clementine toen die haar opbelde. Clementine zei
dat de oorlog volgens de minster van Marine nog heel lang
door kon gaan.

In de eerste week van oktober kwam Ivor naar Shibden
Hall. Hij stond erop dat Delia zou teruggaan naar Cadogan
Square, omdat haar bevalling nog maar ongeveer een maand
op zich zou laten wachten. 'Je kunt niet riskeren dat je hier
moet bevallen en de plaatselijke dokter je moet bijstaan,' zei
hij bot. 'Je gynaecoloog moet dicht genoeg in de buurt zijn.
En afgezien daarvan,' zei hij, vermoeider en meer gespannen
dan ze hem ooit had gezien, 'heb ik nieuws dat je je hoop ik
niet al te zeer aantrekt.'

Haar hart hield bijna op met kloppen, want ze dacht aan alle
jongemannen uit hun vriendenkring die op dat moment in
Frankrijk waren. 'Wie is er gesneuveld?' vroeg ze angstig. 'Een
van de zonen van de premier? De oudste van de Denby's?'

'Nee, nee. Het is nieuws van een ander soort. Het spijt me
dat ik je ongerust heb gemaakt, Delia.' Hij schonk zichzelf een
whisky-soda in. 'Ik moet naar Amerika. Ik hoef je niet uit te
leggen dat het wel het laatste is wat ik wil nu de geboorte van
de baby zo nabij is, maar ik ga in mijn hoedanigheid als lid van

de Geheime Raad en ik kan me er met geen mogelijkheid aan onttrekken. Het spijt me.'

Ze wachtte op een gevoel van immense teleurstelling, maar dat diende zich niet aan. Sinds ze in verwachting was, hadden zij en Ivor het bed niet meer gedeeld en had hij veel meer tijd zonder dan met haar doorgebracht.

'Maakt niet uit,' zei ze, en dit keer zei hij niets van haar populaire taalgebruik. 'Gwen komt naar me toe als de weeën beginnen.'

'Ik zou er trouwens anders ook niet bij zijn,' zei hij lomp. 'Mannen lopen op zo'n moment alleen maar in de weg. Maar ik had onze zoon wel graag binnen enkele minuten na de geboorte willen zien.'

Alleen als de baby ver over tijd was, zou dat kunnen. Ivors teleurstelling was zo intens dat ze even troostend in zijn hand kneep. 'Maak je geen zorgen, Ivor. De baby loopt niet weg.'

Hij schonk haar zijn aantrekkelijke scheve glimlach en begeleidde haar naar de auto, met zijn arm om haar schouder geslagen.

Een week later vertrok hij aan boord van de Mauretania naar New York.

De baby was hem niet ter wille door op zich te laten wachten, maar kwam juist vroeger.

Op 30 oktober, twee dagen voordat Jerome naar Frankrijk zou vertrekken, zette de bevalling in. Toen Delia er nog toe in staat was, belde ze twee mensen op. De ene was Gwen, de andere Jerome.

Daarna nam ze, ietwat angstig, een warm bad en wachtte af wat er verder zou gebeuren.

Er volgden zes uren van marteling die ze nooit uit eigen beweging nog eens zou willen meemaken, dat wist ze zeker.

'Mijn hemel, wat een hoop geklaag over niets,' zei de vroedvrouw die haar gynaecoloog had geassisteerd. 'Lady Fitzwallenders bevalling duurde zestien uur, maar die gaf geen kik. Nee, nee, lady Conisborough, u mag de baby nog niet vasthouden. De verpleegster moet haar eerst nog wassen en aankleden.'

Delia keek met intense blijdschap toe hoe haar huilende dochter – haar prachtige, magnifieke, wonderschone dochter – in bad werd gedaan en werd aangekleed.

'Lady Pugh wil u en de baby erg graag zien, mevrouw,' zei Ellie, terwijl ze een schone doek uit een lade haalde. 'Sinds haar komst heeft ze het huis niet één keer verlaten – en sir Jerome Bazeljette is er ook. Hij arriveerde ongeveer een uur geleden.'

'Laat lady Pugh maar binnenkomen, Ellie,' zei Delia, die wist dat er grote heisa van zou komen als Jerome de baby als eerste zag. 'Heeft Bellingham mijnheer al een telegram gestuurd?'

'Ja, mevrouw, vijf minuten geleden.'

De verpleegster nam de doek van Ellie aan en begon de krijsende baby er zeer kordaat in te wikkelen.

Delia hield haar armen op; haar gezicht straalde toen de baby erin werd gelegd. 'Niet huilen, klein liefje. Niet huilen,' zei ze zachtjes, en als bij toverslag hield de baby op met huilen en keek naar haar op met haar bruingroene ogen.

'Zal ik lady Pugh zeggen dat ze mag binnenkomen?' vroeg Ellie.

Delia knikte, zonder haar ogen van het rode, gerimpelde gezichtje van haar dochtertje te kunnen afhouden.

Toen Gwen binnenkwam, zei Delia glimlachend: 'Het is een meisje, Gwen. Ivor zal teleurgesteld zijn, maar mij deert het niet. Ik ben nog nooit zo gelukkig geweest. Nooit, nooit, nooit.'

Gwen boog zich over haar heen en trok de doek een eindje van het gezichtje van de baby weg om haar beter te kunnen zien.' 'O, wat een prachtig kindje!' fluisterde ze vol bewondering. 'Welke naam hebben Ivor en jij voor haar bedacht?'

'We hebben geen naam voor een meisje,' zei Delia, met wrange humor in haar stem. 'Ivor heeft alleen maar met een jongen rekening gehouden. Maar ik heb wel een naam bedacht. Ze zal Petronella heten. Petronella Gwendolyn. Ik denk niet dat Ivor daar iets tegen zal hebben.'

'Nee, Delia, dat denk ik ook niet.' Gwen was zo ontroerd dat de baby naar haar genoemd werd dat ze tranen in haar ogen kreeg. 'De volgende keer, als de baby een jongen is, kan Ivor een naam uitkiezen. Ach, hemeltje, ik moet geen tranen over haar uitstorten. En jij moet nu slapen, Delia. Zal ik tegen Jerome zeggen dat het veel te vroeg is voor een kraamvisite en dat hij over een paar dagen maar moet terugkomen?'

Met grote inspanning maakte Delia haar blik los van het gezichtje van haar dochter. 'Nee, Gwen. Jerome vertrekt over twee dagen naar Frankrijk. Vraag hem alsjeblieft om binnen te komen. Maar misschien is het beter als hij komt als jij weg bent. Twee bezoekers tegelijk is me nu wat te veel.'

Het was een smoes, maar dat kon haar niet schelen. Ze wilde niet dat Gwen erbij was als Jerome de baby voor het eerst zag.

Gwen gaf haar een kus op haar wang en ging de kamer uit. Delia wendde zich tot de vroedvrouw en de verpleegster. 'U zult allebei wel honger hebben. Als u met Ellie mee naar beneden gaat, zal de kokkin een lichte maaltijd voor u klaarmaken.'

'Dank u, lady Conisborough,' zeiden ze allebei, snakkend naar een hapje eten.

Ze waren maar net weg, toen Jerome binnenkwam. Hij zag er schitterend uit in zijn officiersuniform.

'Het is een meisje, Jerome,' zei ze hees, toen hij naar het bed liep en neerkeek op de baby die in slaap was gevallen. 'Ik noem haar Petronella en ze is het prachtigste wat ik ooit gekregen heb, Jerome. Echt.'

Hij raakte het wangetje van de baby heel behoedzaam aan met de achterkant van zijn wijsvinger. 'Ze krijgt jouw teint, Delia,' zei hij, met een door emotie verstikte stem. 'Ik zie rood in haar haar.'

Ze glimlachte naar hem. 'Wil je haar vasthouden?'

Hij knikte en nam de slapende baby teder van haar over.

Toen Ellie vijf minuten later de kamer weer binnenkwam, hield hij de baby nog steeds in zijn armen; hij wiegde haar zeer kundig, met bijna vaderlijke zorg.

5

Op de dag dat Jerome met zijn regiment naar Frankrijk vertrok, kon zelfs het wiegen van Petronella Delia's onrust niet wegnemen. Anders dan de overgrote meerderheid van de bevolking was zij niet euforisch geweest toen de oorlog uitbrak. Inmiddels waren zelfs degenen die dat wel waren geweest ongerust, omdat steeds duidelijker werd dat de oorlog een slepende zaak zou worden. Voor Delia was het allemaal nog erger. Haar man was lid was van de Geheime Raad, de echtgenoot van een van haar vriendinnen was premier, en die van een andere was minister van Marine; hierdoor was ze veel te goed op de hoogte van de zorgen op het allerhoogste niveau om troost te kunnen putten uit de optimistische propaganda die de kranten meedogenloos bleven verspreiden.

'Alstublieft, God,' bad ze de hele dag door, 'alstublieft, laat Jerome niet sneuvelen. Laat hem niet gewond raken. Alstublieft, God. Alstublíéft.'

Haar ongerustheid werd weldra nog versterkt door de geruchten dat Duitse onderzeeërs actief waren op de Atlantische Oceaan.

'Ze vallen echt geen passagiersschepen aan,' zei Gwens echtgenoot vol vertrouwen. 'Dat is ondenkbaar, Delia. Ivor komt over enkele weken weer veilig thuis.'

Ondanks zijn geruststellende woorden bleef ze zich zorgen maken. Alleen het gebabbel van bezoeksters bezorgde haar enige afleiding.

'De koningin bezoekt elke dag wel vier hospitalen,' zei Gwen, die ijverig bij Delia's bed een kaki sok zat te breien. 'Het zien van al dat lijden moet een verschrikkelijke beproeving voor haar zijn. Ik herinner me dat ze een keer bijna flauwviel toen een lakei zich in zijn vinger sneed.'

'De prins van Wales is benoemd tot officier van de Grenadier Guards,' vertelde Clementine toen ze op kraamvisite kwam. Ze groef in haar tas naar het kaki hemd dat ze aan het maken was. 'Het zal een eigenaardig gezicht zijn. Hij is maar één meter zestig, terwijl de Guards allemaal minstens één meter tachtig zijn.'

Ze giechelden, maar toen Delia zich de goudgelokte prins probeerde voor te stellen in het uniform van de Grenadier Guards, het koninklijk infanterieregiment, lukte dat totaal niet.

Clara Digby was ontsteld toen ze op kraamvisite kwam en Delia op een stoel bij het raam in plaats van in bed aantrof. 'Goeie hemel, Delia, als dokters zeggen dat een jonge moeder na de bevalling tien dagen in bed moet blijven, dan bedoelen ze ook tien dagen. En met bed bedoelen ze bed, geen stoel!'

'Ik heb vijf dagen het bed gehouden, Clara, en ik verveel me te pletter. Wat zijn Cuthies laatste berichten van het paleis? Is het waar dat de koning heeft verordonneerd dat er bij de maaltijden geen wijn meer wordt geschonken?'

Clara ging zitten en zei: 'Ja, hij heeft besloten dat alcohol en noodmaatregelen niet samengaan. Ik zou werkelijk niet weten hoe die dodelijk saaie etentjes op het paleis zonder drank door te komen zijn. Ik kan me niet voorstellen dat Ivor genoegen zou beleven aan gekookt water met suiker, jij wel? Dat is namelijk wat ze gisteravond geserveerd schijnen te hebben. Wanneer verwacht je hem eigenlijk terug?'

Zonder het antwoord af te wachten vervolgde ze, haar glacé handschoenen afpellend: 'Hij zal wel vol ongeduld zijn om zijn dochter te zien. Ik hoop niet dat hij al te teleurgesteld is over haar sekse. Cuthbert heeft na de geboorte van Amelia zes maanden lang nauwelijks een woord tegen me gezegd.'

Ze streek haar handschoenen glad. 'Is Sylvia al op kraam-visite geweest? Het zou vreemd aandoen als ze niet kwam. Ik zag haar vorige week nog bij de Denby's. Toen jouw naam viel, liet ze ogenblikkelijk haar tanden zien. Muriel Denby wees haar terecht, en ik natuurlijk ook. Waarom mannen die kant van Sylvia nooit opmerken, begrijp ik werkelijk niet. De jonge Maurice Denby is helemaal weg van haar. Hij is Mu-riels jongste en hij vertrekt deze week naar Frankrijk.'

Delia liet Clara doorratelen, zich onderwijl, zoals altijd, af-vragend of Clara wel een echte vriendin was. Clementine en Margot waren zo kies om in haar bijzijn nooit over Sylvia te praten. Delia was benieuwd op wat voor manier Sylvia haar tanden had laten zien, maar was veel te trots om ernaar te vragen. Intussen vergrootte Clara's opmerking over Ivors mogelijke reactie op een meisje haar ongerustheid alleen maar.

Het telegram met het nieuws van de geboorte had hij als volgt beknopt beantwoord: OPGELUCHT ALLES GOED STOP SPOEDIG THUIS STOP IVOR.

Het had haar niet optimistisch gestemd.

Een uur na het vertrek van Clara ontving ze een nieuw te-legram. VERTREK VANDAAG AAN BOORD CARIONA STOP IVOR.

Toen hij vijf dagen later thuiskwam was Delia in de met rijp bedekte achtertuin, waar ze lange twijgen vuurdoorn afsneed om in de Chinese vazen in de hal te zetten.

Een lakei kwam het haar op een drafje vertellen: 'Mijnheer is aangekomen, mevrouw. Hij is direct naar de kinderkamer gegaan.'

Delia reikte hem meteen de vuurdoorn aan en rende naar het huis, terwijl ze zich van haar jas ontdeed.

'Mijnheer is in...' begon Bellingham behulpzaam te zeggen toen ze langs hem heen stoof.

'Ik weet het, Bellingham! Ik weet het.' Ze wierp hem haar baret toe en stormde de trap op.

Bellingham was allang gewend aan het informele gedrag van Delia. Hij bracht de baret plechtstatig naar de garderobe.

Met wild kloppend hart snelde Delia door de gang naar de kinderkamer. 'Wees alsjeblieft niet al te teleurgesteld, Ivor,' fluisterde ze bij zichzelf. 'Je moet Petronella mooi vinden! Alsjeblieft. Alsjeblíéft.'

Ze deed de deur van de kinderkamer open.

Nog in reistenue stond Ivor met een verbijsterde uitdrukking op zijn gezicht in de wieg te staren.

Ze bleef doodstil staan. 'Vind je haar leuk?' vroeg ze, niet in staat de woorden uit te brengen die in haar hoofd rondtolden: Ben je zó teleurgesteld dat je niet van haar kunt houden?

'Of ik haar léúk vind?' Hij draaide zich naar Delia om en tot haar intense opluchting glimlachte hij. 'Natuurlijk, Delia. Ze is prachtig.'

Al haar spanning en angst ebden weg. Alles zou goed komen.

Ze liep verder de kamer in en kwam naast hem staan. Ze pakte zijn hand en kneep erin om haar dankbaarheid te uiten.

'Vanwaar Petronella?' vroeg hij. 'Ik heb die naam nog nooit gehoord. Is het een familienaam bij de Chandlers?'

'Nee, het is een Romeinse naam. Ik heb hem juist gekozen omdat maar zo weinig mensen de naam kennen en omdat ik hem mooi vind.' Ze dacht eraan hoe belangrijk een zoon voor hem was en vond dat hij zijn teleurstelling op een bewonderenswaardige manier opzijzette. 'We kunnen de naam wel veranderen, Ivor, als jij dat wilt. Dat vind ik niet erg.'

'Ik wil geen andere naam, deze past goed bij haar. Op wie lijkt ze, volgens jou? Ik zie totaal geen gelijkenis met mezelf... Ik vind haar ook niet erg op jou lijken, afgezien van het donkerrode haar dan.'

'Baby's lijken meestal helemaal niet zo op familie, maar mensen willen per se een gelijkenis ontdekken. Petronella lijkt gewoon op zichzelf... en daar ben ik blij om. Stel je voor dat ze jouw grote voeten had of de neus van mijn vader! Vreselijk.'

Hij grinnikte.

'Wil je haar vasthouden?' vroeg Delia.

Hij schudde zijn hoofd. 'Nee, ik denk dat ik dat beter niet kan doen nu ze slaapt. Daar wordt ze alleen maar onrustig van. Ik moet trouwens meteen door naar Downing Street. Lloyd George wacht op het verslag van mijn gesprekken met Amerikaanse bankiers.'

Lloyd George, de minister van Financiën, stond niet bepaald bekend om zijn geduld, en Delia deed geen poging Ivor tegen te houden. Ze stak haar arm door de zijne en samen gingen ze de kamer uit. 'Waar brengen we de kerst door, Ivor?' vroeg ze. 'Hier of op Shibden Hall?'

'Het is traditie om Kerstmis op Shibden Hall te vieren,' antwoordde hij. Toen hij de uitdrukking op haar gezicht zag, voegde hij eraan toe: 'Is dat een probleem dan?'

'Het enige probleem is dat het in Norfolk met de kerst erg koud is, en omdat Petronella dan nog maar enkele weken oud is denk ik dat het beter is als ze op z'n vroegst in de lente mee naar Shibden gaat.'

Ze waren bij de trap aangekomen. Hij bleef staan, met een verwonderde uitdrukking op zijn gezicht. 'Maar dat is toch helemaal geen probleem, Delia. De baby kan toch gewoon hier blijven, bij het kindermeisje en de dienstmeisjes?'

'Maar dan ben ik mijlenver bij haar vandaan! Het spijt me, Ivor, maar ik zou doodongelukkig zijn als ik haar met Kerstmis niet bij me heb. Ik wil graag hier blijven.'

Hij aarzelde. Ze begreep dat hij op dat moment bedacht dat het een erg vreemde indruk zou maken als ze met Kerstmis níét op Shibden Hall zouden zijn, terwijl de koninklijke familie in het nabijgelegen Sandringham verbleef.

'Als jij dat dan zo graag wilt,' zei Ivor uiteindelijk, met enige tegenzin.

'Ja, dat wil ik. Dank je wel, Ivor.'

Ze liep samen met hem naar beneden, nog steeds met haar arm in de zijne. Ze voelde zich optimistischer over haar huwelijk dan ze sinds de zorgeloze roes van haar wittebroodsweken was geweest. Haar hoofd liep al over van de ideeën. Petronella's eerste Kerstmis moest het schitterendste kerstfeest worden dat Cadogan Square ooit had meegemaakt.

In het nieuwe jaar, toen er een zeer bevredigende routine was ingesteld onder leiding van een nieuwe kinderjuf – die het geen probleem vond dat Delia haar als een lid van het gezin behandelde – begon Delia weer deel te nemen aan het mondaine leven en ook weer paard te rijden.

Elke ochtend om elf uur reed ze in amazonezit op Juno, de volbloed die Ivor kort na hun huwelijk voor haar had gekocht. Vergeleken met het paardrijden in Norfolk was het maar een tamme bedoening op Rotten Row, om nog maar te zwijgen van het woeste galopperen waarvan ze in Virginia zo had genoten.

Af en toe was ook Sylvia op de Row, met haar satijnzwarte haar in een knot, zodat de prachtige welving van haar lange hals goed zichtbaar was. Haar hoed stond altijd uitdagend scheef op haar hoofd, met de sluier strak voor haar gezicht getrokken, en haar elegante rijkostuum sloot zo volmaakt om haar lichaam dat Delia zich keer op keer afvroeg of ze er wel iets onder aan had.

Ze bogen altijd lichtjes het hoofd in elkaars richting, en daar bleef het bij. Wanneer er niemand van hun kennissen in de buurt was, namen ze nooit de moeite te doen alsof ze vriendinnen waren.

In februari sneuvelde de enige zoon van lord en lady Denby al op de eerste dag dat hij aan de strijd deelnam.

In maart was het dodental onder de officieren van de Grenadiers en de Scots – twee regimenten waarin veel van Ivors vrienden of zonen van vrienden dienden – zo hoog opgelopen dat Delia zich verschrikkelijke zorgen maakte om Jeromes veiligheid. Maar in zijn brieven maande hij haar steeds weer dat niet te doen.

Wij cavaleristen hebben veel minder te lijden dan die arme drommels die vierentwintig uur per dag in de loopgraven doorbrengen. Bovendien geniet ik ook nog eens de troost van de voedselpakketten van Fortnum & Mason die jij me stuurt. Met alle paté en kaviaar heb ik me erg populair gemaakt bij mijn medeofficieren.

Toen hij in april met verlof was, waren zijn beschrijvingen van het leven aan het front compleet anders.

'Het is in een brief niet uit te drukken,' zei hij, terwijl hij haar hand zo stevig vasthield dat ze dacht dat hij zou breken. 'Het is onbeschrijfelijk. De viezigheid. Een laag modder waar je tot aan je dijen in wegzakt. Doden die niet begraven worden. Gewonden die uren of soms dagen moeten wachten tot ze naar een veldhospitaal worden vervoerd. Aldoor die kou. Aldoor helse chaos en hels lawaai. En steeds het gevoel dat je nauwelijks iets kunt doen.'

Zijn stem klonk bitter en zijn olijfkleurige huid zag vaal van uitputting.

'Maar waarom heb je dat gevoel dan? Ik begrijp het niet.'

'In voorgaande oorlogen speelde de cavalerie mogelijk een belangrijke rol, Delia, maar die zijn niet te vergelijken met déze oorlog. Hoe kun je een succesvolle charge uitvoeren als je machinegeweren, prikkeldraadversperringen en loopgraven van twee meter diep tegenover je hebt? Steeds meer prima paarden komen op een verschrikkelijke manier aan hun eind. Bij een aanval bij Ieper verloren we maar liefst honderdvierenveertig van de honderdvijftig paarden. En het verlies aan mensenlevens is bijna onvoorstelbaar.'

Ze verbleekte.

'Maar in de korte tijd voordat ik weer terug moet naar die vreselijke hel wil ik vrolijk zijn... en niet meer over de oorlog praten.' Hij glimlachte speels naar haar. 'Hoe is het met Petra? We hebben na haar geboorte niet de kans gekregen om met champagne op haar te toosten, dus laten we dat nu maar doen.'

Delia dwong zichzelf tot opgewektheid, tot een stemming van liefdevolle blijdschap waardoor Jerome, al was het maar even, de verschrikkingen kon vergeten die hem na zijn verlof weer wachtten. 'Petra?' Met bovenmenselijke inspanning verjoeg ze de beelden die hij had opgeroepen, in de wetenschap dat ze in eindeloze nachtmerries weer zouden opduiken zodra hij weer vertrokken was. 'Niemand noemt haar Petra,' zei ze, en slaagde erin te giechelen. 'Zelfs Ellie niet.'

'Nou, als ze ouder is houdt niemand het meer vol haar Petronella te noemen. Het is me een mondvol! Petra is altijd nog beter dan Nellie.'

Dit keer was haar lach niet geforceerd. 'Petra dan, Jerome, maar alleen voor jou. En iedereen die mijn schitterende dochter Nellie durft te noemen schiet ik neer.' Ze omhelsde hem innig en zei: 'Ik heb je zo verschrikkelijk gemist, Jerome. Meer dan ik je ooit zou kunnen zeggen.'

De dagen na Jeromes terugkeer naar het front stond Delia verschrikkelijke angsten uit. De kranten stonden vol met verslagen over het Britse lenteoffensief bij Ieper en ze wist dat Jerome er middenin zat. Als Sylvia zich net zoveel zorgen maakte, dan was dat aan niets te merken. 'Over Jerome hoeft niemand in te zitten,' hoorde Delia haar zeggen tijdens een feestje in The Wharf, het landhuis van de Asquiths aan de bovenloop van de Theems. 'Die komt altijd op zijn pootjes terecht.'

Begin mei ontdekte ze dat ze opnieuw zwanger was.

'Dat is het enige goede nieuws dat ik in tien maanden tijd heb gehoord,' zei Ivor. 'Maar opnieuw zal ik gedurende een deel van je zwangerschap in Amerika zijn. Dit keer in de beginperiode.'

'Ga je weer naar Amerika? Maar waarom dan?'

'Ik ga erheen met een bedelnap,' zei hij somber. 'We hebben Amerikaanse fondsen nodig om onze wapenproductie op peil te houden. Ik werk tegenwoordig niet meer alleen voor de koning, Delia. Ik werk voor de regering.'

Ze hield haar hoofd schuin en haar ogen kregen een peinzende uitdrukking. 'Als jij de Atlantische Oceaan veilig kunt oversteken, dan kan ik dat ook. Petra is nu al zeven maanden en mijn ouders hebben haar nog steeds niet gezien. Kunnen we niet samen naar New York varen? Dan kun jij naar Washington of waar je ook naartoe moet, en reis ik door naar Virginia. En dan ontmoeten we elkaar weer in New York om samen terug te reizen.'

'Nee,' zei hij, zonder zelfs maar een ogenblik te aarzelen. 'Ik sta niet toe dat je het geringste risico neemt. Als de oorlog voorbij is, gaan we naar Virginia, Delia. Eerder niet.' Zijn stem klonk onverzettelijk. Ze werd door teleurstelling overspoeld, maar wist dat het geen zin had haar waardigheid op het spel te zetten in een strijd die ze toch niet kon winnen.

Een week later verging haar alle lust om met haar dierbare dochter de Atlantische Oceaan over te steken.

'Op de radio vertelden ze net dat een Duitse onderzeeër de Lusitania tot zinken heeft gebracht, mevrouw!' zei Ellie, die Delia's slaapkamer binnenkwam met het ontbijt. 'Het schip was met honderden burgers op weg van New York naar Liverpool. Meneer Bellingham zegt dat het de grootste schanddaad is waar hij ooit van heeft gehoord. Mijnheer heeft het huis heel haastig verlaten. Ik geloof dat hij naar Downing Street ging.'

Vier uur later keerde Ivor terug naar huis. Hij keek zo grimmig dat zijn gelaat wel uit steen gehouwen leek te zijn. 'Cunard zegt dat er mogelijk meer dan duizend mensen verdronken zijn.' Hij schonk zichzelf een fikse whisky in en deed er slechts een heel kleine hoeveelheid spuitwater bij. 'De passagiersvaart is gestaakt. De onderhandelingen met de Amerikaanse financiers zullen telegrafisch gevoerd moeten worden.'

Hij dronk zijn glas in een keer leeg en zei toen met onvaste stem: 'De Lusitania was het zusterschip van de Mauretania, Delia. In wat voor wereld leven we, als een lijnschip met Amerikaanse passagiers – Amerikanen, die neutraal zijn en geen deel aan de oorlog nemen – op zee kan worden opgeblazen alsof het een oorlogsschip van de vijand is?' Hij bedekte zijn ogen met zijn handen. 'Zoiets had ik nooit voor mogelijk gehouden.'

Twee weken later vertrokken ze met Petra en haar kinderjuf naar Shibden Hall, ondanks het feit dat het Londense societyseizoen net begonnen was. Juno volgde met zijn verzorger, Charlie. Het paard was gewend aan het reizen in een paardenbox en gaf dan ook geen problemen. Volgens de gouvernante die met Petra en een hulpje in een aparte auto reisde, maakte Petra die wel.

'De hele reis is ze aan het huilen geweest, mevrouw,' zei de kinderjuf toen Delia Petra van haar overnam zodra ze voor de zuilengalerij van Shibden Hall uit de auto's waren gestapt. 'Misschien krijgt ze tandjes.'

Delia wist dat Ivor het in strijd met haar waardigheid zou vinden, maar ze stond Petra niet meer af en nam haar mee het huis in en de trap op naar de kamers die als kinderverblijf waren ingericht. Ze had zich voorgenomen zich meer en meer met de dagelijkse zorg voor haar dochter te bemoeien en maakte er meteen een begin mee.

Al na enkele dagen werd Ivor teruggeroepen naar Londen om een zitting van de Geheime Raad bij te wonen. 'De oorlog is in een kritieke fase gekomen,' zei hij onomwonden toen ze met hem mee liep naar zijn auto. 'Nu Lloyd George minister van Munitie is geworden doet hij wat hij kan, maar tot dusverre is het niet genoeg. Ik vind het akelig om te zeggen, maar volgens mij ligt de fout bij Herbert. Hij was een uitstekend premier in vredestijd, maar oorlog is een andere kwestie. Als Lloyd George een gooi naar het premierschap doet, zal ik hem steunen.'

Delia was zo geschokt dat ze geen woord kon uitbrengen. Ze bleef op de oprijlaan de Silver Ghost staan nastaren, ook nog toen hij al uit het zicht verdwenen was. Zoals ze zich Buckingham Palace onmogelijk kon voorstellen zonder koning

George en koningin Mary, zo kon ze zich Downing Street niet voorstellen zonder Herbert en Margot Asquith.

Bedrukt liep ze het huis weer binnen, precies op tijd om een telefoontje van Gwen te kunnen aannemen. 'Lieve schat,' zei haar schoonzuster, 'ik ben op weg naar Hunstanton om bij de Denby's te gaan logeren en ik dacht erover om op Shibden langs te komen en bij jullie te overnachten. Het is al zo lang geleden dat ik uitgebreid met Ivor heb kunnen praten.' De volgende woorden van Gwen waren door de ruis niet te verstaan. 'Dus zijn we met z'n tweeën... Zo aardig van je, lieve schat.'

De verbinding werd verbroken voordat Delia Gwen kon vertellen dat Ivor in Londen was en dat het voor Gwen dus geen zin had zo'n omweg te maken om haar broer te zien.

Toen ze naar Gwens huis telefoneerde, vertelde Parkinson, de butler, dat Gwen de hele ochtend niet thuis was geweest en dat ze de volgende paar dagen in Norfolk zou zijn.

Delia kon nu twee dingen doen: een hele ris vrienden van Gwen bellen om uit te vinden waar ze was, of het er eenvoudigweg maar bij laten. Ze koos voor het laatste.

'Lord en lady Pugh overnachten hier,' zei ze tegen Parkinson. 'Zorg er graag voor dat de meisjes een kamer voor hen in orde maken.'

Veel later die dag trok ze haar rijkleding aan en ging naar de stal. De paarden die door Ivor en diens gasten bereden werden, keken haar hoopvol aan.

'Sorry, jongens,' zei ze terwijl Charlie Juno zadelde. 'Ik vrees dat er voor mij maar één paard is.'

Dat ze Juno had meegenomen naar Shibden, was een hele prestatie van haar, want Ivor wilde niet dat ze reed tijdens haar zwangerschap.

'Over drie maanden houd ik ermee op,' had ze gezegd toen ze erover aan het kibbelen waren, 'en ik zal niet hard galopperen, dat beloof ik.'

Het was een compromis waar ze geen van beiden erg blij

mee waren. Zoals zo vaak in hun huwelijk waren ze het eens geworden in de geest van geven en nemen, om de harmonie in hun gemeenschappelijke bestaan enigszins te bewaren.

'Maar ik heb niet beloofd dat ik niet zou galopperen,' zei Delia nu, terwijl ze naar voren leunde om op Juno's hals te kloppen. Ze reed het erf bij de stal af. 'Ik heb gezegd dat ik niet hárd zal galopperen.'

De hele maand mei was het mooi weer geweest, en hoewel het al tegen de avond liep, was het nog aangenaam warm; de hemel was helblauw met hier en daar een wolkje. Ze reed oostwaarts door het park van Shibden naar een laantje dat door een vlak landschap met grazende schapen voerde. In de verte was een poldermolen, waarvan de traag draaiende wieken er voor ongeoefende ogen uitzagen als die van een windmolen.

'Het land ligt zo laag dat het zonder de molens onder water zou komen te staan,' had Ivor verteld toen ze voor de eerste keer naar Shibden was gekomen. 'Je moet hier het woord "rivier" ook niet gebruiken, Delia. In Norfolk worden alle rivieren en meertjes plassen genoemd. Je moet ook altijd goed uitkijken als je over de brug rijdt. Die is verraderlijk steil.'

Toen Delia Juno behoedzaam de brug liet oversteken, was de kleur van het met riet omgeven water eronder egaal donker en glad als steen. Plotseling werd ze zich bewust van de griezelige bewegingloosheid en stilte die voorafgaan aan een storm. Ze trok aan de teugels om Juno te laten halthouden en keek naar de hemel, zich afvragend of ze wel door zou rijden naar het strand, dat nog anderhalve kilometer verder was. De lucht was nog steeds blauw, met slierterige sneeuwwitte wolken erin. Ze zette Juno aan tot handgalop, er nu zeker van dat het onweer nog een flinke tijd op zich zou laten wachten. Ze verheugde zich al op de dag dat ze met Petra op een pony naast zich van dit soort ritjes zou kunnen genieten.

Toen ze bij de zee aankwam, lag het strand er verlaten bij, zo ver als het oog reikte. Ze slaakte een diepe zucht van tevredenheid. Hier, met de ritmisch brekende golven op maar een paar meter afstand, kon ze zo hard rijden als ze maar wilde zonder dat er anderen waren die haar afkeurend konden gadeslaan.

Tegen de tijd dat ze Juno keerde om weer naar huis te gaan, begon de schemering de hemel donkerder te kleuren. De dreiging van onweer hing nu echt in de lucht. Vanaf zee kwamen inktzwarte wolken opzetten en ze besefte dat ze zou boffen als ze thuis was voor de bui losbarstte.

Ze reed in een flinke galop naar de brug toe. Tot haar verbazing zag ze dat haar een ruiter in amazonezit tegemoetkwam.

'Wie het ook is, ze is gek,' zei Delia tegen Juno. 'De enige plek waar ze naartoe kan is het strand, en tegen de tijd dat ze daar aankomt, is ze tot op het bot doorweekt.'

Ze liet Juno langzamer lopen en kneep haar ogen samen om de amazone beter te zien. Het enige grote landhuis dat zich op rijafstand bevond was Shibden Hall en de enige persoon die daar te paard vandaan kon komen was Gwen, gesteld dat ze op Shibden was aangekomen. Maar Gwen reed nog maar zelden paard en ze zou er al helemaal niet op uit trekken wanneer er zoals nu onweer dreigde.

Delia liet Juno halthouden en hield haar adem even in. De elegantie van de amazone, de uitdagende stand van haar hoed: ze kon zich er niet in vergissen. Toen Gwen had gezegd dat ze met z'n tweeën waren, doelde ze op Sylvia, niet op Pugh. Gwen zou ook als enige van alle kennissen van Delia op het idee kunnen komen Sylvia mee te brengen naar Shibden, want Gwen was de enige persoon in heel Londen die níét wist dat Sylvia Ivors maîtresse was, dat wist Delia heel zeker.

Het was één ding om Sylvia te gast te hebben wanneer Jerome en nog zestien tot twintig andere mensen er ook waren, maar het was iets heel anders om haar over de vloer te hebben met Gwen als enige andere gast. Hoe moest ze zich in vredesnaam door deze logeerpartij heen slaan? Gelukkig was

Ivor in Londen en hoefde Sylvia dus niet te hopen haar nauwe band met hem te kunnen etaleren. Waarschijnlijk was Sylvia er uit teleurstelling en woede toe gekomen op een van Ivors paarden uit rijden te gaan zonder aandacht te schenken aan de onweerswolken die zich nu boven hun hoofd samenpakten.

Delia spoorde Juno weer aan. Als Sylvia van Shibden Hall wilde wegrijden om kleddernat te worden, vond zij dat best. Zelf wilde ze echter zo gauw mogelijk thuis zijn.

Sylvia reed in galop en was al bijna bij de brug, terwijl Delia er nog enkele honderden meters bij vandaan was.

Ze zag dat Sylvia haar paard veel te laat inhield en dat het dier de plotselinge steilte van de brug met volle snelheid nam, precies op het moment dat het begon te bliksemen. Midden op de smalle brug aangekomen, schrok en steigerde het paard, waardoor Sylvia met zoveel kracht uit het zadel werd geslingerd dat ze over de lage stenen zijkant van de brug het water in vloog.

Terwijl de donder oorverdovend knetterde, zette Delia Juno aan tot volle galop om haar op enkele meters afstand van de brug weer halt te laten houden. De regen begon met bakken uit de hemel te vallen, zodat haar zicht vrijwel geheel belemmerd werd. Delia kon nauwelijks onderscheiden waar het riet ophield en het water begon. Ze gleed van Juno's rug en rende de brug op om naar beneden te kijken.

'Sylvia!' riep ze het duister in, terwijl de regen het haar tegen haar hoofd plakte. 'Ik ben het, Delia! Waar ben je?'

'In het water!' In het geschreeuwde antwoord klonk doodsangst door. 'Ik kan niet zwemmen!'

Terwijl de bliksem opnieuw flitste, zag Delia het ovaal van Sylvia's bange gezicht; haar haar was niet te onderscheiden van het inktzwarte water. In de fractie van een seconde voordat de donder de bliksem opvolgde, verdween Sylvia onder water.

Delia aarzelde geen moment. Ze had geen tijd om haar rijkostuum met de zware rok uit te trekken, geen tijd om aan rijlaarzen te frunniken waar altijd een extra paar handen aan te pas moest komen om ze uit te krijgen. Terwijl de regen neerplensde, liet ze zich over de leuning van de brug zakken, ademde haar longen vol lucht en liet zich toen vallen.

Haar neef Beau had haar in White Sulphur Springs leren zwemmen toen ze dertien was en tot aan dit moment had ze nooit meer watervrees gekend. Maar ditmaal kon ze haar benen niet vrij bewegen toen het water zich boven haar sloot; ditmaal werd ze gehinderd door lastige laarzen en een prachtig gesneden rijrok van Busvine.

Terwijl ze worstelde om naar de oppervlakte te komen, trok de zware rok haar naar beneden, tot ze de bodem raakte. De diepe modder zoog aan haar laarzen terwijl er slib van de bodem om haar heen wervelde. Ze voelde slijmerige algen tegen haar gezicht. Wanhopig probeerde ze de sluiting van haar rok los te krijgen. Toen ze zich eindelijk had weten te bevrijden van het koord dat van de sluiting naar de zoom liep om te voorkomen dat de rok zou opwaaien, voelden haar borst en oren alsof ze zouden ploffen.

Eindelijk wist ze zich van de zware stof te ontdoen. Een seconde later hapte ze boven water hijgend naar lucht om vervolgens zonder een moment te aarzelen weer te duiken. Ze hoefde niet lang te zoeken. Het water had peilloos geleken toen ze dreigde te verdrinken, maar in werkelijkheid was het maar zo'n drieënhalve meter diep. Ze was bijna op dezelfde plek waar Sylvia kopje-onder was gegaan in het water terechtgekomen en ze botste nu onmiddellijk tegen haar beweegloze lichaam op.

Ze pakte Sylvia onder haar oksels en worstelde zich watertrappelend naar boven. Sylvia bewoog zich niet en toen ze aan de oppervlakte waren, hapte ze ook niet naar adem.

Delia begon op haar rug naar de kant te zwemmen, terwijl ze een hand onder Sylvia's kin hield zodat haar mond en neus boven water bleven.

Anders dan een gewone rivier had de plas geen stevige

oever om tegenop te klauteren, maar was er een brede strook riet langs de kant. Zelfs toen Delia kon staan was de bodem in de buurt niet stevig genoeg om Sylvia erop te laten rusten en te proberen haar bij te brengen.

Bijna huilend van uitputting viel Delia in het riet, Sylvia met zich mee sleurend. Terwijl ze steeds verder wegzakten in de moerassige bodem, sloeg Delia haar armen om Sylvia's borst. Afwisselend bewerkte ze Sylvia's rug met haar vuist en omknelde ze haar met een heftige opwaartse beweging.

'Adem!' hijgde ze terwijl het donderen en bliksemen minder werd. 'Verdorie, Sylvia! Je moet ademen!'

Sylvia maakte een snuivend geluid en bewoog zich licht.

Delia verzamelde alle energie die ze nog over had en omklemde haar opnieuw stevig.

Sylvia kokhalsde en spuugde water uit. Een ogenblik later hoorde Delia hoefgetrappel.

'We zijn hier!' riep ze hees, terwijl Sylvia doorging met kokhalzen. 'Hier! Onder je, in het riet!'

De paarden vertraagden om de brug op te gaan.

'We zijn hier!' schreeuwde Delia opnieuw. Ze was er zeker van dat het mensen waren die er vanuit Shibden Hall op uit waren gestuurd om hen te zoeken. 'Rechts van de brug! In het riet.'

'God in de hemel! Het is mevrouw!' Het was de stem van Charlie. Ze hoorde hem van zijn paard springen terwijl hij naar de andere ruiter riep: 'Schijn met de lantaarn over de rand van de brug, Dan!'

De eerste paardenknecht van de stallen van Shibden gehoorzaamde.

Toen het licht op haar viel, zei Delia een vroom dankgebedje, liet Sylvia los en kwam wankelend overeind.

'Let niet op mij,' hijgde ze toen de twee mannen door het riet wadend bij hen kwamen. 'Zorg eerst voor lady Bazeljette. Ze was bijna verdronken en ze is er slecht aan toe.'

Toen, op het moment dat Charlie zijn arm om haar heen

sloeg, zakte ze door haar knieën en verloor haar bewustzijn. Hoe Charlie en Dan haar en Sylvia naar huis terug hadden gekregen wist ze achteraf niet meer. Omdat ze bang was dat het antwoord luidde dat ze als zakken aardappels op de paarden waren geladen, vroeg ze er ook niet naar.

Voor haar was het voldoende te weten dat ze veilig was. Dat ze haar ongeboren kind niet had verloren. Dat Sylvia in leven was.

'Maar het was op het randje, volgens de dokter, mevrouw,' zei Ellie, die een kruik die begon af te koelen verwisselde voor een nieuwe, die in handdoeken was gewikkeld. 'De dokter is er nog. Hij zegt dat hij vannacht bij haar blijft.'

Delia keek neer op haar met kant afgezette nachthemd en begreep dat ze in bad moest zijn gestopt. Ze vroeg zich af of één bad wel voldoende was geweest om alle modder en slijmerige planten weg te spoelen. Ze had geen idee van de tijd. 'Hoe laat is het, Ellie? Is het avond of is het al nacht?'

'Het is bijna ochtend, mevrouw. Lady Pugh en de dokter wilden niet dat u alleen bleef en dus heb ik bij u gezeten vanaf het moment dat u in bed lag. Het lijkt wel alsof u niet meer kunt ophouden met beven, mevrouw. U hebt ook hoge koorts. De dokter is bang dat u een longontsteking hebt opgelopen.'

Delia sloot haar ogen. Longontsteking. Ze was niet van plan om zich door longontsteking te laten vellen. Niet na wat ze had doorgemaakt.

Toen ze weer wakker werd, met pijn in al haar botten, waren de gordijnen al opengeschoven. Ellie, die nog steeds naast haar bed zat, vroeg: 'Wilt u misschien een klein ontbijt, mevrouw?'

'Ik wil wel thee. En misschien een sneetje toast.' Ze duwde zichzelf omhoog in de kussens. Haar gezicht vertrok. 'Is mijnheer op de hoogte gebracht van wat er gebeurd is?'

'Ja, mevrouw. Maar lady Pugh kon hem geen details geven, omdat u en lady Bazeljette niet in staat waren iets te zeggen. Ze vertelde alleen dat het onweerde, dat u en lady Bazeljette van uw paard zijn gegooid, in het water vielen en bijna zijn verdronken. Hij is onderweg en wordt binnen het uur hier verwacht.'

'Is de dokter nog bij lady Bazeljette?'

'Ik geloof dat hij beneden aan het ontbijt zit.'

Tot Ellies schrik sloeg Delia de dekens van zich af en zwaaide haar pijnlijke benen over de rand van haar bed. 'U kunt nog niet opstaan, mevrouw,' zei ze paniekerig. 'De dokter heeft strikte orders gegeven dat u in bed moet blijven. Hij heeft alle bezoek verboden, zelfs van lady Pugh.'

Delia trok haar negligé aan en Ellies paniek werd nog groter. 'U bent toch niet van plan om de kamer uit te gaan, mevrouw? De dokter zei dat het een wonder was dat u de baby niet hebt verloren en dat u heel erg voorzichtig moet zijn!'

'Je bent net een bejaarde kloek, Ellie. Hou eens op. Ik ben echt wel voorzichtig. Ik ga alleen maar een paar meter de gang door om bij lady Bazeljette langs te gaan.'

'Ze is in de Italiaanse slaapkamer, mevrouw... Maar ik betwijfel of ze in een toestand is om uw bezoek te waarderen. Toen Dan haar naar binnen droeg, was ze meer dood dan levend.'

Delia nam er geen aanstoot aan dat Ellie haar toesprak alsof ze een recalcitrant kind was. Ze wist dat Ellie gelijk had. Ze hoorde in bed thuis, en nergens anders. Het probleem was alleen dat ze, als ze in bed bleef liggen, Sylvia niet zou kunnen spreken voordat Ivor kwam, terwijl er dingen waren die gezegd móésten worden... Om te beginnen moest ze zorgen dat Sylvia Ivor hetzelfde over het gebeurde zou vertellen als zijzelf, namelijk de versie waartoe Delia had besloten.

Bennett, Sylvia's dienstmeisje, deed de deur open met de woorden 'Mevrouw mag geen bezoek ontvangen' al op de lippen. Maar ze slikte ze in zodra ze Delia zag. 'De dokter heeft gezegd dat mevrouw volledige rust moet houden, lady Conisborough,' zei ze, in een dappere poging zich aan zijn instructie te houden.

'Ik zal haar niet vermoeien, Bennett. Ik ben van plan niet

langer dan tien minuten te blijven. Misschien kun je je voordeel doen van mijn aanwezigheid en even een kop thee halen.'

Het was een bevel om op te stappen en Bennett vatte het ook zo op. 'Ach... als u het zegt, mevrouw.' Slecht op haar gemak liet ze Delia binnen en ging toen, nog veel minder op haar gemak, weg.

Sylvia lag in het midden van een reusachtig bed, ondersteund door een berg kussens met zijden slopen. Haar tot haar taille reikende blauwzwarte haar lag naast haar uitgespreid. Ze zag eruit als een fraaie geestverschijning. Ze had donkere kringen onder haar ogen en haar huid was doodsbleek.

De enige beweging die ze maakte, was een zeer bescheiden draaiing van het hoofd. 'Ach,' zei ze, terwijl Delia plaatsnam op de stoel naast haar bed. 'Jij bent het. Ik wist dat je zou komen.'

'Hoe gaat het?'

'Ik leef nog. Zo'n beetje. En daarvoor moet ik jou bedanken, neem ik aan.'

'Dat hoeft niet. Ik zou hetzelfde voor ieder ander hebben gedaan.'

'Ja, dat zou je inderdaad doen, hè?' Er klonk vage spot door in Sylvia's stem. 'Jouw gedrag is altijd bewonderenswaardig, nietwaar? Je ontdekt dat je met een man bent getrouwd die van een andere vrouw houdt en je gedraagt je met de waardigheid van een vrouw die vele jaren ouder is, een waardigheid waarmee je diep respect afdwingt bij je man en hem er in andere gevallen toe gebracht zou hebben zijn verhouding te beëindigen. Je bent uiterst onconventioneel en levenslustig – en niemand neemt er aanstoot aan. Iedereen is verrukt van je. Zelfs de koningin is weg van je, en dat wil heel wat zeggen, want van veel mensen moet ze niets hebben, met inbegrip van haar halve familie. De premier, een man met een zwak voor vrouwen die zijn kleindochter konden zijn, is dolverliefd op je. De high society spuwt je niet uit, nee, geen enkel feest is compleet zonder jou. Je bent anders dan ik had verwacht... en daarom haat ik je, Delia. Dat je mijn leven hebt gered verandert niets aan die gevoelens.' Ze sprak haar choquerende woorden op nuchtere toon uit.

'Ik heb geen moment gedacht van wel,' zei Delia, die moeite had om net zo onaangedaan te zijn. 'Ik zou graag weten hoe ik dan geacht werd te zijn, als het voor iedereen zo'n verrassing was dat Ivor met mij trouwde.'

Sylvia trok een van haar volmaakte wenkbrauwen op. 'O, zo'n verrassing was het anders niet voor me, Delia. Ivor moest wel hertrouwen – met een jonge vrouw – om de zoon te krijgen die Olivia hem op zo spectaculaire wijze had onthouden. Ik wilde niet dat hij trouwde met de debuterende dochter van een van onze vrienden – en de Engelse high society is zo besloten dat ik met vrijwel iedereen die er deel van uitmaakt een band heb. Het laatste dat ik tegen Ivor zei voordat hij naar Amerika vertrok. was dat een rijke New Yorkse erfgename een geweldige oplossing voor onze problemen zou zijn. Wat ik niet had voorzien, was dat hij een meisje uit Virginia zou uitzoeken dat, hoe gerespecteerd haar familie ook is, beslist niet voor een rijke erfgename kan doorgaan. En dan ook nog een Virginische die, in plaats van zich geen raad te weten met een haar onbekende levensstijl, zich er met een ontwapenend zelfvertrouwen aan heeft overgegeven.'

Sylvia kwam in beweging, ze werkte zich omhoog in de kussens. 'Dat je geen familie of contacten in Engeland had, moest garanderen dat je geen andere keus had dan je te schikken wanneer je ontdekte waarom Ivor met je was getrouwd.' Sylvia's stem werd zwakker. 'Olivia was nooit inschikkelijk. Ze maakte Ivor – en mij – het leven zo zuur mogelijk. God, wat was dat een kreng van een vrouw! Ze heeft me publiekelijk steeds opnieuw vernederd. Ze liet geen kans voorbijgaan om duidelijk te maken dat mijn achtergrond minder was dan de hare. Tegen de tijd dat ze stierf, kon Ivor zich er nauwelijks meer toe brengen een woord met haar te wisselen.'

Haar ogen bleven met ijzige openhartigheid op die van Delia

gevestigd. 'Dat kwam mij heel goed uit. Ik wilde niet dat Ivor van Olivia hield. Zelfs op de dag dat hij met haar trouwde, was hij niet verliefd op haar. Maar met jou is dat anders.'

Ze zweeg even om diep adem te halen. Haar fraai gewelfde neusvleugels werden wit. 'Vanaf het moment dat ik jou op het verjaardagsbal van sir Cuthbert ontmoette, wist ik dat Ivor verliefd op je was, en niet zo'n klein beetje ook. Je was bepaald niet zoals ik me zijn tweede vrouw had voorgesteld. Je bent verpletterend mooi en amusant en je gaat met jullie relatie om op een wijze die je alleen van een vrouw met levenservaring zou verwachten.'

Haar ogen kregen een hardere uitdrukking. 'Maar je zult hem niet voor je winnen, Delia. Wat er gisteravond is gebeurd in dat smerige, moorddadige water maakt geen jota verschil. Misschien houdt Ivor een beetje van je, maar hij houdt veel meer van mij. En ik ben van plan dat zo te houden.'

Ze sloot haar ogen, niet in staat om verder te praten. Delia stond op. 'Ik wil je nog één ding zeggen voordat ik ga, Sylvia,' zei ze kalm. 'Over gisteravond.'

Sylvia opende haar ogen met grote krachtsinspanning. Ze hadden een matte uitdrukking.

'Gwen heeft Ivor verteld dat wij samen waren toen het onweer losbarstte en dat onze paarden ons hebben afgeworpen waardoor we in het water vielen. Het is een onwaarschijnlijk verhaal, maar ik wil er het liefst aan vasthouden. Ik koester geen verlangen als heldin bekend te worden. Vooral niet onder deze omstandigheden.'

Sylvia's fraai gevormde mond vertrok tot een vage glimlach. 'Ik vind het prima,' zei ze zwakjes, waarna ze haar ogen weer sloot. 'Ik wil niet dat iedereen weet dat jij mijn leven hebt gered.'

Toen Delia de deur opende, zei Sylvia: 'Je was erg dapper, Delia, dat moet ik je nageven. Je hebt pit, zoals wij dat op zijn Engels noemen. Is dat iets wat ze in Virginia allemaal hebben?'

'Nee, maar ik ben een Chandler en die hebben het allemaal wel.'

En met die woorden sloot ze de deur achter zich.

Een halfuur later kwam Ivors Rolls de oprit op gestoven. De ramen van Delia's slaapkamer stonden open. Ze hoorde Ivor, meteen nadat de auto tot stilstand was gekomen, over het grint sprinten.

Dankzij Ellie wist ze precies wat Gwen hem had verteld. Hij wist dus dat Sylvia en zij dezelfde ellende te verduren hadden gehad. Maar naar wie was Ivor nu zo gehaast op weg? Naar haar of naar Sylvia? Wanneer er personeel in de buurt was, gedroeg Ivor zich altijd precies zoals het hoorde. Als hij nu eerst naar Sylvia's kamer liep, zou het personeel dat weten en dat alleen was al reden genoeg voor hem om het niet te doen. Hij moest er ook rekening mee houden dat Gwen in huis was. Als hij nu naar Sylvia snelde, zou zelfs Gwen eindelijk beseffen wat hun relatie precies inhield. En wat ook nog meetelde, en zeker niet het minst, was dat zíj, Delia zwanger was – en volgens de dokter nog steeds gevaar liep haar kind te verliezen.

Toen ze hem met twee treden tegelijk de trap op hoorde stormen wist ze zeker dat hij naar haar toe zou komen. Hij zou niet anders kunnen, zijn geweten zou het hem niet toestaan.

Hij was nu boven en liep met snelle stappen door de gang naar haar kamer.

Hij kwam bij haar deur.

En liep eraan voorbij.

Enkele tellen later hoorde ze hem Sylvia's deur opengooien, zelfs zonder eerst te kloppen.

Delia liet heel langzaam haar adem ontsnappen. De mousselinen gordijnen voor haar ramen waaiden zachtjes mee met de lentebries.

Vier jaar lang had ze geleefd met de hoop dat Ivor de liefde die zij hem schonk zou beantwoorden. Deze hoop was vaak de grond in geslagen, maar had haar nooit geheel verlaten. Nog maar enkele dagen geleden, toen hij had voorgesteld enige tijd samen op Shibden Hall door te brengen, was ze er zeker van geweest dat ze het gevecht bijna had gewonnen.

Maar nu drong het verschrikkelijke besef zich op dat ze voorgoed had verloren. Hij hield wel van haar, maar niet genoeg. Voor Ivor kwam Sylvia op de eerste plaats en bezette zij, zwanger en wel, een zielige tweede positie.

Maar ze kwam niet voor iederéén op de tweede plaats.

Niet voor Jerome in ieder geval.

Ze hoorde Sylvia's deur open en weer dichtgaan. Zijn voetstappen kwamen de richting van haar kamer uit, maar Ivor en hun huwelijk konden haar niet meer schelen.

Ze dacht aan de brief die ze zou schrijven als ze weer alleen was. De brief die ze naar Frankrijk zou sturen. De brief waarop Jerome al zo lang hoopte – naar hij dacht tevergeefs.

6

Met Kerstmis werd Delia's tweede dochter geboren. Het was een langdurige en moeilijke bevalling. Ditmaal had ze geen naam paraat. Ditmaal had ze net als Ivor, die hevig teleurgesteld was, niet eens rekening gehouden met het feit dat de baby weer een meisje zou kunnen zijn.

'We kunnen haar naar je moeder vernoemen,' zei ze aarzelend, zo verzwakt door de bevalling dat het haar eigenlijk niet uitmaakte welke naam de baby kreeg.

Er gleed een schaduw over Ivors strenge maar knappe gezicht toen ze zijn lang geleden gestorven moeder ter sprake bracht.

'Nee,' zei hij kortaf, 'ik vind van niet.' Hij zweeg even en zei toen: 'Waarom zouden we haar niet de naam van haar moeder geven?'

'Bedelia? Absoluut niet. Ik had het zelf erg moeilijk met mijn naam, vooral voordat hij werd afgekort tot Delia. Twee Delia's zou trouwens erg verwarrend zijn.'

'Heb je echt geen voorkeur?'

Ze schudde haar hoofd; haar rode lokken lagen als een rode gloed over de ivoorkleurige kussens uitgespreid.

'Dan noemen we haar Davina May. Davina als eerbetoon aan David Lloyd George, die Herbert ongetwijfeld binnen een jaar als premier zal vervangen, en May naar koningin Mary die May als doopnaam ontving en die door iedereen die op intieme voet met haar verkeert nog altijd May wordt genoemd.'

Delia sloot haar ogen. Het was belachelijk om hun dochter te vernoemen naar een lompe, opvliegende Welshman, maar het was wel een mooie naam. Bovendien vond ze dat de namen Delia en Davina heel plezierig van de tong rolden als ze gezamenlijk werden uitgesproken.

Acht weken later, toen ze eindelijk weer een beetje op krachten begon te komen, kwam het bericht dat Jerome zwaar gewond was geraakt. Hij schreef haar vanuit een veldhospitaal.

Ik heb al mijn ledematen nog, wat voor jou hoop ik net zo'n opluchting is als voor mij. Ik heb begrepen dat ik word overgebracht naar een ziekenhuis in het oude vertrouwde Engeland, waar ik met een beetje geluk snel genoeg opknap om weer aan het front te zijn als de slotaanval van start gaat.

'Hij is gek,' zei Delia, de eerstvolgende keer dat ze met Margot lunchte. 'Hoe kan hij nu zeggen dat het een "geluk" is om naar het front terug te gaan? En waarom heeft hij het over een slotaanval terwijl er sprake is van een geweldige patstelling? Maand in maand uit sneuvelen er mannen door gasaanvallen en mijnen, of ze raken verminkt. Maar van vorderingen is geen sprake. De zaken staan er nog even slecht voor als vorig jaar.'

Margot zag er bleek en gespannen uit. Ze zei niets. Later, toen ze afscheid van elkaar hadden genomen, had Delia spijt dat ze dingen had gezegd die – ook al waren ze waar – konden worden opgevat als kritiek op de manier waarop Margots man de oorlog aanpakte.

Een maand later lag Jerome in een militair hospitaal in Sussex. Gekleed in een zeegroene bolero, een tot de enkels reikende rok in dezelfde kleur, en een gesteven witte blouse, nam Delia de trein en een taxi om hem op te zoeken. Ze had twee kinderen, maar geholpen door een strak korset bezat ze nog steeds een zeer elegant zandloperfiguur, en trok daardoor alom bewonderende blikken van mannen in uniform naar zich toe; alle mannen die maar eningszins gezond waren liepen immers in uniform.

Het kwam niet alleen door haar golvende dieprode lokken en haar brutale hoedje van stro dat ze zoveel aandacht trok, en ook niet doordat ze veel langer was dan de meeste Engelse vrouwen. Ze viel vooral op door haar vlotte Amerikaanse manier van doen, haar ontwapenende zelfvertrouwen en haar gebrek aan pretenties.

Toen ze de ziekenhuiszaal betrad, trok ze alle ogen naar zich toe.

'Voor wie komt u?' vroeg de zaalzuster, die haar meteen kwam begroeten.

'Kapitein Bazeljette.'

'Ach.' De zuster riep een verpleegster die bezig was een man wiens been was geamputeerd gemakkelijker te laten liggen. 'Zuster, loopt u alstublieft even met mevrouw Bazeljette mee naar het bed van kapitein Bazeljette.'

Delia schraapte haar keel. 'Lady Bazeljette is niet in staat haar man nu te bezoeken. Ik ben burggravin Conisborough, een goede vriendin van de familie.'

De wenkbrauwen van de zaalzuster gingen misschien maar een millimeter omhoog, maar Delia besefte dat er geen sprake kon zijn van de liefdevolle begroeting die ze in de zin had.

Terwijl de verpleegster haar meevoerde door de grote zaal met gewonde officieren werd ze bijna ziek bij de gedachte dat maar heel weinig van hen ooit nog zouden kunnen lopen zonder krukken of kunstledematen. Ze raakte bijna in paniek, want ineens vroeg ze zich af of Jerome in zijn brief soms had gelogen. Ze mocht niets van schrik laten blijken als ze hem zag, want misschien zou hij dat als afkeer opvatten. Ze moest moedig zijn, zoals hij al zo lang moedig was geweest.

'Kapitein Bazeljette, er is bezoek voor u,' zei de verpleegster opgewekt. Ze had een volslagen andere uitstraling dan de zaalzuster. 'Ik zou u willen verzoeken niet langer dan een halfuur te blijven, lady Conisborough. De gewonden worden erg snel moe.'

In haar gesteven rok was ze in een flits verdwenen. Delia's knieën werden een ogenblik week van opluchting toen ze zag dat Jeromes linkerarm, schouder en been weliswaar dik in het verband zaten, maar niet in een stomp eindigden.

'Mijn hemel, wat zie je er prachtig uit,' zei hij, terwijl ze zo dicht bij zijn bed kwam zitten als maar mogelijk was.

Ze kon geen woorden vinden en pakte daarom zijn hand en drukte die tegen haar wang.

Zijn haar, dat veel langer was dan was toegestaan volgens de legervoorschriften, lag over zijn voorhoofd en krulde tot onder aan zijn nek. Een vurige wond liep door tot onder zijn linkerwenkbrauw.

Hij las haar gedachten en zei op milde toon: 'Het had veel erger kunnen zijn, Delia. Ik had mijn oog kunnen verliezen. Ik ben er van alle mannen die hier liggen denk ik nog het best aan toe.'

'Dat weet ik,' zei ze met onvaste stem. 'En daar ben ik dankbaar voor. Maar je kunt niet steeds geluk hebben, Jerome. Je bent bijna achttien maanden aan het front geweest. De volgende keer word je... word je misschien...' Ze kon de zin niet afmaken en zei daarom met verstikte stem: 'Ik wil dat je je aanmeldt voor een positie bij de staf. Je hebt invloedrijke vrienden.' Ze zei het dringend en smekend. 'Het kan gemakkelijk geregeld worden. Het is niet zo dat je je bijdrage nog niet hebt geleverd. Je hebt verscheidene eervolle vermeldingen gekregen wegens uitzonderlijke moed. Als stafofficier zou je...'

'... ver achter de linies kunnen blijven en me de rest van mijn leven gêneren voor mijn lafheid?' Zijn stem was nog steeds mild, maar er klonk koppige vastberadenheid in door. 'Nee, Delia, dat is geen optie.' Hij kneep in haar hand. 'Vertel me over de nieuwe baby. Ivor heeft haar toch niet echt naar Lloyd George genoemd?'

In haar radeloosheid bij het vooruitzicht dat hij weer naar het front zou gaan, bracht ze het niet verder dan een zwakke glimlach. 'Jawel. Hun karakter is heel verschillend, maar Ivor en Lloyd George zijn de laatste tijd erg innig met elkaar. Maar ook weer niet zo innig dat Ivor hem heeft gevraagd als peetvader. Die positie is voor jou gereserveerd, en we hebben de doop uitgesteld tot jij erbij aanwezig kunt zijn.'

'Dank je wel.' Hij zweeg even en zei toen op een andere toon: 'En Petra, Delia? Hoe is het met Petra?'

Nu glimlachte ze voluit. 'Ze is erg parmantig. Ze loopt en ze praat en ze is erg ondeugend. Ik wou dat je haar kon zien, Jerome. Ik wou dat ik haar had kunnen meenemen, maar ze laten geen baby's op de zaal toe.'

Hoewel hij veel pijn had, verscheen er een brede glimlach op zijn gebruinde gezicht. 'En is haar haar nog rood?'

'Ja, maar anders dan het mijne, het hare is eerder roestbruin. En haar ogen zijn groen, met bruin erin, niet felgroen. Ik heb een foto bij me.'

Er stond een kastje naast zijn bed en ze zette de foto tegen de kan met water die erop stond, zich afvragend of hij hem zou laten staan – en zo ja, hoe hij dat dan aan Sylvia ging uitleggen.

Alsof hij haar gedachten kon lezen zei hij: 'Ik heb Sylvia nog niet gezien. Ze is met de Girlingtons in Schotland. Jack is wel geweest. Mijn vader bracht hem mee.'

Hij maakte zijn ogen met moeite los van de foto. 'Hij was totaal niet onder de indruk van al het verband – niet toen ik hem vertelde dat er nog een arm en een been onder zaten. En hij had grote bewondering voor de jaap door mijn wenkbrauw. Hij zei dat ik zo net een piraat leek.'

Delia begon te lachen. 'Dat is ook zo. Niet zo'n type als de gemene kapitein Hook, maar echt een knappe, stoere piraat.'

'Jouw type?' In zijn ogen smeulde de gouden gloed van vuur.

'O ja,' fluisterde ze. 'Helemaal mijn type, Jerome.' En zonder zich erom te bekommeren dat anderen het konden zien, boog ze zich naar voren en kuste hem langdurig teder op de mond.

Drie maanden later was hij weer terug in Frankrijk. Een maand later ging het Somme-offensief van start. Het grootste leger dat Groot-Brittannië ooit in het veld had gebracht leverde felle strijd en in het hele land hield iedereen zijn adem in. Delia ontving geregeld prentbriefkaarten van Jerome, maar de censuur zorgde er wel voor dat ze niet meer te weten kwam dan dat Jerome op het moment dat hij ze schreef nog in leven was. Het offensief dat zo beslissend had moeten zijn duurde maar voort, maand na maand. Het was een eindeloze reeks deelgevechten, waarbij catastrofale aantallen doden en gewonden vielen.

In september, toen er een tweede grote aanval bij de Somme werd ingezet, sneuvelde Margots stiefzoon, Raymond, terwijl hij zijn mannen in de strijd voorging.

Margot was ontroostbaar. 'Wat zonde, wat zonde toch,' was alles wat ze, asgrauw, wist uit te brengen toen Delia haar op Downing Street 10 kwam condoleren. 'Raymond had een staffunctie moeten krijgen, waar hij zijn hersens had kunnen gebruiken. Maar geen verstandig mens neemt nog een staffunctie aan, omdat het jaloezie wekt en als een teken van lafheid wordt gezien. Maar er bestaat ook een ander soort lafheid, Delia.' Ze balde haar vuisten. 'Te veel van Henry's vrienden zijn niet langer loyaal jegens hem. Winston niet. George niet. Ivor niet. Alle drie hebben ze niets dan lof voor Lloyd George, wat ongeveer gelijkstaat aan Henry van zijn post verdrijven. Het gevolg is dat ik al mijn vrienden kwijtraak. Ik had een verschrikkelijke aanvaring met Clemmie. Zij kan alles uiteraard alleen nog maar vanuit Winstons standpunt bezien. Iets dergelijks gaat met jou hoop ik toch niet ook gebeuren, Delia?'

In het besef dat dat toch wel waarschijnlijk was, mompelde

Delia enige geruststellende woorden en vertrok weer met een zwaar gemoed, omdat ze voorvoelde dat haar vriendschap met Margot zou eindigen op de dag dat Lloyd George de positie van Herbert overnam.

De aankondiging dat dat te gebeuren stond, kwam in de eerste week van december. 'Godzijdank,' zei Ivor opgelucht. 'Met de oorlog zal het nu een andere kant op gaan. Zelfs de koning, die nooit erg optimistisch is, denkt dat het tegen de lente allemaal voorbij zal zijn.'

Maar dat was niet zo.

Toen Jerome in maart met verlof naar huis kwam, zei hij grimmig: 'Tenzij Amerika zich in de oorlog mengt, wordt er doorgevochten tot de laatste man.'

Hij was inmiddels majoor en zag er tien jaar ouder uit dan drie jaar geleden, toen hij zich zo voortvarend voor de dienst had aangemeld. In zijn donkere haar zaten grijze strepen en de lijnen die van zijn neus naar zijn mondhoeken liepen leken uit steen gehouwen. Het was duidelijk dat hij de uitputting nabij was.

'De hemel mag weten wat er aan het oostelijk front gaande is,' zei hij op bittere toon tegen Ivor, toen ze beiden bij de Denby's dineerden. 'Het westelijk front zit in ieder geval muurvast. Een hele generatie wordt over de kling gejaagd. Het is doden of gedood worden. Het is een wonder dat ik nog leef.'

Op 6 april, de dag na het aflopen van zijn verlof, kwam Amerika met een oorlogsverklaring.

Een maand later ontving Delia een euforische brief van haar nicht Bella. De aanhef luidde: 'Lieve burggravin', want Bella vond het heerlijk om Delia's titel te gebruiken wanneer ze er maar kans toe zag, al gebruikte ze hem nog zo verkeerd.

Is het niet geweldig dat onze Amerikaanse jongens nu ook kunnen meedelen in de glorie en het heldendom? Neef Beau heeft zich onmiddellijk aangemeld en ik kan je niet vertellen hoe knap hij eruitziet in zijn uniform. Hij is zo'n waaghals dat ik zeker weet dat hij allerlei onderscheidingen in de wacht zal slepen. Hij popelt om aan de strijd deel te nemen, zoals een kind popelt om naar een verjaarspartijtje te gaan. Maar we weten niet precies wanneer de Amerikaanse troepen naar Vlaanderen vertrekken. Ligt Vlaanderen trouwens in Frankrijk of in België? Eén ding is in elk geval zeker: als Beau daar aankomt moeten alle mannen die een meisje hebben op hun tellen passen.

Delia legde de brief weg, bijna misselijk van de dwaze naïviteit die uit Bella's brief sprak. Meer dan een half miljoen mannen waren aan de Somme alleen al gesneuveld – en dat waren alleen nog maar de cijfers zoals ze in de krant kwamen. Ze dacht aan de verminkte mannen die ze gezien had, mannen die ledematen hadden verloren. Mannen van net in de twintig of zelfs nog jonger die nooit meer zouden kunnen lopen. Mannen die, omdat ze niet meer konden werken, gedoemd waren om lucifers te verkopen. Maar voor Bella betekende oorlog niets anders dan een slagveld dat plezierig dicht bij een stad lag, zodat galante soldaten na een dag lang vechten hiernaar konden terugkeren, alsof ze van kantoor kwamen, om met knappe mademoiselles te flirten.

'Je moet haar niet zo hard vallen,' zei Ivor toen ze hem had verteld hoe bedroevend slecht Bella op de hoogte was. 'Drie jaar geleden dacht bijna iedereen er zo over. Waar het nu op aankomt, is dat de Amerikaanse troepenschepen Frankrijk bereiken zonder door Duitse onderzeeërs uit het water te worden geblazen.'

Eind juni bereikten de Amerikaanse schepen Frankrijk inderdaad, maar in de maanden die volgden zag Delia nog geen drastische veranderingen in de situatie. Feitelijk werd die alleen maar erger. De Duitsers begonnen aanvallen met zeppelins op Londen uit te voeren, zodat burgers bij de oorlog werden betrokken op een manier die niemand ooit voor mogelijk had gehouden. Eén bom viel op een school en doodde een klas vol kinderen. Een andere kwam neer op een station en raakte een trein waarin talloos veel mensen zaten.

Gelukkig bleef Jerome prentbriefkaarten sturen, beschreven met potlood, maar grotendeels zwart gemaakt wegens censuur. Hij had zich met hand en tand verzet tegen een staffunctie die hem werd opgelegd, achter de linies, maar daar bevond hij zich nu, en Delia dankte God daar iedere avond op haar blote knieën voor.

'Heeft Jerome gezegd wat hij van plan is als de oorlog voorbij is?' vroeg Ivor op een van de zeldzame avonden dat ze samen aten. 'De wereld zal er dan heel anders uitzien en Jerome kennende, zal hij zich er al snel aan aanpassen.'

'Hij wil de politiek in. Hij heeft al met Lloyd George gesproken, en die heeft beloofd dat hij hem zal voordragen als liberaal kandidaat voor een belangrijk kiesdistrict.'

Ivor was minder verrast dan Delia zou verwachten. 'Hij had zoiets tien jaar geleden al moeten doen,' zei hij. 'Hij heeft de juiste inslag. Ik denk dat mensen in de rij staan om op hem te stemmen.'

Als hij in leven blijft, dacht Delia, maar ze sprak deze morbide gedachte niet uit. Er was nog altijd een kans dat Jerome een manier zou verzinnen om weer naar het front te gaan.

In oktober, op Petra's derde verjaardag, organiseerde Delia een partijtje op Cadogan Square. Jack, die inmiddels tien jaar oud was en in Sussex op school zat, had herfstvakantie en verscheen toen het partijtje al in volle gang was en er een goochelaar optrad.

'O, Jack, Jack!' Petra kraaide van plezier, vloog op hem af en sloeg haar handjes, die kleverig waren van het taartglazuur, om zijn benen. 'Kom kijken, die meneer haalt konijntjes uit zijn hoed! Echte konijntjes! Mama, toe, mag ik een konijntje? Jack blijft logeren, hè? Ja hè, Jack, jij blijft logeren!' Ze liet zijn benen los om zijn handen te pakken en trok hem mee naar het tiental andere kinderen dat lachte en juichte toen de goochelaar een levende duif uit zijn hoed toverde.

Davina, tweeëntwintig maanden oud, stond zo dichtbij als

ze maar kon met haar grote, grijze ogen naar de duif te staren, zonder luidruchtig te klappen en roepen zoals de andere kinderen.

Delia keek naar haar en haar hart liep over van liefde. Petra was heel druk en levenslustig, vroeg constant om aandacht en moest aldoor worden beziggehouden, terwijl Davina zich heel goed zelf kon vermaken met wat blokken of een speelgoedbeest. Delia beet op haar lip, zich afvragend hoe een derde kind eruit had kunnen zien; na de zware bevalling van Davina had ze echter de hoop opgegeven dat ze nogmaals zwanger zou worden.

Haar verloskundige had Ivor verteld dat een volgende zwangerschap niet waarschijnlijk was en dat haar leven gevaar liep als ze wel in verwachting raakte. Delia had gevreesd dat dit het einde van haar huwelijk zou betekenen.

Maar dat was niet het geval.

'Echtscheiding is maatschappelijk gezien onaanvaardbaar,' had Ivor gezegd, toen ze haar zorgen op dit punt kenbaar maakte. 'Voor een man in mijn positie zeker. Ik zal me er dus eenvoudigweg bij moeten neerleggen dat ik alleen maar twee dochters heb.'

Hij had geen moeite gedaan zijn bittere teleurstelling te verbloemen en zij niet om haar enorme opluchting te verbergen. Als hij een echtscheiding had verlangd, zou het voor haar onmogelijk zijn geworden om met Jerome te blijven omgaan. Alleen omdat ze veilig getrouwd was en haar man als een intieme vriend van Jerome werd gezien werd er niet geroddeld over hun veelvuldige contact.

Terwijl de goochelaar gekleurde zijden doekjes uit de achterkant van Jacks jasje begon te trekken, probeerde Delia zich een leven zonder Jerome voor te stellen. Ze slaagde er niet in. Hij was niet alleen haar allerbeste vriend, maar ook het middelpunt van haar bestaan sinds Ivor nog afstandelijker was geworden omdat ze hem geen zoon kon schenken.

Haar gepeins werd onderbroken toen er tumult ontstond.

De goochelaar had een levende muis uit de zak van Jacks jasje getoverd. De kinderjuffen krijsten en stoven uiteen en een paar dreumesen begonnen te huilen.

Het was tijd dat ze tussenbeide kwam. Delia stond op en liep de kamer door. Ze nam het besluit om direct na het feestje naar Fortnum en Mason's te telefoneren en een nieuw pakket voor Jerome te bestellen, met onder andere zijn favoriete walnotencake.

De kerstdagen werden op Shibden Hall doorgebracht en tijdens deze vakantie kwamen koning George en koningin Mary op bezoek, iets wat ze anders zelden deden. Delia zat niet echt te wachten op een dergelijke onderbreking van de normale gang van zaken, want het betekende onder andere dat het menu van tevoren ter goedkeuring aan het hof moest worden voorgelegd – wat de kokkin hysterische aanvallen bezorgde – en dat er een hele zwerm politiemannen om het huis werd geposteerd. De koningin ontdooide in zoverre dat ze naar Delia's liefdadigheidsactiviteiten informeerde, en de koning sprak over de lastige beperkingen die de Amerikanen aan leningen aan de Britten hadden verbonden.

'Het geld mag alleen besteed worden aan voorraden die in de Verenigde Staten worden gekocht.' Zijne majesteit maakte zich zo druk dat hij even vergat dat hij een politieke kwestie aansneed in het bijzijn van zijn echtgenote en de gastvrouw. 'Wij verbinden dergelijke voorwaarden niet aan leningen aan onze bondgenoten. Hoewel ik besef dat een dergelijke reis grote problemen met zich meebrengt, vrees ik toch dat u binnenkort weer een tripje naar de overkant van de Atlantische Oceaan zult moeten maken, Conisborough. De Amerikaanse minister van Financiën dient te beseffen hoe zorgelijk onze financiële situatie is. Hem moet, in niet mis te verstane bewoordingen, duidelijk worden gemaakt dat we behoefte hebben aan een flexibeler regeling.'

Later, toen de koninklijke gasten weer naar Sandringham

waren vertrokken, klopte Delia op de deur die haar slaapkamer met die van Ivor verbond.

'Moet je echt weer zo'n gevaarlijke tocht over de oceaan maken?' vroeg ze.

Hij had de jas van zijn rokkostuum uitgetrokken, maar was verder nog volledig gekleed. Ze was zich er plotseling sterk van bewust dat ze alleen maar haar nachtpon en peignoir aan had.

'Misschien. Balfour moet daarover beslissen.'

Arthur Balfour was de Britse minister van Buitenlandse Zaken.

'De moeilijkheid is,' zei hij openhartig, zoals altijd wanneer hij met haar over zijn werk praatte, 'dat Amerika nu zelf behoefte heeft aan enorme fondsen voor de oorlogvoering en dat de kredietverstrekking aan Groot-Brittannië daardoor wel eens stopgezet zou kunnen worden.'

'Maar we zijn nu toch bondgenoten! Daarom zullen er toch zeker alleen maar méér kredietmogelijkheden worden gecreëerd?'

'Misschien.' Hij schonk haar zijn vertrouwde scheve glimlach. 'Misschien kan Balfour beter jou in plaats van mij naar Amerika sturen. De naam van de minister van Financiën luidt Mr. McAdoo.'

Het was lang geleden dat ze in Ivors bijzijn had gegiecheld, maar nu zei ze gniffelend: 'Dat klinkt als een figuur uit een stripverhaal.'

Zijn glimlach werd breder.

Ze werd zich bewust van zijn opflakkerende genegenheid en waar die toe zou kunnen leiden, maar ze zou het niet kunnen verdragen emotioneel opnieuw volledig door elkaar te worden geschud. Ze zei snel: 'Ik weet zeker dat je succes zult hebben als je naar Amerika gaat. Welterusten, Ivor.' Voordat hij een poging had kunnen ondernemen om haar tegen te houden, liep ze haar eigen slaapkamer weer in en sloot ze de verbindingsdeur achter zich.

In de koude lentemaanden ging het vechten door. Aan het Oostfront waren de Russische legers verslagen. Aan het Westfront waren de Franse legers zo uitgedund dat er geen beroep meer op kon worden gedaan voor een groots offensief, en de Amerikaanse troepen deden nog altijd niet aan de strijd mee. In maart, toen de Duitsers een grootscheepse aanval lanceerden, was koning George zo bang voor een Duitse zege dat hij zich naar Frankrijk spoedde om het tanende moreel van de Britse troepen weer op te vijzelen.

Jeromes staffunctie had niet kunnen voorkomen dat hij opnieuw gewond raakte. Ditmaal werd hij echter niet overgebracht naar een hospitaal in Engeland, maar bracht hij verscheidene weken door in een revalidatieoord in de buurt van Boulogne. In juni zat hij weer midden in de strijd. Hij was voorgoed mank.

Om zichzelf het piekeren zo goed als onmogelijk te maken, stortte Delia zich zo verwoed op haar liefdadigheidswerk dat ze weldra de uitputting nabij was. Maar dit was nog altijd beter dan de lijst met gesneuvelden in *The Times* door te ploegen of te horen dat een onlangs gesneuvelde soldaat de laatste van drie omgekomen broers was.

'Die arme moeder toch,' zei Gwen steeds maar weer. 'Stel je toch eens voor dat je niet één, maar al je zoons kwijtraakt. Om zo'n verlies te kunnen dragen moet je over bovenmenselijke kracht beschikken.'

In september leek het erop dat de geallieerden eindelijk aan de winnende hand waren, maar juist toen Delia de toekomst zonniger begon in te zien dan de voorgaande vier jaar kreeg ze het bericht dat Beau gesneuveld was.

Het nieuws verpletterde haar. Beau was een deel van haar kindertijd, van haar meisjesjaren geweest. Wekenlang dacht ze aan niets anders dan aan Virginia en aan de zorgeloze dagen die ze met haar neef had gekend.

'Zodra de Atlantische Oceaan weer veilig is, ga ik een bezoek brengen aan mijn familie,' zei ze tegen Ivor. 'Mijn ouders worden er niet jonger op en ik wil dat Petra en Davina zich hen later zullen herinneren.'

De oorlog eindigde in november. In het hele land luidden de kerkklokken en werd 's avonds vuurwerk afgestoken. Ivor liet aan elk raam van het huis aan Cadogan Square vlaggen ophangen. Nadat hij in het Lagerhuis had geluisterd naar de wapenstilstandsvoorwaarden die door Lloyd George werden voorgelezen, nam hij Delia mee naar Buckingham Palace, waar koning George en koningin Mary op het balkon naar de mensenmenigte buiten stonden te zwaaien.

Delia verwachtte half dat de vooroorlogse zekerheden opnieuw het leven zouden gaan bepalen. Veel van hun vrienden die zowel een huis in Londen als een landgoed bezaten, gaven hun huis in de stad op. Ze organiseerden nog wel feesten en ander vertier, maar alleen in de weekeinden.

In de stad bezochten jonge mensen massaal nachtclubs om naar jazz, de nieuwe muziek, te luisteren. Overal klonk Amerikaanse muziek. Ivor had een hekel aan het nieuwe uitgaansleven, maar Delia had inmiddels een hechte vriendschap met de prins van Wales opgebouwd en ging vaak samen met hem uit. Het bezoeken van nachtclubs was een van de favoriete bezigheden van prins Edward.

'Ivor kan me moeilijk verbieden op dit soort uitnodigingen in te gaan,' zei Delia in de lente van 1920 tegen Jerome toen ze er tussenuit waren geknepen om stiekem samen te picknicken in de North Downs. 'Niet als ze van de man komen die ooit zijn koning zal zijn.'

'Edward ziet er niet uit als een koning,' zei Jerome. Hij lag in het gras, leunend op zijn elleboog. 'Hij ziet eruit als een sprookjesprins: slank, met gouden lokken en blauwe ogen. Maar het ontbreekt hem aan ernst, en dat is wat je volgens mij echt nodig hebt om koning te kunnen zijn.'

Delia zette haar glas witte wijn neer, streek haar modieuze, tot halverwege haar kuiten reikende rok glad over haar knieën en sloeg toen haar armen om haar benen. 'Volgens Ivor ook. Hij hoopt dat koning George negentig wordt.'

'Misschien wordt hij dat ook wel. Zijn grootmoeder is immers ook heel oud geworden.' Hij legde een afgekloven kippenbotje op een servet en ging plat liggen met zijn handen onder zijn hoofd. 'Heeft Ivor verteld hoelang hij ongeveer in Parijs blijft?'

'Nee, hij zei dat de vredesconferentie maanden zou kunnen duren. Jij bent parlementslid, wat wordt er in de wandelgangen over gezegd?'

'Dat het maanden gaat duren.' Hij schonk haar zijn brede, gulle glimlach. 'Maar ik denk niet dat Lloyd George wil dat Ivor in Parijs blijft. Hij heeft je man nodig om de gebeurtenissen in het Midden-Oosten op de voet te volgen. Als wij Egypte onafhankelijkheid verlenen – en misschien zijn we daartoe gedwongen – dan moeten we de katoenhandel en het Suezkanaal in handen zien te houden. Zonder het Suezkanaal verliezen we onze strategische verbindingsroute met India.'

Delia's gesprekken met Ivor gingen vrijwel altijd over zijn werk, wat er op neerkwam dat ze ook vrijwel altijd over politiek gingen. Ze wilde niet dat zij en Jerome hetzelfde zouden doen. Egypte interesseerde haar geen zier en ze was niet van plan om een van de kostbare middagen die ze samen hadden te verdoen met over Egypte te praten.

Ze vlijde zich naast hem neer, met haar hoofd naast het zijne. 'Ik praat liever met je over Virginia,' zei ze dromerig. 'Ik zal je vertellen hoe heerlijk het was om daar met Petra en Davina naartoe te gaan. Als jij erbij had kunnen zijn, was alles volmaakt geweest.'

Hij rolde boven op haar en hield haar met zijn lichaam gevangen, zijn ogen smeulend van begeerte. 'Ooit,' zei hij, terwijl hij een sliert van haar vlammende haar uit haar gezicht streek, 'ooit gaan we er samen naartoe.'

Haar handen gleden door zijn dichte krullen. Ze wilde niet praten over een dag die ooit zou komen, want ze wist dat die er niet zou komen. Jerome kon vanwege Jack onmogelijk van zijn vrouw scheiden. 'Misschien als hij ouder is, Delia,' had hij gezegd. 'Zolang Jack nog op Eton zit is een echtscheiding uitgesloten, want voor hem zou dat rampzalig zijn.' Bovendien was Jerome nog niet zo lang geleden een respectabel lid van het parlement geworden, wat een echtscheiding om nog een heleboel andere redenen ondenkbaar maakte.

Delia maakte zich er niet meer druk om. Haar huwelijk met Ivor was niet alleen maar ellende. Ze had respect voor zijn intellect en voor zijn enorme werklust. Ze genoot van het prestige dat haar als zijn echtgenote ten deel viel. Ze stelde het op prijs dat hij zijn politieke zorgen met haar deelde en wist dat zijn genegenheid voor haar groot was. Daardoor was hun huwelijk veel geslaagder dan dat van veel van hun vrienden en kennissen.

Het was natuurlijk een vreemde situatie – dat Sylvia al zo lang Ivors maîtresse was en dat haar echtgenoot Jerome nu haar minnaar was – maar ze gedroegen zich niet vreemder dan veel andere stellen in de kringen rond het hof; hun relatie was in ieder geval oprecht. Ivor was niet alleen op de hoogte van haar verhouding met Jerome, maar was er ook erg blij mee, omdat het zijn verhouding met Sylvia een stuk gemakkelijker maakte. De enige die het niet eens was met de manier waarop de zaken geregeld waren, was Sylvia. Maar Sylvia's gevoelens interesseerden Delia geen steek.

In 1921 ging ze opnieuw naar Virginia en ze was erbij toen haar moeder onverwachts stierf aan een hartaanval. In 1922 vierde ze met Petra en Davina vakantie als gasten van de Denby's in hun villa in Rolle aan het Meer van Genève. Jerome zorgde ervoor dat hij in die tijd ook in Zwitserland was; hij bracht Jack de geneugten van het skiën bij en bracht daarna nog een aantal ontspannen dagen door in Nyon, niet ver van Rolle.

Ver weg van het Londense societybestaan kon Delia zich

heerlijk ontspannen en genieten. Jack verdroeg goedmoedig dat de achtjarige Petra en de zevenjarige Davina overal achter hem aan sjouwden. Delia beleefde magische uren tijdens haar wandeltochten met Jerome langs de naar bloemen geurende oevers van het meer. Soms zwierven ze tussen de resten van het Romeinse amfitheater. Soms zeilden ze op het meer. Ze hadden een zalige tijd en toen Jerome aankondigde dat hij een villa in Nyon wilde kopen, kon Delia haar geluk niet op.

Bij het aanbreken van 1923 beschouwde Delia zichzelf als een gelukkige vrouw die het enorm getroffen had. Ze had een echtgenoot die hartelijk voor haar was op de momenten dat het decorum vereiste dat ze samen waren. Ze had twee gezonde dochters. Ze had een minnaar die tevens haar beste vriend was en die haar trouw was, wat gezien zijn reputatie verbazingwekkend mocht heten. Ze genoot een bevoorrechte positie in de allerhoogste echelons van de Britse maatschappij. Ze maakte deel uit van de kring rondom de prins van Wales en verkeerde op vriendschappelijke voet met de prins zelf. Die hield van Amerikaanse vrouwen en was het volslagen tegendeel van zijn bezadigde, stijve, plichtsgetrouwe vader.

Het leven was heerlijk en Delia verwachtte niet dat dit zou veranderen.

Toen dat toch gebeurde, ging het allemaal zo snel dat ze geen tijd kreeg om van de schrik te bekomen.

Ze was net naar Cadogan Square teruggekeerd na een bezoek aan de National Gallery met Cynthia Asquith. Ivor was in de grote salon. Hij stond met zijn rug naar haar toe een glas whisky voor zichzelf in te schenken.

Zonder zich naar haar om te draaien zei hij plompverloren: 'Ik vrees dat ik als adviseur van koning Fouad naar Caïro zal moeten; hij is met Britse steun kortgeleden koning geworden. Het zal geen kwestie van een paar maanden zijn. Het gaat om een diplomatieke post die ik vermoedelijk jaren achtereen zal bezetten. Gezien de aard van mijn functie is het van wezenlijk belang dat mijn gezin me vergezelt. We vertrekken over een maand.'

'Vertrekken? Verruilen we Engeland voor Egypte?' Delia staarde ongelovig naar zijn rug, niet in staat te bevatten wat hij zojuist had gezegd.

'Ja. Het spijt me, Delia.'

Hij keek haar nog steeds niet aan, dronk zijn whiskyglas leeg.

Ze trok haar purperkleurige cloche van haar hoofd en gooide hem op een stoel.

'Onmogelijk. Met nog geen tien paarden krijg je mij naar Egypte. Er is daar een revolutie gaande, is het niet?' Het beklemmende gevoel in haar borst bij de gedachte dat ze van Jerome gescheiden zou worden, verdween heel even toen ze haar troefkaart uitspeelde. 'Jij kunt toch helemaal niet naar Egypte,' zei ze op milde, redelijke toon tegen hem. 'Je houdt het daar niet uit, zo ver bij Sylvia vandaan.'

Hij draaide zich naar haar om en ze had het gevoel alsof de grond onder haar wegzakte. Zijn gezicht was asgrauw. In zijn ogen was onpeilbaar leed te lezen.

'Sylvia is verliefd geworden op Theo, de oudste zoon van Girlington. Onze verhouding is voorbij, Delia. En ik wil er niet over praten. Ik wil er met geen woord meer over spreken. En wat die revolutie betreft, daaraan is een einde gekomen toen Egypte gedeeltelijke onafhankelijkheid verkreeg. Voor de nieuwe koning is het noodzakelijk dat Groot-Brittannië zoveel mogelijk invloed behoudt, en daarom word ik erheen gestuurd.'

'Ik ga niet mee. Je kunt me niet dwingen. Je kunt mijn leven niet kapotmaken alleen maar omdat het jouwe plotseling in duigen is gevallen... Hoelang is die affaire met de graaf van Grasmere eigenlijk al aan de gang?'

'Het spijt me, Delia,' zei hij nog eens. 'Maar hierover is geen discussie mogelijk. Ik vertrek over een maand naar Egypte. En jij gaat met me mee — en onze kinderen ook, tenzij jij andere regelingen voor hen wilt treffen. Wil je me nu alsjeblieft excuseren. Ik wil graag alleen zijn.'

Ze maakte geen aanstalten om weg te gaan en daarom liep hij met onvaste tred langs haar heen, de salon uit.

Enkele seconden later hoorde ze de voordeur dichtgaan.

Ze stond nog altijd bewegingsloos.

Egypte.

Hoe kon ze Jerome blijven zien als ze in Egypte was? Wat zou er met hen tweeën gebeuren?

Het antwoord kwam zo hard aan als een woedende golf op de kust.

Hij zou haar ontrouw zijn. Hoe zou hij anders kunnen? Hij had zelf toegegeven dat trouw zijn niet in zijn aard lag. Zodra ze van elkaar gescheiden zouden zijn door het Europese continent en de Middellandse Zee zou hij zijn oude gewoonten weer oppakken. En ze zou er niets, maar dan ook helemaal niets aan kunnen doen.

Ze dronk nooit whisky, had zelfs nog nooit whisky geproefd.

Ze liep naar de drankkast.

Egypte. Ze zou Shibden Hall achter moeten laten. Het zou afgelopen zijn met de vrolijke uitjes met de prins van Wales en zijn vrienden. Het zou gedaan zijn met weekends op het platteland. Maar wat het ergste was: ze zou Jerome moeten missen.

Ze schonk zich een stevig glas whisky in, net zo stevig als het glas dat Ivor zojuist had achterovergeslagen.

De villa die Jerome in Nyon had gekocht zou zij niet te zien krijgen.

In drie ferme teugen, die haar de rillingen bezorgden, dronk ze het glas leeg.

Het leventje waaraan ze zo gehecht was geraakt was voorbij en een vreselijk voorgevoel zei haar dat ze nooit meer zo gelukkig zou zijn als voorheen.

7

Zes weken later stond Delia aan de reling van een P&O-lijnschip dat langs de Egyptische kust op weg was naar Alexandrië. Ivor zat in hun luxueuze hut brieven te dicteren aan zijn secretaris, de heer Willoughby. De nieuwe gouvernante die Delia kort voor het vertrek uit Engeland had aangenomen, stond op enkele passen afstand van haar bij Petra en Davina.

'Wanneer zien we de piramides nu, juffrouw Gunn?' vroeg Petra ongeduldig terwijl ze over een merkwaardig vlak landschap uitkeken.

'En wanneer zien we de kamelen?' vroeg Davina, die de hand van juffrouw Gunn stevig vasthield.

'Ik weet niet zeker wanneer we de piramides te zien krijgen, Petra.' Juffrouw Gunn, die uit Inverness kwam, had een heerlijk zangerig Schots accent. 'In Alexandrië zijn wel kamelen, Davina,' voegde ze eraan toe.

Delia, die meeluisterde, wist zeker dat Kate Gunn een prima gouvernante zou zijn. Ze was jong en leuk om te zien, in tegenstelling tot de vorige kinderjuf, en ze kon de kinderen heel goed aan.

Petra en Davina kwetterden maar door en terwijl Kate Gunn in onverstoorbare zachtmoedigheid doorging met het beantwoorden van hun vragen, bleef Delia maar kijken naar haar nieuwe land, met Jerome voortdurend in haar gedachten.

Miste hij haar al net zo hevig als zij hem? Haar kanten handschoenen omklemden de reling. Hij had beloofd dat hij haar vaak in Caïro zou komen opzoeken, maar hoelang zou het duren voordat hij echt kwam? En zou hij haar tot dat moment trouw blijven? De gedachte dat dit niet zo zou zijn was als een dolk in haar hart. Het was iets waarvoor ze begrip zou moeten opbrengen. Dat kon niet anders, gezien de omstandigheden. Maar haar verdriet zou niettemin ondraaglijk zijn. Tranen prikten in haar ogen.

Davina riep ineens: 'Ik zie een kameel! Mama, ik zie een kameel!'

Met haar ogen knipperend probeerde Delia net zo opgetogen te doen als haar dochter, en bedacht dat ze onvermoede acteertalenten bezat.

Hoewel ze over twee privérijtuigen beschikten, was de treinreis van Alexandrië naar Caïro een onwerkelijke belevenis. In de achterste rijtuigen zaten de mensen opeengepakt als sardines in een blikje en er zaten zelfs mensen op het dak. Het was verstikkend heet en het stonk overal ondraaglijk.

'Waarom hebben alle mannen vuile nachthemden aan, mama?' vroeg Petra. 'Moet papa ook in een nachthemd gaan lopen nu we in Egypte zijn?'

'Nee, natuurlijk niet.' Delia voelde zich zo ontheemd dat ze geen verdere toelichting gaf.

'En schoenen dan?' vroeg Davina, want ze zag dat de mensen die ze vanuit het raam kon zien er blootsvoets bij liepen. 'Papa trekt toch wel schoenen aan?'

Ivor koos dit moment uit om zich bij hen te voegen.

'Natuurlijk draag ik schoenen!' snauwde hij. 'Juffrouw Gunn, wilt u zo vriendelijk zijn mijn dochters bezig te houden en te zorgen dat ze zich van ongepaste opmerkingen onthouden?'

'Ja, mijnheer,' antwoordde Kate Gunn, totaal niet van haar stuk gebracht. Ze haalde twee schetsboeken en een doos potloden uit het valies dat ze altijd bij zich had. 'Gaan jullie een mooie tekening maken?' vroeg ze aan de meisjes. 'Als ze klaar zijn, sturen we ze op naar jullie tante Gwen. Ik denk niet dat zij ooit een kameel heeft gezien.'

In Caïro werden ze door een groot ontvangstcomité begroet. In een hitte die in golven uit de bodem omhoog leek te komen reden ze weg van het station. Delia, Ivor en een Egyptische hoogwaardigheidsbekleder zaten in de eerste auto, Kate Gunn met Petra en Davina in de volgende, de heer Willoughby en Myers, Ivors persoonlijke bediende, in de derde, terwijl het ontvangstcomité de processie afsloot.

'Uw villa bevindt zich in Garden City, lord Conisborough,' zei de Egyptenaar in perfect Engels toen hun auto een straat in reed waarin trams, auto's, door paarden getrokken huurkoetsen, overbelaste muilezels en loslopende schapen elkaar chaotisch verdrongen.

'Niet in Caïro?'

Delia merkte dat Ivors schouders zich spanden.

'Garden City is een deel van Caïro, lord Conisborough,' zei de Egyptische dignitaris geruststellend. 'De Britse residentie en vrijwel alle ministeries zijn er gevestigd. Het is een wijk voor de elite van de stad. De tuin van uw villa grenst aan de Nijl.'

Ivors schouders ontspanden zich weer.

'We zijn nu in de Ibrahim Pasha-straat,' vervolgde de man. 'Rechts is het Shepheard's Hotel – zeer beroemd en verfijnd. Aan het einde van de straat staat het Abdin-paleis waar mijnheer morgen een audiëntie bij koning Fouad heeft. Maar nu slaan we rechts af. Het gebouw links is de opera en zo meteen kruisen we de Soliman Pasha-straat, Caïro's Oxford Street.'

De Soliman Pasha-straat met zijn kleine winkeltjes en met overal op straat uitgestalde waren leken totaal niet op Oxford Street, maar Delia hield deze gedachte voor zich en begon, ondanks haar liefdesverdriet, met meer interesse om zich heen te kijken.

Voor hen liep een kameel met een jongetje erop dat met statige waardigheid heen en weer zwaaide, midden op de stoffige met acacia's omzoomde weg. Op de hoek van de straat vermaakte een man met een aapje een groep vrouwen die vrolijk gekleurde bundels op hun hoofd droegen. Er passeerde een overvolle tram; op de treeplank hielden mensen zich met moeite vast.

De drukte werd echter minder en uiteindelijk reden ze door een brede laan met aan weerszijden platanen. Ze sloegen een zijstraat in en hielden stil voor een hoog hek van gietijzer. Enkele ogenblikken later werd het hek opengemaakt door twee jonge jongens in smetteloos witte hemden.

Het huis was langgerekt en laag en bezat een paleisachtige allure. Delia slaakte een zucht van verlichting. De beschaduwde veranda's en balkons, die haar een beetje aan Sans Souci deden denken, keken uit op perfect onderhouden gazons, en achter het huis stroomde de brede, sprookjesachtige Nijl. Ze zag een stoomboot en tientallen kleinere boten die allemaal een karakteristiek driehoekig zeil voerden.

'Welkom op Nile House, lord Conisborough, lady Conisborough.' Een man van een imposante lengte en met een zeer donkere huid, gekleed in een koningsblauw gewaad dat met goudgalon was afgebiesd, kwam naar hen toe en boog eerbiedig. 'Ik ben Adjo. Ik heb de eer de *cahir* van Nile House te zijn.'

'De cahir is het hoofd van de huishouding,' legde de Egyptenaar die hen had begeleid Delia zachtjes uit.

Toen Adjo nogmaals boog, schonk Delia hem een stralende glimlach en zei, met dezelfde gemoedelijke familiariteit waarmee ze Bellingham en Parkinson altijd had bejegend: 'Kunnen wij misschien thee krijgen, Adjo? En kan iemand juffrouw Gunn de kinderkamers wijzen?'

'Ik wil een kamer die op de rivier uitkijkt, mama,' zei Petra smekend. 'En het is zo heet, ik wil een koel wit nachthemd aan en...'

'Waarom waren die jongetjes aan het bedelen?' onderbrak Davina haar.

Delia wenste hartgrondig dat haar kinderen eens inzagen

dat ze zich op sommige momenten stil moesten houden. Ze haalde diep adem en wilde hen tot zwijgen manen, maar ze was niet snel genoeg.

Ivor, die na de begroeting door Adjo zijn aandacht weer op de dignitaris had gericht, draaide zich bliksemsnel om en zei met een blik als ijs in zijn ogen: 'Juffrouw Gunn, brengt u de kinderen naar hun kamer, nu meteen!'

Kate Gunn werd er niet warm of koud van. 'Ja, mijnheer,' zei ze sereen. 'Kom maar mee, Petra, Davina...'

Adjo klapte in zijn handen en een jongeman kwam bescheiden het vertrek binnen en ging Kate Gunn, Davina en Petra voor naar boven.

Adjo klapte nogmaals, waarop twee jongemannen een theetrolley met een wit tafelkleed binnenreden. In een kommetje lagen twee schijfjes citroen en toen Delia de deksel van de theepot haalde zag ze dat er Earl Grey in zat.

'Dank je wel, Adjo,' zei ze dankbaar, zich realiserend dat het water al aan de kook moest zijn gebracht voordat de auto bij het hek was. 'Je bent een juweel.'

Hij boog zijn hoofd en ze meende een geamuseerde uitdrukking in zijn ogen te zien.

Pas toen ze al enkele maanden in Caïro was, kwam ze erachter dat 'Adjo' in het Egyptisch daadwerkelijk 'juweel' betekent.

De volgende ochtend vroeg Delia hem naar de naam van het gewaad dat hij en zoveel andere Egyptenaren droegen.

'De naam voor deze traditionele kleding is *galabiya*, mevrouw,' zei hij plechtig. 'Ze wordt gedragen door alle Egyptenaren, niet alleen maar door de *fellahin*.'

'De fellahin?'

'De armen, mevrouw.'

'En wat is de naam van die smalle hoeden met een kwastje die ik zag toen we door de stad reden?'

'Soms worden ze *fez* genoemd, soms *tarboosh*, en alleen mannen dragen ze, mevrouw.'

'Maar jij draagt er geen, Adjo. Is dat omdat jij cahir bent?'
Adjo vouwde zijn handen voor zijn borst. 'Nee, mevrouw,
dat is omdat ik geen moslim ben. Alleen moslims dragen de
tarboosh en ik ben een kopt.'
'En een kopt is een christen?'
'Het koptische geloof is een van de vroegste vormen van het
christendom, mevrouw.'

Delia genoot van haar gesprekken met Adjo. Ondanks alles
begon ze het ook fijn te vinden een sociaal leven op te bouwen voor zichzelf, en ook voor Petra en Davina. Bijna elke
avond woonden zij en Ivor een of andere officiële gelegenheid bij, ofwel op de residentie, de woning van de Britse
hoge commissaris, een steenworp afstand van Nile House,
ofwel op het Abdin-paleis. Intussen genoten Petra en Davina een bijna onbegrensde vrijheid, want ze gingen niet naar
school.
'De enige school die een uitstekende reputatie bezit is de
Mère de Dieu, maar de meisjes kunnen er pas naartoe als ze
twaalf zijn,' had Delia Ivor voorgehouden toen hij hierover
klaagde.
Ze waren nu op weg naar het verjaardagsfeest van de hoge
commissaris. Terwijl de limousine over de hoofdboulevard
van Garden City snorde, zei Ivor: 'Een van de Egyptische adviseurs van koning Fuad, Zubair Pasha, heeft voorgesteld om
Petra en Davina samen met zijn dochter Fawzia onderwijs te
laten geven. Ze is negen, net als Petra, en de meisjes kunnen
iedere ochtend door een chauffeur naar zijn huis worden gebracht. Het is niet ver weg.'
'Davina ook?' vroeg Delia twijfelend. 'Ze is een heel jaar
jonger. Zou ze wel mee kunnen komen?'
'Dat weet ik niet,' antwoordde Ivor naar waarheid. 'Maar
aangezien er geen goed alternatief is, moeten we het maar proberen.'

'Fawzia heeft een oudere broer,' zei Petra tegen Delia toen zij en Davina hun eerste week onderwijs hadden gehad. 'Hij is veertien en heel chagrijnig. Ik mag hem niet.'

'Maar dat geeft toch niet, snoes?' Delia zat een brief aan Jerome te schrijven en legde met tegenzin haar pen neer. 'Hij is zo'n stuk ouder dan jullie dat je toch niet zoveel met hem te maken zult hebben.'

'Nee, dat zal wel niet.' Petra aarzelde en zei toen weemoedig: 'Hij gaat altijd paardrijden bij de piramides en soms gaat Fawzia met hem mee.'

Petra had nu haar volledige aandacht, want ineens wist Delia dat ze iets had gevonden waardoor ze zich prettiger zou gaan voelen. Ze zou weer gaan paardrijden. Niet zo bedaagd en elegant als ze de afgelopen jaren op Rotten Row had gereden, nee, ze zou weer woeste en uitdagende ritten gaan maken. In de woestijn zou ze flink kunnen galopperen.

Ze maakte haar dochter bijna net zo blij als ze zelf was toen ze zei: 'Bij de piramides is een hotel, Mena House, met een manege waar ze paarden verhuren. We gaan er zaterdag heen en ik zal zorgen dat je dan les krijgt. Als Fawzia's broer bij de piramides kan gaan rijden, dan kunnen wij dat ook.'

Petra omhelsde haar moeder onstuimig en rende weg om het aan juffrouw Gunn te gaan vertellen. Delia pakte haar pen weer op. Ze wilde Jerome meteen laten delen in de vreugde van het besluit dat ze zojuist had genomen. Door de woestijn draven zou geen einde maken aan haar liefdesverdriet, maar dat op z'n minst verlichten.

Haar leven kreeg een zekere regelmaat. Op de residentie ging het er formeel aan toe en alle rituelen in het Abdin-paleis waren slaapverwekkend, maar het leven in Caïro was in alle andere opzichten veel meer ontspannen dan in Londen.

's Ochtends ging ze paardrijden over het harde zand van de woestijn of zwemmen in het zwembad van het Mena House Hotel. Later ontmoette Delia vaak vriendinnen in een van de twee tearooms van Groppi om koffie te drinken; ze hadden daar ijs en van honing druipend gebak om je vingers bij af te likken. Op andere dagen dronk ze koffie op het terras van het Shepheard's, waar ze uitstekend zicht had op de slangenbezweerders, jongleurs en goochelaars.

Op het heetst van de dag rustte ze in Nile House, waar de zachtjes ronddraaiende mahoniehouten bladen van een grote ventilator aan het plafond verkoeling brachten. Laat op de middag was ze vaak op de op een eiland in de rivier gelegen Gezira Sporting Club, waar altijd geweldig sportwedstrijden werden gehouden. Ivor tenniste er twee of drie keer in de week en samen keken ze graag naar de polowedstrijden.

Aan het begin van de avond was het cocktailuurtje. Vaak dineerden ze op de residentie – waar genoeg ruimte aan tafel was voor driehonderd gasten – of op het Abdin-paleis, omgeven door ontzagwekkende oriëntaalse pracht en praal. Als er geen officiële gelegenheid was waarbij ze aanwezig moest zijn, dineerde Delia met vrienden bij het Shepheard's of het Continental, en soms, maar niet vaak, voegde Ivor zich daar bij haar. Delia was weldra een van de succesvolste gastvrouwen van de diplomatengemeenschap; iedereen vond het een eer om op Nile House te worden uitgenodigd.

Jerome kwam minstens driemaal per jaar in Egypte op bezoek, vaak vergezeld door Jack. Als hij er was, verzon Ivor vaak een reden om in Alexandrië te zijn. Als Ivor wel thuis was, stelde Jerome meestal voor een uitstapje verder stroomopwaarts te maken en dan bedacht Ivor steevast dat hij beslist naar het Abdin-paleis moest, zodat er geen wenkbrauwen hoefden te worden opgetrokken wanneer Delia als gids optrad.

Als ze deze tochtjes maakten, bleef Jack in Caïro, waar hij zich de opdringerige adoratie van Petra goedmoedig liet welgevallen.

Ivor ging één keer per jaar naar Engeland en dan vergezelden Delia, Petra en Davina hem altijd. Gedurende een aantal veel te korte weken kon Delia dan haar vriendschap hernieuwen met Clementine en Margot Asquith – en bij Jerome zijn. De lange perioden dat ze van elkaar gescheiden waren, bleven haar zwaar vallen. Geen van haar vriendinnen sprak er ooit over, maar Delia wist zeker dat er af en toe andere vrouwen in Jeromes leven waren; vrouwen van wie hij niet hield zoals hij van haar hield, maar die er niettemin waren.

'Hoelang moeten we nog in Caïro blijven?' vroeg ze Ivor wanhopig aan het einde van 1925. 'De premier kan toch wel iemand vinden die jou kan vervangen?'

'Hij heeft wel iemand om mij te vervangen als financieel raadsman van koning Fuad, maar een nieuwe mentor voor prins Farouk heeft hij niet gevonden. De jaren die ik eraan besteed heb om Farouks vertrouwen te winnen kan ik niet zomaar weggooien, Delia. Wanneer Farouk op de troon komt, moet hij een vriend van Groot-Brittannië zijn. De premier gelooft dat ik grote invloed op Farouk heb. En omdat dat zo is, ben ik het aan mijn vaderland verplicht om in Caïro te blijven. Het spijt me, Delia. Geloof me, ik zou willen dat het anders was.'

Ze wendde zich af om haar tranen te verbergen. Voor Ivor was het leven in Egypte draaglijk geworden door de aanwezigheid van Kate Gunn, die de plaats van meneer Willoughby als secretaris had ingenomen, omdat de meisjes inmiddels groot genoeg waren om het zonder kinderjuf te kunnen stellen. Delia had een dergelijke troost niet. Het enige wat haar leven draaglijk maakte, was dat Petra en Davina het heerlijk vonden in Egypte en nergens anders zouden willen wonen. Anders dan hun moeder streepten ze in de weken voorafgaand aan een bezoek aan Londen geen dagen af op de kalender, en beide meisjes waren zo geschrokken van het idee om in Engeland naar school te gaan dat Ivor geregeld had dat ze naar de Mère de Dieu-school in de nabijgelegen Samalikstraat konden.

'Als ze ouder zijn,' zei Ivor, 'kan Petra haar opleiding afmaken in Engeland en in Oxford of Cambridge gaan studeren.'

Toen Petra zestien werd, maakte ze beslist geen aanstalten om naar Engeland terug te gaan.

'Misschien ben ik wel intelligent genoeg om naar Oxford of Cambridge te gaan, maar de interesse ontbreekt me,' zei ze tegen haar moeder, met iets van de Virginische directheid van Delia.

'Jack studeert aan Balliol,' zei Delia, in een poging haar te verlokken. 'Hij denkt dat je het heerlijk zou vinden in Oxford.'

'Tegen de tijd dat ik naar St. Hilda's kan, is Jack al niet meer op Balliol.'

Dat was waar, en Delia wist dat het een verloren strijd was. Als haar oudste dochter haar hakken in het zand zette, zou ze zich door geen tien paarden van haar plaats laten trekken.

De dag na Petra's onomwonden weigering in Engeland te gaan studeren, was Delia op een tuinfeest bij een van de belangrijkste dames van de high society van Caïro, prinses Shevekiar. De prinses, die met koning Fuad getrouwd was geweest en het bijna onmogelijke had gepresteerd door van hem te scheiden, was niet jong en ook niet mooi, maar ze hield ervan om mooie jonge mensen om zich heen te verzamelen en organiseerde grandioze partijtjes.

Delia was niet verbaasd toen ze Darius, Fawzia's oudere broer, onder de gasten opmerkte.

In de zes jaar dat ze in Caïro woonde, was Delia erg op Fawzia gesteld geraakt, wier moeder gestorven was voordat ze oud genoeg was om zich haar nog te herinneren. Darius was, anders dan zijn zusje, erg op zichzelf, zoals Petra jaren geleden al had opgemerkt.

Hij kwam nu regelrecht op Delia af, wat ze allerminst verwachtte. Ze moest toegeven dat hij ontzettend knap was, chagrijnig of niet. Hij liep altijd in westerse kleren; dit keer droeg hij een grijs gestreept overhemd en een sportieve witte broek. Een lok van zijn steile zwarte haar viel over zijn voorhoofd.

Hij bleef even zwijgend naast Delia staan kijken naar de andere gasten en zei toen op strenge toon: 'Ze hebben al in 1883 beloofd te vertrekken. Wist u dat? En in 1922 hebben ze het opnieuw beloofd toen ze ons onze zogenaamde "soevereiniteit" zouden geven en Fuad op de troon zouden zetten. Maar ze zijn er nog steeds. Geven ze dan nooit op?' Niemand had deze vraag ooit eerder aan Delia had gesteld. Ze probeerde zich Caïro zonder de Britten voor te stellen, maar het lukte haar niet. 'Is in de voorwaarden van de protectoraatsstatus niet vastgelegd dat Groot-Brittannië uit Egypte weggaat zodra Egypte zichzelf kan redden?'

'Dat kunnen we nu al!' Zijn olijfkleurige huid spande strak over zijn scherpe jukbeenderen. 'Hoe zou Amerika reageren als het in dezelfde positie verkeerde als Egypte? Jullie zouden toch zeker in actie komen? Jullie zouden de Britten er toch zeker uitgooien? En zegt u nou niet dat het niet zo is, want het is precies wat jullie honderdvijftig jaar geleden met de Britten hebben gedaan.'

Delia keek om zich heen en was blij dat de Britse hoge commissaris hem niet kon horen.

'Ik geloof niet dat de situatie precies hetzelfde was,' zei ze. 'En je moet bedenken dat Groot-Brittannië Egypte heel veel hulp heeft gegeven. Er zijn heel veel hospitalen en scholen...'

'Die hospitalen en scholen zijn allemaal voor de Engelsen gebouwd, niet voor de Egyptenaren. De Britten hebben nooit één put geslagen om een van onze dorpen van drinkwater te voorzien. Ze hebben nooit medische zorg aan Egyptenaren gegeven. Ze hebben nooit scholen of huizen voor hen gebouwd. Ze hebben nooit ook maar iets gedaan om de levensomstandigheden van de gewone Egyptenaren te verbeteren. Het kan hen niet schelen hoe de overgrote meerderheid van ons leeft. Ze hebben de arme gebieden zelfs nooit bekeken.'

Delia vroeg zich af of hij soms dronken was, zo heftig trok hij van leer, terwijl de meeste andere gasten toch voorname Britse adviseurs of ambtenaren waren.

'Westerlingen kennen het echte Caïro niet,' zei hij. Zijn ogen vernauwden zich. 'Alles wat ze zien is de Britse residentie, Shepheard's, Groppi's, de Gezira Club en de winkels in de Soliman Pasha-straat.'

De blikken van prinses Shevekiar en Delia kruisten elkaar. De prinses wuifde haar van een afstandje vrolijk toe.

Ze zag Ivor, die met de Egyptische premier, Mahmoud Pasha, stond te praten, zo dichtbij staan dat Delia zich ongemakkelijk voelde.

'Het is niet mogelijk om andere delen van Caïro te zien, want het is er niet veilig,' zei ze op redelijke toon tegen Darius, zich intussen afvragend of het waar was wat hij allemaal vertelde.

'Als u met mij meegaat, is het wel veilig. Ik kan u de stad laten zien zoals ze echt is. Waar zou u heen willen? Naar de citadel? De Mukattam-heuvels? De oude stad?'

Ze kon aan de uitdrukking in zijn ogen zien dat hij volkomen serieus was – en beslist niet dronken. Ze wist ook hoe Ivor zou reageren als ze zei dat ze het tuinfeest zou verlaten om de minder welvarende gedeelten van Caïro te gaan verkennen in het gezelschap van de knappe tweeëntwintigjarige zoon van Zubair Pasha.

'De oude stad,' zei ze, en nam het besluit gewoon een briefje voor Ivor achter te laten waarin stond dat ze vroeg was weggegaan maar dat hij zich geen zorgen hoefde te maken. 'Hoe komen we daar?'

'Met de tram,' zei hij. Ze kon zien dat hij verwachtte dat ze meteen zou zeggen dat ze toch niet meeging.

Ze was geschokt, maar ze zei evengoed: 'Dat is goed, maar niet met deze kleren aan. We moeten bij Nile House langs zodat ik iets minder opvallends kan aantrekken.'

Hij knikte, hij zag wel in dat dat verstandig was. Vijf minuten later, nadat ze een livreiknecht een briefje voor Ivor had gegeven, liepen ze samen de tuin uit.

'U hebt zeker nog nooit in de tram gezeten?' zei Darius toen ze uit het huurrijtuig stapten dat hen van Nile House naar de tramhalte van lijn 1 bij de Ezbekiya-tuinen had gebracht.

'Nee.' Delia wist dat ook niemand anders die ze kende ooit van dit vervoermiddel had gebruik gemaakt. 'Maar het heeft me altijd veel spannender geleken dan met de auto reizen.'

Ze was nog niet ingestapt of ze ontdekte al dat spannend te zwak was uitgedrukt. Terwijl de tram door de drukke straten knarste, zwaaide hij heen en weer als een schip in een storm. Delia ontdekte dat het reizen met de tram allerminst comfortabel was; de geur van verschaald zweet vond ze bijna onverdraaglijk.

'De tram rijdt alleen naar het oude Romeinse fort Babylon,' zei Darius. Delia moest intussen vechten tegen de drang haar zakdoek te pakken en haar neus en mond te bedekken. 'Maar omdat dat het oudste gedeelte van Caïro is, is het een prima beginpunt.'

'Babylon? Dat klinkt Oude Testament-achtig. Waarom heet het Babylon?'

'Niemand weet dat eigenlijk. Aangenomen wordt dat een van de farao's gevangenen uit Babylon in Mesopotamië heeft meegenomen naar Egypte en dat ze later deze plek kregen toegewezen om een vrije kolonie te vestigen. En die zouden ze naar hun geboorteplaats hebben genoemd.'

Het was een interessante theorie en ze vermoedde dat niemand anders hem haar had kunnen voorleggen.

Toen ze waren uitgestapt nam hij haar mee het fort in. Ze had verwacht wat oude afgebrokkelde stenen te zullen zien, maar de muren waren nog gedeeltelijk massief en ook de met zand bedekte ruimte die ze omsloten was indrukwekkend. Er waren steegjes en tuinen en er waren vijf kerken, sommige erg fraai en allemaal koptisch.

'Daar,' zei Darius, wijzend naar de overkant van de binnenplaats, 'staat een eenzame synagoge die kan bogen op een eerbiedwaardige geschiedenis. De profeet Jeremia ligt eronder begraven.'

Ze wilde hem vragen of ze hem konden gaan bekijken, toen hij abrupt zei: 'Dit is niet wat ik u wil laten zien. Ik wil dat u de mensen ziet die buiten de gouden driehoek wonen die Garden City, Shepheard's en het Abdin-paleis samen vormen. Ik wil dat u de straten van het oude Caïro ziet. Ze zijn niet ver weg. Het is maar een klein stukje lopen.'

Het was een wandeling van één wereld naar een andere.

Toen ze de doolhof van middeleeuwse stegen betraden, was het eerste wat haar overweldigde de vreselijke stank. Die was niet alleen afkomstig van voedsel dat werd bereid, maar ook van ongewassen lichamen en open riolen. Het was een claustrofobisch oord waarin ze was beland. Massa's mensen verdrongen zich in straatjes die zo nauw waren dat er nauwelijks zonlicht in doordrong. Zelfs met Darius als beschermer naast zich werd er van alle kanten tegen haar aan geduwd op een manier die ze nog nooit had ervaren. Het lawaai was onbeschrijfelijk. Het leek wel alsof iedereen zo hard mogelijk schreeuwde.

Er waren geen andere westerlingen te bekennen. Overal om zich heen zag ze tulbanden, rode fezzen, hijabs en zwaargesluierde vrouwen.

Overal lag het afval opgehoopt. In een bonte verzameling winkeltjes, sommige niet meer dan gaten in de muur, werd onafgedekt voedsel verkocht. Vliegen vlogen in zwermen rond de ogen en monden van in lompen gehulde kinderen. Ook om haar heen zoemden voortdurend vliegen.

Het was zo warm en smerig dat ze nauwelijks kon ademhalen.

'De mensen hier wonen met twee of drie gezinnen in één kamer, zonder stromend water en zonder sanitair. De helft van de kinderen sterft voor het vijfde levensjaar,' zei hij grimmig, opzij stappend voor een berg afval. 'Hoeveel van uw vrienden bij Shepheard's en de Gezira Club zijn zich hiervan bewust, denkt u?' Zijn stem klonk verstikt van woede. 'Het kan onze koning niets schelen dat de armste mensen van

Caïro op deze manier moeten leven, en rijke grootgrondbezitters als mijn vader trekken zich er ook niets van aan.'

Op het moment dat ze dacht dat ze zou flauwvallen, vroeg hij kortaf: 'Genoeg?'

Ze knikte en ze sloegen linksaf naar een drukke bazaar. 'Terug naar het fort,' zei hij, zonder nog een woord te zeggen over de onbeschrijfelijke armoede die ze zojuist hadden aanschouwd.

Aan de andere kant van de bazaar kwamen ze uit in een straat die iets breder was en niet zo druk. De hitte sloeg van de grond af en ze zag Darius wat munten neergooien die een bedelaar weggriste terwijl hij dankbaar riep: '*Shukram! Alhamdulillah!*'

Toen een muezzin de gelovigen opriep tot het gebed, vroeg Darius kortaangebonden: 'Spreekt u Arabisch?'

'Ik kan "goedemorgen" en "goedemiddag" zeggen en ik weet dat *Shukram* "dank u wel" betekent en *Alhamdulillah* "dank aan God".'

'Na zes jaar is dat niet veel.'

Niet voor het eerst merkte ze op dat hij zorgvuldig vermeed haar als lady Conisborough aan te spreken.

'Misschien is dat wel zo,' zei ze, beseffend dat hun onderlinge relatie veranderd was. 'Maar aangezien alle Egyptenaren die ik spreek ofwel Engels ofwel Frans, of allebei spreken, was het niet nodig voor mij om Arabisch te leren. Het is ook geen gemakkelijke taal.'

'Misschien niet, nee, maar als je in een stad komt wonen is het wel zo beleefd om iets van de taal te leren spreken, vindt u ook niet?'

Ze knikte, zich afvragend hoe Ivor zou reageren als ze aankondigde dat ze Arabisch ging leren.

'U zult niet het eerste lid van uw familie zijn dat Arabisch leert,' zei hij. 'Davina heeft Adjo al heel lang geleden gevraagd haar les te geven.'

'O ja?'

Haar verbazing was zo zonneklaar dat hij zei: 'Ze wilde niet dat haar vader het wist, omdat hij het anders misschien zou verbieden.'

Ze kwamen bij de tramhalte en Delia zag tot haar opluchting dat de tram terug naar de Ezbekiya-tuinen minder druk was dan de tram op de heenweg. Toen ze op een smerige bank met latten hadden plaatsgenomen, zei ze: 'Mijn man is een vriend van je vader, maar toch mag je hem niet, hè?'

'U hebt gelijk,' zei hij. 'Ik mag hem niet. Ik mag geen enkele Brit, behalve Davina – die trouwens half Amerikaans is – en Jack.'

'Jack?' Delia kreeg het gevoel alsof er op deze dag geen eind zou komen aan alle verrassingen. 'Ik was me er niet van bewust dat Jack als hij hier was tijd met jou heeft doorgebracht.'

Zijn ogen ontmoetten de hare. 'Dat komt,' zei hij droogjes, 'doordat Jacks vader als hij in Caïro is naar Aswan gaat. En dat u dan met hem mee gaat.'

Om zo snel mogelijk van onderwerp te veranderen zei ze plompverloren: 'Ben jij soms nog meer dan alleen maar een nationalist, Darius? Ben jij een van die studenten van de Fouad I-universiteit die door mijn man worden aangeduid als de revolutionairen die in de gevangenis thuishoren?'

'Ja,' zei hij zonder aarzeling. 'Ik ben een van die studenten die uw man het liefst in de gevangenis zou zien belanden. Ik wil dat de Britten weggaan uit mijn land. Ik wil dat Egypte door Egyptenaren wordt geregeerd – niet door een koning die door de Britten op onze troon is geplant, een koning die voor driekwart Albaans is. Zolang Fouad op de troon zit, zal Egypte nooit onafhankelijk worden.'

Ze keek even snel achterom om zich ervan te vergewissen dat er niemand dicht genoeg in de buurt zat om hem te kunnen verstaan.

Hij lachte. 'Zelfs al horen mensen me... Niemand die per tram reist, kijkt op van wat ik zeg. Buiten de paleiskringen

– waartoe ook mijn vader behoort – vinden Egyptenaren dat Egypte voor de Egyptenaren is. Zo simpel is het.'

De tram knarste en zwaaide heen en weer. Bij elke halte stapten er meer mensen in galabiya in. Delia bleef zwijgen, zich realiserend dat haar eigen situatie allesbehalve duidelijk of simpel was. Ze kon Ivor niet vertellen dat Darius een revolutionair was. Als ze dat deed, zou hij niet meer goedvinden dat Petra en Davina naar het huis van Zubair Pasha gingen.

Toch moest ze toegeven dat ze sympathiseerde met Darius' standpunt dat de Britten in een land waren dat ze al jaren geleden hadden beloofd te zullen verlaten.

Hoe dan ook zou alles wat ze vanmiddag had gezien haar relatie met Ivor onder druk zetten, want ze zou hem zeker gaan vertellen dat hij als raadsman van Fouad de koning moest adviseren over hoe hij zijn arme onderdanen de twintigste eeuw moest binnenvoeren. Maar daarvan zou hij zeggen dat het hem niet aanging.

Hij zou het eenvoudigweg niet begrijpen. Jerome wel.

Jerome.

Ze waren al zes jaar lang van elkaar gescheiden, afgezien van een aantal korte periodes. Hoelang zou deze scheiding nog voortduren? Hoeveel langer zou ze nog de belangrijkste persoon in zijn leven blijven, als hij haar maar zo zelden zag en er zoveel Londense societyschonen waren die – daar was ze van overtuigd – maar al te graag haar plaats in zijn hart zouden innemen?

Deel II

Petra

1930-1934

8

$\mathcal{P}$etra lag naast Jack in het gras bij de tennisbaan van Nile House. Ze hadden net een spannende wedstrijd met elkaar gespeeld en voelden zich op een aangename manier afgemat.

'Ik geloof dat niemand, behalve Davina en ik – en jij nu ook – weet dat Darius zo'n toegewijde Egyptische nationalist is,' zei ze, haar ogen voor de zon afschermend.

'Ik betwijfel het.' Jack sloeg een vlieg bij zijn gezicht weg. 'Fawzia vertelde je vast alleen maar dat hij dat is om indruk op je te maken.'

'Waarom zou het indruk op mij maken als haar broer mijn vader Egypte uit wil schoppen? Ik geloof dat ze de waarheid vertelde en daar ben ik best blij om, want nu hoef ik me niet meer schuldig te voelen dat ik hem niet mag.'

'Weet je zeker dat je hem niet mag?' Jacks stem klonk plagerig en geamuseerd. 'Ik dacht anders dat je vorig jaar verliefd op hem was.'

Een blos kleurde Petra's gebruinde gezicht nog dieper en ze ging overeind zitten, zodat hij alleen haar rug nog zag. 'Vorig jaar was ik vijftien en wist ik niet beter.'

'Mooi zo. Ik zou het niet echt leuk vinden als je dweepte met de erfgenaam van Zubair Pasha.' Zijn stem klonk nog steeds geamuseerd, maar er was ook nog iets anders in te horen, waardoor ze nog dieper bloosde.

Hij rolde zich op zijn zij, liet zijn gewicht op een arm rusten en zei: 'Denk je dat Zubair Pasha op de hoogte is van de politieke interesses van Darius?'

'Hemeltje, nee! Hij zou hem levend villen als hij erachter kwam!' Ze sloeg haar armen om haar knieën. 'Zubair Pasha is erg pro-Brits. Als hij dat niet was, zou mijn vader niet bevriend met hem zijn.' Haar blos was verdwenen zodat ze zich weer veilig naar Jack kon draaien. 'Mijn vader is bijna net zo hecht met hem als met jouw vader.'

'Daarom is het ook zo jammer dat je vader zoveel vergaderingen in Alexandrië heeft in de tijd dat wij hier zijn. Het moet voor hen allebei een grote teleurstelling zijn, maar het lijkt wel alsof het altijd zo moet gaan. De laatste keer dat we hier waren, had jouw vader ook een bijeenkomst in Alexandrië. Ik weet het niet zeker, maar volgens mij is mijn vader hem daar een aantal dagen gaan opzoeken. Ik moest toen in Londen blijven omdat ik examen moest doen.'

'Heeft het soms met Buitenlandse Zaken te maken dat je zo geïnteresseerd bent in Darius' politieke standpunten?'

Hij plukte een grassprietje. 'Nee. Maar ik ken de familie van Zubair Pasha al bijna net zo lang als jullie en ik heb Darius altijd graag gemogen. Ik zou het niet leuk vinden als hij in een Britse gevangenis terechtkomt.'

'Tjemig!' Het bloed trok weg uit haar gezicht. 'Zou dat kunnen gebeuren dan?'

Het gebeurde niet vaak dat ze een van de platte uitdrukkingen van haar moeder gebruikte. Ondanks de ernst van het onderwerp moest Jack even glimlachen.

'Als hij zich bij de gewelddadige extremisten aansluit wel, ja. Als hij gewoon lid is van de WAFD, wat alleen maar een keurige politieke partij is die oproept tot volledige onafhankelijkheid, dan misschien niet.'

'Misschien is hij wel lid van de WAFD, ik weet het niet. Ik weet alleen wel zeker dat zijn vader geen weet heeft van zijn overtuigingen.'

'En jouw vader?'

'Bedoel je soms of ik verteld heb wat ik van Fawzia heb gehoord? Natuurlijk niet. Ik ben geen verklikster. Trouwens, als mijn vader in de gaten zou krijgen hoe anti-Brits Darius is, dan zou hij me waarschijnlijk verbieden om nog met Fawzia om te gaan.'

Jack pakte zijn tennisracket en stond op. 'Hoe is het met die mooie Fawza? Het verbaast me dat ze niet samen met jou van Mère de Dieu naar het lyceum is gegaan. Ze is er pienter genoeg voor.'

Petra stond ook op en veegde het gras van haar tennisrokje. 'Ze is pienter, ja, maar ze is ook lui. Ze mag dan erg westers zijn, maar een leven in de harem zou Fawzia op het lijf geschreven zijn.'

Hij grinnikte. 'Dat heb je mis, Petra. Als Fawzia alleen nog maar op een bank chocolaatjes gaat liggen eten wordt ze dik en ze zou nog liever sterven dan haar figuur verliezen. En ze zou het ook vreselijk vinden om in het openbaar gesluierd te gaan. Als er iets is wat Fawzia nooit zou doen dan is het haar schoonheid verbergen.'

Geërgerd raapte Petra haar racket op en begon naar het huis te lopen. Fawzia was inderdaad mooi, maar Petra hoorde dat liever niet uit Jacks mond. Ze keek naar hem om. In zijn witte overhemd en pantalon, en met zijn krullerige haar glad naar achteren gekamd, zag hij er verbijsterend knap uit. In het afgelopen jaar, sinds hij weg was uit Oxford, was hij zich erg modieus gaan kleden. Net als zijn vader viel hij altijd op door zijn verschijning. Maar Petra stelde zich hem niet graag voor met Fawzia aan zijn zijde.

Toen ze vlak bij het terras waren, kwam Davina door de openslaande deuren naar buiten en riep hen vrolijk toe: 'Opschieten jullie! Ga je gauw omkleden! Anders zijn jullie te laat voor de lunch! Omdat papa weg is en oom Jerome er is, eten we op zijn Virginisch: gebraden kip en citroengebak.'

Petra glimlachte. Haar moeder was altijd in een uitstekend humeur wanneer Jack en zijn vader op bezoek waren. Later op de dag zouden ze met z'n allen naar de Gezira Sporting

Club gaan, waar Jack mocht meedoen aan een polowedstrijd.

'De prins van Wales speelde polo op Gezira toen hij in 1922 in Caïro was,' zei Delia opgewekt tegen Jack toen de lunch werd geserveerd. 'Het was nog voordat wij hier kwamen, maar er wordt nog altijd over gepraat.'

Ze droeg een nieuwe jurk van zachtgele zijde die tot haar kuiten reikte. Een zwaar amber halssnoer hing af tot precies aan de licht geplooide halslijn en haar vlammend rode haar was getemd tot een modern mutsje van golvende lokken.

'Dat is alleen maar omdat Seifallah Youssri Pasha een van de andere spelers was,' zei Davina, die wat sperziebonen in mosterdsaus opschepte. Ten behoeve van haar oom Jerome voegde ze eraan toe: 'Yousshri Pasha was een van de eerste Egyptische leden van de club, en hij speelt nog altijd geweldig polo. Als je Egyptenaar bent, moet je minstens koninklijk bloed hebben of een intieme vriend van het koninklijk hof zijn om lid te kunnen worden van de Gezira Club. Darius is alleen maar lid omdat zijn vader een vertrouwensman van de koning is. Hij speelt vanmiddag ook.'

'Interessant,' zei Jack. Zijn ogen ontmoetten die van Petra, die tegenover hem zat.

Ze wist wat hij dacht. Waarom speelde Darius in 's hemelsnaam polo op de Gezira Club, terwijl die alles vertegenwoordigde wat hij haatte aan de buitenlandse overheersing in Egypte?

'Nu we het toch over de prins van Wales hebben,' zei Delia, die de conversatie weer bij het startpunt wilde terugbrengen. 'Iedereen in Caïro was hevig teleurgesteld dat hij geen polo speelde toen hij hier vorig jaar in de lente was, op de terugweg naar Londen na zijn reis door Kenia en Oeganda. Hij heeft alleen maar wat antiquiteiten bekeken. Zelfs Ivor heeft hem niet te zien gekregen. Wat zijn de laatste roddels over hem in Londen, Jerome? Heeft hij het echt uitgemaakt met Freda Dudley Ward? Gwen schreef dat hij alleen nog maar oog heeft voor lady Furness.'

Het intrigeerde Petra dat Jerome ineens erg slecht op zijn gemak leek. 'Lieve help, Delia,' zei hij, zogenaamd geërgerd. 'Verwacht je nu echt dat ik iets over dit soort dingen zal zeggen waar Petra en Davina bij zijn?'

'Die zul je heus niet choqueren. Vergeet niet dat ze in Caïro wonen. Ze zijn heel wat schandaal gewend.'

Davina en Petra trokken allebei hun wenkbrauwen op. In hun bijzijn werd nooit over schandalen gesproken; hun vader zou in een kramp schieten. Maar geen van de meisjes was van plan iets van die strekking te zeggen – het gesprek was veel te boeiend.

'Goed, als je het aan de lunch dan echt over schandaaltjes wilt hebben... Gwen houdt je inderdaad goed op de hoogte.'

'Dat mag dan zo zijn, maar als er iemand is die met zijn neus boven op de intiemste details zit, dan ben jij het. Weten koning George en koningin Mary al van Davids nieuwste vlam?'

'Wie is David nu weer?' vroeg Davina. 'Ik dacht dat het over de prins van Wales ging.'

'Voor zijn vrienden en bekenden heet hij David, liefje.'

'Bent u dan met hem bevriend?' vroeg Davina. Ze was duidelijk onder de indruk.

Petra sloeg haar ogen ten hemel, geërgerd dat haar moeder op deze manier werd afgeleid.

Delia, die altijd maar wat graag over de prins praatte, zei luchtigjes: 'Voordat ik uit Engeland wegging wel, ja. We zijn ongeveer even oud en hij is dol op Amerikanen. De moeder van Freda Dudley Ward is een Amerikaanse en ik vermoed dat Thelma Furness ook half Amerikaans is.'

'Haar vader was Amerikaans consul in Buenos Aires,' zei Jerome. 'Haar moeder is van Iers-Amerikaanse afkomst en háár moeder was een Chileense die zou afstammen van het Spaanse koningshuis Navarra. Daarom wordt Thelma's naam ook op zijn Spaans uitgesproken: Tel-ma.'

Petra zuchtte. Ze wist van haar zeldzame bezoeken aan Virginia dat ze daar dol waren op stambomen. Als ze niet heel erg oppaste, zou het gesprek verder gaan over het Spaanse koningshuis en kwam ze niets te weten over het huidige liefdesleven van de prins van Wales.

'De koning en de koningin, oom Jerome,' zei ze, hem aansporend op een manier die onmogelijk was geweest als haar vader ook aan tafel had gezeten. 'Weten ze van lady Furness?'

Jerome glimlachte. 'Het antwoord luidt dat ik denk van niet. Nog niet. En nu jij zestien bent, Petra, denk ik dat je oud genoeg bent om de eretitel "oom" te laten vallen. Als je moeder het ermee eens is, natuurlijk.'

Hij keek naar Delia, die zijn blik heel even vasthield. Petra dacht dat ze bezwaar zou gaan maken.

'Natuurlijk ben ik het ermee eens,' zei Delia, met een en al warmte in haar stem. 'Het is ook dwaas om "oom" te blijven zeggen, terwijl je haar oom helemaal niet bent.'

'Dat is waar, ja.'

Petra was er niet helemaal zeker van, maar ze meende haar moeder te zien blozen. Dat was natuurlijk belachelijk, en dus vroeg ze zich af of het wel zo verstandig was geweest op zo'n warme dag zulke pikante kip op het menu te zetten.

'En wat wordt er zoal over Margot verteld?' vroeg Delia. 'Hoe slaat ze zich er doorheen als weduwe?'

'Ze zit bijna iedere dag in het Lagerhuis, op de damesgalerij.'

'En hoe is het met de Churchills?'

'Ik heb Clemmie al een tijdje niet meer gezien. Winston is erg neerslachtig. Eerlijk gezegd begrijp ik heel goed waarom hij zo gedeprimeerd is. De werkloosheid neemt schrikbarende vormen aan. Aan Oswald Mosley, de schoonzoon van George Curzon, is onlangs gevraagd iets aan het probleem te doen, maar het kabinet heeft tot nu toe alle plannen die hij heeft voorgesteld gedwarsboomd. Ik vermoed dat hij wel zal zijn afgetreden als ik terug ben in Londen. In Duitsland is de werkloosheid nog veel ernstiger. Winston denkt zelfs dat die schurk van een Hitler daardoor aan de macht zou kunnen komen.'

Petra luisterde niet meer. Londense roddels over de prins van Wales waren enorm interessant, maar Londense verhalen over de politiek niet. Jerome was parlementslid voor de liberalen, en politiek was nu eenmaal zijn favoriete gespreksonderwerp.

Jack gaf haar vanaf de andere kant van de tafel een knipoog. Ze maakten samen vaak grapjes over het feit dat er soms, als haar vader er niet was, over dingen werd gepraat die bijna té gewaagd waren.

'Dat komt doordat mama Amerikaanse is,' had ze eens nogal verontschuldigend gezegd. 'En niet zomaar een Amerikaanse, maar een Amerikaanse uit Virginia. Ze schijnt te vinden dat ze alles kan zeggen wat in haar opkomt tegen wie ze maar wil. Ze gaat ook op een gênant gemoedelijke manier met het personeel om. Ze behandelde Bellingham en Parkinson altijd alsof ze bij de familie hoorden en met Adjo is het al niet anders. Hij praat met haar alsof hij haar gelijke is in plaats van een bediende, en dat drijft mijn vader tot waanzin.'

'Ze mag erg meegaand en vriendelijk zijn, maar het pakt ook erg goed uit,' had Jack gezegd. 'Waar jullie ook gewoond hebben, de sfeer bij jullie thuis was en is altijd veel hartelijker dan bij anderen. Jullie hebben ook nooit problemen met het personeel. Iedereen die voor jouw moeder werkt, wil nooit meer bij haar weg.'

Petra belandde weer in het heden toen ze haar moeder, op een toon die geen tegenspraak duldde, hoorde zeggen: 'Het verbaast me helemaal niet dat de Denby's gaan scheiden. Hij is zo'n vreselijke knijper.'

'Knijper?' vroeg Davina verwonderd.

'Een vrek, liefje. Trouw nooit met een man die gierig is, want zo'n man is niet alleen zuinig met geld maar ook met liefde.' Delia leek dit een gepaste afronding van de lunch te vinden, want ze stond op.

Het was gebruikelijk dat iedereen zich na het middageten in zijn kamer terugtrok om te slapen tot het koeler was geworden. Maar Petra's gedachten werden door te veel dingen in beslag genomen om te kunnen slapen. Ze lag te staren naar de ventilator aan het plafond, terugdenkend aan de scène bij de tennisbaan. Jack had gezegd dat hij het niet fijn vond als ze met Darius dweepte. Bedoelde hij daarmee soms dat hij veel liever had dat ze met hem dweepte? En als dat zo was, wat vond ze daar dan eigenlijk van?

Iedereen zei altijd dat Fawzia haar beste vriendin was, maar eigenlijk was ze veel inniger bevriend met Jack, al zolang ze zich kon herinneren. Zouden ze ooit een romance met elkaar hebben? En wilde ze dat eigenlijk wel?

Ze dacht aan het haar dat in zijn nek krulde, aan zijn fijn getekende mond en het kleine kuiltje in zijn kin. Wat ze heerlijk aan hem vond was dat hij altijd zo goedgemutst was en dat hij haar altijd aan het lachen maakte.

Toen dacht ze aan Darius.

Ze mocht Darius niet, maar hij had wel degelijk een bepaalde uitwerking op haar. Wat die precies inhield, wist ze echter niet. Het was zeker niet iets romantisch, op de manier zoals ze zich dat voorstelde. Als je je door iemand geïntimideerd voelde, dan was daar toch zeker niets romantisch aan? Ze dacht aan de ietwat scheefstaande ogen boven zijn hoge jukbeenderen. Aan de intense uitstraling van zijn smalle, donkere gezicht. Haar moeder had eens gezegd dat Darius haar aan Rudolph Valentino deed denken. Hij had dezelfde roofdierachtige elegantie, dezelfde nauwelijks bedwingbare kracht.

Ze was veel liever bij Jack in de buurt dan bij Darius.

Maar het was Darius die ze maar niet uit haar gedachten kon bannen.

De Gezira Club bezat vier polovelden en Jack en Darius zouden op het eerste veld spelen.

'Maar tegen elkaar,' hoorde Petra Delia tegen Jerome zeggen. 'Jack speelt in het bezoekersteam. Meestal verliest dat van de thuisspelers.'

'Maar vandaag zouden de bezoekers wel eens kunnen winnen,' zei Jerome droog. 'Jack is als een barbaar op het poloveld.'

Davina giechelde, maar Petra niet. Ze wist zeker dat als iemand zich op het veld als een barbaar zou ontpoppen, het Darius zou zijn, en ze wilde niet dat Jack van zijn pony werd geworpen.

De tribune was druk bezet met de crème de la crème van Caïro. Delia was in haar element. 'Zou jij vandaag niet graag zelf willen spelen?' vroeg ze aan Jerome. 'Ik wel. Als er ooit een vrouwenpoloteam wordt gevormd, ben ik de eerste die het veld op gaat.'

Ze was blij en trots dat haar beide dochters, de 'lelies van Caïro', zoals Jerome hen vaak gekscherend noemde, naast haar zaten. Ze beantwoordde het knikje van de Britse hoge commissaris en keek toen met een oogverblindende glimlach in de richting van Zubair Pasha, die met Fawzia naar hen toe kwam lopen.

'Spannend, nietwaar, dat Jack en Darius nu tegen elkaar uitkomen?' zei Delia terwijl hij en Fawzia plaatsnamen.

'Ja zeker, lady Conisborough.' Zubair Pasha lachte stralend. 'En wat het nog bijzonderder maakt, is dat Fawzia de overwinningstrofee zal uitreiken.'

Petra boog zich naar voren en keek naar haar vriendin. Die grijnsde zo zelfingenomen dat het leek alsof ze zat te spinnen. Petra was blij voor haar en glimlachte terug. Niemand hield er meer van om in het middelpunt van de belangstelling te staan dan Fawzia.

Toen de acht ruiters het veld op kwamen, zag Petra dat Jack als de nummer twee van zijn team uitkwam, een positie die grote alertheid en wendbaarheid vereiste. Darius was de nummer drie van het andere team, de positie die voor de beste speler gereserveerd was.

'U maakte deel uit van een uitstekend cavalerieregiment; u moet wel een goede polospeler zijn,' zei Zubair Pasha tegen Jerome.

'Ik heb een handicap van negen.'

Zubair Pasha was onder de indruk. 'Dan zou ik u graag zien meespelen. Maar niet met het bezoekersteam,' voegde hij er met een grijns aan toe. 'Met Darius.'

Toen een van de scheidsrechters te paard de start van de wedstrijd voorbereidde door de bal tussen de twee teams te laten rollen, kwam er een einde aan het gebabbel.

Enkele ogenblikken later gaf Darius de bal een harde klap, zodat die zijn nummer twee bereikte, en werd er stevig geapplaudisseerd.

Het spel werd verder zeer voortvarend gespeeld. De nummer vier van het bezoekersteam sloeg de bal met een backhandslag weg van het doel en naar zijn eigen teamgenoten. Hoewel Darius een felle race inzette, kon Jack een doelpunt maken.

Petra ging staan en juichte tot ze er hees van werd. Pas toen ze weer ging zitten, merkte ze dat ook Fawzia had staan juichen.

'Volgens mij is ze verkikkerd op Jack,' zei Davina tegen Delia, toen verder niemand het kon horen door al het applaus. 'Hebt u gezien hoe ze keek? Ze kan haar ogen niet van hem afhouden.'

Terwijl de ene *chukka* na de andere werd gespeeld, waarbij zowel Jack als Darius steeds van pony wisselde, drong tot Petra door dat Davina gelijk had. Fawzia was beslist niet voor het team van haar broer. Hoewel haar vader naast haar zat, moedigde ze voortdurend Jack aan.

Tijdens de zesde en laatste chukka, toen het thuisteam voorstond, gingen Jack en Darius steeds agressiever speler.

'Tjemig!' zei Delia bezorgd. 'Ik hoop niet dat Jack Darius uit het zadel werkt. Dat zou Darius hem nooit vergeven.'

'Ze vallen allebei van hun pony als ze niet uitkijken,' zei

Jerome gespannen. En toen, net nadat hij was uitgesproken, stormde Darius in volle galop af op Jack, die in het bezit van de bal was.

De menigte kwam overeind.

Jack probeerde zijn pony te wenden om niet geraakt te worden, maar was een fractie van een seconde te laat. Er volgde een enorme botsing waarbij zowel Jack als Darius uit het zadel werd geworpen. Fawzia gilde. Grensrechters renden het veld op. Zubair Pasha en Jerome verlieten de tribune in allerijl.

'O god,' zei Delia smekend, 'o lieve god.' Haar gezicht was lijkbleek.

Eerstehulpverplegers spoedden zich naar de plek des onheils. De andere spelers kwamen van hun pony's en er hing een sfeer van angstige spanning in de lucht. Het kwam vaker voor dat ongelukken bij het polo een dodelijke afloop hadden en omdat Jack noch Darius een teken van leven vertoonde, vreesde iedereen het ergste.

Fawzia had haar handen voor haar mond geslagen, maar Petra bleef als versteend zitten. Op dat moment besefte ze in alle helderheid dat haar leven alle betekenis zou verliezen als Jack dood was.

'Je mag niet doodgaan!' fluisterde ze vurig. 'Jack, alsjeblieft, beweeg je. Toe nou, Jack!'

Hij deed het en een snik van opluchting rees uit het diepste van haar wezen op.

Er kwam een ambulance aangereden en mannen met stretchers renden het veld op. Terwijl Jack tot een zittende houding werd opgetild, opende Darius zijn ogen. Jerome draaide zich om naar de tribune en stak zijn duimen in de lucht.

Petra zag hoe Jack overeind werd geholpen, terwijl Darius, die weer bij bewustzijn was en naar het leek een gebroken been had, op een van de stretchers werd gelegd.

De opluchting in de menigte was bijna tastbaar.

'Goddank,' zei Delia steeds opnieuw. 'Góddank.'

Petra dankte God ook, maar ze was zich er intussen van bewust dat al haar ongerustheid gedurende het hele drama naar Jack was uitgegaan en dat ze nauwelijks aan Darius had gedacht.

9

Slechts enkele weken na de polowedstrijd kondigde Delia aan dat Petra de volgende twee jaar op een internationale meisjesschool in Montreux zou doorbrengen.

'Het is allemaal al geregeld, snoes.' Delia duldde op dit ene punt geen tegenspraak, al was ze op alle andere fronten nog zo toegeeflijk. 'En voordat je stampij gaat maken, kan ik je zeggen dat je ofwel naar Montreux gaat, of anders naar New England om daar je opleiding te voltooien.'

Petra stond versteld. Ze was totaal niet gewend dat haar anders zo inschikkelijke moeder zo onverbiddelijk was.

Ze hoefde zich geen zorgen te maken, schreef Jack terug toen Petra al haar zielenleed in een brief aan hem had gespuid.

Montreux ligt maar een kilometer of zeventig bij pa's chalet in Nyon vandaan. We kunnen elkaar daar veel vaker ontmoeten dan in Caïro. En denk eens aan het skiën. Je zult er de tijd van je leven hebben.

Ze wist dat Jack haar niet in de steek zou laten en dat hij elke gelegenheid zou aangrijpen om naar het chalet van zijn vader te komen. Daarom liet ze zich gedwee per schip naar Montreux afvoeren.

Ze beleefde er veel meer plezier dan ze voor mogelijk had gehouden.

Pas toen ze werd opgenomen in een groepje van zo'n tien andere meisjes, van haar eigen leeftijd en met een vergelijkbare bevoorrechte achtergrond, begon ze te beseffen dat haar leventje in Caïro erg beperkt was geweest. Daar had ze alleen met Davina en Fawzia kunnen kletsen en lachen, maar Davina was eigenlijk nog een kind en Fawzia genoot buiten de schooluren om nauwelijks enige vrijheid. Dus hadden ze elkaar maar weinig opwindende dingen te vertellen gehad. Maar toen Petra nog maar een paar dagen op het Institut Mont-Fleuri verbleef, wist ze al dat de gesprekken er eigenlijk nooit minder dan pikant waren.

Petra zat in een klas met negen andere meisjes, die over twee slaapzalen verdeeld waren. Het was onvermijdelijk dat de gesprekken die zij en de andere vier meisjes op haar zaal vanuit hun bed voerden, met de lichten uit, hen heel dicht bij elkaar brachten.

Ze schreef aan Jack.

Suzi de Vioget is Française. Ze slaagt erin om sensationeel aantrekkelijk te zijn zonder dat ze een klassieke schoonheid is.

Ze had vervolgens even geaarzeld. Zou ze hem ook schrijven dat Suzi haar zeventiende verjaardag had gevierd door haar maagdelijkheid aan de skileraar van Mont-Fleuri te schenken? Ze besloot uiteindelijk dat dit geen geschikte informatie was om met hem te delen. Ze wilde niet dat hij zou denken dat zij ook iets dergelijks zou doen.

Magda van der Leyen behoort tot de Duitse aristocratie en haar moeder is pasgeleden voor de zoveelste keer getrouwd. Het maakt niet uit welke mannennaam je noemt: als hij de veertig is gepasseerd en een titel heeft, dan is hij op enig moment Magda's stiefvader geweest.

Anna Mowbray is een Engelse en de achternicht van een vriendin van mijn moeder, lady Denby.

Boudicca Pytchley is ook Engels. Ze is verwekt in Coventry en naar koningin Boadicea vernoemd. Ze is helemaal wild van de prins van Wales en op onze slaapzaal stikt het van de foto's van ZKH die

schepen te water laat, op herten schiet en er geweldig uitziet in een
Schotse kilt. Ze is vastbesloten om zich, als ze aan Mont-Fleuri is
ontsnapt en gepresenteerd is (we hebben afgesproken dat we allemaal
op dezelfde dag proberen te debuteren), aan hem op te dringen. Ze
zegt dat ze, als zij koningin wordt, ter ere van haar naamgenote de
kroning met ontblote boezem zal bijwonen.

Het leven op school was verre van saai. De directrice hield de
meisjes met argusogen in de gaten, maar toch wisten ze vaak
te ontsnappen – zoals Suzi's avontuur met de skileraar be-
wees. Niet ver uit de buurt stond een van de meest exclusieve
jongensscholen ter wereld, Le Rosey; hoe de leraressen zich
ook inspanden om het tegen te houden, er ontstonden al snel
allerlei vriendschappelijke banden.

'Dat is precies de reden dat mijn moeder me naar deze
school heeft gestuurd,' vertelde Annabel toen ze gevijven op
weg waren naar een stiekeme afspraak. 'Alle leerlingen van Le
Rosey zijn ofwel prinsen ofwel zo rijk als Croesus. Als ik er
een aan de haak weet te slaan zal mijn moeder gerust zijn dat
het een goede investering was om me hiernaartoe te sturen.'

Ze praatten alleen maar over jongens, maar Petra begon
nooit over Jack. Dat een vriend van haar familie een chalet in
Nyon bezat, was zowel bij de schoolleiding als bij de andere
meisjes bekend. Wat ook bekend was, was dat haar moeder
drie, vier keer per jaar naar Nyon kwam en dat het dus helemaal niet zo bijzonder was dat Petra daar af en toe naartoe
ging.

Als ze erheen ging, was dat altijd wanneer Jerome ook in
Nyon was. 'Het kan gewoon niet dat we elkaar hier op het
chalet ontmoeten als er verder niemand is behalve het personeel,' zei Jack. 'Omdat je nu zeventien bent en omdat ik voor
je voel wat ik voor je voel.' Hij zei dit toen ze had voorgesteld
elkaar alleen te ontmoeten, met in haar achterhoofd het ver-
leidingsavontuur van Suzi en de skileraar. 'Je vader zou het
als een grote beschaming van zijn vertrouwen opvatten en ik

koester te veel genegenheid en respect voor hem om zoiets te willen. Maar we kunnen elkaar wel ontmoeten in Montreux of in Rolle.'

Die ontmoetingen waren opwindend, maar niet zo vurig romantisch als ze zich vol verlangen had voorgesteld.

Toen ze aan haar tweede jaar op Mont-Fleuri begon, kreeg Jack een post op de Britse ambassade in Lissabon. Meer dan eens nam Jerome Petra mee uit als hij in Nyon was, en van hem hoorde ze dan dat Jack hard werkte, maar er ook een druk sociaal leven op nahield.

'Sinds de oorlog schijnt Lissabon een toevluchtsoord voor verbannen royalty's te zijn geworden,' zei Jerome toen ze een keer gemoedelijk langs het meer wandelden. 'In zijn brieven heeft Jack het de laatste tijd vaak over de dochter van de markies van Fontalba. Zijn moeder zou erg blij zijn als daar iets uit zou voortkomen.'

Petra beet op haar lip en antwoordde niet. De dochter van de markies van Fontalba kwam nooit ter sprake in de brieven die zij van Jack kreeg. Ze probeerde het op te vatten als een teken dat hij niets serieus in de zin had, maar met het verstrijken van de maanden begon ze toch te twijfelen of Jack nog net zoveel voor haar voelde als zij voor hem.

'Of Jack op het punt staat zich te verloven?' vroeg Delia verbaasd toen ze in Nyon was, kort voordat Petra de school zou verlaten. 'Wat een vreemde vraag, snoes. Als dat zo was, dan had hij jou dat toch zeker geschreven? Jullie zijn toch heel innig met elkaar?'

'Ja, natuurlijk is dat zo. Ik vroeg het omdat hij in Londen is voor mijn debutantenbal en ik erover denk om hem aan Magda voor te stellen.' Ze dacht er niet over om haar moeder de ware reden van haar vraag te onthullen. Als Jack een ander had, wilde ze niet dat haar moeder wist van de verwachtingen die ze zelf koesterde. 'Ik denk dat Jack helemaal Magda's type is.'

'Misschien wel, maar Magda is pas zeventien en Jack al vijfentwintig. Het lijkt me niet zo'n goed idee, Petra. Geloof me.'

Dat was een opmerking die Petra zich inprentte. Als haar moeder zo dacht over een leeftijdsverschil van zeven jaar, dan was het maar het veiligst om haar niet meer te vertellen.

Delia was in haar eentje naar Zwitserland gegaan. 'Davina moet hard leren,' had ze uitgelegd. 'En aangezien er in Caïro weer hevige anti-Britse onlusten zijn uitgebroken, vond je vader het zijn plicht om daar te blijven.'

Het was een verklaring waaraan Petra niets vreemds kon ontdekken.

Mont-Fleuri had haar toestemming verleend om tot 's avonds laat weg te blijven en Delia had een tafel gereserveerd in een restaurant dicht bij de school.

Jerome was uit Londen gekomen om enkele dagen bij hen door te brengen. Omdat hij wist dat Delia altijd hunkerde naar roddels over de Britse koninklijke familie, vertelde hij, terwijl de ober de wijn inschonk: 'De dochter van George Curzon, Alexandra, maakt tegenwoordig deel uit van de entourage van de prins van Wales, want ze is getrouwd met de beste vriend van de prins, Fruity Metcalfe.'

'Haar zus en de man van haar zus zullen er ongetwijfeld buiten vallen.' Delia weerstond met grote moeite de aandrang om zijn hand te pakken. 'Gwen schreef dat Tom zo gepikeerd was toen zijn wetsvoorstel ten aanzien van de werkloosheid werd verworpen, dat hij uit de Labourpartij is gestapt – en dat dat voor grote ophef heeft gezorgd.'

'De meeste dingen die Mosley doet, zorgen voor ophef.'

Jerome klonk geamuseerd, zoals heel vaak wanneer hij in het gezelschap van Petra's moeder verkeerde. Terwijl ze naar hem keek, merkte Petra op dat hij er voor een man van midden in de veertig nog verbluffend aantrekkelijk uitzag. In zijn onberispelijk geknipte snor was nog geen spoortje grijs te zien en zijn haar was weliswaar zilverwit bij de slapen, maar nog altijd dik en krullerig. Dat betekende dat Jack zijn knappe uiterlijk vast ook zou behouden.

'Ik dacht dat de Mosley die met een Curzon getrouwd is Oswald heette, niet Tom,' zei Petra, die haar gepeins over Jack even opzijzette.

'Zo heet hij ook.' Delia nam een slok wijn en voegde er toen aan toe: 'Alleen bij vrienden en familia staat hij bekend als "Tom". Alexandra wordt ook wel "Baba" genoemd.'

Petra sloeg haar ogen ten hemel. Waarom de vrienden van haar moeder zonodig met een andere naam door het leven wensten te gaan dan die ze hadden meegekregen was haar een raadsel. Fruity en Baba. Het klonk alsof het namen uit een kinderliedje waren.

Ze liet haar gedachten de vrije loop en pas bij het dessert richtte ze haar aandacht weer op het gesprek dat haar moeder en Jerome voerden.

'... en daarom heeft tante Rose, die weer bevriend is met de tante van Wallis, me gevraagd er alles aan te doen om de entree van Wallis en haar man in de Londense society te vergemakkelijken.'

Hoewel Delia's tante inmiddels haar stiefmoeder was geworden, noemde Delia haar nog net zoals eerst, en dat kon Petra zeer waarderen.

'Er is maar heel weinig wat ik vanuit Caïro kan doen,' vervolgde Delia. 'Maar misschien kun jij wel iets voor ze doen, Jerome?'

'Ik zal mijn best doen.'

Niet voor het eerst viel het Petra op dat Jacks vader altijd bereid was haar moeder een plezier te doen. 'Je zult me iets meer over die vrouw moeten vertellen,' zei hij, met zijn onoverwinnelijke goedgemutstheid. 'Weet je iets van haar achtergrond af?'

'Een aantal van de familieleden van haar moeder woont in Virginia, niet zo ver van Sans Souci. Bessie Merrymna, haar tante, komt daar regelmatig op bezoek en zo heeft Rose haar ook leren kennen. Maar Wallis is in Baltimore geboren. Ze is van haar eerste man gescheiden – een Amerikaan die echt verschrikkelijk was, als ik Rose moet geloven – en haar tweede man is Brits en partner in een firma die schepen koopt en verkoopt.'

Toen Petra de uitdrukking op Jeromes gezicht zag, onderdrukte ze een giechel.

Nadat hij had geprobeerd tijd te winnen door het kiezen van een frambozenpavlova van de desserttrolley, zei hij opmerkelijk beheerst: 'Vergeef me dat ik het zeg, Delia, maar de Simpsons klinken niet erg veelbelovend. Aangezien deze vrouw gescheiden is, kan van een uitnodiging voor een koninklijk tuinfeest geen sprake zijn, en ik zie niet waarom de Digby's of de Denby's of wie dan ook hen op sleeptouw zouden willen nemen.'

'Ik denk ook niet dat Wallis erop zit te wachten om aan ouwe sokken als Cuthie of lord Denby te worden voorgesteld. Ik dacht eerder aan de wat ruigere elementen uit de omgeving van de prins van Wales. Ik dacht dat ze misschien geïntroduceerd zou kunnen worden bij Thelma Furness, die ook Amerikaanse is en ongeveer dezelfde leeftijd moet hebben...'

Delia liet de zin verder hoopvol in de lucht hangen.

'Ik zal mijn best doen, maar ik moet je waarschuwen dat Thelma betere mannen dan ik als ontbijt heeft genuttigd.' Er klonk plagerige humor door in zijn stem. 'Maar als je me dat gevaar wilt laten lopen...'

Tot Petra's verbijstering giechelde haar moeder op dezelfde manier waarop ze Suzi de Vioget vaak hoorde giechelen.

Ze schrok er erg van.

Juist toen ze zich had gerealiseerd hoe enorm aantrekkelijk Jacks vader was, zag ze nu ook dat haar eigen moeder nog altijd betoverend mooi was, zelfs met haar negenendertig jaar. Haar schoonheid had iets extra's door haar Amerikaanse vitaliteit, haar gezonde uitstraling en door de schitterende kleur van haar haar dat, zo vermoedde Petra, nog net zo rood was als toen ze nog een jong meisje was – mogelijk door toepassing van geheime middeltjes.

Ze verplaatste haar gedachten naar haar nabije toekomst. Over enkele weken zou ze Mont-Fleuri verlaten en aan het hof gepresenteerd worden. Ze zou het plezier van het debuteren delen met Annabel en Boudicca en verheugde zich enorm op alle poespas.

'Je moeder was al getrouwd toen ze aan het hof geïntroduceerd werd,' zei haar tante Gwen vol genegenheid terwijl ze zaten te wachten op de jurk die Petra aan het hof zou dragen. Petra ging hem voor de derde maal passen. 'Onder normale omstandigheden zou ze door haar schoonmoeder zijn gepresenteerd, maar omdat je grootmoeder al gestorven was, heeft Sylvia die eer op zich genomen.'

'Dat wist ik niet. Wat vreemd. Mijn moeder en Sylvia zien elkaar nauwelijks. Ik geloof niet dat Sylvia ooit in Egypte op bezoek is geweest in de tijd dat wij er woonden. Ik vermoed dat mama en zij elkaar wel zullen opzoeken nu mama in Londen is. Mama is zo blij als een kind dat ze hier is om bij mijn presentatie aanwezig te zijn.'

'En ook ik ben als een kind zo blij dat ze er is. Ze is altijd zo vol levenslust dat ze zelfs mij het gevoel weet te geven dat ik nog jong ben.' Ze klopte met haar door ouderdom getekende hand op die van Petra. 'Vandaag gaan we repeteren met schoenen, veren en waaier, toch? Ik ben zo blij dat je niet hebt gekozen voor zo'n hooggesloten moderne japon. Een avondjurk hoort laag uitgesneden te zijn, vooral als je zo'n mooie boezem kunt laten zien. Je moeder zag er destijds werkelijk schitterend uit in haar toilet. Ik ging ook met haar mee passen. Ze kwam toen pas uit Virginia en was nog tamelijk verlegen en nerveus. Dat is nu bijna niet meer voor te stellen, hè?'

Petra kon zich er zelfs helemaal niets bij voorstellen.

Sinds ze samen in Londen waren aangekomen had Delia zich vol overgave in het mondaine leven gestort. Ze had al haar oude vrienden en bekenden weer opgezocht en heel veel nieuwe mensen ontmoet, onder wie Wallis Simpson.

'Wallis had absoluut geen hulp nodig om met Thelma in contact te komen,' zei Delia, toen ze terugkeerde naar Cadogan Square na een cocktailparty bij de Simpsons in hun appartement aan Bryanston Square. 'Ze is een oude kennis van Benjamin Thaw en Bennie is getrouwd met Thelma's zus. Ik mag haar erg graag – Wallis bedoel ik, niet Consuelo Thaw. Consuelo is veel te...' Ze pauzeerde even, zoekend naar het juiste woord. 'Te onconventioneel,' zei ze uiteindelijk. 'Je vader zou het niet waarderen als ik met haar omging en voor jou is contact met Consuelo volstrekt uitgesloten. Vraag me niet waarom, snoes. Vertrouw maar gewoon op mij.'

Ze wierp haar korte schoudermanteltje van chinchilla van zich af. 'Thelma bevindt zich in een andere categorie, maar dan vooral omdat de prins van Wales haar het einde vindt, waardoor niemand iets lelijks over haar durft te zeggen.' Delia graaide in haar tas naar haar sigarettenkoker. 'Ik vraag me af wanneer hij zijn ongezonde fascinatie voor getrouwde vrouwen een keer opzijzet en zijn blik laat vallen op iemand met wie hij zou kunnen trouwen. Misschien valt zijn oog wel op jou als je gedebuteerd hebt. Mijn neef Beau zou het fantastisch hebben gevonden als ik de schoonmoeder werd van de toekomstige koning van Engeland.'

Ze zweeg even, met de sigarettenkoker in haar hand, haar ogen schitterend bij de herinnering aan haar neef.

'En hebt u alweer kunnen bijkletsen met prins Edward?' vroeg Petra, voordat haar moeder herinneringen aan haar jeugd in Sans Souci ging ophalen.

'Ik weet niet zeker of "kletsen" een goed woord is, snoes. Ik ken David – ik noem hem nooit Edward, want daar heeft hij een enorme hekel aan – veel langer dan de meeste andere mensen uit zijn entourage en dat wil wel wat zeggen, maar de koning beschouwt jouw vader als een vriend, al meer dan twintig jaar.'

Ze stak een sigaret op. 'David,' zei ze na een rookpluimpje de lucht in te hebben geblazen, 'David voelt zich nooit voor honderd procent op zijn gemak bij de vrienden van zijn vader. Hij is bang dat de koning te veel aan de weet komt over zijn ongepaste escapades met getrouwde vrouwen.'

'Dus er is geen kans dat hij naar een cocktailparty hier in huis zal komen zodat ik hem aan Boo kan voorstellen?'

'Boudicca?' Delia trok haar wenkbrauwen op. 'Maar snoes, ze is pas achttien. Ze mag dan nog zo verliefd op hem zijn, ZKH zou haar aanwezigheid waarschijnlijk nauwelijks opmerken. Hij heeft alleen maar oog voor vrouwen van rond de dertig. En nu we het toch over jouw vrienden hebben... komt Jack nog naar Londen om je te escorteren naar het feest van Annabel?'

'Ja.' Haar hart begon te bonken, zoals altijd wanneer Jacks naam viel.

Delia bedacht zich wat de sigaret betrof en drukte hem uit. 'Ik heb tegen lady Mowbray gezegd dat er niets op tegen is dat hij als jouw begeleider optreedt. Hij is al zo lang een vriend van de familie, hij is bijna een broe...' Haar woordenstroom kwam tot een abrupt einde toen Delia zo hard begon te hoesten dat Petra dacht dat ze zou stikken.

'Wilt u wat water?' vroeg ze. 'U moet echt ophouden met roken, mama. Hoesten als een ouwe zwerver is niet bepaald elegant.'

Delia wierp haar een zo gekrenkte blik toe dat Petra bijna in lachen uitbarstte. In plaats daarvan liep ze door de salon naar het art-deco cocktailbuffet en schonk haastig een glas sodawater in.

'Hier,' zei ze tegen haar moeder. 'Drink dit maar op. 'Wat wilde u nu gaan zeggen?'

Delia nam een slok en maakte vervolgens een expressief gebaar met haar hand. 'Ik weet het niet meer. Ik denk dat ik juist wilde zeggen dat ook pré-presentatiefeesten een ideale gelegenheid zijn om op jacht te gaan naar een bruidegom, en dat het daarom misschien niet zo verstandig is om met Jack als begeleider te gaan. Daarmee geef je een verkeerd signaal af.

Misschien gaan de mensen dan iets denken wat ik niet wil. Als je niet naar Oxford wilt, maar in plaats daarvan een man gaat zoeken, heb je behoefte aan een jongeman die veel rijker is en een veel betere positie heeft dan Jack.'

Petra was oprecht geschokt. 'Mama! Zo snobistisch heb ik u nog nooit horen praten.'

Delia zag er zeer ongemakkelijk uit. 'En het was nog niet eens nodig ook, want ik heb van Davina begrepen dat je je zinnen op Darius hebt gezet. Als ik écht een snob was, zou ik groot bezwaar maken tegen het idee van een Egyptische schoonzoon, zelfs al is hij een kopt, maar dat doe ik niet, althans niet heel erg. Ik wil gewoon dat je een heleboel andere jongemannen leert kennen die als huwelijkspartner geschikt zouden zijn. Trouwen met de eerste de beste persoon op wie je denkt verliefd te zijn is niet verstandig. Een vergissing is naar al te gemakkelijk gemaakt en omdat je vader een vriend van de koning is, zijn dat soort vergissingen maar moeilijk te corrigeren.' Alsof ze bang was dat ze iets te veel had gezegd, voegde ze er gehaast aan toe: 'Maar nu moet ik opschieten en een bad nemen. Ik dineer vanavond met Margot en ik zit krap in mijn tijd.'

Voordat Petra nog iets kon zeggen, was haar moeder de kamer al uit gestoven.

Petra liep weer naar het cocktailbuffet en maakte een pink gin voor zichzelf klaar, als ondeugd waarvan haar moeder nog geen weet had. Omdat haar moeder blijkbaar zo tegen een romantische verhouding met Jack was, kwam het heel goed uit dat Davina in haar onschuld had verteld dat ze verliefd was op Darius.

Ze nam een slokje van haar cocktail. Dat haar onconventionele Amerikaanse moeder zich ontpopte als een door de wol geverfde snob als het erom ging wie wel of niet als huwelijkskandidaat in aanmerking kwam, vond ze een schokkende onthulling. Jack en zij zouden alle steun van haar vader nodig hebben als ze haar droom werkelijkheid wilde laten worden.

Ze twijfelde er niet aan dat hij die zou geven. Om te beginnen waren hij en Jacks vader vrienden, en bovendien had haar vader zich niet bekommerd om het feit dat haar moeder niet rijk was en geen geweldige connecties had toen hij zelf trouwde.

Delia was blijkbaar beïnvloed door vrienden en kennissen die ook een dochter hadden die dit seizoen debuteerde. Een vriendin van het eerste uur, lady Denby, was bijvoorbeeld helemaal in de wolken omdat haar dochter Annabel een Wit-Russische prins aan de haak had geslagen en al verloofd was; Annabel droeg een kanjer van een smaragd aan haar ringvinger.

Prins Fedja Toechatsjevski, de oudere broer van een van de jongens van La Rosey, was redelijk aantrekkelijk en erg grappig. Annabel was werkelijk verliefd op hem. Maar Petra wist ook dat Annabel, als hij geen titel had gehad, hem hoogstwaarschijnlijk niet geaccepteerd zou hebben. Het vooruitzicht prinses Toechatsjevski te worden had Fedja's kansen gunstig beïnvloed.

Als Petra had gewild, had ze een veel prestigieuzere verovering kunnen maken. Mohammed Reza, een uitzonderlijk knappe Perzische student, had nooit onder stoelen of banken gestoken dat hij dolverliefd op haar was. Ze had hem niet aangemoedigd, maar ze wist dat alle andere meisjes uit haar klas dat wel gedaan zouden hebben, omdat Mohammed Reza de oudste zoon was van de sjah van Perzië. Zijn toekomstige vrouw zou ooit keizerin zijn.

Ze wist hoe haar ouders zouden reageren als ze hoorden dat ze de attenties van de toekomstige heerser van Perzië had genegeerd, maar ging toch met haar gedachten naar Jack. Hij had haar maanden geleden al beloofd in Londen te zullen zijn als ze aan het hof werd geïntroduceerd. Ze had de datum rood omcirkeld op de kalender die ze onder haar kussen had liggen.

Afgezien van de brokstukjes informatie die zijn vader haar gaf – met een strekking die ze liever niet hoorde – was het lastig om meer te weten te komen over Jacks sociale leven in Lissabon. Hij schreef met bijna even grote regelmaat aan haar moeder als aan zijn vader, maar steeds als Petra Delia vroeg naar de laatste berichten van Jack kreeg ze dingen te horen als: 'Hij schrijft ongetwijfeld hetzelfde als hij aan jou schrijft, snoes. Is het niet heerlijk dat hij zoveel succes heeft als diplomaat?' Op dit soort informatie was ze niet uit.

Ze nam het laatste slokje pink gin, diep in gedachten verzonken.

Jack schreef heel af en toe aan Kate Gunn. Nadat Kate de plaats van meneer Willoughby had ingenomen en secretaresse van haar vader was geworden, had Ivor zijn dochters de instructie gegeven dat ze haar juffrouw Gunn dienden te noemen. Davina deed dat nog steeds, maar in een van haar brieven had haar voormalige kinderjuf aan Petra geschreven:

Schrijf toch alsjeblieft niet steeds 'Beste juffrouw Gunn'. 'Beste Kate' vind ik veel leuker en vriendelijker. Is het niet geweldig dat je vader heeft gezorgd dat ik in een flat voor Brits overheidspersoneel in Garden City kon trekken? Het is het eerste eigen plekje dat ik heb en ik ben er ontzettend blij mee.

Petra besloot Kate te schrijven om te vragen of zij wist of Jack in een heftige romance verwikkeld was en te vertellen waarom het zo belangrijk voor haar was dat te weten. Het zou prettig zijn iemand te hebben met wie ze openlijk kon praten.

Ze sprong overeind met de bedoeling de brief meteen te gaan schrijven, maar toen ze via de hal naar de trap liep, hield ze abrupt halt. Bellingham deed de voordeur open voor een bezoekster – en die bezoekster was de moeder van Jack.

Omdat Jerome zich zo vaak op Cadogan Square vertoonde, had Sylvia's onverwachte komst niet tot verwarring bij Petra hoeven te leiden. Maar ze raakte eigenlijk altijd in verwarring als ze Sylvia zag. Ze had als kind geleerd om Sylvia tante te noemen, maar had altijd alleen maar aan haar gedacht als lady

Bazeljette. Zelfs als ze zichzelf eraan herinnerde dat Sylvia Jacks moeder was, maakte dat geen verschil, want afgezien van het donkere haar had hij niets van haar weg.

'*Nonchalante et froide*,' had Suzi de Vioget gezegd toen Sylvia een paar dagen in Nyon was en ze haar in een modern café in Montreux tegenkwamen. 'Heel mooi, uiteraard, vooral voor haar leeftijd, maar niet erg *sympathique*, lijkt me.'

Petra viel terug op haar goede manieren en begroette de vrouw die, zo hoopte ze, op een dag haar schoonmoeder zou zijn.

'Tante Sylvia, wat fijn u te zien!' zei ze, zich dwingend om warmte in haar stem te leggen, terwijl Bellingham een bediende naar boven stuurde om haar moeder van het bezoek op de hoogte te stellen.

Sylvia hield haar hoofd even schuin en bekeek haar vol interesse. 'Je ziet er goed uit,' zei ze met haar stem als vergruizeld ijs. 'Blijkbaar doet het je goed om weer in Londen te zijn.'

Ze had het slanke postuur van een vrouw die twintig jaar jonger is en droeg een duifgrijs mantelpak van geribde zijde bij grijze suède schoenen en een klein hoedje met een genopt hoofddoekje. Over een schouder hing de vacht van een zilvervos nonchalant gedrapeerd, met de kop er nog aan. Haar wimpers waren dik met mascara aangezet, haar smetteloze huid was bleek als porselein, haar lippen waren glanzend cameliarood gestift en haar zware parfum was zeer sensueel. Petra vond de mengeling van ingehouden elegantie – het mantelpak kon alleen van Mainbocher of Chanel zijn – en de uiterst sensuele wijze waarop ze het droeg behoorlijk verontrustend.

De etiquette vereiste dat ze Sylvia bezighield tot haar moeder naar beneden kwam. Terwijl ze Sylvia voorging naar de salon zei ze: 'U zult wel erg naar Jacks komst uitzien. Ik neem aan dat het al lang geleden is dat u hem hebt gezien.'

'Jack?' Zijn moeders prachtig gewelfde wenkbrauwen, dun als een penseel, gingen omhoog alsof ze probeerde te bedenken wie Jack ook weer was. 'Misschien,' zei ze uiteindelijk.

Niet voor het eerst vroeg Petra zich af waar haar moeder het in 's hemelsnaam over zou moeten hebben met Sylvia. Maar Sylvia, zo bracht ze zichzelf in herinnering, kwam niet vaak bij haar moeder op bezoek. Jerome was heel vaak in Caïro geweest, maar Sylvia nog nooit. 'Ze kan de hitte niet verdragen,' had Delia geantwoord toen Petra haar had gevraagd naar het waarom.

'Davina doet tegenwoordig vrijwilligerswerk in een weeshuis in Caïro,' zei Petra. Het was het enige gespreksonderwerp dat ze kon verzinnen. 'Dat heeft ze altijd al willen doen.'

'Vrijwilligerswerk?' Zonder haar zilvervos af te leggen ging Sylvia op een van de vele sofa's in de salon zitten. 'Maar ze gaat toch zeker nog naar school?'

'Ze doet het in het weekend.'

'Buitengewoon.' De uitdrukking op Sylvia's verfijnde gelaat was er een van verbijstering. 'Het verbaast me dat je vader dat goed vindt.'

'Ik geloof dat Davvy het ook niet zo gemakkelijk voor elkaar heeft gekregen, maar ze kan enorm koppig zijn als ze iets echt graag wil.'

Er kwam geen reactie.

Petra zat zich af te vragen wat Sylvia's interesse misschien kon wekken, toen ze zag dat ze naar het cocktailbuffet keek. 'Wilt u iets drinken, tante Sylvia?' vroeg Petra met iets van de luchthartigheid van haar moeder. 'Een martini? Ik heb pas geleerd hoe je die moet mixen.'

'Dan hoop ik dat je ook het geheim ervan hebt ontdekt. Hij moet zo droog mogelijk zijn.'

Petra liep naar het buffet, in de veronderstelling dat het drankje dankbaar geaccepteerd werd en blij dat ze even iets te doen had.

Sylvia verschikte haar bontje. 'Gaat Delia vanavond nog uit? Ik vraag het omdat ze me niet verwacht.'

Petra was in de verleiding te zeggen dat haar moeder iedere

avond uitging, maar zei alleen: 'Ik geloof dat ze met Margot Asquith dineert. Wat wilt u in uw martini, tante Sylvia? Een olijf of een citroenschilletje?

'Citroen.'

De deur ging open en Delia kwam binnen. Ze zag er sensationeel uit in haar halterjurk van turquoise satijn.

'Sylvia! Hoe onverwacht!'

'Ja, maar datzelfde geldt voor het nieuws dat ik heb.'

Petra gaf haar haar martini. Noch Sylvia noch haar moeder keek naar haar. Het was alsof ze ineens even onzichtbaar was als een dienstmeisje of lakei.

'Is er iets met Jerome gebeurd?' Delia's stem klonk angstig gespannen. 'Of met Jack?'

Die laatste mogelijkheid deed Petra verstijven.

'Nee. Theo heeft me zojuist verteld dat zijn vader kanker in het laatste stadium heeft. Dat is nogal een schok. Ik had niet verwacht dat Theo al zo snel de titel van hertog zou erven. Maar nu dat zo is, heb ik een besluit genomen.' Ze zweeg even om een slokje van haar drankje te nemen en zei toen: 'Ik dacht dat ik jou maar als eerste moest vertellen dat ik van Jerome ga scheiden.'

Petra hapte naar adem.

'Dat kun je niet menen,' zei Delia, terwijl ze zich op de sofa tegenover Sylvia liet zakken.

'Ik meen het wel.' Sylvia zag er volkomen onaangedaan uit. 'Theo wil al heel lang met me trouwen. Tot nu toe vond ik dat dit niet in mijn belang was. Ik heb altijd gedacht dat Jerome een hoge positie in de regering zou krijgen, misschien zelfs premier zou worden, maar nu de liberalen niet langer in de meerderheid zijn, gaat dat niet gebeuren. En daarom kies ik niet voor een toekomst aan de zijde van een parlementariër die nooit een hogere titel dan die van baronet zal krijgen, maar voor een echtscheiding zodat ik hertogin kan worden.'

'Echtscheiding...' begon Delia. Maar ze kon niet verder spreken en bevochtigde haar lippen.

Het verraste Petra niet. Ook zij had droge lippen gekregen van de schrik.

'Echtscheiding...' zei Delia nog eens. 'Heeft Jerome ermee ingestemd?'

'Hij weet nog niet dat ik wil scheiden. En voor het geval dit nog niet duidelijk mocht zijn, zeg ik er maar even bij dat ík degene ben die de scheiding aanvraagt en wel op grond van zijn overspeligheid.'

'Sylvia... als je van plan bent te gaan doen wat ik denk dat je... Als je van plan bent om namen te noemen...'

Sylvia schraapte haar keel en keek in Petra's richting.

Ook Delia keek nu naar haar.

'Laat ons alsjeblieft alleen, Petra,' zei ze afgebeten, alsof ze moeite had haar mond te bewegen. 'En wat tante Sylvia heeft gezegd is privé. Je mag het aan niemand vertellen, heb je dat begrepen? Zelfs niet aan tante Gwen.'

Petra was bijna duizelig, zo schokkend was het was ze zojuist had gehoord. Ze knikte dat ze het begreep.

Toen ze met onvaste tred op weg was naar de deur zei Sylvia: 'Het is niet nodig om namen te noemen, Delia. Jerome hoeft alleen maar een kamer te boeken in een hotel met een blondine. Het hotelregister en een privédetective doen de rest.'

'Dat zal zijn reputatie vernietigen.' Haar moeder klonk alsof ze slechts met moeite adem kon halen. 'Het zal zijn politieke carrière te gronde richten.'

'Misschien.' Sylvia klonk verveeld. 'Maar het alternatief is dat hij van mij scheidt op grond van overspel, en als hij dat zou doen, dan zou ik het overspel met Theo niet toegeven, maar wel mijn affaire met de minnaar voor hem.'

Petra had de deur bereikt en sloot hem achter zich. Terwijl ze ertegenaan leunde in een poging het trillen van haar benen te laten ophouden, hoorde ze haar moeder zeer gepassioneerd zeggen: 'Je mag de carrière van zo'n gedistingeerde man niet vernielen door zijn naam voor een echtscheidingrechter door het slijk te halen, dat kun je niet doen.'

Petra dwong zichzelf naar de trap te lopen, zich afvragend op welke gedistingeerde man haar moeder doelde. Ze vroeg zich ook af waarom Sylvia haar moeder nog eerder dan Jerome zelf vertelde dat ze van plan was van hem te scheiden.

Ze liep haar slaapkamer in. Haar voornemen om Kate te schrijven was ze geheel vergeten.

Degene aan wie ze nu een brief zou willen schrijven was Jack. Maar dat kon niet. Het nieuws over de echtscheiding kon zíj hem niet schrijven, dat moest zijn moeder doen.

Toen Petra bedacht hoe Jack zou reageren kon ze nauwelijks ademhalen. Ze had zó lang uitgekeken naar de komende weken, maar het zouden heel moeilijke weken worden, en niet alleen voor de mensen die het dichtst bij dit alles betrokken waren.

Ze sloeg haar armen om zichzelf heen, denkend aan haar eigen probleem. Dat was maar al te duidelijk. Als het huwelijk van zijn ouders op springen stond, zou Jack niet in de stemming zijn om eindelijk een liefdesverhouding met haar te beginnen. En ze zou beslist geen relatie willen aanknopen met een andere man. God mocht haar bijstaan.

10

*A*nnabels feest was ontzettend leuk, maar het was niet Jack die Petra escorteerde. VERLOF UITGESTELD stond er in zijn telegram, ZIE JE IN JUNI.

Het was een grote teleurstelling, maar gelukkig had Petra weinig tijd om erover te piekeren. Zoals steeds hun bedoeling was geweest werden zij, Annabel en Boudicca bij dezelfde gelegenheid ten hove geïntroduceerd. De ceremonie vond 's avonds plaats en dat verleende extra glans aan het gebeuren. Terwijl Ellie haar hielp met aankleden en haar moeder en tante Gwen gereedstonden met de veren van de prins van Wales, had Petra te doen met de debutantes die hun presentatie 's middags hadden.

'Het volgende moet je niet vergeten, lieverd,' zei haar tante Gwen bezorgd. 'Als je geïntroduceerd bent en vóórdat je achterwaarts bij de koning en koningin wegloopt, moet je je sleep goed over je arm draperen. Anders struikel je erover. Waarom dat maar zo zelden gebeurt, is mij echt een raadsel.'

'En als Ellie je hoofdtooi heeft vastgezet, moet je je réverence nog een keer oefenen,' zei Delia. 'Een volledige réverence in vol ornaat is nog lastiger dan koorddansen met een blinddoek om.'

'Hou op! Alstublieft! U maakt me nog zenuwachtiger dan ik al ben. Ellie, wil je alsjeblieft zorgen dat de veren vast blijven zitten? Wat moet ik doen als ze toch loslaten?' voegde ze er paniekerig aan toe. 'Moet ik ze laten liggen? Of moet ik ze oprapen?'

'Je hoeft helemaal niets te doen, snoes. Op een paar passen afstand staat altijd wel een kamerheer om eventuele rampen voor te zijn. En als er een probleem is – bijvoorbeeld als je over je sleep dreigt te struikelen – dan lost hij dat voor je op.'

Haar moeder verschikte iets aan haar hoofdtooi en Petra slaakte een immens tevreden zucht. Haar tiara stond iets schuin naar links en de middelste veer reikte het hoogst. Ze voelde zich een koningin.

Haar jurk was een droom: een wolk van parelwitte chiffon en satijn, met korte mouwen en een laag uitgesneden hals, en met witte rozen op het lijfje en de rok geborduurd.

Weer moest ze aan Jack denken.

Het doel van debuteren en de bijna eindeloze reeks bals en party's die ermee gepaard gingen, was het ontmoeten van zoveel mogelijk huwelijkskandidaten en het aangaan van een passend huwelijk, oftewel een huwelijk met een man die rijk was en een titel bezat.

Boudicca's droom was de aandacht van de prins van Wales te trekken, maar Petra was ervan overtuigd dat Boo aan het einde van het seizoen verloofd zou zijn met een mindere sterveling. Annabel was al verloofd, dus zij hoefde geen man aan de haak te slaan.

En aangezien Petra zelf allang wist met wie ze wilde trouwen, was ook zij niet van plan op jacht te gaan naar een bruidegom.

'Je handschoenen.' Tante Gwen gaf ze haar aan, terwijl Delia het parelsnoer dat ze bij haar eigen presentatie had gedragen om de hals van haar dochter vastmaakte.

'Zo!' Delia, die een fonkelende tiara droeg en schitterde van de diamanten en smaragden, deed een stapje terug om haar dochter te bekijken. 'Je ziet er betoverend uit, lieve schat. Je bent echt een plaatje.'

'U ziet er ook mooi uit, mama,' zei ze naar waarheid. 'Ik zou alleen willen dat papa en Davvy ook hier waren.'

'Dat ze er niet zijn, is de schuld van die akelige Egyptische politiek. Je vader is dan wel geen hoge commissaris, maar je zou denken dat hij het wel was, want de premier vertrouwt alleen maar op hem. Davina kon onmogelijk alleen naar Engeland reizen. Er was niemand die vanuit Caïro als chaperonne met haar mee kon gaan. Maar ook als er wel iemand was geweest, dan had ze het hier toch niet naar haar zin gehad omdat ze nog te jong is om voor bals en party's te worden uitgenodigd.'

Gwen reed met hen mee naar Buckingham Palace. Toen ze de Mall bereikten, kwamen ze in een stroom Rolls-Royces terecht. Overal stonden drommen mensen die speciaal waren toegestroomd om de stoet auto's en de inzittenden te kunnen bekijken.

'Het lijkt wel alsof we aapjes in de dierentuin zijn,' zei Petra toen een vrouw met een klein kind op haar arm zo dicht bij hun auto kwam dat de dreumes tegen het raam wist te slaan.

'De vrouw die door de prins van Wales tot bruid wordt gekozen, zal dit aan één stuk door meemaken,' zei haar moeder, het kindje vrolijk een kusje toewerpend.

'Ik denk niet dat je daar gelijk in hebt,' zei Gwen. 'De prins heeft altijd een escorte om zich heen. En ik moet zeggen dat ik zou willen dat wij er ook een hadden. Ik word erg nerveus van de opmerkingen van het gepeupel over mijn toilet en mijn juwelen.'

Toen ze de brede marmeren trappen naar het paleis op liepen, zag Petra Annabel en Boudicca in de rij voor haar. Boven aan de trap werden de debutantes bijeengebracht in een wachtkamer, waar vergulde stoelen in stram gelid stonden opgesteld. Er waren ongeveer veertig meisjes en Petra kreeg geen gelegenheid om met haar vriendinnen te praten; ze kon alleen maar even opgewonden naar hen wuiven. Onder de strenge blikken van de hoffunctionarissen stelden ze zich op in een rij, in een strikte volgorde, bepaald door het belang van de titel van hun vader.

Na wat een eeuwigheid leek hoorde ze de aanhef van het volkslied.

'Dat betekent dat de koning en de koningin de troonzaal binnenkomen,' zei het meisje naast haar. 'De eerste in de rij kan nu elk ogenblik naar binnen gaan.'

Na het afgeven van een presentatiekaartje aan een lakei werd elk meisje vanuit de wachtkamer naar de troonzaal ge-escorteerd. Petra zag dat Annabel haar hand naar haar hoofd-tooi bracht om te controleren of hij nog goed zat. Boudicca was zo zenuwachtig dat ze haar kaartje liet vallen en een ka-merheer het voor haar moest oprapen.

Eindelijk was Petra zelf aan de beurt. Bij de ingang van de troonzaal spreidde een kamerheer haar sleep uit. Een andere overhandigde haar kaartje aan de opperkamerheer.

De zaal leek oneindig groot. Aan beide zijden stonden rijen stoelen, die allemaal bezet waren. Tegenover haar, op een ver-hoging en onder een dieprood baldakijn, zaten de koning en de koningin. Iets links van hen zat de prins van Wales, en verder bij hen vandaan, in glitterjapons en uniformen, zaten andere leden van het koningshuis en hoogwaardigheidsbekleders.

De opperkamerheer riep haar naam af en enkele seconden later stond ze voor koning George en koningin Mary. Ze maakte een volledige réverence, waarbij haar knie de vloer bijna raakte. In deze positie maakte ze een diepe buiging, om zich daarna – het moeilijkste onderdeel – weer op te richten zonder haar evenwicht te verliezen. De opluchting dat het haar gelukt was, moest van haar gezicht zijn af te lezen, want ze wist zeker dat de koning geamuseerd zijn mondhoek heel lichtjes optrok, iets wat hij zelden deed.

Na afloop was er in een zaal op een andere verdieping champagne en werden er kleine hors d'oeuvres geserveerd, de zogenaamde 'Windsor pies'. Eindelijk kreeg ze kans om wat woorden te wisselen met Annabel en Boudicca.

'Ik wiebelde,' zei Annabel, die hierdoor blijkbaar nauwe-lijks uit het veld geslagen was. 'Ik wiebelde zo erg dat mijn veren volgens mijn moeder heen en weer zwaaiden alsof ze nog aan de pauw zaten.'

'Ik wist niet dat prins Edward er zou zijn!' Boudicca's ogen straalden. 'Ik had het zo druk met naar hem te kijken, dat ik de koning en de koningin nauwelijks heb gezien. Zag hij er niet geweldig chic uit in zijn hoftenue? Hij is nog knapper dan een filmster. O, ik hoop zo dat hij me heeft opgemerkt.'

'Ik geloof niet dat hij ook maar iemand heeft opgemerkt,' zei Annabel. 'Volgens mij verveelde hij zich te pletter.'

Annabels moeder kwam op hen afgestevend. Haar met diamanten afgezette corsage, dat vrijwel nooit uit de familiekluis werd gehaald, schitterde oogverblindend. 'Over wie heb je het?' vroeg ze. Ze had alleen het staartje van het gesprek gehoord. 'Als je het over de opperkamerheer hebt, dan vergis je je. Natuurlijk verveelde hij zich niet. Neem nu maar afscheid van Boudicca en Petra. We hebben een afspraak bij de fotograaf en we zijn al te laat.'

Dat herinnerde Boudicca en Petra eraan dat ze een soortgelijke afspraak hadden en ze zeiden elkaar haastig gedag.

Terwijl de Rolls-Royce van de familie met hoge snelheid voortraasde naar de studio van de meest prestigieuze Londense societyfotograaf in Chelsea, zei Delia tevreden: 'Wat een dag! En dan te bedenken dat ik het allemaal nog eens mag meemaken als Davina debuteert.'

Petra keek haar verschrikt aan. 'Weet u wel zeker dat Davvy aan het hof geïntroduceerd wil worden?' vroeg ze, enigszins gealarmeerd. 'Ze houdt er niet van om in het middelpunt van de belangstelling te staan en ze heeft helemaal geen vriendinnen in Londen.'

'Dat is precies de reden om haar te presenteren en haar een seizoen in Londen te laten meemaken.' Dat Davina een mondaine vriendenkring diende op te bouwen stond voor Delia vast. 'Op die manier verzamelt ze een heleboel passende vrienden om zich heen, en daar is de hele exercitie ook om te doen. Ze heeft een groot sociaal netwerk nodig om weer aan het leven in Engeland te wennen als haar vader wordt teruggeroepen.'

'Teruggeroepen?' Petra staarde haar moeder aan. 'Wordt hij teruggeroepen dan? Ik bedoel, gebeurt dat al snel?'

Ze zoefden over de Chelsea Embankment, aan hun linkerzijde glansde de Theems als zwarte zijde.

Delia snoof geërgerd. 'Natuurlijk gebeurt dat al snel, Petra. Toen je vader als Brits adviseur naar Egypte ging, verkeerde hij in de veronderstelling dat het voor vier à vijf jaar zou zijn, zes op zijn hoogst. En dat is nu negen jaar geleden. Hij zag zich gedwongen te blijven omdat de politieke situatie daar zo moeilijk is en hij zo'n goede band heeft met koning Fouad. Je vader is een grote steun voor de huidige hoge commissaris en daarom wordt zijn verblijf in Egypte steeds weer verlengd. Maar hij is nu eenenzestig en het moet een keer genoeg zijn. Het ligt in zijn bedoeling om voor het eind van het jaar weer in Londen terug te zijn. Zo niet, dan is het in ieder geval mÍjn bedoeling om hier te blijven. Ik vind het zo heerlijk om al mijn oude vrienden en bekenden weer te zien en ik ben niet van plan om nog langer in ballingschap te leven.'

Haar stem had een granieten ondertoon en Petra liet zich tegen de achterbank zakken, volkomen verbijsterd.

Ze had altijd geweten dat Egypte niet eeuwig de standplaats van haar vader zou zijn, maar tot aan dit moment had ze er nooit bij stilgestaan wat dit voor haar zou betekenen. Ze besefte nu pas dat haar leven dan volledig zou veranderen.

Nile House zou niet meer haar thuis zijn. Als ze niet terug kon naar Nile House, waar moest ze dan naar terugkeren? Waar moest ze gaan wonen?

Ze had altijd gedacht dat ze na het mondaine seizoen in Londen terug zou gaan naar Caïro. De meeste meisjes zouden tegen die tijd verloofd zijn en zijzelf hoopte op een verloving met Jack. Hij was in Lissabon gestationeerd, en het was nog nooit bij haar opgekomen dat ze het min of meer verplichte jaar tot anderhalf jaar van haar verloving ergens anders dan in Egypte zou doorbrengen, waar hij haar zeer geregeld zou komen opzoeken. Daarna zou ze daar gaan wonen waar hij als diplomaat ging werken en ze had geen reden gezien waarom dat niet Caïro zou zijn; een suggestief woordje hier en daar in de hoogste kringen zou volstaan om hem daar een post te bezorgen.

Het was haar ideale scenario geweest. Ook als het anders zou gaan, dan nog zou ze er nooit rekening mee hebben gehouden dat ze ergens anders dan in Caïro zou wonen.

'Weet Davvy dat u en papa uit Caïro weggaan?' vroeg ze toen de Rolls tot stilstand kwam.

'Ik heb geen idee. Maar hoe het ook zij – het mag haar gelukt zijn onder een vervolgopleiding uit te komen, ze ontkomt niet aan een Londens societyseizoen. Het is misschien niet zo tactisch van mij om te zeggen, maar papa heeft altijd gedacht dat jij de koppigste van jullie tweeën was, terwijl ik geloof dat het Davina is die hem grijze haren zal bezorgen. Davina kan zich heel lief en aardig gedragen, maar in feite is ze een érg onconventioneel type.

Terwijl haar moeder een weidse entree maakte in de studio vroeg Petra zich af of ze zich blij of gegriefd moest voelen dat haar moeder het blijkbaar onwaarschijnlijk vond dat zij haar vader het leven moeilijk zou maken. Ze besloot gekrenkt te zijn. Alsof zij zo saai was! Het was verschrikkelijk als iemand haar saai vond in vergelijking met haar kleine zusje. Haar moeder wist gewoon niet waar ze het over had. Ze nam zich voor zich zo te laten portretteren dat haar foto met een beetje geluk in *Tatler*, of wie weet zelfs in *Vogue* zou komen.

Lieve Petra,
Om te gieren, jouw foto in Tatler! De vrouw van de hoge commissaris is net terug uit Londen en kwam hem laten zien. Papa zegt dat mama hem een afdruk van de foto zal sturen zodat hij hem kan inlijsten en op zijn bureau kan zetten. Ik denk dat je er zo koninklijk uitziet door de veren van de prins van Wales. Stel je voor wat er gebeurt als het stormt en je met die veren de binnenplaats van Buckingham Palace moet oversteken...

Ik ben net terug uit het Abdin-paleis waar ik met het mes op de keel moest opdraven als bewonderaarster van de valkenierskunsten van prins Farouk. Hij is twaalf, maar ziet er jonger uit, ik denk omdat hij nog steeds als een klein kind vertroeteld wordt. Alles wordt voor hem gedaan. Ik probeerde een praatje met hem aan te knopen over het weeshuis waar ik vrijwilligerswerk doe – hij wordt immers koning en je zou toch denken dat hij interesse zou tonen – maar hij zei doodleuk dat je geluk had als je geen ouders had. Ik heb nog nooit iemand zo nonchalant zoiets stoms horen zeggen. Darius zei dat ik niet moest vergeten dat hij pas twaalf is, nog een kind dus. Ik doe mijn best, maar toch ben ik zó kwaad op hem (op Farouk, niet op Darius).

Ik zal blij zijn als het augustus is en jij weer in Caïro bent. Het is dan nog snikheet, maar we kunnen naar Mena House gaan om te zwemmen. Dit is voorzover ik me kan herinneren het eerste jaar dat papa geen huis in Alexandrië heeft gehuurd om aan de zomerhitte te ontsnappen, maar de situatie is hier nu zo dat hij het zijn plicht vindt hier te blijven, en dus blijf ik natuurlijk ook. Er gebeurt hier steeds van alles. Gisteren is er een waterbuffel door het hek gebroken en de tuin in gekomen. Adjo heeft hem er weer uit weten te werken, maar het kostte een hele hoop geschreeuw en gezwaai met armen. Ik heb ontzettend gelachen. Het was leuker dan een film van Charlie Chaplin.

Ik ben van plan aan papa te vragen of ik een opleiding tot verpleegster mag volgen. Het probleem is alleen waar dat zou moeten. Kom nu niet aan met Londen! Ik moet er niet aan denken om daar te wonen. Wat ik echt heel graag zou willen is dokter worden, maar ik heb niet jouw intellectuele capaciteiten en ik zou nooit slagen voor de examens. Ik vind het allemaal nogal problematisch, maar er komt vast wel een oplossing.

Heel veel liefs, Davvy

Het was overduidelijk dat Davina geen idee had van de plannen om haar naar Londen te halen voor een presentatie aan het hof en, erger nog, dat ze ook niet wist dat haar vader alleen dit jaar nog in Caïro zou zijn. Petra wist niet goed hoe ze haar hiervan op de hoogte zou brengen. Via een brief leek haar al te lomp, en een telefoontje, waaraan de ene na de andere telefonist te pas moest komen, leek haar ook niet zo geschikt.

Nadat ze er dagenlang over had lopen piekeren, besloot ze niets te doen, in de hoop dat de situatie aan het einde van de zomer misschien anders zou zijn. Haar moeder zei nogal eens spontaan dingen die in haar opkwamen en met een beetje geluk was wat ze op weg naar de fotograaf had gezegd ook zo'n opwelling, waarbij de wens de vader van de gedachte was.

Petra bezocht een krankzinnige aaneenschakeling van dansfeestjes en bals – vaak kende ze de debutante voor wie de party werd georganiseerd nauwelijks – en vermaakte zich kostelijk. Ze trof Annabel en Boudicca niet alleen op al die feesten, maar ook regelmatig in Gunter's Teashop of aan de frisdranktap bij Selfridges.

Petra's eigen debutantenbal werd in de eerste week van juni gehouden. Magda en Suzi kwamen er allebei voor naar Londen.

'Zoek een schat van een hertog voor me die half Engeland bezit, dan ben ik een heel gelukkig meisje,' zei Magda, toen ze gevijven in de ommuurde tuin van het huis aan Cadogan Square lagen te zonnebaden, met cocktails binnen handbreik.

'Ik ken wel Engelse hertogen, maar dat zijn allemaal lelijke ouwe mannetjes.' Petra liet de ijsblokjes in haar glas met haar vinger ronddraaien. 'Wat jij nodig hebt, is een jonge, zwierige toekomstige erfgenaam van een groot fortuin.'

Magda, die er geweldig mondain uitzag in een zwart mouwloos truitje en zwarte korte broek, en met een zonnebril met randen van wit plastic, draaide zich van haar buik op haar rug. Haar goudblonde haar spreidde zich als een waaier uit over het gras. 'Ach, als ik maar in een hertogelijk paleis kan wonen en kan genieten van een inkomen met zes cijfers vind ik alles best. Heb ik al verteld dat mijn moeder weer gaat scheiden? Dat wordt dan de zésde afgedankte echtgenoot. Mijn grootmoeder noemt het onderhand nonchalant.'

Ze giechelden. Magda's onstuimige moeder was een geliefd onderwerp van gesprek.

'Ze was vorige maand in Berchtesgaden te gast,' vervolgde Magda. Ze haalde haar zonnebril van haar neus en sloot haar ogen. 'Nu maar duimen dat ze haar oog niet op onze geliefde Führer laat vallen.'

'Jóúw geliefde Führer dan nog altijd,' zei Petra afkeurend. 'Hij is beslist niet ónze geliefde Führer. Wij vinden hem allemaal een afschuwelijk mannetje en kunnen maar niet begrijpen waarom jullie Duitsers zo opgewonden van hem raken.'

Magda opende haar ogen weer. 'Hij geeft ons weer het gevoel dat we een natie zijn,' zei ze luchtig. 'Toen we de oorlog verloren, verloren we ook onze trots. Hitler geeft ons onze trots terug.' Ze ging zitten en reikte naar het glas dat scheef naast haar in het gras stond. 'Weet je, Petra,' zei ze, 'een Tom Collins is nog lekkerder als je er aardbeienschnapps bij doet. Ze verkopen in Londen toch zeker wel schnapps? Ik zal zien dat ik een fles voor je op de kop tik.'

Dat haar vader niet in Londen was om haar bal bij te wonnen was een grote teleurstelling voor Petra, maar omdat iedereen wist dat er in Caïro opnieuw uitbarstingen waren geweest van felle anti-Britse sentimenten verbaasde het niemand dat lord Conisborough in de roerige stad was gebleven.

'Nu hij niet hier is, zitten we met een lastig probleem,' zei Petra tegen haar moeder, die toezicht hield bij de distributie van een grote lading bloemen.

'Daar zijn de hortensia's,' zei Delia, terwijl de mannen van de bloemisterij potten met hortensia's naar binnen droegen. 'Ik denk dat we die maar in de schouwen moeten plaatsen.'

'U luistert niet naar me, mama. Ik zei dat we een probleem hebben omdat papa er niet is.'

'Wat voor probleem dan?' Delia bleef naar de bloemen kijken. 'Wat vind jij? Passen anjers, lelies en rozen wel bij elkaar? Ik begin me af te vragen of het wel zo'n goed idee was om met hulp van Gwen zelf voor de bloemenarrangementen te zorgen. Lady Pytchley heeft Constance Sprey de boeketten laten verzorgen bij Annabels bal en die waren werkelijk adembenemend.'

'Met die bloemen komt het wel goed. Wat niet goed is, is dat mijn vader er niet is om het bal met mij te openen. En ik heb geen broer, zelfs geen neef. Hebt u misschien een idee?'

Eindelijk had ze haar moeders aandacht. 'Je hebt gelijk, snoes. Hoe is het mogelijk dat ik hier geen moment aan heb gedacht?' Ze fronste haar wenkbrauwen en verzonk in diep gepeins. Toen zei ze: 'Misschien kan Winston papa's plaats innemen?'

'Nee,' zei Petra zeer beslist. 'Ik vind het niet erg dat er zoveel vrienden van de familie op het bal komen, maar ik ben níét van plan om de heer Churchill als vervanger van papa te accepteren. Om te beginnen ben ik veel langer dan hij. Het zou een belachelijk gezicht zijn.'

Bossen donkerrode laatbloeiende tulpen werden langs hen heen gedragen. Ze verspreidden een zware weeïge geur.

Haar moeder kauwde op haar lip. 'Die lieve Pugh redt een heel rondje door de balzaal niet. Hij heeft veel te veel last van jicht. Ach, als neef Beau nu nog maar leefde...'

Petra bad dat ze haar geduld zou weten te bewaren.

'... maar omdat dat niet zo is, ' vervolgde haar moeder, die gelukkig niet zag hoe haar dochter reageerde, 'moeten we iets anders verzinnen.' Ze zweeg even en zei toen: 'Wat dacht je van sir John Simon? Ik geloof niet dat we ooit een minister van Buitenlandse Zaken hebben gehad die zo goed kan dansen. Zijn voorganger, de markies van Reading, was een complete ramp op de dansvloer.'

Petra aarzelde. Ze mocht sir John Simon graag. Hij was begin zestig en lang en slank, had een aristocratisch voorkomen en was knap op een ascetische manier. Hij léék zelfs op haar vader. Waardoor ze de afwezigheid van haar vader echter des te pijnlijker zou voelen.

'Nee,' zei ze beslist. 'Niet sir John Simon.'

'Lord Denby zal niet gaan. Die is al sinds maart ziek. En Cuthie Digby kan bijna niet meer lopen, laat staan dansen.'

'De enige die echt in aanmerking komt om papa te vervangen,' zei Petra, 'is Jerome. Ik weet dat hij geen familie is, maar dat zijn de andere mannen die u noemde ook niet. Ik kan geen ander bedenken die ik liever zou hebben.'

In plaats dat haar moeder blij was dat het probleem was opgelost, keek ze geschrokken.

'Waarom doe je zo geschokt?' vroeg Petra terwijl de laatste boeketten het huis werden binnengedragen. 'Papa zou het er vast mee eens zijn. Als u eerder over het probleem had nagedacht en er met papa over had gesproken, weet ik zeker dat hij Jerome zou hebben voorgesteld. Ik zal hem bellen om het hem te vragen en ik zal hem ook vragen na te denken over de wals die het orkest moet spelen. Ik vind zelf zo'n heerlijk ouderwetse wals het leukst. "Rosen aus dem Süden" of "An der schönen blauen Donau" bijvoorbeeld.'

Aan het einde van de middag zag het hele huis er zeer feestelijk uit. Slingers van anjers in zachte tinten sierden de prachtige balusters van de grote trap en verspreid over alle glimmend gepoetste oppervlakken stonden enorme boeketten lelies en rozen. De salon op de benedenverdieping, waarvan de vloer gewreven was tot hij spiegelde, was omgetoverd tot een balzaal, met tegen de wanden vergulde stoeltjes die speciaal voor de gelegenheid gehuurd waren. In de tuin was een grote tent opgezet en ingericht voor het souper; de bloemen die de met damast gedekte en met tafelzilver beladen tafels sierden, verspreidden er een zware geur.

Voorafgaand aan het bal was er een officieel diner waarvoor de vrienden van haar moeder – niet die van Petra – waren uitgenodigd. Onder hen was Margot Asquith, die inmiddels begin zeventig was en haar scherpe tong nog niet had verloren. De voormalige hertogin van Marlborough, nu madame Jacques Balsan geheten, was speciaal voor de gelegenheid overgekomen uit de Franse Rivièra, waar ze woonde. Ze was minstens twintig jaar jonger dan Margot, maar toch nog altijd bijna vijftien jaar ouder dan Petra's moeder, en Petra verbaasde zich er niet voor het eerst over dat haar moeder zo'n goede band had met de vrienden van haar vader, al waren ze bijna allemaal een generatie ouder dan zij.

Ze vroeg zich af of haar moeder zich soms erg had verveeld in Egypte en daarom, nu haar vader weg was, zoveel tijd met de prins van Wales en diens vrienden doorbracht. Die waren allemaal wel van haar leeftijd en in veel gevallen Amerikaans, net als zij. Maakte haar moeder soms gebruik van het feit dat haar vader niet in de buurt was? En was dat de reden dat ze zorgvuldig vermeed om de prins van Wales 'David' te noemen wanneer Gwen in de buurt was?

Ze vond het een interessante gedachte, evenals de gedachte dat veel mensen die een rol in het leven van haar moeder hadden gespeeld inmiddels dood waren.

'George Curzon en Herbert Henry zijn er helaas niet meer bij,' had haar moeder treurig gezegd terwijl ze controleerde of de naamkaartjes op de juiste plaats op tafel waren neergezet. 'Wat een verlies. Ze maakten elk feest tot iets heel speciaals.'

Petra had lord Curzon en de graaf van Oxford en Asquith nooit ontmoet. Ze wilde niet dat haar moeder somber bleef en zei opgewekt: 'Maar u bent toch heel goed bevriend met een van lord Curzons dochters? U ziet Baba ontzettend vaak, toch?'

'Ja.' Haar moeder zette het kaartje van Winston Churchill recht. 'En als Tom Mosley er niet zulke eigenaardige politieke ideeën op na zou houden zou ik Cimmie waarschijnlijk ook wel vaker zien.'

Tijdens het diner zat Petra tussen haar oom Pugh en Winston Churchill in. Bij elke andere gelegenheid zou ze waarschijnlijk genoten hebben van Winstons luidruchtige conversatie, maar nu was ze er veel te gespannen voor.

Om tien uur, toen het diner voorbij was, begonnen de gasten toe te stromen. Magda en Suzi, die bij Annabel logeerden, arriveerden als eersten, maar na hen kwamen er nog zoveel andere debutantes dat het Petra bijna duizelde bij de gedachte dat ze er inmiddels zoveel als goede vriendinnen beschouwde. Dat haar moeder het voor Davina zo belangrijk vond om aan het hof geïntroduceerd te worden, had dus inderdaad een goede reden. Het zorgde inderdaad voor een grote kring van passende vrienden. En hoewel Petra zelf niet geïnteresseerd was in de 'begerenswaardige' vrijgezellen – het legertje jongemannen uit de hoogste kringen dat was uitgenodigd – was het wel leuk dat ze hen inmiddels allemaal van de voorgaande feesten kende en dat zij nu een avond in het middelpunt van de belangstelling zou staan.

Ze wist dat ze er fantastisch uitzag. Haar mahoniekleurige haar was dik en had een natuurlijke slag, zoals dat van haar moeder, en ze droeg het modieus kort, met volle lokken die haar gezicht omlijstten en dichte krullen achter in haar nek. Anders dan veel andere debutantes had ze geen maagdelijk witte japon gekozen. Eigenlijk had ze een lange, nauwsluitende jurk uit schuingeknipte goudkleurige satijn willen dragen, met een haltertop en een laag decolleté, maar daar had haar moeder haar veto over uitgesproken.

'Tjemig, Petra!' had ze verbijsterd uitgeroepen. 'Het lijkt wel een jurk van Thelma Furness. Als je zoiets aantrekt krijg je meteen het etiket "bandeloos" opgeplakt.'

'Maar wat moet ik dan aan?' had Petra geïrriteerd uitgeroepen, want ze wist zeker dat Magda ook iets heel bloots zou aantrekken, wat haar rondingen sterk zou accentueren.

'Chiffon zou een goede keuze zijn. Misschien gebloemde chiffon. Of gebloemde chiffon met tule.'

Petra had nee geschud. Lucille, de favoriete coupeuse van haar moeder, was haar te hulp gekomen. Ze had een zeer eenvoudige japon van mintkleurige tafzijde ontworpen, die net tot aan de voeten reikte. De jurk liep kaarsrecht af, had een brede halslijn, een split en enorme pofmouwen. Hij ruiste bij het lopen en te midden van de zee van bleke pasteltinten en gebloemde japonnen sprong ze eruit, precies zoals ze wilde. Ze droeg als enige versiering een grote witte roos in haar haar.

Haar moeder had haar met een vreemde uitdrukking op haar gezicht bekeken, alsof ze zich iets herinnerde. Toen had ze zich losgerukt uit haar gepeins en gezegd: 'Heel apart, snoes. Maar hij staat je geweldig.'

Petra zag zichzelf in een van de enorme spiegels aan de wanden en was ingenomen met de keuze die ze had gemaakt.

Niet alleen haar jurk was geweldig, het hele feest mocht er zijn. Haar moeder had een fantastisch orkest ingehuurd. De catering werd door Gunter's verzorgd, en op het menu van het souper prijkten onder andere kwartel, kreeft, kip in aspic, asperges, en als desserts charlotte-russe, traditionele Engelse trifle en aardbeien met slagroom.

Jerome kweet zich magistraal van zijn opdracht met haar de zaal rond te walsen. Annabel was niet van de zijde van Fedja Toechatsjevsjki weg te slaan en Suzi liet bij geen enkele dans verstek gaan. Al haar danspartners waren niet alleen stuk voor stuk bijzonder knap, maar ook zonder uitzondering erfgenaam van een groot fortuin. Petra zag Suzi niet één keer dansen met een jongere broer van een erfgenaam. Het was alsof ze een feilloos oog had voor rijke partijen.

Magda danste daarentegen alleen maar met gedistingeerde oudere heren. Winston was overduidelijk volledig in haar ban. Sir John Simon kon zijn ogen niet van haar goudblonde haar en japon van zilverlamé afhouden. Maar deze twee mannen waren geen vrijgezel. En Petra wist zeker dat Magda alleen serieuze interesse aan de dag zou leggen voor een zeer gedistingeerde, steenrijke vrijgezel.

Hoewel Petra inmiddels meer begerenswaardige jongemannen het hoofd op hol had gebracht dan menig ander meisje gedurende haar hele leven, wist ze dat geen van de aantrekkelijke partners van deze avond ooit haar serieuze interesse zouden kunnen wekken. Voor haar was Jack de enige.

Maar Jack was honderden kilometers van haar verwijderd.

Petra wenste dat hij haar nu had kunnen zien. Ze pakte een glas champagne van het dienblad van een passerende ober. Jerome, die ondanks zijn lichte mankheid uitstekend kon dansen, voerde een aantal zeer vernuftige dansfiguren uit met Magda. Haar voorgaande danspartners konden niet aan hem tippen. Petra begon te giechelen toen ze zich een tango dansende Winston voorstelde.

'Rupert Pytchley is naar je op zoek,' zei haar moeder, die merkwaardig ontdaan keek toen ze Jerome met Magda zag dansen. 'En je moet niet giechelen als je niet met iemand aan het praten bent. Dan lijkt het alsof je te veel champagne hebt gedronken... Dat is toch niet zo, Petra, of wel?'

Petra dacht dat dit misschien wel zo was, maar zei alleen maar: 'Ik ga even de kamer uit voor wat frisse lucht. Jerome zit er blijkbaar niet zo erg over in dat tante Sylvia wil scheiden, hè? Het nieuws dat ze van tafel en bed gescheiden zijn doet al de ronde. Tante Gwen vertelde het me een uur geleden "in vertrouwen".'

Haar moeder zei niets, maar terwijl ze weer uitkeek over de dansvloer, waar Jerome en Magda halsbrekende toeren verrichtten, zagen haar fraai gewelfde lippen er gespannen uit.

Terwijl Petra de danszaal uit liep, bedacht ze dat ze geen onderwerp ter sprake had moeten brengen dat haar moeder kennelijk aangreep. Echtscheiding werd in hun kringen niet licht opgevat en wat de gevolgen voor Jeromes carrière zouden zijn was allerminst duidelijk. Voor haar gewoonlijk zo zorgeloze moeder was dit blijkbaar voldoende reden om zorgelijk te kijken.

Buiten de danszaal was het aangenaam koel. De gedempt tot haar doordringende klanken van de tango eindigden en het orkest begon 'Love is the Sweetest Thing' te spelen. Juist op dat moment luidde de bel van de voordeur.

Petra zag vanaf waar ze stond Bellingham de marmeren vloer van de hal oversteken. Ze vroeg zich loom af wie de late gast kon zijn. Het was al bijna één uur, het souper zou weldra beginnen. Het zou wel een vriendin van haar moeder zijn: een mededebutante zou niet op zo'n laat uur verschijnen. Ze draaide zich om en wilde de balzaal weer binnengaan.

Juist op dat moment ging de voordeur open en hoorde ze de stem die ze al maandenlang verlangde te horen.

'Fijn je weer te zien, Bellingham,' zei Jack vrolijk. 'Ik ben behoorlijk laat, maar beter laat dan nooit. Ik ben via Parijs uit Lissabon gekomen, en de boottrein had vertraging.'

Petra draaide zich bliksemsnel om. Haar hart ging zo tekeer dat ze zich even aan de balustrade moest vastgrijpen om niet te vallen.

Terwijl Bellingham de deur sloot, keek Jack omhoog.

Hun ogen ontmoetten elkaar.

Op zijn gezicht verscheen een brede glimlach.

'Sorry dat ik niet bij je presentatie was, maar het goede nieuws is dat ik nu niet met verlof ben. Ik blijf voorgoed in Engeland.'

Ze hapte naar adem, en toen, terwijl hij met twee treden tegelijk de trap op kwam, begon zij naar beneden te rennen. Ze kwamen bij elkaar op de brede overloop en ze stortte zich in zijn uitgespreide armen, duizelig van blijdschap.

Zijn armen sloten zich om haar heen en zelfs voordat hij iets zei wist ze dat alles tussen hen voorgoed anders zou zijn.

'Ik heb je gemist,' zei hij en de uitdrukking in zijn met goud gespikkelde ogen deed haar hart nog sneller kloppen.

In zijn omarming zei ze met hese stem: 'Ik heb je mijn hele leven al gemist als je er niet was... maar ik heb het je nooit eerder kunnen zeggen.'

'En de afgelopen twee jaar zijn er dingen geweest die ik jou nooit heb kunnen vertellen.'

Zijn schorre stem maakte haar duidelijk dat ze niet hoefde te vragen wat die dingen waren.

Gedurende een bijna eindeloos moment bleven ze elkaar in de ogen kijken en toen, terwijl de klanken van 'Love is the Sweetest Thing' over hen heen spoelden, boog hij zijn gezicht naar haar toe en voelde ze zijn lippen heet en heerlijk op de hare.

11

$\mathcal{H}$et was het meest bepalende moment in Petra's leven. Ze voelde tot in het merg van haar gebeente dat wat er tussen hen gebeurde geen romantische bevlieging was. Het was liefde. Zoals ze al sinds haar zestiende had geweten dat Jack voor haar de enige man op aarde was, wist ze nu ook dat hij hetzelfde had gevoeld voor haar. Alleen haar leeftijd had hem ervan weerhouden zijn liefde uit te spreken.

Toen hij zijn hoofd weer ophief, zei ze: 'Ik zou je graag horen zeggen dat je alleen maar gewacht hebt tot ik achttien was om me te vertellen dat je van me houdt. Je vader bleef maar vertellen dat je zoveel contact had met de dochter van de markies De Fontalba. Hij dacht dat je op het punt stond je met haar te verloven.'

Zijn mondhoeken krulden geamuseerd omhoog. 'Je hebt volkomen gelijk als je zegt dat ik van je houd, al zou het gebruikelijker zijn geweest als je had gewacht tot ik het je vertelde. En wat Beatriz betreft...' Hij zweeg even plagerig, maar toen hij haar angstige ogen zag vervolgde hij zacht: 'Beatriz de Fontalba is een oogverblindende schoonheid en ze is wanhopig verliefd op een Argentijn, van wie haar vader absoluut niets moet hebben omdat hij geen titel bezit en ook niet rijk is. Ze heeft me gevraagd om als façade voor hen tweeën te dienen.'

Enorm opgelucht zei ze: 'Dus dat is in orde. En nu wil ik dat je de hele balzaal met me doorwalst. Je vader was zo vriendelijk mijn vaders plaats in te nemen bij de eerste dans, maar als jij me laat rondzwieren, zal ik dat van mijn leven niet meer vergeten.'

'Het is misschien beter om niet zo intiem gearmd de zaal binnen te gaan,' zei hij, terwijl ze met hun armen om elkaars middel geslagen verder naar boven liepen. 'We kunnen beter wachten tot we je ouders van de situatie op de hoogte hebben gebracht.'

Ze miste een tree en hij hield haar steviger vast zodat ze niet viel.

'Er is iets dat je moet weten,' zei ze. 'Mijn moeder zal minder blij zijn dan je verwacht. En het is ook niet meer dan eerlijk je te vertellen dat zij blijkbaar denkt dat ik in Darius geïnteresseerd ben.'

Hij bleef voor de deur van de balzaal staan. 'Darius?' herhaalde hij, haar verbijsterd aanstarend. 'Dárius?'

Ze giechelde. 'Ik vond het wel handig, want zo kreeg ze geen lucht van mijn gevoelens voor jou.'

'Maar waarom zou ze daar in vredesnaam geen lucht van mogen krijgen? Ik zou toch denken dat ze in de wolken zou zijn als wij met elkaar trouwden. Onze ouders zijn altijd zo hecht met elkaar geweest. Ik heb jouw moeder en vader altijd als familie beschouwd. Ik heb als kind zelfs meer tijd met jouw moeder doorgebracht dan met die van mij.' Hij haalde afwezig een hand door zijn bos krullen. 'Ik denk dat je er helemaal naast zit, Petra. Ik denk dat je moeder alleen maar bezorgd was dat je op zo jonge leeftijd verliefd werd. Ik denk niet dat ze het erg zal vinden mij als schoonzoon te krijgen.'

Petra begreep het allemaal ineens. Jacks verklaring was zo logisch als wat.

'Dan vertellen we haar gewoon dat we het helemaal niet erg vinden om met trouwen te wachten tot ik eenentwintig ben, als we haar toestemming maar krijgen om ons te verloven.'

'Heb ik iets gemist soms? Is er al een huwelijksaanzoek gedaan?'

Ze bloosde hevig. Toen, tewijl het orkest in de balzaal een

populaire foxtrot begon te spelen, bracht hij zijn gezicht naar het hare en kuste haar. 'Wil je alsjeblieft met me trouwen, Petra?' vroeg hij zachtjes.

'O ja!' zei ze. Ze straalde. 'Ik heb altijd al met je willen trouwen. Ik dacht dat je het me nooit zou vragen.'

De deuren van de balzaal vlogen open en een groep lachende gasten stroomde naar buiten en liep hen bijna van de sokken. 'Hé! Jack Bazeljette!' riep een vriend van hem. 'Ja, ja, Jack! Typisch iets voor jou om precies op tijd voor het eten binnen te komen.'

Toen het nieuws dat Jack er was zich verspreidde, zag Petra dat haar moeder zich omdraaide en in hun richting keek. En ze zag haar eerste reactie. Ze keek zo blij en hartelijk, dat Petra geen moment meer twijfelde dat Jack gelijk had.

Zeker van het geluk dat de toekomst voor haar in petto had liep ze aan zijn zijde de balzaal in en walste vijf minuten later met hem op de onvergetelijk romantische tonen van een wals van Strauss.

Gedurende de rest van het feest gedroegen ze zich alsof er niets bijzonders tussen hen was voorgevallen. Jack danste met een aantal van haar vriendinnen. Zij danste met een aantal van de 'verkieslijke' jonge mannen. Annabel fluisterde haar toe dat Jack 'gewoonweg fantastisch' was en wilde weten hoe het met zijn vooruitzichten stond. Fedja Toechatsjevski vroeg of hij soms een Italiaan was. Af en toe wisselden Jack en zij een blik uit en dan maakte haar hart een sprongetje en verlangde ze zo hevig naar hem dat ze dacht te zullen sterven.

Toen de dageraad gloorde kwam Jack, die met Boudicca had gedanst, haar kant uit. 'Wat vinden jullie ervan om er met z'n allen tussenuit te knijpen om te gaan ontbijten?' vroeg hij, zich tot hen beiden richtend. 'Fedja heeft zijn auto bij zich en ik heb de mijne onderweg vanaf het station opgehaald. Om half zeven kunnen we in Brighton zijn.'

'Een puik idee,' riep Rupert, die altijd in was voor lollige dingen. 'Na te veel champagne is niets zo fijn als een bad in zee. Probeer Archie Somerset ook mee te krijgen. Hij is ergens in de tuin met Boo en Petra's Franse vriendin, waar hij erg zijn best doet om de Anglo-Franse banden aan te halen.'

'En we moeten Magda ook meenemen,' zei Petra. 'Ze vergeeft het me nooit als we zonder haar vertrekken.'

'Maar laat haar dolverliefde danspartner alsjeblieft hier!' riep Rupert.

'Waarom?' vroeg Petra. 'Is er iets raars met hem?'

'Reken maar,' zei Rupert hartgrondig. 'Hij is mijn vader.'

Ze hadden de grootste pret toen ze zich met z'n allen in de twee auto's wrongen en wegraasden naar Brighton, terwijl de rest van de gasten de tent binnenstroomde om eieren met spek te gaan eten. In de buurt van Brighton, vlak bij de South Downs, stopten ze bij een café langs de weg om sandwiches met bacon en bekers thee te bestellen.

'Ik geloof dat het tijd wordt dat sommigen van ons van auto wisselen,' zei Magda, die de hele weg klem had gezeten naast een knuffelende Suzi en Archie. Ze keek daarbij naar Jack. 'Als ik nu eens bij jou op de voorbank kom zitten, dan kan Petra wel een poosje op de achterbank.'

'Beter van niet,' zei Jack vrolijk, met een arm om Petra's schouder, als was ze zijn eigendom. 'Dan ontstaat misschien de indruk dat Petra mijn meisje niet is. En voor het geval iemand daaraan mocht twijfelen, zeg ik het maar even: Petra is heel erg mijn meisje. Ik dacht dat jullie dat wel zouden willen weten.'

Magda liet zich niet uit het veld slaan. 'Dan rij ik de rest van de weg mee in Fedja's auto tussen Boudicca en Rupert in. Je zult je rok een beetje moeten pletten, Boo. Waarom heb je in hemelsnaam eem crinoline aangetrokken in plaats van iets slanks en soepels?'

'Iets slanks en soepels staat jou en Petra heel goed, maar ik ben er gewoon te dik voor. Waar gaan we in zwemmen als we in Brighton zijn? Ik kan moeilijk in mijn jurk in zee plonzen.'

'Dan trek je hem toch uit en ga je in je ondergoed,' zei Suzi met Franse nuchterheid, toen ze terugliepen naar de auto's in hun prachtige avondkledij, een café vol verwonderde werklui achter zich latend. 'Dat ga ik in ieder geval wel doen.'

Archies luidruchtige bijval had de doden tot leven kunnen wekken.

Toen ze eenmaal in Brighton waren, bleek de zee zo koud te zijn dat alleen Jack en Fedja op hun onderbroek na al hun kleren uittrokken en erin plonsden. Archie en Rupert trokken hun schoenen en sokken uit en schreeuwden aanmoedigingen terwijl Jack en Fedja de golven doorkliefden.

De meisjes deden hun avondschoentjes uit, rolden hun kousen omhoog, sjorden hun lange rokken op tot boven hun kuiten en waadden door het ondiepe gedeelte, schreeuwend omdat Jack noch Fedja aanstalten maakte om te keren en weer uit het water te komen.

'Het heeft iets met mannelijke trots te maken,' zei Rupert, die zijn ogen tegen de glittering van de ochtendzon op zee beschermde.

'Maar ik zíé ze niet meer,' zei Petra, die het helemaal niet leuk meer vond.

'Dat komt door de golven. Maak je geen zorgen. Ik zie ze wel. En ze komen allebei alweer terug. Ze doen een wedstrijdje. Op wie zet jij je geld in? Op Fedja of Jack?'

Het was Jack die als eerste de zee uit waadde. Petra rende naar hem toe. Het kon haar niet schelen dat ze de rok van haar tafzijden avondjurk verpestte. Hevig hijgend bleef hij staan in water dat tot zijn middel reikte en omhelsde haar stevig. Terwijl ze de reactie van zijn halfnaakte lichaam tegen het hare voelde, sneed er messcherp een emotie door haar heen die ze nog nooit eerder had ervaren. Ze wist ineens volkomen zeker dat een verloving die drie jaar zou duren simpelweg onmogelijk was.

Hoewel Archie en Suzi nooit een serieuze relatie kregen en Magda nooit zelfs maar de moeite nam om met Rupert te flirten, was het vrolijke uitstapje naar Brighton de eerste van een hele reeks die de acht vrienden de rest van het seizoen ondernamen. Ze werden een clubje waar niemand anders in wist door te dringen.

In de stadswoning van de Pytchley's leerde Magda hen allemaal de tango. Op een andere dag veroorzaakte ze een twist, omdat ze een gesigneerde foto van Adolf Hitler aan iedereen wilde uitdelen. Het was de eerste keer dat Petra Jack bijna kwaad zag worden. Op Cadogan Square leerde Archie Petra en alle anderen de kunst van het cocktailshaken beter onder de knie te krijgen. Naar welk bal een van hen ook ging, de anderen gingen mee.

Door deze gang van zaken kon Petra Jack vrijwel aldoor zien, zonder dat haar moeder er iets achter zocht. Ze hadden besloten om Delia pas tegen het einde van het seizoen over hun relatie te vertellen.

'Maar we zullen haar niet lang zand in de ogen kunnen strooien,' zei Jack, toen hij haar na een avondje in het Savoy naar huis reed. 'Zodra je vader heeft gereageerd op de brief die ik hem heb gestuurd, zal ik met haar praten.'

'Als papa's antwoord tenminste gunstig is,' zei Petra, zonder echt bang te zijn dat het anders zou zijn. 'Dan kunnen we ons in de herfst verloven en met de kerst trouwen.'

Het was de eerste week van juli en het dak van de Talbot was neergelaten; de zwoele avondwind streek over haar armen.

Jack sloeg Sloane Street in en zei geamuseerd: 'Nu doe je het alweer. Allerlei plannen maken zonder eerst te wachten tot je iets gevraagd wordt. Misschien wil ik wel met trouwen wachten tot je een oude vrouw van vijfentwintig bent.'

Haar hoofd rustte tegen zijn schouder en ze rook een vleugje van zijn reukwater met citroen. 'Tegen de tijd dat ik vijfentwintig ben, wil ik al een huis vol kinderen hebben,' zei ze dromerig. 'Vier jongens en een meisje. Of heb jij liever vier meisjes en een jongen?

'Ik zou de dingen het liefst een voor een doen en beginnen met de verloving.' Hij drukte een kus op haar haar. 'Wacht je moeder je op?'

'Nee. Ze komt pas tegen de ochtend thuis. Ze is uit met haar nieuwe vrienden, de Simpsons, en nog een tiental anderen. Ze zijn naar een nachtclub aan Bond Street, een favoriete stek van prins Edward. Mevrouw Simpson is net als Boudicca, ze hoopt maar steeds dat ze de prins ergens toevallig tegenkomt.'

Dat haar moeder er zo'n spannend sociaal leven op na hield vonden ze allebei grappig. 'Ik denk soms wel eens,' had Petra gezegd toen ze hem eerder verteld had over een etentje van haar moeder bij Quaglino's in het gezelschap van onder anderen de prins van Wales en Thelma Furness, 'dat mijn moeder tante Gwen zand in de ogen strooit, net zoals ik bij haar doe. Je kunt er verzekerd van zijn dat ze, als tante Gwen vraagt met wie ze gedineerd heeft, alleen de namen noemt van de mensen die de goedkeuring van tante Gwen kunnen wegdragen, zoals lady Londonderry, en gemakshalve maar niet vertelt dat de prins van Wales – die door tante Gwen niet gewaardeerd wordt – en Thelma – die al helemáál niet bij tante Gwen in de smaak valt – er ook bij waren.'

De auto draaide Cadogan Square op en kwam even later tot stilstand. Omdat ze zeker wisten dat Petra's moeder er niet was, waagden ze een langdurige afscheidskus.

'Hoelang denk je dat het duurt voordat je antwoord krijgt van mijn vader?' vroeg ze hijgend toen hij de kus met tegenzin beëindigde.

'Een week, misschien twee. Met een beetje geluk stuurt hij een telegram.'

Deze gedachte was nog niet bij haar opgekomen en de volgende paar dagen ging ze slechts na lang aarzelen het huis uit, bang dat er een telegram zou komen terwijl zij er niet was.

'Volgens mij maak je van een vlieg een olifant,' zei Magda.

Annabel zat achter het stuur van de Morris Minor die ze voor haar verjaardag had gekregen. Ze reden met grote snelheid in de richting van Hyde Park; ze maakten een gemotoriseerde jacht op een schat.

'Een mug, geen vlieg,' corrigeerde Petra haar automatisch. Magda sprak bijna vlekkeloos Engels, maar af en toe vergiste ze zich nog. 'En het is helemaal niet waar dat ik van een mug een olifant maak. Je kent mijn moeder niet. Ze is niet altijd even rationeel en als ze eenmaal een bepaald idee in haar hoofd heeft – bijvoorbeeld dat Jack niet de meest geschikte schoonzoon is – dan moet de duivel er aan te pas komen om het er weer uit te krijgen.'

'Ik vind je moeder echt fantastisch,' zei Boudicca, die op de achterbank tussen Magda en Suzi zat ingeklemd. 'Ik wou dat mijn moeder net zo jong, mondain en origineel was. En ik vind dat Amerikaanse accent van haar gewoon verrukkelijk. Je zou denken dat ze het na al die jaren in Engeland helemaal kwijt zou zijn.'

'Dat is alleen maar omdat ze dat niet wil. Ze valt erdoor op en dat vindt ze heerlijk. 'En bovendien,' voegde Petra eraan toe terwijl ze het park in reden, 'ergert mijn vader zich eraan. En om de een of andere reden vindt ze het altijd leuk om mijn vader te ergeren.'

'Weet je zeker dat het standbeeld waar je ons naartoe rijdt het best past bij de hint: "een kwetsbaar punt in Hyde Park?" vroeg Suzi, overstappend op een ander gespreksonderwerp. Annabel was op weg naar het beeld van Achilles. 'Ik zie geen van de anderen deze kant uit gaan.'

'Natuurlijk weet ik het zeker.' Annabel, die nog niet veel rij-ervaring had, schakelde knarsend. 'Wat kan het anders zijn? Jack en Fedja rijden hier niet heen omdat ze het antwoord nog niet hebben uitgedokterd. Nu moet je me even niet meer afleiden, Suzi. Ik ben al verkeerd gereden. Ik had Park Lane moeten nemen.'

Vijf minuten later had ze de auto veilig geparkeerd en gingen ze op weg naar het enorme monument. Het was in 1822 opgericht ter ere van de hertog van Wellington en diens gezellen en het stelde Achilles voor, naakt op een mantel na die nonchalant over één arm hing. Aan de grote granieten sokkel hing de volgende aanwijzing vastgeplakt. Terwijl Petra, Annabel en Boo hun best deden eruit wijs te worden en te bepalen waar ze hierna heen moesten, bekeken Magda en Suzi, die allebei weinig markante plekjes van Londen kenden en dus weinig konden bijdragen, het standbeeld.

'Wat is hij prachtig gespierd,' mompelde Magda. 'Hij heeft iets teutoons.'

Suzi was niet zo onder de indruk. 'Hij mag dan gespierd zijn, maar voor zo'n heroïsche figuur is zijn vijgenblad maar zielig *petit*.'

Ze vielen bijna om van het lachen en ze giechelden nog steeds toen Petra triomfantelijk uitriep: 'Ik weet het! We moeten naar het Reformers' Tree Memorial. Dat is vlak bij de kiosk. Als we rennen dan winnen we deze jacht op onze sloffen.'

Later lagen ze op het gras bij de kiosk een ijsje te eten. Magda leunde tegen een boom, heel elegant in een witte pantalon met wijd uitlopende pijpen en een marineblauw truitje met korte mouwen. Annabel vroeg: 'Vertel nu eens, wie is de man met wie je nu omgaat? Ik weet dat je iemand hebt. Aangezien je blijkbaar niet wilt dat wij weten wie hij is, moet hij wel heel erg interessant zijn.'

Boudicca zat opeens recht overeind. 'Het is toch niet mijn vader, hè? Ik weet wel dat hij zich als een idioot tegen je aanstelde op het bal van Petra, maar zeg me alsjeblieft dat hij het niet is!'

'Het is niet je vader en ook niet je broer en het is ook niet iemand op wie een van jullie verliefd is. Maar hij heeft wel een vrouw. En daarom vind ik het beter om zijn naam geheim te houden.'

'Maar dan speel je gewoon heel erg vals!' Annabel kwam nu

ook zo onstuimig overeind dat haar ijsje bijna door de lucht vloog. 'Ik dacht dat we hadden afgesproken dat we geen geheimen voor elkaar zouden hebben?'

Magda lachte vanuit haar keel. 'Maar jij hebt helemaal geen geheimen te bewaren, Annabel. Ik op dit moment wel.'

Petra hoopte maar dat Magda's vlam geen vriend van haar moeder was. Ze schermde haar ogen af tegen de zon en zei, terwijl er een groepje op hen kwam toe lopen: 'Daar zijn de anderen. Je verloofde ziet er erg chagrijnig uit, Annabel. Ik ken niemand die het zo erg vindt om te verliezen. Komt dat doordat hij een Rus is, denk je?'

Terwijl de zomer vorderde, werd er steeds meer geroddeld over het liefdesleven van de prins van Wales. Omdat haar moeder beschouwd werd als een lid van het losbandige groepje dat de prins van Wales om zich heen had verzameld, vond Petra deze roddels steeds onaangenamer. Maar haar onbehaaglijke gevoelens wist ze gelukkig verborgen te houden voor haar vriendinnen – zelfs voor Boo, die toch een fijne neus voor dit soort dingen had. Wat haar vriendinnen betrof was het alleen maar opwindend een moeder te hebben die uit de eerste hand wist wie de belangrijkste plek in het hart van de prins bezette.

'Ik vind het zó ondeugend van hem dat hij mevrouw Dudley Ward af en toe nog bezoekt terwijl iedereen op de hoogte is van zijn verhouding met Thelma Furness,' zei Boo, die de prins blijbaar zag als een klein stout jongetje.

'En het is nóg ondeugender van hem dat hij Thelma op de dag van de derby in de steek heeft gelaten om Amelia Earhart te escorteren,' zei Magda spottend. 'Maar ik kan me wel voorstellen dat de eerste vrouw die de Atlantische Oceaan in haar eentje is overgevlogen interessanter gezelschap biedt.'

'Amelia zal in ieder geval geen prinses van Wales worden,' deed Annabel een duit in het zakje. 'Net als al zijn andere liefdes is ze al getrouwd.'

Het was een gespreksonderwerp waarover Petra's vriendinnen urenlang konden doorgaan.

Een ander onderwerp waarover ze vaak praatten, maar dan op de zeldzame momenten dat Petra en Jack er niet bij waren, was het schandaal van de naderende echtscheiding van Jacks ouders.

'Sylvia's leeftijd maakt het des te erger,' had haar moeder geërgerd gezegd, na een bezoek aan Margot Asquith, die aan één stuk door had zitten kletsen over de Bazeljettes. 'Als een vrouw de vijftig is gepasseerd zou ze er niet meer over moeten peinzen haar huwelijk op te geven. De schade die ze haar eigen reputatie en die van Jerome toebrengt, is niet te overzien.'

Petra had altijd wel geweten dat Sylvia ouder was dan haar moeder, maar ze had zich nooit gerealiseerd hoe groot het leeftijdsverschil was. 'En de reputatie van de graaf van Girlington dan?' vroeg ze, oprecht geïnteresseerd.

'Van Theo?' Haar moeder snoof verachtelijk, wat voor een dame geen pas gaf. 'Theo heeft nooit een moer om zijn reputatie gegeven. Hij is een malloot, en dat is maar goed ook, want ik ben tot de conclusie gekomen dat ook Sylvia niet goed snik is. Heel eerlijk gezegd zou ik misschien wel een vriendin van Sylvia zijn geworden als ik had geweten hoe excentriek ze is.'

Petra zette grote ogen op. 'Wat bedoelt u met "misschien wel een vriendin van Sylvia"? Ik dacht dat jullie goede vriendinnen waren! U hebt me in ieder geval nooit gevraagd een andere vrouw van buiten de familie "tante" te noemen.'

Haar moeder haastte zich om op haar woorden terug te komen. 'Ik zei het misschien een beetje ongelukkig. Het komt vast door mijn bezoek aan Margot; ze irriteert me tegenwoordig zo verschrikkelijk. Ik had haar al een tijdje niet meer gezien, maar het wordt heel lastig om het met haar uit te houden. Waarom worden mensen als ze oud zijn toch zo twistziek? Als ik ook zo word, mag je me neerschieten!'

Drie dagen later liep Petra in Bond Street Jerome tegen het lijf.

Er verscheen een verrukte uitdrukking op zijn gezicht zodra hij haar zag.

'Waar ga je heen?' vroeg hij allervriendelijkst.

'Naar de koninklijke academie. Ik weet dat het een beetje laat is om naar de zomertentoonstelling te gaan, maar door mijn presentatie ben ik er eerder nog niet aan toe gekomen.'

'Maar je gaat toch zeker niet in je eentje?'

Ze schudde haar hoofd. 'Nee, ik heb met mijn vriendinnen afgesproken in de lunchroom. Harrison heeft me afgezet, maar omdat ik nogal vroeg was ben ik even naar Fenwicks gegaan.'

Harrison was de chauffeur van haar moeder.

Jerome kwam naast haar lopen en zei, voor zijn doen ongebruikelijk ernstig: 'Ik ben blij dat we elkaar nu tegenkomen, Petra, want ik wil al een tijdje onder vier ogen met je praten.'

Ze bleef staan en zei verschrikt: 'Vanwege mijn vriendschap met Jack?'

'Je vriendschap met Jack?' Hij keek verwonderd. 'Nee, natuurlijk niet.'

Hij droeg een uitmuntend gesneden krijtstreeppak, glacé handschoenen en een bolhoed. Ze vroeg zich af of hij op weg was naar het Lagerhuis. Al zag hij er nog zo traditioneel uit, toch slaagde hij erin een zwierige en losbandige indruk te wekken. Misschien kwam het doordat zijn bolhoed ietwat scheef stond. Of door het dunne witte litteken dat zijn linkerwenkbrauw doorsneed.

'Ik wilde het met je hebben over mijn scheiding van Sylvia,' zei hij, terwijl ze weer verder liepen. 'Er worden heel veel lelijke verhalen rondgestrooid en ik zou het vervelend vinden als jij...' Dit keer was hij degene die bleef stilstaan.

Dat een man die ze al van jongs af kende – een man op wie ze dol was en die zo door en door mondain was – er zo'n moeite mee had haar iets te vertellen, joeg haar schrik aan.

'Ik maak me er zorgen om dat je misschien in mij teleurgesteld zult zijn door de dingen die er over mij verteld worden,' zei hij uiteindelijk.

Haar schrik verdween. Ze opende haar mond om iets te zeggen, maar het lukte niet. Ze deed nog een poging. 'Ik teleurgesteld zijn in u? Ik zou nooit in u teleurgesteld kunnen zijn, oom Jerome. Nooit.'

Het was voor het eerst in twee jaar tijd dat ze hem 'oom' had genoemd.

De opluchting die ze zag in zijn donkere ogen – ogen die zo op die van Jack leken – was zo groot dat ze er een brok van in haar keel kreeg.

Impulsief stak ze haar arm door de zijne.

Haar beloning was de vertrouwde, aanstekelijke glimlach die weer op zijn gezicht verscheen.

'Ik loop met je mee naar de academie,' zei hij. Hij klopte haar met zoveel genegenheid op haar hand, dat ze zeker wist dat zij en Jack zijn allerhartelijkste zegen zouden krijgen als Jack hem van hun trouwplannen op de hoogte stelde.

Slechts twee dagen later kwam ze tot de ontdekking dat ze wel degelijk op een verpletterende manier in Jerome teleurgesteld zou worden.

Deze vreselijke ontdekking deed ze toen ze haar tante Gwen, die er niet graag in haar eentje op uit ging, vergezelde naar een juwelier in Hatton Garden. Gwen moest daar een tiara ophalen die ze had laten reinigen.

Het was een ouderwetse juwelierszaak met door gordijnen afgeschermde hokjes waar klanten in alle discretie sieraden konden uitkiezen. Terwijl ze zaten te wachten tot een personeelslid Gwens tiara kwam brengen, hoorden ze stemmen uit een hokje verderop. Stemmen die Petra herkende.

Verbijsterd liet ze Gwen alleen achter in haar hokje en stapte de centrale ruimte van de zaak in waar ze zicht had op de naastgelegen hokjes. Er was er maar één bezet en het gordijn ervoor was niet geheel gesloten. Magda, die gekleed was in lavendelkleurige zijde – een jurkje met een aangerimpelde rok die haar weelderige heupen accentueerde – hield haar pols omhoog en keek gebiologeerd naar de fraaie diamanten armband die deze sierde.

'Vind je hem mooi, schatje?' hoorde ze Jerome zeggen.

'Hij is *wunderbar, Liebling*. Echt *wunderbar*.'

Jerome pakte haar hand om er een kus op te drukken, en terwijl hij dat deed, duwde hij met zijn schouder het gordijn nog verder opzij. Petra zag hem heel duidelijk.

Vervuld van emoties die ze pas later zou kunnen overdenken, stapte ze haar eigen hokje weer in en trok het gordijn achter zich dicht. Ze was blij dat Gwen altijd erg lang nodig had om zelfs de meest eenvoudige transacties af te handelen, zodat ze de winkel pas verlieten toen Magda en Jerome de straat al bijna uit waren.

12

_P_etra stond voor het dilemma of ze Magda zou vertellen wat ze had gezien. Uiteindelijk besloot ze het niet te doen. Als Magda voor haar uitspelde dat ze met Jerome naar bed ging – en omdat ze Magda kende twijfelde Petra er geen moment aan dat ze dat deed – zou haar walging simpelweg onverdraaglijk zijn. Ze zou geen grotere afkeer kunnen voelen als het om haar eigen vader en Magda was gegaan.

De volgende paar dagen bleef één ding aan haar knagen. Was het een eenmalig slippertje van Jerome, of maakte hij een gewoonte van dit soort liaisons? Als dit laatste zo was, wierp dat een ander licht op zijn bereidheid de schuldige partij te spelen bij zijn scheiding van Sylvia – en was dit ineens een stuk minder lovenswaardig.

Hoe langer ze erover piekerde, hoe groter haar behoefte aan antwoorden werd. De enige persoon die ze ernaar kon vragen, was haar moeder.

Het kiezen van een geschikt moment viel niet mee, want het seizoen was nu al zo ver gevorderd dat haar moeder niet langer de taak van chaperonne vervulde. Daarvoor was Petra intens dankbaar, maar door het hectische sociale leven van haar moeder werden de mogelijkheden tot intieme gesprekken wel steeds geringer.

Petra trof Delia op een zaterdagochtend, toen ze op een schandalig tijdstip het huis binnenglipte na een van de laatste bals van het seizoen te hebben bijgewoond. Haar moeder stond, gehuld in negligé, in de ontvangstkamer een boeket witte en roze rozen te schikken.

'Wat is er, mama?' vroeg Petra, terwijl ze haar stola van zwanendons van haar schouders liet glijden. 'Kunt u niet slapen?'

'Nee.' Het leek of haar moeder al haar aandacht nodig had voor het schikken van de bloemen. 'Het lijkt wel een gewoonte aan het worden.'

Petra vroeg zich af hoe ze het onderwerp van Jeromes affaire ter sprake kon brengen. Aangezien er geen eenvoudige methode voor leek te bestaan en openheid haar tweede natuur was, haalde ze even diep adem en zei toen plompverloren: 'Vindt u het goed als ik u een nogal vreemde vraag over Jerome stel?'

Haar moeder hield op met waar ze mee bezig was en keerde zich naar Petra om. Ze had donkere kringen onder haar ogen en Petra zag dat ze niet had overdreven toen ze zei dat ze slecht sliep. 'Als het over hem en Sylvia gaat, snoes, denk ik niet dat het gepast...'

'Nee,' zei Petra snel, voordat haar moeder haar zin kon afmaken, 'althans niet direct.'

'Wat is er dan...?' Haar moeder trok haar voorhoofd in rimpels.

'Ik vroeg me gewoon af of hij soms een slechte reputatie heeft wat vrouwen betreft. Het gaat om iets wat ik toevallig hoorde.'

Haar moeder bleef haar een hele tijd aankijken zonder haar echt te zien en zei toen: 'Dat was ooit wel zo. Jaren en jaren geleden, nog voordat jij geboren werd. Misschien vervalt hij weer in zijn oude gewoonten, nu Sylvia hem zo publiekelijk heeft verlaten.'

'O.' Het was niet het antwoord waarop ze gehoopt had, maar ze probeerde net te doen alsof het niet belangrijk voor haar was.

Haar moeder leek niet geneigd het gesprek voort te zetten en daarom glimlachte Petra geforceerd vrolijk en zei: 'Ik moet nodig een poosje slapen. Vanmiddag heb ik weer een tuin-feest.'

Toen ze de deur opende zei haar moeder: 'Dat wat je hoor-de, ging dat over een van je vriendinnen?'

Petra draaide zich half om, met haar hand op de glazen knop van de deur. 'Ja,' zei ze,

Haar moeders gezicht drukte geen emotie uit. 'En is Magda die vriendin?'

Petra knikte en sloot de deur achter zich, want ze wilde niet dat haar moeder haar verder zou uitvragen.

Ze overwoog of ze Jack moest vertellen over de affaire van zijn vader. Het was even moeilijk als besluiten om Magda te vertellen wat ze wist. Uiteindelijk besloot ze het voor zich te houden. Magda zou spoedig teruggaan naar Berlijn en dan zou de verhouding vanzelf wel ophouden. Jack had al genoeg te verstouwen wat de seksuele activiteiten van zijn ouders be-trof. Hij had het moeilijk genoeg met zijn moeders besluit om te scheiden en een huwelijk aan te gaan met een man die twin-tig jaar jonger was dan zij, zonder ook nog voor zijn kiezen te krijgen dat zijn vader een affaire had met een meisje dat Jack tot zijn vrienden rekende.

Alle twijfels die ze nog gehad mocht hebben verdwenen als sneeuw voor de zon toen ze Jack bij de kiosk in Hyde Park trof. Hij was in een jubelstemming omdat hij een brief van haar vader had gekregen; er stond in dat Ivor zeer verheugd was te vernemen van hun trouwplannen.

'Hij heeft ons zijn zegen gegeven. Hij laat het aan mij over je moeder het nieuws persoonlijk te vertellen, in plaats van dat hij haar een brief stuurt.

'O, wat fantastisch!' Ze sloeg haar armen om zijn hals en kuste hem vol op de mond.

Een bejaarde heer die hen passeerde, met een buldog op zijn hielen, schraapte afkeurend zijn keel, maar ze trokken zich er allebei niets van aan.

'Wanneer doe je het?' vroeg ze. 'O, alsjeblieft, Jack, zeg dat je het meteen zult doen. Ik kan niet meer wachten om iedereen te vertellen dat we van elkaar houden en gaan trouwen!'

'Wat zijn je moeders plannen vandaag, weet je dat?'

Met hun armen om elkaars middel geslagen begonnen ze door het park in de richting van Knightsbridge te wandelen.

'Ze luncht met Wallis of Baba. Ik weet niet meer met wie.'

'Baba Metcalfe?'

Petra knikte.

Jack keek verwonderd. 'Ik vraag me af wat je vader zou zeggen als hij wist dat je moeder zo dik is met de entourage van de prins van Wales. Die lui zijn allemaal minstens twintig jaar jonger dan hij, toch?'

'Dertig jaar in het geval van Baba. En ze hangen voortdurend in nachtclubs rond. Ik weet wel zeker dat andere debutantes geen kans hebben hun moeder bij de Embassy of de Kit Kat Club tegen het lijf te lopen. Heb je dan niet gemerkt hoe lastig dit voor me is?'

Toen ze het park uit waren en de drukke hoofdweg waren overgestoken zei ze: 'Misschien is het maar het beste als ik mezelf het komende uur verstop. Ik denk niet dat de verwachtingsvolle bruid-in-spe in je buurt moet zijn zodat ze kan meeluisteren als je met mijn moeder praat. Vergeet je alsjeblíéft niet ook te vertellen dat we geen langdurige verloving willen? Een bruiloft in de St. Margaret in de week voor Kerstmis, dat zou ik geweldig vinden.'

'Gevolgd door een huwelijksreis naar Caïro?'

Ze omklemde zijn arm stevig. 'O, lieve Jack! Op huwelijksreis naar Caïro. Dat zou zalig zijn.'

'Het leek me het meest gepast om eerst Ivor om toestemming te vragen.'

Jack glimlachte breed naar de vrouw die sinds zijn vierde als een tweede moeder voor hem was geweest. Hij haalde Ivors brief uit de binnenzak van zijn jasje.

'Toestemming?' Delia zat in de ontvangstkamer te wachten tot Harrison zou voorrijden met de auto. Ze tastte in haar hengselloze tasje naar haar sigarettenkoker. 'Toestemming waarvoor, Jack?'

'Toestemming om met Petra te trouwen.'

Het tasje gleed van Delia's knie op de grond. Een gouden poederdoos rolde over het tapijt in de richting van zijn voeten.

Hij maakte geen beweging om hem op te rapen. Hij was als verlamd door Delia's reactie.

'Trouwen?' Al het bloed was uit Delia's gezicht weggetrokken. 'Heb je Ivor geschreven om om Petra's hand te vragen?'

'Gezien de omstandigheden... omdat hij in Egypte is... Ik dacht dat dat het meest gepast was.' Zijn glimlach was verdwenen. Hij was alleen nog maar gealarmeerd. 'Hij was er erg blij mee, Delia.' Hij wilde haar Ivors brief overhandigen, maar ze pakte hem niet aan.

Hij besefte dat hij meer aandacht had moeten schenken aan Petra's waarschuwing dat haar moeder wel eens heel irrationeel zou kunnen reageren, en zei: 'Hij heeft ons zijn zegen gegeven en me gevraagd u het nieuws te...'

Hij hield op, onthutst door haar radeloosheid.

Ze hield de sigarettenkoker nog altijd ongeopend in haar hand. Haar knokkels waren wit.

'Je kunt niet met Petra trouwen.' Haar stem was hees. 'Dat kan niet, Jack. Neem dat van me aan. Het is onmogelijk.'

'Maar waarom dan niet?' Hij was zijn hele leven nog niet zo ontsteld geweest. Delia zag eruit alsof ze een fatale klap had gekregen.

'Omdat... omdat... Het kan gewoon niet.'

Haar huid stak bijna doorschijnend af bij haar vuurrode haar.

Hij haalde diep adem. 'Natuurlijk kan het wel, Delia,' zei hij op redelijke toon. 'Als Petra eenentwintig is kan ze met me trouwen, met of zonder toestemming van haar ouders. Ivor heeft ons zijn zegen al gegeven, we kunnen trouwen wanneer we willen. Maar dat willen we uiteraard niet als jij er zo op tegen bent. Ik begrijp alleen niet waaróm je er zo fel op tegen bent. Heb je soms roddels over mij gehoord? Want als dat zo is, kan ik zweren dat er niets van waar is. Ik heb mijn hele leven nog nooit iets oneerbaars gedaan.'

Delia wist een snik bijna niet te onderdrukken. 'O, Jack, ik ben ervan overtuigd dat daar geen sprake van is. En ik heb niemand over jou horen roddelen. Absoluut niet.'

'Maar waarom...'

Ze had moeite om een Sobranie uit haar sigarettenkoker te krijgen en hij stak zijn hand uit om haar te helpen.

'Dank je wel,' zei ze. Haar hand trilde heftig toen hij haar een vuurtje gaf.

Ze inhaleerde diep en terwijl ze haar vrije hand om haar elleboog legde en haar arm stevig tegen haar lichaam drukte, zei ze met onvaste stem: 'Mijn bezwaren zijn niet tegen jou persoonlijk gericht, Jack. Een vrouw kan zich geen betere schoonzoon wensen dan jou. Maar Petra kent jou al haar hele leven. Toen ze nog een baby was, ging jij heel vaak met ons mee als ik haar van de kinderjuf overnam om in het park te gaan wandelen. Tijdens Petra's jeugd ben jij heel vaak bij ons op bezoek geweest. Volgens mij is Petra daardoor opgegroeid met de verwáchting dat ze met jou zou gaan trouwen, en dat is niet de beste basis voor een huwelijk, Jack. Vooral wanneer het gaat om een meisje dat pas achttien jaar is.'

'We houden van elkaar, Delia,' zei hij onomwonden. 'Ik hou van haar. Zij houdt van mij. Er bestaat geen betere basis voor een huwelijk.'

Ze hield haar adem in. 'Jullie zijn toch niet al minnaars, of wel?'

'Nee.' Het was een ondubbelzinnig nee, maar hij was intens geschokt door de openhartige vraag van haar.

'Ik wil dat jullie je relatie verbreken. Ik wil dat jullie wachten tot ze eenentwintig is. Als ze een hele stoet andere verkieslijke jongemannen heeft leren kennen en dan nog altijd voor jou kiest, dan... dan praten we er nog een keer over. Tot die tijd lijkt het me het verstandigst dat jullie elkaar niet ontmoeten. Zelfs niet als vrienden. Is dat begrepen?'

Hij knikte, in het besef dat het geen zin had om nog verder met haar te discussiëren. Hij knikte niet omdat hij het eens was met de voorwaarden die ze had gesteld. Het betekende niet meer dan dat hij begreep wat haar voorwaarden waren.

Er werd bescheiden op de deur geklopt.

Bellingham kwam binnen. 'Harrison is voorgereden, mevrouw,' zei hij, om aan te geven dat het tijd was voor haar afspraak in het Ritz.

'Dank je, Bellingham.' Nog altijd van slag keek ze om zich heen waar haar tasje was.

Jack bukte zich en raapte het voor haar op, en ook de spullen die eruit waren gevallen.

Terwijl ze het tasje aanpakte zei ze: 'Omdat je bij Buitenlandse Zaken werkt kun je gemakkelijk weer een post in het buitenland krijgen, Jack. Ik denk dat je dat maar moet doen. En tot die tijd is het misschien maar het beste als je een tijdje het land uitgaat. Naar Frankrijk misschien. Of misschien zelfs naar Amerika.'

Zonder hem een kus ten afscheid te geven, zoals ze normaal meestal deed, liep ze de kamer uit. Hij bleef verslagen achter. Nooit eerder was hij zo teleurgesteld geweest.

Petra wachtte hem op in de tuin midden op Cadogan Square. Zodra ze hem het huis uit zag komen wist ze wat voor nieuws hij had.

'Ze kan toch geen bezwaar hebben?' riep ze uit, terwijl ze naar hem toe rende. 'Dat kan toch niet! Niet als papa ons zijn zegen al heeft gegeven!'

'Maar ze maakt wel bezwaar,' zei hij zwaarmoedig, haar dicht tegen zich aan drukkend. 'Om een werkelijk krankzinnige reden.'

'Dat je niet genoeg geld verdient? Dat je status bij Buitenlandse Zaken niet hoog genoeg is? Dat je...'

'Dat ik al zo lang deel uitmaak van je leven dat jij niet in staat zou zijn te beoordelen of je wel werkelijk van mij houdt. Ze wil dat jij meer jongemannen ontmoet en ze wil dat ik voor minstens drie jaar wegga en dat er, als je daarna nog steeds hetzelfde voor me voelt, dan pas weer over het onderwerp kan worden gepraat.'

'Tjemig! Je bent toch niet van plan om je iets aan te trekken van deze idioterie?'

'Nee,' zei hij, haar nog steviger omklemmend. Hij drukte een kus op haar haar. 'Ze probeert gewoon tijd te rekken, in de hoop dat een van ons op een ander verliefd wordt. Wij weten dat dat niet gaat gebeuren, dus het heeft helemaal geen zin als we elkaar drie jaar niet zien.'

'Maar wat gaan we nu doen?'

Ze deed een stapje achteruit om hem te kunnen aankijken.

'Ik ga naar Caïro om met je vader te praten. Ik zie niet hoe ik haar bezwaren in een brief uiteen moet zetten. Hij zal er niets van begrijpen. Het enige probleem is dat ik pas eind augustus weer verlof heb.'

'Dat is al over drie weken toch? We kunnen elkaar intussen gewoon blijven zien, zonder dat mijn moeder het weet. En daarna zal mijn vader wel zorgen dat ze weer bij zinnen komt. Als hij wil dat iets gebeurt, dan luistert iedereen. Zelfs koning Fouad.'

Toen ze dit besloten hadden, voelde Petra zich iets beter, maar niet veel. De reactie van haar moeder was zo raadselachtig dat ze er werkelijk niets van begreep. Stel dat haar vader zou vinden dat een scheiding van drie jaar eigenlijk een prima idee was, en dat hij zijn toestemming voor hun huwelijk weer zou intrekken? Hoe zouden ze het in 's hemelsnaam voor elkaar krijgen drie jaar lang gescheiden van elkaar te leven? Stel dat haar moeder gelijk had en dat Jack verliefd werd op een ander? Hij was ongelofelijk aantrekkelijk en meisjes probeerden zich voortdurend aan hem op te dringen. Een van hen zou wellicht een onweerstaanbare verleiding kunnen vormen.

Haar angst vergrootte de bijna ondraaglijke seksuele opwinding die hij altijd bij haar opriep nog meer. Ze wilde hem aan zich binden, onherroepelijk.

Toen het weekeinde naderde – ze was uitgenodigd om het in het landhuis van Boudicca's ouders in Hampshire te komen doorbrengen – vroeg Jack haar: 'Denk je dat je aan het hutje op de hei kunt ontsnappen?'

'Met gemak. Boo zal het niet erg vinden. Waarom?'

'We zouden een weekend alleen met ons tweeën in Brighton kunnen doorbrengen. Het is misschien de laatste keer in lange tijd dat we elkaar alleen kunnen zien.'

Ze omknelde zijn arm, omdat ze precies wist wat zijn bedoeling was en ze er geen enkele bedenking tegen had.

'Waar logeren we dan?' vroeg ze. 'In een hotel?'

'Nee. Archie heeft een klein huis aan zee dat zijn grootvader hem heeft nagelaten. Volgens hem is het er heel ouderwets knus en er vlak bij is een geweldig Frans restaurant.'

Zijn stem veranderde van klank, werd bezorgd. 'Als je ook maar even twijfelt of we dit wel moeten doen, moet je het zeggen, Petra. Want als het moet doe ik zoals Jacob en Rachel in het Oude Testament en wacht ik zeven jaar op je.'

Ze giechelde hees. 'Heus? Jeetje, ik ben zwaar onder de indruk, maar mijn streven blijft een bruiloft met kerstmis en wittebroodsweken in Caïro in januari. Ik wil niet dat onze plannen drie jaar op een laag pitje blijven sudderen, laat staan zeven jaar.'

'Ik ook niet,' zei hij ernstig. 'En ik zal alles wat in mijn macht ligt doen om te zorgen dat dat niet gebeurt.'

Toen ze achteraf terugkeek op dat zeer speciale weekend was ze verbaasd dat ze nauwelijks enige schroom had gekend, dat alles even heerlijk en goed was geweest. Jack had een uitstekende fles champagne meegenomen, en een hele berg rode rozen, zodat elke kamer in het huis ernaar geurde.

Ze had bij Harrods een nieuwe nachtpon gekocht. Die was

niet overdreven erotisch. Het was een bruidsnachtjapon van oesterwitte zijdesatijn, het soort nachtpon dat ze op huwelijksreis zou hebben meegenomen.

En de gestolen uren in Archies kleine huis zagen ze allebei als een huwelijksreis.

De avond dat ze aankwamen, aten ze in het met kaarsen verlichte Franse restaurant. Later, in Archies zitkamer met de lage eikenhouten zoldering, zette Jack een plaat op van Puccini's *Madama Butterfly*. Terwijl hij haar de trap op droeg, zweefde de mooie muziek achter hen aan.

De rest van haar leven zou ze altijd als ze de hartverscheurende klanken van 'Un bel di vedremo' hoorde, weer teruggevoerd worden naar hun eerste liefdesnacht, met het raam open zodat het ruisen van de zee te horen was.

Delia stelde geen lastige vragen toen haar dochter op zondagavond in het huis aan Cadogan Square terugkeerde. Ze vroeg alleen maar: 'Hoe was het bij de Pytchley-clan? Een dolle boel?' op een manier die aangaf dat ze niet echt antwoord verwachtte of daar behoefte aan had.

In het volgende weekend – het laatste weekend dat Magda en Suzi in Engeland waren – trouwden Annabel en Fedja. Het was een schitterende en vreugdevolle aangelegenheid. Annabels sleep was zo lang dat hij bijna van het altaar tot de deur van het vijftiende-eeuwse kerkje van de Pytchley's reikte.

Delia was uiteraard ook aanwezig en daarom vermeden Petra en Jack zorgvuldig elk oogcontact, ook al was Jack een van de bruidsjonkers.

'Flirt met míj,' zei Archie behulpzaam. 'Ik heb er altijd al van gedroomd dat een roodharige vrouw me vol adoratie in de ogen kijkt. Ik heb van Jack gehoord dat hij volgende week zaterdag naar Caïro vertrekt om je vaders hulp in te roepen bij het gladstrijken van een weerbarstig probleem.'

'Ja.' Petra wist niet hoeveel Jack precies aan Archie had

verteld en wilde niet dat een van haar moeders vriendinnen hun gesprek hoorden.

'Vertel eens over de nieuwe auto die je hebt gekocht, Archie,' zei ze, om van onderwerp te wisselen. 'Is het waar dat je beroepscoureur wil worden?'

Toen ze twee dagen later op weg was naar de kapper in Sloane Street zag ze Theo Girlington, die haar vanaf de andere kant tegemoetkwam.

Ze boog haar hoofd, in de hoop dat hij haar niet zou herkennen of, als hij het wel deed, niet zou blijven stilstaan.

Hij had niet echt een reden om haar aan te spreken.

Ze kende hem alleen maar omdat hij deel uitmaakte van de sociale kring waartoe haar ouders behoorden. Ze betwijfelde of haar moeder nog wel met hem had gepraat sinds Sylvia had aangekondigd dat ze van Jerome ging scheiden, al zou ze de banden met hem niet volledig hebben doorgesneden, gezien het feit dat hij een hertog was.

'Hola! Petronella Conisborough, is het niet?' Hij bleef voor haar staan. 'Ik zag je vader vanochtend nog.' Hij grijnsde als de Cheshire-kat uit *Alice in Wonderland*. 'Niet dat hij me tegenwoordig graag tegen het lijf loopt.'

Ze staarde hem aan en herinnerde zich dat haar moeder hem een malloot had genoemd.

'Dat kan helemaal niet,' zei ze, met een gereserveerd glimlachje. 'Mijn vader is in Caïro.'

'Ik bedoel Conisborough ook niet,' zei hij. Zijn grijns werd nog breder. 'Ik bedoel je echte vader, Jerome Bazeljette.' Noch in zijn stem noch in zijn grijns was iets van boosaardigheid te bespeuren. Hij zei het gewoon als betrof het een heel normaal feit waarvan zij op de hoogte was. Hij lachte joviaal. 'We zijn op een rare manier eigenlijk bijna familie van elkaar. Al denk ik niet dat Jack mij ooit "stiefvader" zal noemen. Geef hem eens ongelijk. Ik ben maar tien jaar ouder dan hij. Doe je moeder de groeten van me, Petronella. Tot ziens en toedeloe.'

Hij kuierde verder, in zalige onwetendheid van wat haar woorden bij haar hadden uitgericht.

Ze staarde hem verdwaasd na. Was Jerome haar vader? Ze wilde het idee wegwuiven, als was het te idioot voor woorden, maar ze slaagde er niet in.

Ze herinnerde zich dat tante Gwen haar had verteld dat Jerome aan Cadogan Square was geweest op de dag dat ze geboren werd; dat hij haar vrijwel onmiddellijk na haar geboorte had vastgehouden. Ze herinnerde zich dat hij altijd voor haar had klaargestaan – dat hij ook dol was op Davina, maar dat zij bij hem toch altijd een streepje voor had gehad. Ze bedacht hoeveel interesse hij aan de dag had gelegd voor haar opleiding en dat zijn villa in Nyon zo comfortabel dicht bij het Institut Mont-Fleuri in de buurt stond.

Ze dacht eraan dat hij, toen ze zestien werd, had voorgesteld dat zij hem geen 'oom' meer zou noemen, als haar moeder er geen bezwaar tegen had. Na een lange gespannen pauze had haar moeder gezegd: 'Nee, natuurlijk niet. Het is ook dwaas om "oom" te blijven zeggen, terwijl je haar oom helemaal niet bent.' En toen Jerome droogjes had gezegd: 'Dat is waar, ja,' had haar moeder hevig gebloosd.

Ze herinnerde zich weer hoe verschrikt haar moeder had gereageerd toen ze had voorgesteld dat Jerome de plaats van haar vader zou innemen voor de traditionele eerste wals van vader en dochter.

Ook andere herinneringen begonnen op hun plaats te vallen, als de stukjes van een legpuzzel. De constante aanwezigheid van Jerome in het leven van haar moeder. Het feit dat haar vader altijd belangrijke bezigheden elders had als Jerome op bezoek kwam, ook al had ze in haar jeugd altijd meegekregen dat Jerome een vriend van haar vader was. Al die keren dat haar moeder alleen was overgekomen om Petra in Montreux op te zoeken, en dan logeerde in Nyon, in het huis van Jerome. Ze dacht eraan dat haar moeders *joie de vivre* in één klap was verdwenen sinds Jerome Magda attenties begon te bewijzen. Maar waar ze nu vooral aan moest denken was de hevige schrik die haar moeder had bevangen toen Jack haar over hun voorgenomen huwelijk vertelde.

Ten slotte moest ze denken aan de twee nachten die zij en Jack in het huisje van Archie hadden doorgebracht.

Ze kon even geen adem meer krijgen. Kon zich niet meer bewegen. Ze móést de waarheid weten. Er waren maar twee mensen die haar die konden vertellen. Haar moeder en Jerome.

Ze keek om zich heen, zoekend naar een telefooncel. Ze zag er geen en begon als verdoofd naar Sloane Square te lopen, waar er zeker een stond.

Toen ze er was aangekomen, graaide ze onhandig in haar tas naar geld. Ze liet de munt twee keer op de grond vallen. Toen ze hem in het apparaat stak, was ze zo bang voor wat ze te horen zou krijgen dat ze dacht dat ze zou flauwvallen.

'Chelsea 3546,' hoorde ze Jeromes zo vertrouwde stem zeggen. 'Met Bazeljette.'

Ze drukte op het knopje met de letter 'A'. Het muntje viel.

'Met Petra,' zei ze. 'Ik moet iets vragen... Ik moet het weten... Zij u en mijn moeder minnaars?'

Aan de andere kant van de lijn was er een verbijsterd zwijgen en toen zei Jerome met een stem bijna even onvast als de hare: 'Petra, lieve meid. Dit is niet een gesprek om via de telefoon te voeren. Je bent duidelijk heel erg van streek. Waar ben je? Ik kom naar je toe en dan...'

'Ik wil u niet zien. Ik wil alleen maar de waarheid weten.' De tranen stroomden haar over de wangen. 'Zijn mijn moeder en u minnaars? Bent u al jarenlang haar minnaar?'

Er viel een lange stilte. Ze besefte dat hij op zoek was naar de juiste woorden. 'Petra, lieve schat,' zei hij uiteindelijk. 'Het antwoord is ja. Je bent nu oud genoeg om het te begrijpen en ik neem aan dat iemand die beter had moeten weten je dit heeft verteld. Ik houd heel erg veel van je moeder. Ik heb al vanaf het allereerste moment dat ik haar zag van haar gehouden en...'

Met een kreet van afschuw liet ze de hoorn vallen. Blindelings duwde ze de deur van de telefooncel open.

Jeromes stem die haar naam riep volgde haar vanuit de
neerhangende hoorn. Ze had hem haar volgende vraag niet
gesteld: 'Bent u mijn vader?' Want er was iemand anders die
ze deze vraag wilde horen beantwoorden. Die iemand was
haar moeder.

De tranen bleven over haar wangen stromen terwijl ze het
korte afstandje van Sloane Square naar Cadogan Square af-
legde.

Haar moeder zat in de zitkamer achter haar fraaie Chip-
pendale-schrijftafel. Ze droeg een japon van zachtpaarse voile
en haar lievelingssieraad, een ketting van drie parelsnoeren.

Toen Petra binnenkwam, draaide Delia zich naar haar toe
om haar te begroeten, maar zodra ze Petra's gezicht zag verdween haar glimlach.

'Wat is er in hemelsnaam gebeurd, snoes?' vroeg ze op-
springend.

'Ik kwam Theo Girlington tegen in Sloane Street.' Petra
stak haar handen in de lucht om haar moeder af te houden van
een omhelzing. 'Hij zei dat hij mijn vader pas nog had gezien.'

Delia bleef staan. Ze werd bleek. 'Tenzij Theo uit Caïro is
komen vliegen heeft hij ze niet allemaal op een rijtje.'

'Hij had het niet over Ivor, mama.' Petra's stem klonk alsof
hij van mijlenver kwam. 'Hij had het over Jerome.'

Haar moeder wilde iets zeggen, maar het lukte haar niet.

'Ik heb Jerome gesproken, mama. Hij vertelde me dat u en
hij... dat u en hij jarenlang...' Ze probeerde het woord 'minnaars' eruit te krijgen, maar bleef steken. 'Is hij mijn vader?'
wist ze uiteindelijk uit te brengen. 'Is het waar wat Theo Girlington zei?'

Haar moeders lippen waren nu even bleek als haar gezicht.
Ze zag eruit alsof ze zich in de zevende kring van de hel bevond, geketend aan het verleden, verlamd in het heden, en
niet in staat een toekomst voor zich te zien. 'Ik weet het niet,'

zei ze uiteindelijk. 'Het is mogelijk, Petra. Eén keer, vroeg in de lente van 1914, ben ik bij Jerome geweest om troost te zoeken toen ik net terug was van een reis naar Amerika. Het is bij die ene keer gebleven. We hebben pas echt een verhouding gekregen nadat Davina geboren was. Het spijt me zo, Petra. Ik had nooit kunnen denken dat er zoveel complicaties door zouden ontstaan.' Ze maakte een hulpeloos gebaar met haar handen. 'Dat Jerome jouw vader zou kunnen zijn is iets waar hij en ik nooit over gepraat hebben... we hebben het nooit openlijk erkend... en misschien is hij je vader ook niet, Petra. Maar gezien de omstandigheden kon ik jou en Jack niet toestaan je met elkaar te verloven. Niet wanneer er een heel kleine mogelijkheid bestaat dat Jack je half...'

'Niet zeggen!' Petra hield haar handen tegen haar oren. 'Niet zeggen!'

Ze had moeite met ademhalen, was verdoofd van verdriet. Ze had niet alleen Jack verloren, maar ook haar moeder, want de dingen zouden nooit meer hetzelfde tussen hen zijn, zoals het tussen haar en Jack ook nooit meer hetzelfde zou zijn.

'Ik ga terug naar Caïro,' zei ze, vechtend om niet hysterisch te klinken. 'En ik wil niet dat Jack dit ooit te weten komt. Hoort u me?'

'Ik hoor het, allerliefste Petra. Maar je moet nu naar me luisteren. Laat me uitleggen hoe de omstandigheden...'

'Nee.' Petra's stem klonk schor. 'Ik hoef geen woord meer te horen over u en Jerome. Nu niet. En nooit.' Ze draaide haar moeder haar rug toe en rende de kamer uit.

Ze hield pas op met rennen toen ze weer terug was in Sloane Street, en toen stonden haar drie dingen zeer helder voor de geest. Het eerste was dat ze Jack nooit meer zou kunnen zien, omdat de pijn ondraaglijk zou zijn. Het tweede was dat ze niet naar Nile House moest gaan, omdat Jack haar ongetwijfeld naar Caïro zou volgen, maar dat ze bij Kate moest gaan wonen. En het derde was dat ze twee brieven moest schrijven. Eén aan Jack, om hun relatie te verbreken, en één aan haar

Deel III

Davina

1934-1939

13

Davina stapte in een overvolle tram en wurmde zich naast een zwaar gesluierde moslimvrouw. De tram reed van de Muqattam-heuvels naar het centrum van de stad, en omdat ze de enige niet-Egyptische was, werd ze meteen het object van afkeurende blikken.

Ze schonk er geen aandacht aan. Ze had zoals iedere dag de hele ochtend als vrijwilligster gewerkt in een anglicaans weeshuis dat zich ergens in de wirwar van straten aan de voet van de citadel bevond. Het was vroeg in de middag en de maartse zon van Caïro scheen onaangenaam warm. Ze veegde haar voorhoofd af en probeerde niet te letten op de hen die in een houten kooi op de knie van haar buurvrouw gevangen zat. Als het wat koeler was geworden zou ze met Fawzia naar de Gezira Club gaan om Darius te zien spelen; die kwam uit in het jaarlijkse clubkampioenschap tennis. Petra zou ook gaan, maar niet met hen; ze zou met haar nieuwe vriendenclubje komen.

De hen begon te kakelen en de eigenares sloeg met haar hand boven op de kooi om haar stil te krijgen. Davina wendde haar ogen af en peinsde verder over haar zus.

Sinds Petra de voorgaande zomer in Caïro was teruggekeerd, was de innige band die ze vroeger altijd hadden gehad verstoord geraakt door een gespannenheid bij Petra die Davina niet kon begrijpen. Petra babbelde vrijwel nooit meer met haar op de zorgeloze manier van vroeger en ze praatte ook nooit over dingen die ertoe deden, bijvoorbeeld waarom ze bij

Kate Gunn was gaan wonen en waarom ze Jack, die een paar dagen na haar in de stad was aangekomen, beslist niet wilde zien.

Alles wat ze er ooit over had losgelaten was: 'We stonden op het punt ons met elkaar te verloven, maar toen heb ik besloten dat het een vergissing zou zijn. Dat is alles, Davvy. En als je het niet erg vindt, wil ik het er verder niet meer over hebben.'

Ze had het er verder ook niet meer over gehad. Niet één keer.

Jack was volkomen verbijsterd geweest over wat Petra had gedaan.

'Het spijt me heel erg, ouwe jongen,' had haar vader tegen hem gezegd. 'Ze wil je niet zien en ik moet haar wensen respecteren. Ik kan je niet vertellen waar ze is.'

'Maar waarom gedraagt ze zich zoals ze doet?' had Jack bij hem aangedrongen. 'Ze moet toch een reden hebben opgegeven! Het ene moment was alles in orde en het volgende moment was ze weg. Uit de brief die ze voor me achterliet werd ik niets wijzer. Ze schreef alleen maar dat ze nog eens had nagedacht of ze wel moest trouwen en dat ze onze verkering beëindigde.'

'Wat relaties betreft doen vrouwen soms onverklaarbare dingen,' had haar vader gezegd, met een bitterheid in zijn stem die ze niet van hem kende.

De tram ratelde nu in de richting van het Abdin-paleis. Ze vroeg zich af of haar vader, die eerder op de dag een ontmoeting had gehad met koning Fouad, nog op het paleis zou zijn om prins Farouk les te geven.

'U bent een Engelsman van de beste soort,' had de koning eens tegen Ivor gezegd. 'En ik wil dat mijn zoon in zijn jeugd alles meekrijgt wat het beste is aan het Engelse karakter.'

Als er al iets goeds was voortgekomen uit Petra's terugkeer in Caïro, dan was het dat ze zich veel bewuster was geworden van het feit dat haar vader een opmerkelijk man was.

'Ik geloof dat hij net als Delia helemaal niet zo graag naar

Egypte wilde,' had ze eens gezegd. 'Hij is alleen maar hier omdat hij het zijn plicht vindt Egypte te helpen bruggen naar de twintigste eeuw te slaan.'

Dat Petra tegenwoordig Delia zei als het over hun moeder ging, was een van haar nieuwe grillen. Een andere was haar besluit om steno en typen te leren.

'Omdat ik niet naar Londen terugga en ik, als ik in Caïro wil blijven, iets anders zal moeten vinden om mijn tijd mee te vullen dan alleen maar naar party's gaan,' had ze tegen Davina gezegd. 'Kate heeft zichzelf steno en typen geleerd en ze zal me helpen. Tot ik goed genoeg ben om een baan als secretaresse te vinden, laat sir Percy me als duvelstoejaagster voor iedereen op de residentie karweitjes opknappen.'

En dat deed Petra nog steeds. Haar sociale leven deelde ze nu vrijwel exclusief met de andere meisjes die op de residentie werkten, en Davina zag haar bijna nooit.

Terwijl de tram verder ratelde naar de halte bij de Ezbekiya-tuinen stond Davina op en baande zich een weg naar de deur. Ze zag niet alleen haar zusje bijna nooit, haar moeder zag ze zelfs nog minder. Delia was weliswaar aan het einde van het Londense seizoen naar Caïro teruggekeerd, maar was slechts enkele maanden gebleven. Eind oktober was ze weer terug naar Londen gegaan, waar de echtscheiding van de Bazeljettes in volle gang was, om slechts voor korte tijd naar Caïro terug te keren om er de kerstdagen door te brengen en vervolgens opnieuw naar Londen af te reizen.

'In Londen heeft ze nu een heel ander leven,' had Petra gezegd toen Davina haar vroeg waarom haar moeder zoveel tijd in Engeland doorbracht. 'Ze gaat nog nauwelijks om met de vrienden van papa, zoals sir John Simon, de Digby's en Margot Asquith, maar is hecht bevriend geraakt met de kring rond de prins van Wales. Zij en de prins zijn altijd al goede maatjes geweest. Ze schelen maar een paar maanden in leeftijd en hoewel veel van zijn vrienden een heel stuk jonger zijn dan zij – Barbara Metcalfe is bijvoorbeeld nog maar negenentwintig terwijl Delia dit jaar veertig wordt – schijnt dat niet uit te maken. Ze is excentriek genoeg om volledig in dat clubje te passen.'

Bij het uitspreken van die laatste zin hoorde Davina een merkwaardige bijklank die haar compleet overrompelde. Het leek bijna alsof Petra niet meer zoveel van hun moeder moest hebben.

Davina zette haar breedgerande zonnehoed op en liep in de richting van het Shepheard's Hotel. Het was de populairste ontmoetingsplaats van Brits Caïro, maar kon ook bogen op de beste Engelse boekwinkel in de hele stad. De eigenaar had haar die ochtend gebeld met de mededeling dat een boek dat ze had besteld was aangekomen.

Toen ze met dat boek onder haar arm weer buiten stond, zette Davina er flink de pas in. Het was niet ver van het Shepheard's naar Garden City, maar te voet in deze hete, lawaaierige stad was het toch wel pittig. Davina gaf er de voorkeur aan te lopen als het maar even kon, anders dan iedereen die ze kende. Het was haar manier om in contact te blijven met wat ze altijd als het échte Caïro had beschouwd. Voor Davina was het echte Caïro Egyptisch, niet Brits. Toen ze door de Ibrahim Pasha-straat in de richting van de kruising met Fouad El Auwal liep, peinsde ze over het verschil tussen een leven in de diepste armoede en het leven in een wereld van luxe en bevoorrechting.

De enige andere persoon die zij kende en die net als zij goed bekend was met beide manieren van leven, was Darius. Darius was een trouw lid van de meest extreme vleugel van de WAFD, de politieke partij die de Britten Egypte uit wilde werken. Privé had hij geen goed woord over voor koning Fouad. 'Hij is niet meer dan een marionet van jullie regering,' zei hij vaak tegen haar. 'En jouw vader brengt alleen maar zoveel tijd met de prins door om er zeker van te zijn dat ook die naar de pijpen van de Britten zal dansen als hij eenmaal op de troon zit.'

Ze was zich er al lange tijd van bewust dat haar vaders on-officiële rol die van leraar en mentor van prins Farouk was. Ze was er niet blij mee, maar dacht niet dat het erg veel zou uitmaken als de nu veertienjarige prins onder invloed van haar vader even pro-Brits zou worden als zijn vader. Ze was ervan overtuigd dat de WAFD, tegen de tijd dat Farouk de troon zou bestijgen, Egypte langs een vreedzame weg van de Britse overheersing zou hebben bevrijd.

Haar gedachten werden onderbroken door gekrakeel ver-derop. Te midden van een zee van auto's, motorfietsen en huur-koetsjes had een os plotseling het idee gekregen te gaan stil-staan en niet meer van zijn plaats te komen. Vijf, zes mannen begonnen tegen zijn achterste te duwen en een hele troep jongens op blote voeten rende dwars door alle verkeer om met de pret mee te doen. Davina begon sneller te lopen, want als ze niet opschoot, was ze niet op tijd terug voordat Zubair Pasha's chauffeur Fawzia bij Nile House afzette, met wie ze naar de Sporting Club zou gaan.

Toen ze de met een marmeren vloer belegde hal binnenliep, wachtte haar een verrassing. 'Uw moeder is zojuist gearri-veerd!' kondigde Adjo aan, met een grijns die zijn gezicht bijna doormidden spleet. 'Ik weet niet voor hoelang, Missy Davina. Ze is in de tuin. Ik denk dat u haar iets hebt uit te leg-gen over de ezel.'

Davina had enkele weken geleden een ezel gered die op straat na een verwoede afranseling door zijn poten was ge-zakt. Ze had de eigenaar geld gegeven en omdat ze niet wist wat ze anders met het uitgehongerde dier aanmoest had ze een andere ezelkar gehuurd om het dier bij Nile House af te leveren.

Gelukkig was haar vader niet thuis toen de kar met zijn zie-lige vracht al ratelend door het hek was binnengekomen. Tegen de tijd dat hij thuiskwam, had de ezel al een plekje ge-kregen in de glooiende achtertuin, in de schaduw van de jaca-randa's, met water en luzerne binnen bereik.

Nu, zes weken later, staken zijn ribben niet meer zo uit, maar Davina was absoluut niet van zins het beest opnieuw aan de straten van Caïro bloot te stellen. Wat ze kon doen voor de talloze andere ezels die net zo erg te lijden hadden wist ze nog niet, maar ze wist wel dat ze iets zou gaan doen. Ze rende het huis door en toen ze in de tuin kwam zag ze dat haar moeder, die haar reiskleding nog aan had, even gefixeerd naar de ezel stond te staren als de ezel naar haar.

'Mama!' riep Davina, en rende naar haar toe over het gazon, dat glad al zijde was. 'Wat mieters dat u er bent! Waarom hebt u niemand laten weten dat u kwam?' Buiten adem stortte ze zich in de armen van haar moeder.

Blij lachend omarmde haar moeder haar stevig. 'Ik neem aan dat jij verantwoordelijk bent voor de aanwezigheid van dit dier midden in mijn tuin? Hij kan hier onmogelijk blijven, Davina. Nile House is geen dierentuin.'

'Nee, maar het is een thuis, een toevluchtsoord. En dat is wat deze ezel – en andere zoals hij – nodig heeft.'

Haar moeder, die vaak vol afschuw opmerkingen had gemaakt over de conditie van de ezels in de stad, keek naar de ezel.

De ezel keek naar haar moeder.

Het was een strijd waarvan Davina wist dat ze hem al gewonnen had.

'Er is iemand met wie ik je in contact moet brengen,' zei haar moeder peinzend, terwijl ze de snuit van de ezel streelde. 'Ze heet Dorothy Brooke. Ze is een aantal jaren geleden naar Caïro gekomen toen haar man, een generaal, hier een aanstelling kreeg. Ze was vreselijk geschokt toen ze ontdekte dat afgedankte cavaleriepaarden de rest van hun leven hier op straat sleten als uitgeputte, uitgemergelde lastdieren. Ze heeft een comité opgericht om fondsen te verzamelen waarmee dieren die er slecht aan toe zijn kunnen worden opgekocht, zodat ze nog een vredige oude dag kunnen beleven. Ja, ja, je hoeft het niet te vragen, natuurlijk heb ik al een forse donatie gedaan. Wat ik maar wil zeggen, Davina, is dat ze, als ze zo intens meevoelt met het lijden van oude cavaleriepaarden, ongetwijfeld ook compassie zal hebben met het lot van de ezels in de stad.' Delia drukte de arm van haar dochter stevig tegen zich aan. 'Maar ik ben niet naar Caïro gekomen om met jou over ezels te praten.'

Davina versomberde. 'Als het gaat over een seizoen in Londen: dat wil ik echt niet.'

'Ik weet dat je het niet wilt, lieverd.' Haar moeder leidde haar mee in de richting van de glinsterende rivier. 'Het is je gelukt om er vorig jaar onderuit te komen, maar dit jaar ontkom je er niet aan.' Ze hief haar rechterhand om alle protest tot zwijgen te brengen. 'Het spijt me, schat, maar het is een absolute noodzaak. Je kent niemand van jouw leeftijd in de Londense beau monde, en op zo'n manier kun je je weg door het leven niet vinden. Tegen het einde van je Londense seizoen zul je zoveel vrienden hebben dat je er je hele leven mee toe kunt.'

'Ik heb al vrienden. Ik heb Fawzia en Darius en de mensen met wie ik in het weeshuis werk...'

'Dat zijn alleen maar vrienden uit Caïro, en heel eerlijk gezegd zijn ze niet allemaal even gepast. Maar daar hebben we het een andere keer nog wel over. Waar ik het nu met je over wil hebben is dat we moeten zorgen dat je nooit over gebrek aan uitnodigingen voor weekendfeesten en bals te klagen hebt en dat je deel gaat uitmaken van een clubje waarmee je altijd naar de steeplechase en naar Ascot en Cowes kunt...'

'Maar ik weet zeker dat ik helemaal nooit naar weekendfeesten en bals en paardenraces toe wil! Zo ben ik helemaal niet! Ik zie absoluut niet in waarom ik drie maanden lang in Londen naar allerlei bals toe zou moeten waar ik helemaal niet heen wil! En ik wil al helemaal niet meedoen aan idioot gedoe als zo'n stomme buiging voor de koning met veren in mijn haar gestoken! Petra vond dat misschien wel leuk, maar ik niet!'

'Het is helemaal geen idioot gedoe, Davina. Het is een ceremonie. Daar zit verschil tussen.'

'Nou, ik zie het verschil niet.'

Ze bleven staan en keken over het water uit, Davina opstandig en Delia vastbesloten. Vanaf de andere kant van het water bereikte hen het gebrul van de leeuwen uit de dierentuin op het eiland Gezira.

Haar moeder zei uiteindelijk op een vriendelijke toon, die echter geen tegenspraak duldde: 'Als ik over vier weken uit Caïro vertrek, ga jij met me mee. Maar nu moet ik me haasten als ik me nog wil baden en omkleden voor ik naar het tennistoernooi ga. Ik hoorde van Adjo dat jij er met Fawzia heen gaat.'

'Ja.' Davina knikte in het besef dat ze de strijd over de ezel had gewonnen, maar de strijd die er echt toe deed had verloren. Als haar moeder zich eenmaal iets in haar hoofd had, dan kreeg niemand het eruit. Al vond ze het nog zo vreselijk, Davina zou een heel seizoen in Londen moeten zien door te komen en daar allerlei dingen moeten doen die ze haatte. Het enige goede was dat ze nog vier weken de tijd had om contact te leggen met mevrouw Dorothy Brooke.

'Maar je boft juist ontzettend!' zei Fawzia toen ze over de Kasr el Nil-brug naar het eiland Gezira reden. 'Ik zou er werkelijk alles voor over hebben om op Buckingham Palace aan koning George en koningin Mary te worden voorgesteld! Denk eens aan al die feesten! Denk eens aan al die knappe, rijke jonge mannen die je daar zult ontmoeten!'

'Als ik aan ze denk weet ik wel bijna zeker dat ik ze dodelijk saai zal vinden.'

Fawzia, die een rechte jurk droeg van rode zijde met een zware gouden gordel om haar middel, schudde ongelovig haar hoofd. 'Dat meen je niet, Davina. Niemand zou er zo over denken. Je bent gék als je er zo over denkt.'

'Dan ben ik maar gek,' zei Davina onverschillig. Ze wist dat

Fawzia nooit zou denken als zij, al waren ze nog zo lang met elkaar bevriend. 'Waarom vraag je je vader niet of je met me mee mag naar Londen? Dat zou het voor mij wat draaglijker maken en het wordt ook tijd dat je eens ziet hoe het er in de Londense high society aan toe gaat.'

Fawzia hapte naar adem bij dit duizelingwekkende idee. 'O, Davina! Dat zou geweldig zijn! Ik zou Londen zó graag een keer zien! En Jack is daar nu, toch?' Meteen versomberde haar gezicht weer toen een andere gedachte bij haar opkwam. 'Zal mijn vader het wel goedvinden? Ik zou een chaperonne moeten hebben. Hij laat me zonder chaperonne nooit ergens naartoe gaan. Ik weet hoe vreselijk je het vindt om in een auto met chauffeur naar de club te gaan, maar mijn vader staat er nu eenmaal op. En je moet je niet beledigd voelen, hoor, maar hij heeft weinig vertrouwen in je moeders kwaliteiten als chaperonne. Hij vindt het ronduit schokkend dat ze jou gewoon in Caïro laat rondzwerven. Dus zou het heel goed kunnen dat hij me niet laat gaan!'

'Dan moeten we je vader gewoon vertellen dat niet mijn moeder, maar mijn tante Pugh, de oudere zus van mijn vader, je onder haar hoede zal nemen.'

Fawzia's fijne gezichtje kreeg een hoopvolle uitdrukking. Haar vaders bewondering voor lord Conisborough kende geen grenzen en dat zou zich ongetwijfeld ook uitstrekken tot diens bloedverwanten. Natuurlijk zou hij instemmen met lady Pugh als chaperonne, dat kon toch niet anders?

'O hemeltje! Wat zou dat prachtig zijn!' zei ze extatisch, terwijl de limousine het perfect onderhouden terrein van de club op reed. 'Je moeder is bevriend met de prins van Wales, toch? Dat betekent dat ik hem dan waarschijnlijk ook zal ontmoeten. Hij houdt erg van vrouwen met donker haar. Ik heb foto's gezien van lady Dudley en lady Furness. Ik ben veel mooier dan zij en... O, Davina, zou het niet hemels zijn als ik prinses van Wales werd!'

Davina dacht aan wat Petra had losgelaten over de voorkeur van de prins voor getrouwde vrouwen met veel seksuele ervaring, en achtte dit daarom hoogst onwaarschijnlijk. Maar ze was zo aardig het niet te zeggen. Naar haar idee zou prins Edward er niet zo slecht aan doen voor Fawzia te vallen. De gedachte dat de toekomstige koningin een Egyptische zou zijn beviel haar wel.

Terwijl ze op weg waren naar hun plaatsen op de drukke tribune trokken ze veel aandacht naar zich toe. Fawzia werd altijd nagekeken, terwijl Davina, met haar blonde haar, slanke figuur en haar eenvoudige appelgroene jurk met witte noppen, ook de nodige bewonderende blikken kreeg toegeworpen, echter zonder dit zelf in de gaten te hebben.

Ze zwaaide naar Petra, die met haar vriendinnen enkele rijen achter hen zat. Haar moeder en vader zaten op de voorste rij met Zubair Pasha. Aan de overkant van de tennisbaan zag Davina de ranke gestalte van Kate Gunn.

Een golf van vrouwelijke opwinding trok door de menigte toen Darius de baan op kwam. Davina begreep wel waarom.

Hij keek op naar de tribune en ze wist dat hij wilde zien of zij er was. Ze zwaaide niet naar hem, omdat ze wist dat hij dat vreselijk zou vinden. In plaats daarvan zond ze hem een discreet signaal door even haar duimen op te steken. Hij knikte haar nauwelijks merkbaar toe en richtte vervolgens al zijn aandacht op de wedstrijd.

Zijn tegenstander, de heersend kampioen, vocht als een leeuw, maar toch werd het een eenzijdig spelletje. Darius maakte hem in met 6-1, 6-2 en 6-2, bijna zonder een fout te maken.

Nog nahijgend ontving hij de trofee uit handen van de plaatsvervangende hoge commissaris. Davina wist dat de opgetogenheid die Darius tentoonspreidde niets met de wedstrijd te maken had. Dat hij als Egyptenaar met overmacht won van een Britse tegenstander in een club die heel weinig Egyptenaren als lid toeliet, was zijn eigen manier om zijn tong uit te steken naar mensen als sir Percy en haar vader.

Terwijl hij de trofee omhooghield, werd hij omringd door een menigte mensen die hem feliciteerden. Ze deed niet eens een poging zich in het gewoel te mengen. Ze zou hem later zien, als ze samen waren.

Die nacht kon ze niet slapen. Terwijl ze in het donker lag, met de ramen van haar kamer boven het terras geopend, kwamen de stemmen van haar ouders haar richting uit gezweefd. 'Ik vind Ramsay McDonald een mispunt,' zei haar moeder over de premier. 'Ik vind het gewoon oneerlijk dat hij eist dat jij nog twee jaar blijft, tot Farouk zestien is. Dat is toch zeker een taak van sir Miles Lampson?'

'Sir Miles is Percy Loraine als hoge commissaris opgevolgd omdat hij uit militair hout is gesneden. Maar Farouk heeft geen militaire opleiding nodig. Dat is de reden dat ik blijf.'

Er viel een lange stilte en toen zei haar moeder: 'Waarom vond onze regering het eigenlijk nodig een militaire figuur naar Egypte te sturen?'

'Dat is nodig omdat gewelddadige splintergroeperingen die zich van de WAFD hebben afgesplitst sterk in opmars zijn, Delia.'

'Ik wist niet dat de situatie zoveel slechter was geworden.'

'De jonge, hoogopgeleide Egyptenaren die voornamelijk achter het straatgeweld zitten, zijn gevaarlijk aan het worden. Het valt niet mee om de beweging in te dammen en we mogen blij zijn dat de koning nog altijd sterk pro-Brits is. Als dat niet zo was, zouden de zaken er heel anders voorstaan.'

'Daarom is het noodzakelijk dat je invloed blijft uitoefenen op prins Farouk?'

'Ja, Delia. Het spijt me. Ik weet hoe vreselijk je het vindt om hier te zijn.'

'Ach, sinds ik mijn tijd kan verdelen tussen Caïro en Londen vind ik het niet meer zo erg. In Londen is het allemaal ook niet even plezierig.' Haar moeder klonk terneergeslagen. 'Jerome heeft nog steeds een verhouding met die Duitse vriendin van Petra, die veel meer tijd in Londen doorbrengt dan in Berlijn.'

Haar vader zuchtte en zei toen: 'Kate krijgt problemen als ik weer naar Londen wordt overgeplaatst. Dat er in Caïro geroddeld wordt is tot daaraan toe, maar Londense kwaadsprekerij is van een heel ander kaliber.' Hij lachte vreugdeloos. 'We hebben onszelf het leven niet echt gemakkelijk gemaakt, hè, Delia?'

'Nee, Ivor.' In Delia's stem klonk een hevige emotie door, die Davina niet kon plaatsen. 'Ik geloof dat we dat inderdaad rustig kunnen stellen.'

Davina, die het laatste deel van het gesprek niet begreep, doezelde weg, onrustig bij de gedachte aan de gewelddadige nationalistische groeperingen – en de mogelijkheid dat Darius er deel van uitmaakte.

14

$\mathcal{D}$e reis naar Londen had voor Davina helemaal niets plezierigs. Zelfs een bezoek met haar moeder aan haar favoriete modeontwerpster, Madeleine Vionnet, deed haar niets. Het enige wat Davina wilde was weer in Caïro zijn, vooral nu ze contact had gelegd met mevrouw Brooke en bij de opvang van dieren van de straat was gaan helpen.

'Over slechts enkele maanden zullen we een hospitaal hebben waar onze arme oorlogspaarden een genadig einde zullen krijgen,' had mevrouw Brooke op felle toon gezegd. 'Op het ogenblik kunnen we de paarden die we opkopen slechts in een tijdelijke stal onderbrengen, maar het begin is er, lady Davina. Als we eenmaal gezorgd hebben voor alle arme uitgeputte ex-cavaleriepaarden die moeten werken in een hitte waarvoor ze nooit gefokt zijn, dan wordt onze volgende stap het zorgen voor voldoende watertroggen en schaduwplaatsen voor de dieren in de straten van Caïro.'

Davina brandde van verlangen om bij dit werk betrokken te worden. Geen van de prachtige avondjurken die ze aantrok – en zelfs zij wist dat ze er adembenemend mooi in uitzag – kon goedmaken dat ze niet in Caïro was.

Uit respect voor haar moeder doorstond ze het ritueel van haar entree in de grote wereld zo lijdzaam mogelijk. Er waren evenementen bij waar ze oprecht enorm van genoot, zoals de opening van de zomerexpositie van de Koninklijke Academie en een opera in Covent Garden. Maar de meeste uitjes – de oneindige reeks bals en feesten waarop ze steeds weer dezelfde mensen tegenkwam – vond ze onuitstaanbaar. Het enige leuke eraan was dat Fawzia het zo geweldig naar haar zin had. Op elk bal waar ze verscheen trok ze met haar exotische uiterlijk enorm de aandacht, wat Davina's mededebutantes maar slecht konden verdragen.

'Ze is niet eens geïntroduceerd, dus zou ze niet steeds moeten worden uitgenodigd,' klaagden ze herhaaldelijk.

Davina had te doen met de mopperende meiden. Ze waren er allemaal op uit een zo rijk en voornaam mogelijke partij te strikken, en het moest niet leuk voor ze zijn te horen dat Fawzia zo ongeveer elke week een huwelijksaanzoek kreeg. Maar haar medelijden weerhield haar er niet van te eisen dat Fawzia ook werd uitgenodigd als zij zelf voor een feest werd gevraagd.

'Ze is gepresenteerd aan het hof van haar eigen vorst, koning Fouad, daar gaat het om,' zei ze steeds luchtig, hoewel ze niet wist of het wel waar was wat ze zei. Het maakte haar ook niet uit.

Juist toen ze meende dat ze niet nog een hele week vol feesten zou kunnen verdragen vroeg haar moeder haar: 'Je gaat vanavond toch naar het bal op Dartington House, Davina?'

'Als het dan moet van u.' Het lag niet in haar aard om ergernis te laten blijken, maar soms kon ze er niets aan doen. 'Waarom?'

'Omdat ik vanavond een heel speciaal intiem dineetje geef. Prins Edward is de eregast en ik dacht zo dat jij en Fawzia je voor jullie vertrek bij ons zouden kunnen voegen voor een cocktail.'

'Geweldig! Ik heb hem niet meer gezien sinds u me als klein meisje meenam naar Sandringham. En Fawzia... die smacht ernaar om aan hem te worden voorgesteld. Wie zijn uw andere gasten?'

'De Metcalfes. Lord Denby. En Wallis Simpson.'

Davina was minder geïnteresseerd in het sociale leven van

haar moeder dan Petra, maar zelfs zij zag in dat er iets eigenaardigs was aan de gastenlijst. 'Meneer Simpson komt niet?'

'Ernest heeft het druk met zijn zakelijke aangelegenheden,' zei haar moeder. Ze keek een beetje ongemakkelijk.

Davina fronste. Haar moeder zou toch geen dineetje organiseren om een affaire tussen haar vriendin en de heer Denby te vergemakkelijken? Ze wist dat Wallis Simpson slechts een jaar of twee jonger was dan haar moeder, terwijl lord Denby volgens Delia al bejaard was en beverig op de koop toe. 'Sorry, ik begrijp niet helemaal wat...'

'Ik ook niet, lieverd,' zei haar moeder droogjes. 'Ik weet alleen dat Wallis net terug is van een reisje naar de States en dat David... prins Edward me heeft gevraagd vanavond een partijtje te organiseren en Wallis uit te nodigen.'

Davina staarde haar aan. 'Bedoelt u dat hij Wallis wil ontmoeten?'

'Nee, lieverd, dankzij Wallis' vriendschap met Thelma Furness verkeren de Simpsons en David al op vriendschappelijke voet. Ze zijn al verscheidene malen bij hem te gast geweest op Fort Belvedere. Ik denk dat het etentje vanavond is bedoeld als welkomstfeestje voor haar.'

'O, ik begrijp het,' zei Davina, al was dat helemaal niet zo. Ze haalde haar schouders op. Haar moeders vrienden en haar moeders sociale leven gingen haar immers niet aan. Davina zat er meer over in hoe ze de rest van het seizoen moest doorkomen.

Verrassenderwijs was het een zeer modieus ogende prins Edward die haar het antwoord verschafte.

'Toynbee Hall,' zei hij behulpzaam toen ze hem had verteld hoe ze in Caïro haar dagen vulde. 'Dat is in East End – Commercial Street, Whitechapel. Het radicaalste centrum voor sociale hervorming dat er maar bestaat.' De prins had een zeer verrassend accent. Hij praatte zeer geaffecteerd, maar vermengd met een vleugje cockney, en af en toe sprak hij ineens lijzig, op een pseudo-Amerikaanse manier. 'Ik ken die plek,' vervolgde hij, 'omdat een vriend van mij me er incognito mee naartoe heeft genomen. Het is een huis voor volksontwikkeling en de gedachte erachter is dat mensen die de armen willen helpen ook tussen de armen moeten wonen. Een goed idee, vind je ook niet? Als ik jou was, zou ik er eens langswippen. Je kunt je er vast nuttig maken.'

Davina was zo verbijsterd dat de prins van Wales haar een dergelijk advies gaf dat ze grote moeite had haar mond niet wijdopen te laten vallen. Haar moeder kon haar niet met goed fatsoen verbieden vrijwilligerswerk in Toynbee Hall te gaan doen als het op voorstel van de prins was. Hij had haar probleem opgelost en ze schonk hem een dankbare glimlach.

Hij glimlachte ontspannen terug, met een twinkeling in zijn ogen. Davina droeg schoenen met lage hakken, maar was toch nog langer dan hij, en hoewel ze best begreep dat vrouwen van over de hele wereld hem zo knap vonden als een Hollywood-ster, voelde ze zich niet tot hem aangetrokken. Ze vond hem te fijngebouwd en te jongensachtig, ook al had hij flinke wallen onder zijn ogen. Maar ze mocht hem wel. Hoe zou het ook anders kunnen sinds ze wist dat hij uit oprechte belangstelling een oord als Toynbee Hall had bezocht?

De Metcalfes en Wallis waren er nog niet. Fawzia deed haar uiterste best om indruk op prins Edward te maken. Die deed weliswaar zijn best om haar op haar gemak te stellen door te vertellen over een reis die hij naar Egypte had gemaakt, maar aan de manier waarop hij steeds naar de deur keek zag Davina dat hij aan heel andere dingen dacht.

Bellingham kwam discreet het vertrek binnen om aan te kondigen dat de auto van de Pughs er was om Davina en Fawzia af te halen. Hoewel het gebruik wilde dat niemand een ruimte verliet voordat de prins dat deed, accepteerde hij de verontschuldigingen van Davina en Fawzia op een soepele, bijna Amerikaans-informele wijze.

Fawzia praatte de rest van de avond alleen nog maar over

de prins, over zijn belangstelling voor Egypte, over zijn knappe uiterlijk.

Gwen, die niets moest hebben van prins Edwards gescharrel met getrouwde vrouwen als Freda Dudley Ward en Thelma Furness, verdroeg Fawzia's lofzangen knarsetandend. Davina luisterde er nauwelijks naar. Ze was nog niet eens in Toynbee Hall geweest, maar haar besluit om er vrijwilligerswerk te gaan doen stond al vast. Als ze dat deed, moest ze het Londense societyleven van overdag vaarwel zeggen. Haar moeder zou daar op zijn zachtst gezegd niet blij mee zijn. Ook Fawzia zou teleurgesteld zijn, althans wanneer dit zou betekenen dat ook haar sociale leven werd ingedamd.

Davina beet op haar lip. Ze bedacht dat, als zij overdag niet aan allerlei uitjes deelnam, dat nog niet betekende dat Fawzia ze ook moest missen; Gwen begeleidde haar immers als chaperonne.

Een paar dagen later zei ze tegen Gwen en Fawzia dat ze wat tijd voor zichzelf wilde, waarna ze met de bus en met de ondergrondse naar een deel van Londen reisde waar geen van haar familieleden vermoedelijk ooit was geweest. Het leek wel alsof ze in een ander land terechtkwam.

Toen ze door Commercial Street in Whitechapel liep, moest ze denken aan Caïro. Het enorme onderscheid dat daar bestond tussen de elegante straten met paleisachtige villa's waar zij woonde en de smerige stegen en straten van de oude stad, bestond in Londen ook. Davina droeg een zeer bescheiden jurk in zuurstokdessin, maar toch viel ze enorm uit de toon, en daar was ze zich ook terdege van bewust.

De meeste mensen die in drommen langs haar heen liepen, hadden een joods uiterlijk en spraken een taal die ze niet verstond. In de kleine donkere winkeltjes werden fruit en groenten verkocht die ze niet kende, maar de lucht die overal op straat hing kende ze maar al te goed. Het was de stank van ongewassen lijven en goedkoop gebakken voedsel. De stank van de armoede.

Het was allemaal geen verrassing voor haar. Maar ze was wel verrast door Toynbee Hall. Ze had een beroet gebouw verwacht dat niet bij de omgeving afstak. Maar, van de straat gescheiden door een rijtje armoedige pakhuizen, was het eerste wat ze ervan zag een elizabethaans poortgebouw met een erker.

Geïntrigeerd liep ze door de boogvormige entree en kwam toen bij een groot gebouw van rode baksteen in tudorstijl, waarvan de muren met klimop waren begroeid. Het lag aan een klein vierhoekig plein, bezat puntgevels, hoge schoorstenen en prachtige glas-in-loodramen.

Ze voelde zich bemoedigd, trok haar schoudertas wat hoger en liep op de open deur af.

Enkele ogenblikken later stond ze in wat haar de receptieruimte leek, te praten met een vrouw van middelbare leeftijd in een twinset met parelketting. De vrouw monsterde haar weifelend. 'Vrijwilligerswerk? Hebt u al eens vrijwilligerswerk gedaan in een ernstig verpauperde buurt? Hier in Whitechapel moet stevig worden aangepakt. Het is niet alleen maar theezetten en koekjes uitdelen. U lijkt me ook nog erg jong, als ik het zeggen mag.'

Davina keek haar vrijmoedig in de ogen. 'Ik ben bijna negentien en ik heb heel veel ervaring met het werken in een zeer verpauperde omgeving.'

Een troep kwetterende kinderen liep langs hen heen.

'Is het werkelijk?' vroeg de vrouw toen de kinderen voorbij waren. 'En waar was dat dan?'

Een aardig uitziende man met een bril, ongeveer dertig jaar oud en gekleed in een pak van goede tweed, kwam met een dokterstas in zijn hand uit een kamer gesneld en pakte een dossier van de receptiebalie.

Davina wist dat de vrouw verwachtte iets onnozels te zullen horen, in de trant van 'in het mindere deel van Piccadilly,' antwoordde vriendelijk: 'Caïro. De oude stad. De achterbuurten van Whitechapel mogen dan vreselijk zijn, maar erger dan de achterbuurten van Fustat of Khan el Khalili zijn ze beslist niet.'

'Caïro?' De jonge man draaide zich naar haar om, een en al interesse. 'Dat klinkt wel als een goede leerschool, vindt u ook niet, juffrouw Scolby?' In zijn stem hoorde ze de brouwende 'r' van de Schotse Hooglanden, en zijn rode haar verried zijn Keltische achtergrond. 'Wat voor vrijwilligerswerk hebt u daar gedaan, juffrouw...?'

Davina nam in een fractie van een seconde het besluit om niet 'lady Davina Conisborough' te zeggen, maar gewoon: 'Conisborough. Davina Conisborough. Ik heb in een Brits weeshuis gewerkt.'

'Dus u kunt goed met kinderen omgaan?'

Juffrouw Scolby, die verschrikt had gereageerd toen Davina Caïro noemde, perste haar lippen opeen. Ze vond het duidelijk niet leuk dat het vraaggesprek haar uit handen werd genomen.

'Ja,' zei Davina, die zich niets aantrok van de gepikeerdheid van de vrouw.

'Gaat u dan met mij mee, als u de rest van de middag vrij hebt tenminste. Mijn vrouw assisteert me meestal, maar ze is bij haar ouders in Schotland op bezoek en komt pas eind van de week terug. Hebt u verpleegervaring?'

Ze schudde haar hoofd.

'Dat hoeft ook niet. Ik ga zo naar een school in de buurt om de kinderen medisch te onderzoeken. Het gaat om kinderen van vijf tot acht jaar en sommige moeten een beetje gerustgesteld worden. Ik zou me kunnen voorstellen dat u daar erg goed in bent.'

'Ja.' Davina was de dochter van haar moeder en het zou niet bij haar opkomen valse bescheidenheid ten toon te spreiden.

Hij grijnsde haar vriendelijk toe. 'Laten we dan gaan.' Hij stak het dossier onder zijn arm en ging haar voor het gebouw uit. Onderwijl zei hij: 'Ik kan me maar beter voorstellen. Ik ben Fergus Sinclair. Aileen en ik zijn tamelijk nieuw in Toynbee. Zal ik u het een en ander over ons werk vertellen?'

'Nee, Davina,' zei haar moeder toen Davina thuiskwam, 'geen denken aan. Dat je je in Caïro nu en dan bezighoudt met liefdadigheidswerk is tot daaraan toe, maar voor onbetaald verpleegster spelen in het Londense East End is iets heel anders. De hemel mag weten wat je allemaal hebt opgelopen bij die kleine kinderen. Er zaten er vast bij met hoofdluis.'

'Ze hadden allemaal hoofdluis... en zweren, en huiduitslag. En ze waren bijna allemaal ondervoed.'

'Ondervoed?' De belangstelling van haar moeder was gewekt.

'Ondervoed,' herhaalde Davina met klem. 'In East End zijn sommige mannen al zo lang werkloos dat hun vrouw niets anders op tafel kan zetten dan brood met gesmolten spek en thee met gecondenseerde melk. En omdat de kinderen zo slecht te eten krijgen, zijn ze vatbaar voor ziekten. Dokter Sinclair en zijn vrouw voeren een inentingsprogramma uit. Daarbij kan ik helpen. De kinderen van East End zijn niet gewend aan dokters, en ze zijn al helemaal niet gewend aan injectienaalden. Ik ga mee 'om ze gerust te stellen' zoals dokter Sinclair het noemt, en ik kan mevrouw Sinclair ook helpen. Ze heeft een erkend verpleegstersdiploma.'

Ze bevonden zich in haar moeders slaapkamer en Delia zat achter haar kaptafel. Ze trommelde met haar roodgelakte nagels op het art-deco oppervlak.

'Je moet niet denken dat ik het erg vind dat je liefdadigheidswerk doet,' zei ze uiteindelijk. 'Ik ben blij dat je sociale geweten goed ontwikkeld is en dat je iets wilt doen voor mensen die het slechter getroffen hebben dan jij. Maar deze zomer, halverwege het seizoen waarin je debuteert... Het is er gewoon niet het juist moment voor. Gesnopen?'

Haar moeder drukte zich niet vaak meer op een platte manier uit. Davina wist dat ze het nu deed omdat ze van slag was.

Ze haalde even diep adem en deed vervolgens haar best haar moeder er een beter gevoel over te geven. 'Voor mijn seizoen maakt het niet veel verschil,' zei ze. Ze ging naast haar moeder op het bankje voor de kaptafel zitten en legde haar arm om Delia's middel. 'Als u goedvindt dat ik overdag dokter Sinclair ga helpen, dan beloof ik dat ik braaf naar alle avondevenementen zal gaan.'

'Naar meestal zijn die evenementen pas in de vroege uurtjes afgelopen. Hoe kom je dan aan voldoende slaap?'

'Dat komt heus wel goed.' Ze kuste haar moeder op haar wang, want ze wist dat ze haar zin zou krijgen. 'En om je te laten zien hoeveel ik van je hou, zal ik vanavond op je cocktailparty acte de présence geven. Waar is Fawzia? Als onze avond vroeger dan anders begint, moet ze dat wel weten, natuurlijk.'

'Jack heeft haar meegenomen naar een tentoonstelling in de Tate Gallery.'

'Zonder chaperonne?' Dit keer was het Davina die haar wenkbrauwen fronste.

Haar moeder reikte naar haar parfum. 'Ja. Voor een keertje is het niet erg. Ze zijn een leuk stel samen en als Jack haar een aanzoek zou doen – en ik zou niet weten waarom niet, ze heeft al zoveel huwelijksaanzoeken gekregen – dan denk ik dat Zubair Pasha hun zijn zegen zou geven.'

Davina had bijna gezegd dat Jack misschien nog verliefd was op Petra, maar deed het niet. De paar keer dat ze met haar moeder over Jack en Petra had proberen te praten, was Delia onmiddellijk over iets anders begonnen.

Een wolk 'Joy' van Jean Patou omhulde hen en Delia stond op.

Als haar moeder voor koppelaarster wilde spelen, dan was dat natuurlijk best. Petra zou het niet raken. Die had maar al te duidelijk gemaakt dat ze niet meer van Jack hield. Wat in Davina's ogen ontzettend jammer was, want een betere zwager dan Jack kon ze zich niet voorstellen.

De eerste persoon die Davina beneden op de cocktailparty zag, was de donkerogige, donkerharige Baba Metcalfe. Baba was de dochter van wijlen lord Curzon, een man die innig bevriend was geweest met haar vader. Door de jaren heen had Davina haar vaak ontmoet. Maar de verschijning van Baba's man bracht haar van haar stuk.

Ze had zich Fruity Metcalfe voorgesteld als een goedmoedig type. Maar de zwaargebouwde man die zijn arm van Baba's middel haalde om Davina een hand te geven, had een uitstraling van macht. Zijn haar was net zo donker als dat van Baba, en hij had een abnormaal bleke huid, maar hij had een uitstraling van intense kracht, die ze overweldigend vond.

'We hebben elkaar nog nooit ontmoet, maar ik ken je moeder al jaren,' zei hij, terwijl hij haar hand veel langer dan nodig in zijn krachtige greep hield. 'Ze vertelde me dat je veel meer met het exotische Egypte op hebt dan met het saaie Londense leven.'

Zijn doordringende donkere ogen gleden over haar gezicht en bleven toen op zo'n overduidelijk seksuele manier op haar mond rusten dat ze vuurrood werd.

Zijn lippen gingen vaneen en hij glimlachte – en ze wist dat hij erg ingenomen was met het effect dat hij teweegbracht.

'Ik geef de voorkeur aan Egypte, omdat ik het als mijn thuisland ervaar,' zei ze, zichzelf dwingend om zijn hypnotiserende blik te ontwijken.

Baba was niet meer bij hen in de buurt. Aan de andere kant van de kamer stond Fawzia dicht bij Jack. Die was verdiept in een gesprek met de Argentijnse ambassadeur in Groot-Brtittannië. Fawzia keek naar Jack met een uitdrukking die aangaf dat Delia wel eens gelijk zou kunnen hebben. Mogelijk zou Fawzia een aanzoek van Jack wél accepteren.

'Ben je wel eens in Duitsland geweest?' vroeg Baba's echtgenoot. Zijn seksuele aantrekkingskracht spoelde met golven over haar heen. 'Ik denk dat je het er erg naar je zin zou hebben. Onder Hitler krijgt de jeugd steeds meer aandacht. In Groot-Brittanië zou hetzelfde moeten gebeuren.'

Ze wilde net zeggen dat ze nog nooit in Duitsland was geweest, en zich dan verontschuldigen om aan hem te ontsnappen, toen Jerome binnenkwam, die iets opvallender dan anders hinkte. Toen hij hen zag, kwam hij naar hen toe.

'Hallo, Davina,' zei hij met een glimlach vol genegenheid. 'Ik heb nog niet veel van je gezien sinds je in Londen bent. Misschien moeten we daar eens wat aan doen. Zeg, Tom, ik dacht dat jij nog in Italië was om Mussolini eer te bewijzen.'

'En ik dacht dat jij in Duitsland was, met Brunhilde.'

Jerome haalde even licht zijn schouders op. 'Als je Magda bedoelt, dan kan ik je zeggen dat ik eerder in het jaar in Berlijn ben geweest om een tijdje met haar door te brengen. Maar ik ga niet nog eens. Anders dan jij ben ik geen bewonderaar van Hitler, en wat daar gebeurt bevalt me helemaal niet. Magda bevalt het wel, dus ik ga niet meer met haar om. Als je me nu wilt excuseren, Tom, dan neem ik Davina mee naar een rustig hoekje om de laatste familieroddels door te nemen.'

Met zijn hand onder haar arm leidde hij haar zo ver mogelijk bij Fruity vandaan.

'Dank u wel, oom Jerome,' zei ze. Haar zenuwen speelden haar nog parten. 'Ik kreeg helemaal de kriebels van hem. Ik had het echt benauwd en wist niet wat ik moest doen.'

'Dat verbaast me niets. Tom is een enorme versierder. Als ik jou was, zou ik een flink eind bij hem uit de buurt blijven. Wat wil je drinken? Wil je een cocktail – volgens mij is de gin fizz die Delia staat te mixen dodelijk – of hou je het bij champagne?'

'Ik hou het bij champagne. Waarom noemen zoveel mensen Tom Fruity? Die naam past helemaal niet bij hem. Hij is veel te grappig voor iemand die eruitziet als de demon in eigen persoon.'

'Het antwoord luidt dat ze hem helemaal geen Fruity noemen,' zei hij geamuseerd. 'De enige Fruity is Fruity Metcalfe.'

'Maar met wie heb ik dan net gesproken?' vroeg ze, omkijkend naar de plaats waar de demon in eigen persoon weer gezelschap van Baba had gekregen.

'Sir Oswald Mosley. Tom is zijn bijnaam. En hij is beslist niet Baba's echtgenoot, maar haar zwager. Zijn vrouw, Cimmie, is enkele maanden geleden gestorven.'

Davina's moeder, die er fantastisch uitzag in een japon van limoengroen chiffon, die haar slanke figuur nauw omsloot maar waarvan de rok om haar heen zwierde alsof de wind ertegenaan blies, liep met twee glazen gin fizz naar Baba en Tom. Toen ze hen de drankjes aanreikte, zag Davina hoe Tom zijn vrije hand opnieuw om Baba's middel legde.

Als Jerome ook zag wat Davina van een choquerende intimiteit vond getuigen, dan zei hij er niets van.

'Vertel me eens wat je van je eerste uitgaansseizoen vindt,' zei hij, met dezelfde oomachtige interesse voor haar bezigheden als altijd. 'Normaal gesproken zou je moeder me op de hoogte hebben gehouden, maar ik heb haar de laatste tijd niet vaak gezien.' Er klonk diepe spijt door in zijn stem en zijn met goud gespikkelde ogen waren niet langer op haar, maar op haar moeder gevestigd. Delia stond weer als een echte expert cocktails te shaken. 'Ik ben van plan daar iets aan te gaan doen.'

Twee weken later kwam Aileen Sinclair terug uit Schotland. Ze was lang, had hoekige kaken en hoge jukbeenderen, en een grote bos donker haar. Net als Fergus droeg ze kleren die van goede kwaliteit waren maar betere dagen hadden gekend. Haar gespikkelde mauve rok van tweed was verschoten en haar roze twinset had de wasserij veel te vaak van binnen gezien. Ze droeg platgehakte, onelegante sandalen.

'Wij worden een geweldig team, Davina,' zei ze met een brede, hartelijke glimlach, en Davina wist op hetzelfde moment dat ze een vriendin had gevonden die, anders dan Fawzia, haar hartstocht om mensen te helpen deelde.

'Fergus vindt dat je zou moeten leren om zelf in te enten, dus ik heb een paar sinaasappels meegenomen zodat je kunt oefenen. Heb je altijd al belangstelling voor de verpleging gehad?'

'Ja... Alleen wilde ik toen ik klein was heel graag dokter worden. Maar ik kwam erachter dat ik daar niet intelligent genoeg voor ben.'

'Dan word je toch verpleegster? Je zou de opleiding in Guy's Hospital kunnen volgen. Maar laat nu eerst maar eens zien hoe je deze sinaasappel doorboort.'

Opnieuw vrolijk glimlachend gaf haar nieuwe vriendin haar een sinaasappel en een injectiespuit aan.

15

*D*e volgende twee weken genoot Davina elk uur van elke dag. Ze verliet het huis 's ochtends voordat de anderen wakker waren en reisde dan met het openbaar vervoer naar Whitechapel. Terwijl Fawzia met Gwen – en soms met Jack – evenementen *de rigueur* bezocht, zoals het tenniskampioenschap van Wimbledon, vergezelde Davina de onvermoeibare Fergus en Aileen op hun talloze rondes.

Aanvankelijk had ze gedacht dat dit het enige was wat er vanuit Toynbee Hall georganiseerd werd.

'Hemel, nee,' zei Fergus toen ze iets in die richting had gezegd. 'Toynbee heeft veel bredere doelstellingen. Het is een groots opgezette sociale werkplaats, Davina.'

Ze hadden even pauze genomen tijdens de behandeling van de schijnbaar eindeloze stroom van luizen vergeven kinderen. Fergus legde zijn handen om zijn beker thee. 'Een van onze belangrijkste doelen is educatie. Het hele jaar door worden er lessen georganiseerd voor werklozen, geheel gratis uiteraard. Wekelijks zijn er ook debatten – waaraan vaak vooraanstaande politieke figuren deelnemen. Dan is de Hall tot de nok toe gevuld.'

Hij zette zijn beker neer, nam zijn bril af en kneep in de brug van zijn neus. 'Een van onze belangrijkste uitgangspunten is dat er bij educatie sprake zou moeten zijn van tweerichtingsverkeer. Hoe kunnen politici bijvoorbeeld armoede en werkloosheid bestrijden als ze nooit zelf hebben ervaren wat het is om arm en werkloos te zijn? Door een paar weken in Toynbee Hall door te brengen maken ze er kennis mee. Mensen die op Toynbee zijn geweest, kunnen werkelijke veranderingen doorvoeren.'

Hij glimlachte wrang. 'Ik zou alleen willen dat meer leden van de nutteloze aristocratie van dit land hun voorbeeld zouden volgen in plaats van hun tijd te verdoen met het drinken van cocktails en het bezoeken van bals die zo kostbaar zijn, dat met het geld voor één van die bals half Whitechapel een goede maaltijd zou kunnen krijgen. Hoe kunnen die mensen leven op de manier zoals ze doen, in hun enorme huizen en uitgestrekte landgoederen, terwijl de meeste Britten niet eens een kraan of verwarming in huis hebben? Het is mij een raadsel.'

Hij grijnsde verontschuldigend toen hij de ontdane uitdrukking op haar gezicht zag. 'Sorry, het was niet mijn bedoeling zo door te draven. Het is gewoon een onderwerp dat me erg hoog zit. Ik geloof dat we maar weer eens aan het werk moeten, anders zijn we om middernacht nog niet klaar en dat vindt Aileen niet leuk. Haal je ons volgende met snottebel behangen patiëntje even?'

Ze bedacht achteraf dat ze hem over haar bevoorrechte achtergrond had moeten vertellen, maar wist niet hoe ze weer over het onderwerp moest beginnen. Er speelde ook nog iets anders.

In Whitechapel woonden veel joodse immigranten. De taal die ze op straat had gehoord toen ze de eerste keer van station Aldgate East naar Toynbee Hall was gelopen, was Jiddisch. Op bijna elke hoek stond wel een synagoge. En het kwam dagelijks voor dat leden van sir Oswald Mosley's nieuw-opgerichte en snelgroeiende Britse Unie van Fascisten gewelddadige aanvallen op joden uitvoerden.

'Het zal alleen nog maar erger worden,' had Aileen zeer ernstig tegen haar gezegd. 'Zijn fascistische Hitler-achtige retoriek spreekt bullenbijters en schurken aan, vooral als ze kunnen paraderen in hun zwarte hemden en met stramme arm een soort nazigroet kunnen brengen.'

Steeds als Davina aan sir Oswald Mosley dacht, bekroop

haar een onbehaaglijk gevoel. Als Fergus en Aileen ontdekten dat Mosley vaak bij haar thuis kwam binnenvallen op het cocktailuur, zouden ze niets meer met haar te maken willen hebben.

'Heb je er nog over gedacht je op te geven voor de verpleegstersopleiding in het Guy's?' vroeg Aileen op een dag toen ze gedrieën zaten te lunchen. 'Fergus zou het dan zonder jou moeten stellen, maar we kunnen elkaar toch nog vaak genoeg zien. Leerling-verpleegsters worden niet meer zo kort gehouden als vroeger. Je zult af en toe best van het ziekenhuisterrein af mogen.'

Ze zaten op de binnenplaats van Toynbee Hall. Naast hen stond een grote bak met feloranje Oost-Indische kers en een bij zoemde van bloem naar bloem.

Davina haalde even diep adem en zei toen: 'Ik ga me wel opgeven, maar niet in het Guy's.'

'Niet in het Guy's?' Aileen keek haar stomverwonderd aan. 'Maar Guy's Hospital is het beste opleidingsziekenhuis dat er bestaat! Hoe kun je nu ergens anders heen willen? Je komt toch uit Londen?'

'Eigenlijk niet, Aileen. Ik ben hier wel geboren, maar ik woon hier niet. Ik ben deze zomer alleen maar hier omdat... vanwege het seizoen, omdat mijn moeder erop stond.'

Aileen knipperde met haar ogen. Fergus zei alleen maar: 'Je moest van je moeder hier zijn vanwege het seizoen? Dat begrijp ik niet, Davina. Leg eens uit.'

'Seizoen met een hoofdletter "S", Fergus. Het is iets van de high society,' voegde ze er ongelukkig aan toe. 'Introductie aan het hof en... meer van dat soort poespas.'

Aileens mond viel open. 'Bedoel je dat je debutante bent? Een van die jonge vrouwen die met hun foto in *Tatler* staan?'

Davina knikte en wachtte op een vijandige reactie van de andere twee.

Maar Aileen en Fergus waren allesbehalve onvriendelijk.

'Maar hoe krijg je dat in gódsnaam voor elkaar als je elke dag zulke lange uren maakt? Debutantes moeten toch van het ene feest naar het andere, en naar Henley en Ascot en zo?'

Ongelovig maar dankbaar realiseerde Davina zich dat Aileen alleen maar geïntrigeerd was, niet boos.

'Ja, maar omdat ik hier werk hoef ik van mijn moeder niet naar Henley en Ascot en zo. Ik moet wel naar een heleboel debutantenbals. Het zou van heel slechte manieren getuigen als ik het niet deed.'

'Mijn hemel! Maar kom je dan wel aan slapen toe?'

'Nauwelijks.'

Ze keken elkaar aan en barstten toen tegelijkertijd in lachen uit.

Later, toen ze hun medische spullen bijeenpakten, vroeg Fergus aan haar: 'Gewoon uit nieuwsgierigheid, Davina. Wie is jouw vader dan? Hij moet behoorlijk rijk zijn.'

Davina wist inmiddels zeker dat haar achtergrond geen negatieve invloed op haar vriendschap met de Sinclairs zou hebben. Ze zei: 'Burggraaf Conisborough. Hij is Brits adviseur van koning Fouad. Daarom kan ik niet naar het Guy's Hospital. Ik zal een opleiding in Caïro moeten volgen.'

De Sinclairs staarden haar aan alsof ze de maan had gezegd in plaats van Caïro. Verdwaasd stopte Fergus zijn stethoscoop in zijn dokterstas en klikte die dicht.

'God in de hemel,' zei hij. 'Weet je vader wat je hier de afgelopen weken hebt gedaan?'

Davina, altijd de eerlijkheid zelve, weifelde. Sinds ze met haar werk in Toynbee Hall was begonnen, en 's avonds ook nog allerlei feesten af moest, had ze geen ogenblik tijd gehad om nog brieven te schrijven. 'Ik weet het niet. Mijn moeder zal hem er denk ik wel over geschreven hebben. Hij heeft er vast geen bezwaar tegen,' voegde ze eraan toe, toen ze de uitdrukking op Fergus' gezicht zag. 'Ik doe al heel lang vrijwilligerswerk.'

'Ik heb wel van Conisborough gehoord.' Ze stonden klaar

om de kleine kamer te verlaten die hun als kliniek diende. 'Hij is financier, toch?'

Davina schrok. 'Ja,' zei ze gealarmeerd. 'Maar hij is net zo toegewijd aan een leven van dienstbaarheid als jij en Aileen. Het is wel een ander soort dienstbaarheid, natuurlijk. Jullie wijden je aan mensen, mijn vader aan zijn land. Hij dient de Britse regering in Egypte, vaak onder zeer moeilijke omstandigheden, omdat zijn werk van groot belang is voor Groot-Brittannië.'

Fergus knikte, maar leek niet erg overtuigd.

'Is jouw moeder dan lady Conisborough, de beroemde Amerikaanse societygastvrouw?' vroeg hij, terwijl hij eindelijk zijn tas oppakte en naar de deur liep.

'Ze is Amerikaans, ja,' zei Davina. Ze sloegen een nauw straatje met kasseien in. 'En ze heeft een heleboel vrienden. Maar ik wist niet dat ze beroemd was.'

Fergus mat zich het air aan van een man die zaken tot op de bodem wenst uit te zoeken, en vroeg geduldig: 'Davina, is jouw moeder de lady Conisborough die bevriend is met sir John Simon, de Britse minister van Buitenlandse Zaken? En met Winston Churchill, die vroeger minister van Financiën was en die schijnbaar als enige in de regering beseft dat Hitler een grote bedreiging vormt voor de vrede? De lady Conisborough die al heel lang bevriend is met de prins van Wales?'

'Ja,' zei Davina weifelend, omdat ze niet goed wist wat zijn reactie zou zijn. 'Hoe komt het dat je zoveel over mijn moeder weet?'

'Het hele land kent jouw moeder. Hannen Swaffer van de *Daily Sketch* grijpt elke gelegenheid aan om over haar te schrijven. Het zou nooit bij me opkomen om *Tatler* te lezen, maar je kunt er de donder op zeggen dat zij er zo'n beetje elke maand in staat. Je moeder staat te boek als een van de grootste schoonheden van het land. Wist je dat niet?'

'Nee,' zei ze. Ze voelde zich nogal onnozel. 'Dat wist ik niet. En als mijn moeder het al weet, dan neemt ze het niet serieus.

Ze is veel te geïnteresseerd in een heleboel andere dingen om zich om haar uiterlijk te bekommeren.'

Een van die dingen die haar moeder erg interesseerde, was Aileen Sinclairs plan om een gratis kliniek voor vrouwen te openen.

'Vertel er eens wat meer over, Davina,' zei ze, terwijl ze met een dienblad met haar ontbijt op schoot in bed zat. 'Wordt het een gewone kliniek?'

'Nee.' Davina kwam op de rand van haar bed zitten. 'Het wordt een kliniek waar vrouwen terecht kunnen die al negen of tien kinderen hebben en die hen niet meer kunnen voeden als ze er nog meer krijgen.'

Haar moeder die net een kopje koffie voor zichzelf aan het inschenken was, knoeide op het geborduurde kleedje dat op het dienblad lag.

'Tjemig, Davina! Je bent een ongehuwde vrouw van twintig! Jij kunt vrouwen toch geen pessaria gaan aanmeten! Je vader zou een rolberoerte krijgen!'

Davina giechelde. 'Ik zou dat soort dingen niet eens mogen doen. Ik heb geen diploma. En trouwens, als de kliniek eenmaal gaat draaien is het seizoen al voorbij en ben ik weer in Caïro terug.'

Haar moeder keek opgelucht. 'Wat voor naam krijgt die kliniek, lieverd? Want als het kliniek voor anticonceptie of kliniek voor gezinsplanning gaat heten, zullen een heleboel mannen niet willen dat hun vrouw er naartoe gaat.'

Davina was blij dat haar moeder niet zo gemakkelijk te choqueren was. Ze depte de gemorste koffie op met een servet en zei: 'De naam die Aileen heeft bedacht is simpelweg "Vrije Kliniek" omdat mannen blijkbaar een hoop problemen maken wanneer hun vrouw de mogelijkheid krijgt slechts zoveel kinderen te baren als ze zelf wil. Daar begrijp ik niets van, want die mensen wonen in zulke armoedige omstandigheden dat de helft van de baby's al sterft voor ze een paar weken oud zijn.

Sommige delen van Whitechapel zijn net zo erg als delen van Caïro.'

Haar moeder zei niets, maar haar gezicht stond grimmig. Davina wist niet of de reden was dat ze het afkeurde dat haar dochter dergelijke delen van Caïro kende, of dat ze dacht aan de vrouwen die in woonkazernes woonden zonder stromend water en zonder sanitair, afgezien van een toilet dat door zo'n dertig gezinnen gedeeld moest worden, en die in onvoorstelbaar smerige omstandigheden kinderen ter wereld brachten.

'Ik zou de Sinclairs graag ontmoeten, Davina,' zei Delia peinzend. 'Het klinkt alsof ze wel wat financiële hulp kunnen gebruiken om hun gratis kliniek van de grond te krijgen. Waarom neem je ze vanavond niet mee naar Cadogan Square? Maar wel vroeg. Ik dineer om acht uur met Margot.'

Davina vond het een beetje een probleem om Fergus en Aileen te vragen naar Cadogan Square te komen. Ze kon zich niet voorstellen dat ze zich op hun gemak zouden voelen als ze door een butler werden begroet en door dienstmeisjes en livreiknechten werden bediend. Maar als haar moeder bereid was geld in de kliniek te stoppen, kon ze moeilijk anders.

'Mijn moeder zou jullie allebei graag ontmoeten,' zei ze toen ze bij elkaar zaten in het bedompte kamertje dat hen die dag tot kliniek diende.

Fergus trok een wenkbrauw op en gedurende een akelig moment dacht Davina dat hij de uitnodiging zou afslaan. Toen zei Aileen: 'Jij bent dag in dag uit bij ons en dus is het niet meer dan natuurlijk. Als ik jouw moeder was, zou ik ons ook willen ontmoeten!'

Ze namen aan het eind van de middag gedrieën de tram van Whitechapel naar Kensington en liepen toen via Sloane Street naar Cadogan Square.

Toen ze de prachtige portiek met zuilen naderden, maakte Fergus een keelgeluid dat – omdat hij een Schot was – van alles kon betekenen, hoewel Davina vermoedde dat het afkeuring uitdrukte vanwege de privérijkdom die het huis uitstraalde.

Bellingham deed open en Davina was zich er op hetzelfde moment pijnlijk van bewust dat zíj een butler altijd heel normaal had gevonden, maar dat dat voor Pergus en Aileen uiteraard niet zo was.

'Fergus en Aileen, mag ik jullie voorstellen,' zei ze, in een poging de situatie zo gemoedelijk mogelijk te maken. 'Bellingham was hier al butler voordat ik geboren werd. Bellingham, Fergus Sinclair en mevrouw Sinclair.

'Hoe maakt u het. Mijnheer. Mevrouw.' Bellingham boog zijn hoofd even en op dat moment werd er opnieuw gebeld. Dit keer deed een livreiknecht open.

Tot Davina's vreugde was het Jerome.

'Davina, lieverd,' zei hij. Hij omhelsde haar en gaf haar een kus op haar wang. 'Wat een genoegen je hier te treffen, een zeldzaam genoegen. Ik heb begrepen dat je Kensington zo'n beetje verruild hebt voor Whitechapel?'

Davina was blij dat ze Fergus en Aileen kon voorstellen aan de persoon die haar het liefst op de wereld was, na haar eigen familie. 'Sir Jerome is parlementslid en een oude vriend van de familie,' zei ze tegen Fergus, en toen vervolgde ze tegen Jerome: 'Fergus en Aileen wonen als vrijwilligers in Toynbee Hall. Dat is een...'

'Ik weet heel goed wat Toynbee Hall is, dank je wel, Davina. Ik spreek daar volgende week over de standpunten van de liberalen over de vakbonden.'

Jerome, die er schitterend uitzag in een prachtig gesneden smoking, schudde Aileen en Fergus de hand. 'U volgt de debatten toch wel, dokter Sinclair? Het zou fijn zijn u daar volgende week woensdag te zien.' En uiterst ongedwongen voerde hij hen mee naar de dubbele deuren van de salon.

Davina hoorde gelach en het klinken van glazen. Tot haar onuitsprekelijke schrik besefte Davina op hetzelfde moment dat haar moeder weer eens een vroege cocktailparty had georganiseerd. Het enige dat ze kon bedenken was dat ze zich met hun drieën zo snel mogelijk uit de voeten moesten maken. 'Oom Jerome!' riep ze hem achterna. 'Alstublieft, wacht even!'

Maar het was al te laat. De livreiknecht wierp de dubbele deuren open en Jerome nam Fergus en Aileen mee de salon in alsof hij hen al jaren kende.

Verscheidene wenkbrauwen werden opgetrokken, en dat was niet zozeer vanwege de leren lappen op de ellebogen van het jasje van Fergus', als wel vanwege de eenvoudige katoenen jurk die Davina zelf aanhad. Bijna alle vrienden van haar moeder kleedden zich net zoals Fergus wanneer ze op hun landhuis vertoefden, aangezien sleetse tweedkostuums van goede kwaliteit *de rigueur* waren. Dus konden ze gemakkelijk denken dat Fergus zojuist van het platteland in de stad was aangekomen.

Maar de kleren die zij en Aileen droegen waren een andere kwestie. Davina in haar jurk met roze en witte strepen en Aileen met haar zondagse bloemetjesjurk vielen zwaar uit de toon.

Haar moeder, die een nachtblauwe, verleidelijk laag uitgesneden laméjurk droeg, en die haar haar modieus had opgestoken, slaakte een verheugde kreet en kwam meteen naar hen toe.

Binnen enkele seconden was het onbehaaglijke gevoel dat de Sinclairs mogelijk had bekropen verdwenen. Delia's Amerikaanse losheid en haar hartelijke begroeting vielen erg bij hen in de smaak.

'Er is zoveel waarover ik heel graag met jullie wil praten,' zei ze nu. 'Ik vroeg me bijvoorbeeld af of Toynbee Hall ook vakanties organiseert voor achtergestelde kinderen. Het landgoed van mijn man, Shibden Hall, ligt in Norfolk, dicht bij zee. Gedurende de meeste jaren dat wij in Egypte waren, hebben er huurders in gewoond, maar een aantal maanden geleden zijn die vertrokken. En nu dacht ik dat het een mieters vakantiehuis voor arme kinderen zou kunnen zijn. Wat vindt u daarvan, dokter Sinclair?'

Fergus was diep onder de indruk, zoals de meeste mannen tijdens een eerste ontmoeting met Delia. Hij zei: 'Een uitmuntend idee, lady Conisborough. Ik vind het werkelijk een schitterend idee.'

'Laten we er dan over doorpraten onder het genot van een drankje.' Delia voerde Fergus en Aileen aan weerszijden met zich mee, met een hand in de kromming van hun elleboog, en stelde hen aan deze en gene voor terwijl ze het vertrek door liepen, met achterlating van Davina.

Davina vroeg bezorgd aan Jerome: 'Er is toch geen kans dat sir Oswald Mosley hier binnen komt zetten, hoop ik? Want dan moet ik Fergus en Aileen zo snel mogelijk hier vandaan zien te krijgen.'

'Geen denken aan. Delia is met Baba naar een van zijn openbare optredens geweest en vertelde dat het wel een bijeenkomst in Neurenberg leek. Vlaggen, marsmuziek en schoften in zwarte hemden die iedereen die een kritische vraag probeerde te stellen meteen begonnen af te rossen. Mosley hield een tirade tegen de joden. Delia zei later tegen hem dat ze een groot aantal joodse vrienden had en dat hij er daarom beter aan deed niet meer naar Cadogan Square te komen. En hij is ook niet meer geweest.'

Hij haalde even somber zijn schouders op. 'Ik wou dat iedereen zo reageerde, maar dat is niet zo. Sylvia en haar man zijn felle aanhangers geworden. Jack heeft het er erg moeilijk mee. Het laatste dat hij in zijn loopbaan kan gebruiken is dat hij politiek gekoppeld wordt aan de Britse Unie van Fascisten.'

Davina keek de salon rond, enorm opgelucht dat sir Oswald Mosley niet zou verschijnen.

Petra's vriendin, voorheen Annabel Mowbray, stond met haar echtgenoot bij het raam, maar verder herkende ze bijna niemand. 'Wie is die streng geklede vrouw die daar op de sofa met lady Portarlington zit te praten?' vroeg ze.

Jeromes ogen begonnen te twinkelen. 'Dat is de boezemvriendin van je moeder, Wallis Simpson. Zullen we naar haar toe gaan om een babbeltje te maken? Ik mag haar. Ze is erg levenslustig en geestig.'

Toen ze op weg waren naar Wallis, stond Winnie Portarlington op, wierp Jerome een kushand toe en liep loom naar het raam waar Annabel stond.

'Je hoeft haar niet voor te stellen, Jerome,' zei Wallis met een aantrekkelijk krakende stem toen ze bij haar waren. Ze richtte zich tot Davina. 'Ik heb al geraden wie jij bent.' Ze glimlachte gedurende een fractie van een seconde. 'Ik kan ook aan je kleding zien dat je niet had verwacht midden in een cocktailparty terecht te komen, maar je jurk is precies zoals ik vind dat een jurk zijn, simpel maar mooi.'

Davina was ervan overtuigd dat Wallis oprecht meende wat ze zei, want zelf droeg ze een jurk zonder lovertjes, borduursels, kraaltjes of wat dan ook. Hij was van zwarte crêpe de Chine, zeer gedistingeerd van snit, met als enige versiering een broche met een vierkante smaragd. Ze had grote handen en haar nagels waren niet gelakt, misschien om er geen aandacht op te vestigen. Haar donkere haar was in het midden gescheiden en in gefriseerde golven over haar oren gedrapeerd; het was zo sluik als van een Chinese. Ze zag er helemaal niet uit zoals Davina zich haar had voorgesteld.

Wallis klopte naast zich op de sofa, waar Winnie Portarlington had gezeten. 'Kom zitten en vertel me eens over jezelf,' zei ze op de toon van een hoofdonderwijzeres die het woord richt tot een klassenoudste. En meteen daarna zei ze tegen Jerome: 'Delia is een goddelijke gastvrouw, maar blijkbaar niet voor haar dochter. Davina heeft nog niets te drinken. Haal even een cocktail voor haar, Jerome, alsjeblieft?'

Jerome keek verschrikt. Davina's moeder kon weliswaar choquerend direct zijn, maar wat bazigheid betrof was Wallis haar verre de baas.

'Ik vrees dat ik geen cocktails drink, mevrouw Simspon,' zei Davina vriendelijk.

'Natuurlijk wel. Iedereen drinkt cocktails... En je moeder

maakt puike. Dat kan ook niet anders, want ik heb het haar geleerd.' Opnieuw toonde ze de bliksemsnelle glimlach die de angel uit haar woorden haalde. Ze keek naar Fergus en Aileen. Ze stonden te praten met een heel mooie vrouw die Davina aanvankelijk niet herkende. Maar toen realiseerde ze zich dat het de filmactrice Merle Oberon was.

Wallis nam een slokje van haar highball en zei dromerig: 'De man van je vriendin doet me denken aan de prins van Wales, Davina. Hij heeft dezelfde rustige uitstraling en charme.'

Ze zei het met een bezitterig air, alsof ze de prins door en door kende, en Davina, die dacht aan de roddels over Wallis' verhouding met prins Edward waarover haar moeder had verteld, wist niet hoe ze moest reageren. Wallis redde haar door op te merken: 'Ook in een eenvoudige katoenen jurk ziet je vriendin er geweldig mooi uit. Vertel me eens wat meer over haar en haar man. Wie zijn ze? Waar komen ze vandaan?'

En terwijl Jerome haar een zeer welkome gin fizz aanreikte, begon Davina uitgebreid te vertellen over het pionierswerk van Fergus en Aileen in het Londense East End.

16

*D*e volgende ochtend, voordat ze gedrieën vanuit Toynbee Hall op weg gingen naar de school waar ze gingen inenten, zei Fergus: 'Jouw moeder is een zeer bijzondere vrouw, Davina.' Terwijl ze over het met kinderhoofdjes geplaveide binnenplein liepen, verplaatste hij zijn zware doktertas steeds van de ene naar de andere hand. 'Het is erg genereus van haar om Shibden Hall als vakantiehuis aan te bieden. Ik zou niet weten hoe wij van Toynbee Hall haar ooit genoeg kunnen bedanken.'

'Ze hoeft helemaal niet bedankt te worden,' zei Davina, die blij was dat de ontmoeting van de Sinclairs met haar moeder zo goed was uitgepakt. 'Ze vindt het gewoon geen plezierig idee dat Shibden leeg staat.'

Aileen gaf haar een arm. 'Het idee voor een kliniek waar vrouwen gratis advies krijgen over anticonceptie vond ze ook geweldig. Ze zei dat ze nog nooit een pessarium had gezien en vroeg of ik haar er een kon laten zien.'

Davina zette grote ogen op.

'Goeie god, Aileen!' riep Fergus uit, toen hij van de schrik was bijgekomen. 'Je hebt dat hoop ik toch niet op de cocktailparty gedaan, hè?'

'Nee, gekkerd,' zei ze gniffelend. 'Ik loop heus niet met die dingen in mijn handtas.'

Ze staken een drukke weg over en sloegen een smalle straat in met aan weerszijden huurkazernes. Aileen omklemde Davina's arm steviger. 'Door de financiële steun van je moeder kan de kliniek veel eerder geopend worden. Ik had me een burggravin nooit als socialiste kunnen voorstellen, maar jouw moeder is er een, Davina, een socialiste van het zuiverste water.'

Davina wist dat dit de hoogste lof was die Aileen Sinclair kon verzinnen.

Een dag of twee later vertelde Davina iets over Darius, hiertoe aangezet door een opmerking van Aileen: 'Ik neem aan dat je moeder hoopt dat jij tijdens dit seizoen een aardige jongeman ontmoet op wie je verliefd wordt.'

Ze zaten tegenover elkaar aan een tafel Fergus' vrijwel onleesbare medische aantekeningen in het net uit te werken.

Davina legde haar pen neer. 'Dat is wel het idee, ja, maar ik denk dat mijn moeder onderhand wel doorheeft dat het niet gaat gebeuren.'

Aileen maakte de zin af die ze aan het schrijven was en keek toen op naar Davina. 'Waarom niet?' vroeg ze nieuwsgierig.

'Mijn moeder weet niet waarom, ze weet alleen dat ik nooit ergens anders dan in Caïro zou willen wonen en dat de jongemannen die ik hier ontmoet er niet over zouden peinzen in Caïro te gaan wonen. Maar eigenlijk is de enige echte reden dat ik me maar één man kan voorstellen op wie ik verliefd zou kunnen worden, en dat is de zoon van een vriend van mijn vader.'

Ze had haar gevoelens voor Darius nooit eerder in woorden uitgedrukt en ze bloosde nu hevig.

'Maar dat is toch fantastisch dan? Beter kan toch niet? Ik zóu me kunnen voorstellen dat je vader het geld dat hij in jouw seizoen heeft gestoken verspilling zal vinden, maar hij en zijn vriend zullen desondanks enorm in hun nopjes zijn, toch?'

Davina schudde haar hoofd. 'Nee. Darius is een Egyptenaar en hij haat de Britse overheersing van zijn land. Bijna de gehele opbrengst van de Egyptische katoenproductie verdwijnt in de zakken van de Britten en de rest in die van een handjevol Egyptische landeigenaren. De boeren die het land bewerken krijgen niets. Mijn vader weet nog niet hoe anti-

Brits Darius is, maar zodra hij het wel weet, is Darius de laatste man op aarde met wie hij me wil laten trouwen.'

'Maar hoe bekijkt Darius de situatie? Is hij bereid om het tegen je vader op te nemen?'

Davina werd nu vuurrood. 'Op het moment zijn we alleen maar vrienden, Aileen. We zijn al vanaf onze jeugd met elkaar bevriend. En zo ziet Darius me nog steeds,' voegde ze er treurig aan toe, 'als het kleine meisje van vroeger.'

'Dan moet je hem, als je weer in Caïro bent, ervan zien te overtuigen dat je geen klein meisje meer bent. Misschien deinst hij er wel voor terug de aard van jullie vriendschap te wijzigen omdat hij weet dat je vader erop tegen zou zijn.'

Dat was een gedachte die nog niet eerder bij Davina was opgekomen en ze werd erdoor opgevrolijkt. Ze glimlachte dankbaar naar haar vriendin en pakte haar pen weer op. Ze zou Aileen heel erg gaan missen als ze weer in Caïro was.

Een uur later keek ze toe terwijl Fergus hechtingen aanbracht bij een jongen die door een lid van de Britse Unie van Fascisten met een glazen fles op het hoofd was geslagen.

Dit soort dingen gebeurde de laatst tijd dagelijks. Toen Fergus de jongen weer liet gaan, met zijn hoofd goed in het verband, zei hij somber: 'Dit is nu het resultaat van Mosley's verheerlijking van Hitler en Mussolini. Fascisten hebben altijd behoefte aan een zondebok, en Mosley heeft net als Hitler de joden daarvoor uitgekozen. Zijn antisemitisme is een politieke strategie en als we niet dezelfde akelige kant op willen als Duitsland, dan moeten we er met man en macht tegen strijden.'

Hij zette zijn bril met hoornen montuur af. 'De ironie wil,' zei hij terwijl hij de glazen met zijn zakdoek poetste, 'dat als Mosley maar bij Labour was gebleven hij veel goeds had kunnen bereiken. Hij had een aantal briljante ideeën voor het bestrijden van de werkloosheid.'

Hij zette zijn bril weer op. Davina vertelde hem niet dat ze sir Oswald Mosley een keer bij haar thuis had gezien. Ze was ontzettend blij dat zoiets niet nog eens kon gebeuren.

De volgende ochtend was het Fergus zelf die behandeld moest worden omdat hij bij een opstootje op straat gewond was geraakt. 'Maar wat is er toch gebeurd?' vroeg Aileen terwijl ze de snijwonden en striemen die hij had opgelopen behandelde. Ze zag heel bleek.

'Die schoften van Mosley namen een aantal joodse jongens te grazen. Ik kon er niet bij blijven staan toekijken zonder iets te doen, Aileen.'

'Maar was het nu echt nodig om mee te gaan vechten?' vroeg ze. Met trillende handen kneep ze een bloederige spons uit.

'Ja,' zei hij op nuchtere toon. 'En ik zal nog wel vaker in fysieke acties verzeild raken. Morgen is er een bijeenkomst van de fascisten in Olympia waar veel antifascistische betogers aanwezig zullen zijn. Ik ga ook. We gaan honderden pamfletten uitdelen. Ik blijf niet werkeloos toekijken bij deze vorm van raciale intimidatie, Aileen.'

Later, toen Davina en Aileen samen waren, zei Aileen, die nog altijd bleek zag: 'Ik ga morgenavond mee met Fergus, Davina. Als we sir Oswald Mosley duidelijk willen maken dat we geen totalitaire staat willen met hem als leider, moeten we elke gelegenheid aangrijpen om ons tegen hem te verzetten. Fergus zegt dat Mosley zijn geloofwaardigheid wel eens zou kunnen verliezen als er maar genoeg demonstranten komen.'

Davina twijfelde geen seconde of ze met haar mee zou gaan.

Wat ze niet had voorzien was dat het nog een hele toer zou zijn om het expositiegebouw binnen te komen. Het verkeer op de hoofdweg ernaartoe zat volkomen vast, doordat duizenden mensen zich verdrongen om de verschillende entrees te bereiken. Er was een hele menigte politiemannen te paard en ook de zwarthemden waren in massale groepen toegestroomd. Davina en de Sinclairs hadden geen protestborden bij zich, maar tientallen andere mensen wel en die werden door zwarthemden tegen de grond geslagen, getrapt en gestompt, en hun borden werden uit hun handen gerukt.

Davina kon niet geloven dat de politie de mensen geen bescherming bood. Het enige wat de politie deed was de bebloede demonstranten afvoeren.

'Als het zo doorgaat komen de betogers de zaal niet eens binnen!' schreeuwde Fergus, die probeerde haar en Aileen af te schermen terwijl ze al duwend en worstelend vooruit probeerden te komen.

Als door een wonder wisten ze een toegangsdeur te bereiken. Een nog groter wonder was dat ze erdoor naar binnen kwamen.

'Hoeveel mensen denk je dat hier zijn?' schreeuwde Aileen boven al het lawaai uit terwijl ze de afgeladen ruimte af keek.

'Dertien- tot veertienduizend,' schreeuwde Fergus terug. 'Misschien meer!'

Overal waar Davina keek zag ze een zee van vlaggen: het rood-wit-blauw van de Britse vlag, zwart met gele fascistische vlaggen en banieren met de naam van de Londense districten van de Britse Unie van Fascisten.

De stoelen vlak voor het podium waren blijkbaar bestemd voor familie en vrienden, van wie ze er tot haar afgrijzen velen herkende. In scherp contrast met de overgrote meerderheid van de aanwezigen, die voornamelijk uit de werkende klasse afkomstig waren, waren de personen op de eerste rijen in avondkleding gestoken. Ze zag Baba Metcalfe zitten, evenals haar zuster Irene. Fruity zag ze nergens, maar wel de vrouw die voor haar, uit gewoonte, nog altijd 'tante' Sylvia was.

'Daar is Neil Francis Hawkins,' zei Fergus opeens, kijkend naar het podium. 'Hij is na Mosley de hoogste leider. En daar zie ik ook John Beckett, een voormalig parlementslid voor Labour.'

Een band, geheel bestaande uit zwarthemden, begon een patriottische mars te spelen en Davina haalde haar ogen met moeite van Baba en Sylvia af en nam de rest van het publiek in ogenschouw.

'Schokkend, dat er zoveel vrouwen in de zaal zijn,' zei Fergus. 'Dat had ik niet verwacht.'

Aileen was het met hem eens, maar Davina kon hun moeilijk vertellen dat zíj zich totaal niet verbaasde over het grote aantal vrouwen dat gespannen op zijn verschijning wachtte. Ze had zijn seksuele aantrekkingskracht zelf ervaren.

Het tijdstip waarop hij zou spreken brak aan en vergleed. Aan weerszijden van het middenpad naar het grote podium stonden zwarthemden. De spanning steeg terwijl iedereen wachtte tot Mosley zou verschijnen. Mosley's aanhangers hieven oorverdovend het lied aan van de Britse Unie van Fascisten. Davina kon niet alle woorden verstaan, maar aan de opzwepende melodie herkende ze het nazistische Horst Wessellied.

Dat ze dit lied in Engeland hoorde bezorgde haar de koude rillingen. Na afloop werden er grote booglampen ontstoken, schalden er trompetten en kwam sir Oswald Mosley de zaal binnen. Het was een surrealistische ervaring de man die ze in haar moeders salon had ontmoet trots als een pauw door de zaal te zien paraderen terwijl er oorverdovend 'Heil Mosley!' werd geroepen, alsof hij de langverwachte messias was. Hij hield zijn arm stram geheven in de fascistische groet. Zaalwachters in zwart uniform liepen voor hem uit en hij werd gevolgd door zijn persoonlijke lijfwacht.

Het was één grote poppenkast. Stormachtig toegejuicht sprong Mosley in zijn zwarte laarzen, zwarte overhemd en zwarte lange broek het podium op.

Toen de herrie eindelijk in zoverre was afgenomen dat hij er bovenuit kon komen, sloeg hij met zijn vuist op het spreekgestoelte. 'Duizenden van onze landgenoten zijn vanavond hierheen gekomen om ons aan te horen,' sprak hij donderend, 'en nog eens duizenden hebben zich al bij de fascistische gelederen aangesloten!'

Veel mensen uit het publiek begonnen met hun voeten te stampen.

'Deze beweging, die hier vanavond wordt gepresenteerd, is nieuw in het politieke leven van ons land.'

Fergus sprong overeind en riep zo hard hij kon: 'En we hebben er geen behoefte aan!'

Als Mosley het al hoorde, liet hij niets merken. 'Het ligt in onze bedoeling om de macht van de joden in Groot-Brittannië aan banden te leggen!'

Nu waren ook andere betogers overeind gekomen.

Zwarthemden begaven zich via het zijpad hun richting uit. Op dat moment besloot Mosley de aanwezigheid van de demonstranten niet langer te negeren.

'Schenk geen aandacht aan de verstoringen!' bulderde hij. 'Ik maak me er niet druk om en u hoeft zich er ook niet druk om te maken!'

Het gejuich was oorverdovend.

Toen de zwarthemden de demonstranten het dichtst bij hen in de buurt bereikten, namen ze hen niet gewoon mee de zaal uit, maar begonnen ze met hun vuisten op hen in te beuken. Mannen vielen op de grond. Er vloeide bloed. Stoelen werden omgegooid.

Mosley sloeg zijn vuist de lucht in. 'Deze protesten hebben niets om het lijf, want wat wij hier vertegenwoordigen gaat verder dan elke beweging die dit land ooit heeft gekend! Deze bijeenkomst symboliseert hoe ver de zwarthemden al in de eerste twintig maanden van hun bestaan zijn gekomen. In deze periode is het fascisme in Groot-Brittannië sneller opgerukt dan in welk ander land ter wereld ook.'

In de hele zaal werd nu gevochten. Davina zag iemand met een stoelpoot zwaaien. Er vloog een laars door de lucht, en even later een schoen.

Mosley liep heen en weer over het podium terwijl hij sprak; zijn aura van seksuele kracht was bijna tastbaar. 'En dit is niet omdat ons volk gedwongen door economische noodzaak onze standpunten heeft overgenomen, zoals in andere landen,' vervolgde hij. 'De mensen sloten zich bij ons aan omdat ze een nieuwe orde in ons land wensen, een credo dat de natie boven het individu plaatst.'

Davina kon het niet meer aanhoren. 'Fascisme staat gelijk aan Hitler, staat gelijk aan Mussolini!' schreeuwde ze, terwijl een vrouw die ook protesteerde door twee zwarthemden werd vastgegrepen en met haar handen op haar rug over het dichtstbijzijnde zijpad naar een van de uitgangen werd weggevoerd.

Het duurde enkele minuten voordat de chaos enigszins afnam. Toen riep Aileen angstig: 'Waar is Fergus, Davina? Waar is hij gebleven?'

Davina keek zoekend om zich heen. Ze zag Fergus nergens. 'Ik weet het niet. Maar we kunnen niet van onze plaatsen weg om hem te zoeken, Aileen. Als we dat doen raken we elkaar misschien kwijt.'

Haar buikspieren spanden zich van angst toen ze Mosley hoorde bulderen: 'Hele massa's van ons volk hebben ondubbelzinnig laten blijken dat ze de huidige orde zat zijn; dat ze de politieke partijen zat zijn en de huidige parlementaire regering...'

Plotseling, van zo'n dertig meter boven hem, schreeuwde een stem met een onmiskenbaar Schots accent: 'Weg met het fascisme!'

Meteen keek Davina omhoog.

Naast haar slaakte Aileen een gil.

Fergus balanceerde gevaarlijk op een van de steunbalken van de zoldering en terwijl duizenden mensen hun adem inhielden, begon hij pamfletten naar beneden te strooien.

Mosley ging gewoon door met zijn tirade, maar niemand luisterde nog.

Booglampen werden weggedraaid van het podium en op Fergus gericht. Binnen enkele minuten bereikte een zestal zwarthemden de zolderingbalk.

De mensen die er direct onder zaten, maakten zich uit de voeten.

Aileens ogen waren opengesperd van afschuw en ze hield haar beide handen voor haar mond. Davina bad zoals ze nog nooit in haar leven gebeden had.

'De soldaten die in de Grote Oorlog gevochten hebben zijn de bevoorrechte conservatieven zat,' vervolgde Mosley alsof er niets bijzonders gaande was. 'Ons volk is de inertie van het socialisme zat. De Labourpartij is niets anders dan een Leger des Heils dat de benen neemt op de Dag des Oordeels.'

Toen de zwarthemden bij Fergus waren, klom hij op een nog hogere balk en vandaar op een zoldering die even verderop onzichtbaar werd in het duister van het dak. Binnen enkele seconden was ook Fergus, die op zijn hielen werd nagezeten, niet meer te zien.

'Er is behoefte aan een nieuw credo,' verkondigde Mosley gepassioneerd. 'Wij strijden voor niets minder dan een revolutie!'

Ergens kwam het geluid van brekend glas vandaan.

Iemand was gevallen... van grote hoogte.

Aileen en Davina aarzelden geen moment. Ze begonnen zich langs iedereen heen te wringen die tussen hen en het zijpad in zat, met maar één doel voor ogen: bij Fergus komen.

Op het zijpad zette Aileen het op een rennen, met Davina achter zich aan. Vóór hen was een vechtpartij uitgebroken. Een projectiel dat voor een van de zwarthemden was bedoeld, raakte Davina tegen de zijkant van haar hoofd. Ze voelde het bloed over haar gezicht stromen en probeerde overeind te blijven, maar de wereld om haar heen begon te draaien en werd donker. Terwijl ze Aileen hoorde gillen, zakte ze op haar knieën en viel bewusteloos neer te midden van een woud van gelaarsde voeten.

17

Toen Davina weer bij bewustzijn kwam, ontdekte ze dat ze in een ziekenhuisbed lag. Het was donker op de zaal en ze besefte dat het nacht was.

'Fergus Sinclair?' vroeg ze zwakjes aan de verpleegster die naar haar kwam kijken. 'Is hij gevallen? Is hij gewond?'

'Er zijn gisteravond heel veel mensen gewond geraakt,' zei de verpleegster kortaf. 'Ik weet niets van de mannen die zijn binnengebracht. U hebt een nare klap tegen uw hoofd gekregen en u moet rusten en u niet druk maken. Morgenochtend zullen we navraag doen naar uw vriend.'

Davina probeerde wakker te blijven, maar viel bijna onmiddellijk weer in een uitgeputte slaap.

Toen ze 's ochtends haar ogen opende, zat haar moeder naast haar bed. 'Fergus?' vroeg Davina weer, nog voordat ze zich zelfs maar afvroeg hoe Delia te weten was gekomen wat er was gebeurd. 'Hij was ergens heel hoog in de zaal en toen zagen Aileen en ik hem niet meer. We hoorden alleen een grote dreun. Is het goed met hem?' Uit haar grijze ogen sprak een en al bezorgdheid. 'Ligt hij hier in het ziekenhuis? Is Aileen bij hem?'

'Hij ligt op de mannenafdeling en Aileen is bij hem, ja.' Haar moeders mooie gezicht zag er gespannen en somber uit. 'Hij is niet in de zaal naar beneden gevallen. Maar hij is wel zwaargewond en voorlopig mag alleen Aileen bij hem op bezoek.'

'Is Aileen ook gewond geraakt?' vroeg ze, met een beklemd gevoel op haar borst. Als Fergus ernstig gewond was, hoe moest het dan met Aileens plannen voor de kliniek?

'Aileen heeft wat snijwonden en blauwe plekken opgelopen in het gewoel, maar verder is het goed met haar.'

Davina zei dankbaar een schietgebedje. 'Neemt u me mee naar huis?'

'Naar huis?' De wenkbrauwen van haar moeder gingen omhoog. 'Het kan zijn dat ik gezegd heb dat je een zeer hoofd hebt, lieverd, maar in werkelijkheid is het een héél zeer hoofd. Voel je niet hoe stevig het in het verband zit? Je moet nog minstens twee, drie dagen hier blijven.'

Davina protesteerde niet. De mannenafdeling was waarschijnlijk niet ver weg. Zodra ze ertoe in staat was zou ze Fergus gaan opzoeken.

Pas de volgende dag kon ze lopen zonder meteen duizelig te worden. Ze zei dat ze een bad ging nemen, verliet de zaal en begaf zich in haar nachtpon en peignoir naar de mannenafdeling.

Voordat ze bij de zaal was, kwam er een verpleegster aangesneld.

'Ik vrees dat dit de mannenafdeling is, juffrouw. U bent helemaal verdwaald. Zal ik vragen of iemand even met u meeloopt naar uw eigen zaal?'

Davina wilde haar hoofd schudden, maar bedacht net op tijd dat haar hoofdpijn al erg genoeg was. Ze zei: 'Nee, ik ben niet verdwaald. Een vriend van mij, dokter Fergus Sinclair, is patiënt op deze zaal. Ik weet dat alleen zijn vrouw bij hem op bezoek mag komen, maar ik zou graag weten hoe het met hem gaat en ik hoopte even met mevrouw Sinclair te kunnen praten.'

De verpleegster nam haar weifelend op. 'De heer Sinclair is er nog steeds heel slecht aan toe, maar als u even in de wachtkamer gaat zitten, ga ik mevrouw Sinclair zeggen dat u hier bent.'

'Dank u wel.' Davina wilde niets liever dan gaan zitten. De inspanning die het haar had gekost om het korte stukje vanaf haar bed hierheen af te leggen, had haar niet alleen duizelig maar ook misselijk gemaakt.

Gelukkig was de wachtkamer helemaal leeg. Ze ging voorzichtig zitten op een leren stoel die er glibberig uitzag en haalde een paar keer diep adem om haar misselijkheid tegen te gaan.

Toen Aileen de deur van de wachtkamer opende, voelde Davina zich alweer wat beter. Aileens gezicht zag grauw van de zorgen en ze had donkere kringen onder haar ogen.

Davina wilde opstaan, maar Aileen was haar voor.

'Niet opstaan, Davina,' zei ze, met beverige stem. Toen, alsof haar benen haar niet meer konden dragen, liet ze zich neervallen in de stoel naast Davina en pakte haar hand vast. 'Fergus heeft zijn rug gebroken,' zei ze grimmig. 'Het zal maanden of misschien wel een jaar duren voordat hij weer zal kunnen lopen. Het zetten van de botten doen ze hier, maar zodra hij per ambulance vervoerd kan worden, wordt hij overgebracht naar een ziekenhuis in de buurt van ons huis in Caithness. Hij moet in tractie zodat de botten op de juiste manier helen.'

Davina sloot haar ogen een ogenblik om alles op zich te laten inwerken. Fergus was niet verlamd. Dat was het belangrijkste. Maar met zijn werk in Whitechapel zou het gedaan zijn. En dat betekende dat Aileens plannen voor de kliniek op de plank kwamen te liggen.

Alsof Aileen haar gedachten kon lezen, zei ze: 'Als Fergus hersteld is, hoelang het ook mag duren voordat het zo ver is, komen we weer terug naar Toynbee Hall, Davina. En dan komt die gratis kliniek voor vrouwen in Whitechapel er. Het zal een jaartje moeten wachten, dat is alles.'

Davina drukte haar hand. Ze wist dat haar moeder de kliniek financieel flink zou ondersteunen, ook als die er pas later kwam.

Aileen zei zachtjes: 'Ik heb nog ander nieuws, Davina, en dat is wel goed nieuws.' Ze glimlachte, hoe uitgeput ze ook was. 'Ik ben in verwachting. Fergus weet het nog niet. Ik wilde het hem op onze huwelijksdag vertellen, eind deze maand. Maar nu vertel ik het hem zodra hij in staat is van het nieuws te genieten.'

'Krijgt Aileen een baby? Wat heerlijk, lieverd.' Delia keek verheugd. 'Dan hebben ze iets om naar uit te kijken terwijl Fergus in het ziekenhuis ligt.'

Delia zat in de tuin met Wallis Simpson aan de thee.

'Is Aileen de vriendin aan wie je me toen op de cocktailparty hebt voorgesteld?' vroeg Wallis. 'Die jonge vrouw die met die dokter getrouwd is?'

Davina knikte.

Haar moeder gebaarde naar een rieten stoel dat ze erbij moest komen zitten, en zei: 'Dokter Sinclair heeft door een vreselijk ongeluk zijn rug gebroken. Hij zal weer kunnen lopen, maar zijn herstel gaat heel lang duren. Vertel nu eens over Fort Belvedere. Stuit je op veel protesten?'

'Niet van de prins. Hij geeft me de vrije hand.' Wallis, die er als om door een ringetje te halen uitzag in een met een witte rand afgebiesde marineblauwe jurk, keek Delia aan met een brede grijns. 'Ik vind het verrukkelijk om me met de inrichting bezig te houden en alles opnieuw aan te kleden. Lady Mendl helpt me een handje. We zijn de hele vorige week bezig geweest met het oprollen van tapijten en het weghalen van gordijnen. Er is geen kamer meer die er nog uitziet als in de tijd van Freda Dudley Ward.'

'Of van Thelma Furness?' vroeg Delia ondeugend.

Wallis grijnsde nog breder. 'Of van Thelma. Die meid had écht geen smaak, Delia. Haar slaapkamer in het Fort was roze, in een allerafgrijselijkste tint, en de bedstijlen had ze gedecoreerd met de veren van de prins van Wales!'

Haar moeder en Wallis zaten te schudden van het lachen, maar Davina was hoegenaamd niet geïnteresseerd in de inrichting van het huis van de prins van Wales. Ze negeerde de vrije stoel.

'Als u het niet erg vindt, kom ik er niet bij zitten,' zei ze tegen haar moeder. 'Ik heb Fawzia al heel lang niet gezien en ik wil graag naar haar toe.'

'Dan moet je opschieten, Davina. Ze gaat vanmiddag met Jack een boottochtje op de rivier maken. Hij kan elk moment hier zijn.'

'Gaat tante Gwen ook mee?'

'Dat denk ik niet,' zei haar moeder. Ze vermeed het Davina in de ogen te kijken. 'Ik geloof dat Gwen het niet zo op water heeft.'

Davina tuitte afkeurend haar lippen, omdat ze heel goed wist hoe Zubair Pasha hierover zou denken. Hij had terecht maar weinig vertrouwen in Delia's capaciteiten als chaperonne.

De volgende paar weken ging Davina dagelijks naar het ziekenhuis. Ze deed steeds haar best Aileen over te halen het ziekenhuis even in de steek te laten om een eindje te wandelen of in een café koffie te drinken of te lunchen.

'Fergus wordt binnenkort overgebracht naar Inverness,' zei Aileen toen ze die middag in de buurt van het ziekenhuis thee dronken met kleverige broodjes erbij. 'Ik kan bijna niet wachten tot hij daar is, zodat zijn ouders hem ook kunnen opzoeken, maar ik zal jou erg missen, Davina.'

'Ik zal jou ook missen,' zei Davina oprecht. 'Het betekent wel dat ik Fawzia vaker zal zien – ik voel me tegenover haar een beetje schuldig. Maar we hebben niet zoveel meer met elkaar gemeen. Het enige wat haar nog interesseert is het exotische middelpunt van bals en feesten te zijn. Ik ben niet van plan in Engeland te blijven als jij en Fergus in Schotland zijn. Ik ga terug naar Caïro, ook al is het seizoen nog niet geheel ten einde. Mijn moeder zal teleurgesteld zijn, maar ik denk niet dat ze bezwaar zal maken. Ze beseft wel dat het haar niet gelukt is een echte debutante van me te maken.'

Maar haar moeder bleek veel meer dan alleen teleurgesteld te zijn: ze was erg boos.

'Het is niet eerlijk tegenover Fawzia,' zei Delia. 'Ze heeft het geweldig naar haar zin en het is wreed om haar mee te sleuren naar Caïro voordat het seizoen ten einde is.'

'Ze hoeft toch niet met mij mee terug? Zij kan in Londen blijven en over een paar weken samen met jou naar Caïro reizen. Ik kan wel in mijn eentje naar Caïro.'

Haar moeder stond op het punt te gaan dineren bij Quaglino's en was, in navolging van Wallis, gekleed in een uiterst sobere jurk waarin ze er verbluffend uitzag: een smalle, mouwloze koker van zwarte crêpe. De rok reikte net tot aan de hoge hakken van haar zwarte suède schoenen, en haar vuurrode haar stak vlammend bij haar kleding af.

Ze pakte haar smalle avondtasje op en zei: 'Nee, Davina, dat kan niet. Je bent pas negentien.'

Davina schudde ongelovig haar hoofd. 'Natuurlijk wel. Toen u zo oud was als ik, was u al een jaar getrouwd! En daarvoor reed u in uw eentje urenlang op uw paard door de Blue Mountains. Ik hoef alleen maar een paar treinen achter elkaar te nemen en dan de boot. Ik heb Chandler-bloed, of was u dat vergeten? Ik ben heel goed in staat om dingen te doen zonder een chaperonne.'

'Lieverd, ik ben de hele middag op Fort Belvedere geweest en heb daar moeten aanzien hoe de prins van Wales door Wallis heen en weer werd gecommandeerd, als was hij haar slaaf en zij de koningin van Sheba. Hoe dat met die relatie moet aflopen, weet ik niet en ik maak me er ernstige zorgen om. Ik wil me niet ook nog om jou zorgen hoeven maken.'

Ze draaide zich om om haar stola van chinchilla te pakken, waardoor haar volmaakt gladde rug zichtbaar werd.

'U hoeft u om mij geen zorgen te maken.' Davina zette haar liefste stemmetje op. 'U hoeft me alleen maar een kus te geven en me te laten gaan, en dan zegt u erbij dat u me over een maand weer ziet in Caïro.'

'Tjemig! Je bent echt een irritant kind! Nou goed dan, ga maar in je eentje naar Caïro terug. Maar je moet mij niet de schuld geven als je in handen valt van handelaars in blanke slavinnen!'

'Dat zal ik niet doen,' zei Davina. Ze hield op dat moment zoveel van haar moeder dat het pijn deed. 'Maar met die handelaren in blanke slavinnen zal het wel loslopen. Papa heeft al ingestemd met mijn plannen en de tickets voor me gekocht. Ik denk niet dat handelaren in blanke slavinnen eersteklas reizen.'

Vier dagen later, toen haar trein uit Alexandrië het chaotische station van Caïro binnenstoomde, stond Darius haar op te wachten.

'Hoe wist je welke trein ik zou nemen?' vroeg ze, een en al blijdschap, terwijl hij haar kleine handkoffer van haar overnam.

'Petra vertelde het. We zien elkaar bijna nooit, maar ze was zo vriendelijk een keer een uitzondering te maken omdat ze zelf niet hier kon zijn. Ze is met jullie ambassadeur in het Abdin-paleis. Hij heeft een onderhoud met koning Fouad. Ik geloof niet dat je zus al Lampsons officiële secretaresse is, maar ze zou het zó kunnen worden. Waarom heb je zo'n jofel verband om je hoofd? Ben je gevallen?'

'Ja, maar pas nadat ik met een vliegend object in aanraking was gekomen.'

Hij staarde haar aan, maar zei niets. Ze vond het allang best. Ze was niet in de stemming om te gaan uitleggen wat er in zaal Olympia was gebeurd.

Omdat ze er blijkbaar niet over wilde praten, zei hij: 'Wat ga je doen nu je weer thuis bent?'

'Ik ga zoveel mogelijk van mijn tijd besteden in de Bayram el Tonsi-straat,' zei ze. Ze keek of het paard dat hun koetsje ging trekken geen sporen van een slechte behandeling vertoonde.

'Daar is toch het hospitaal voor oude oorlogspaarden?'

Ze knikte. 'En ik ga me bij het Anglo-American Hospital aanmelden voor een opleiding tot verpleegster.'

Hij hielp haar het koetsje in en zei tegen de koetsier: 'Garden City, *minfaðlak*.'

Hij droeg een donkere zonnebril en een witlinnen pak dat eruitzag alsof het van een Londense kleermaker kwam. Een groepje zwaargesluierde jonge vrouwen bleef staan om naar hen te staren.

Davina kon het hun niet kwalijk nemen. Darius zag er echt uit als een filmster.

Het koetsje voegde zich in de lawaaierige stroom auto's, bussen, fietsen en ezelskarren. Davina liet zich achterover zakken tegen de leren bekleding. Ze zou Darius weldra alles vertellen over Toynbee Hall, de Sinclairs en sir Oswald Mosley. Maar ze wilde eerst genieten van het grote geluksgevoel dat haar doorstroomde. De hitte was bijna ondraaglijk, maar dat kon haar niet schelen. Die hitte betekende dat ze in Caïro was, en als ze in Caïro was, dan was ze thuis.

18

'Het was afschuwelijk, Petra. Het afschuwelijkste wat je je maar kunt voorstellen.' Petra en Davina zaten in rieten stoelen op het weelderige, veelvuldig besproeide gazon van Nile House. Vlak bij hen stond de ezel die Davina twee jaar eerder had gered tevreden luzerne te vermalen. 'Aileen en ik hoorden alleen maar het breken van glas en toen we ons naar Fergus probeerden toe te worstelen werd mijn hoofd door iets geraakt en ging ik met een smak neer.'

Petra verschoof haar breedgerande zonnehoed zodat haar gezicht meer schaduw kreeg. 'Zo te horen mag je blij zijn dat je schedel niet gebroken is.'

'En Fergus mag blij zijn dat hij nog leeft.'

Hun drankjes stonden op een tafeltje tussen hen in. Petra pakte haar Tom Collins. 'Hoe was het in Londen toen je daar wegging?' vroeg ze, terwijl ze de ijsblokjes in haar glas met een rietje liet ronddraaien. 'Heb je Jack vaak gezien toen je daar was?'

Zoals altijd wanneer ze het over Jack had, klonk haar stem vreemd afgebeten en ze keek Davina niet aan. In plaats daarvan keek ze met voorgewende interesse over de Nijl heen naar de wazige omtrekken van de piramides.

'Nee, maar dat had ik wel gewild. Ik ben alleen zo vaak in Whitechapel geweest. Ik heb oom Jerome een aantal malen gezien. Sinds hij Fergus heeft ontmoet, is hij veel meer bij Toynbee Hall betrokken geraakt. Hij helpt bij het opzetten van een raad van burgers uit East End om maatregelen te nemen tegen al het geweld op straat daar. De aartsbisschop van Canterbury is de voorzitter van die raad.'

Bij het noemen van Jeromes naam had Petra's gezicht een gesloten uitdrukking gekregen. Davina dacht dat het kwam doordat Petra genoeg had van haar gepraat over het Londense East End en vroeg daarom: 'Hoe is de situatie hier, op het paleis? Waarom was sir Miles Lampson bij de koning?'

'Ach, het ging over hetzelfde als altijd.' Petra hield op met het rondroeren van haar ijsblokjes. Ze zoog de cocktailkers uit haar glas haar mond in en Davina zag dat die precies dezelfde kleur had als haar lipstick. 'Er komt hier nooit echt een einde aan het geweld op straat, Davvy. De koning heeft het parlement al een hele tijd geleden alle grondwettelijke rechten ontnomen – het heeft alleen nog een adviserende functie – en de WAFD probeert door middel van agitatie die rechten weer terug te winnen.'

'En Farouk? Is hij nog net zo onuitstaanbaar?'

Petra duwde haar zonnebril met wit montuur een eindje naar beneden en keek haar zus over de rand heen aan. 'Farouk kan net zo lang stilzitten als een mug.'

Davina gniffelde.

Petra keek naar de ezel die over het gazon drentelde, nam een slokje uit haar glas en vroeg toen: 'En Fawzia? Over haar hebben we het nog helemaal niet gehad. Geniet ze van het seizoen? Delia schreef dat ze een heleboel aanzoeken heeft gekregen.'

'Bergen. Maar niet van de persoon die ze misschien geaccepteerd zou hebben.'

'Wie is dat dan?' Petra klonk geamuseerd. 'De erfgenaam van een hertogelijke titel?'

'Nee.' Davina aarzelde even. Maar omdat Petra al heel lang geleden gezegd had dat ze zich totaal niet meer voor Jack interesseerde, zei ze: 'Degene met wie ze de meeste tijd heeft doorgebracht is Jack.'

Tot haar schrik werd Petra krijtwit.

Bang dat ze zich vergist had, zei Davina ongerust: 'Dat maakt jou toch niet uit, Petra? Ik bedoel, jij hebt hém toch de bons gegeven?'

'Reken maar. Natuurlijk maakt het me niet uit.' Petra glimlachte haar zwakjes toe, maar van geamuseerdheid was geen sprake meer. 'Als je het niet erg vindt, zoek ik de schaduw op, Davvy. Ik krijg hoofdpijn van de zon. Maar het is fijn dat je er weer bent. Dat heb ik toch wel tegen je gezegd?'

Petra liep terug naar het huis. Davina was ontroerd dat Petra haar blijkbaar zo gemist had. Hoewel Darius het op het station niet tegen haar had gezegd, hoopte ze dat ook hij haar erg gemist had.

'Heb je zin om achter de piramides te gaan rijden?' vroeg Darius, die met één voet op de lage, brede trap voor Nile House stond.

Hij droeg een rijbroek en laarzen, en het boord van zijn witte overhemd stond open. Op de oprijlaan met gravel achter hem stond een lage crèmekleurige sportauto. Davina zag dat het geen Britse auto was, maar een Duitse Mercedes Benz.

'Het lijkt me een mooie kans om bij te praten,' zei hij. Hij maakte geen aanstalten om het huis binnen te gaan.

'Geef me vijf minuten' zei ze stralend, 'dan ben ik bij je.'

Ze stelde hem niet voor om binnen op haar te wachten. De afgelopen paar jaar had Darius ervoor gekozen Nile House niet te betreden, omdat hij het zag als onderdeel van het vijandelijke kamp.

Tien minuten later kwam Davina in een caramelkleurige blouse, een rijbroek en rijlaarzen en met haar schouderlange haar in een dikke paardenstaart, de trap af gerend naar de auto.

'Waarom heb je een Duitse auto?' vroeg ze, terwijl ze zich op de crèmekleurige leren zitting naast hem neerliet. 'Is het weer een van je te-subtiel-om-door-de-meeste-mensen-begrepen-te-worden anti-Britse uitingen?'

'Ja, het is een anti-Britse uiting.' Hij startte de auto. 'Maar hoe kom je erbij dat mensen dit niet zouden begrijpen?' Zijn gezicht stond ernstig, maar dat was meestal het geval. Ze kende hem te goed om zich er iets van aan te trekken.

'Nou, het is net zoiets als dat je nooit binnen wilt komen,' zei ze, terwijl hij in de richting van de Kasr el Nil-brug reed. 'Ik weet wel waarom je dat niet doet, maar ik betwijfel op anderen het doorhebben. Dat kun je ook niet verwachten, want je gaat wel naar de Sporting Club en naar allerlei andere Britse gelegenheden, zoals de Turf Club en Shepheard's.'

'Ik ga daarheen omdat ik Egyptisch ben en de meeste Egyptenaren er niet heen kunnen.'

'Maar wie weet nu waarom je dat doet? Niemand weet het behalve jijzelf... en ik,' voegde ze eraan toe, zich ervan bewust dat zij de enige was aan wie hij zijn gevoelens wel eens toonde.

Hij week uit voor een groep in het zwart geklede vrouwen met een grote mand op hun hoofd.

'De mensen zullen er gauw genoeg achter komen.' Zijn knappe gelaatstrekken waren bijna even scherp als zijn stem. 'Ik heb er genoeg van dat de WAFD steeds maar blijft hopen dat er via politieke onderhandelingen veranderingen tot stand kunnen worden gebracht. De enige manier waarop Egypte zich van de Britten kan bevrijden is door veel extremere maatregelen.'

De auto reed de brug op en een briesje dat vanaf de rivier kwam koelde haar gezicht.

Ze keek naar hem. Hij hield zijn kaken zo strak opeengeklemd dat ze een zenuw zag kloppen.

Ze onderdrukte haar groeiende bezorgdheid en zei: 'Jouw vader is een van de belangrijkste ministers van koning Fouad. Als je je als revolutionair laat gelden, zal hij je niet meer als zijn zoon erkennen. Hij zou geen andere keuze hebben.'

'En denk je dat mij dat wat uitmaakt?' Hij draaide met een ruk zijn gezicht naar haar toe, waardoor er een lok over zijn voorhoofd zwierde. 'Weet je wel hoelang het geleden is dat de Britten beloofden uit Egypte te zullen weggaan? Dat was in 1883. 1883! En jullie zijn er nog steeds!'

'Ik zal hier niet veel langer zijn als je je ogen niet op de weg houdt. Kijk uit voor die ossenkar, Darius. Je zit bijna tegen de lading aan.'

Met slechts één hand sturend zwenkte hij erlangs.

'Niet alleen de Britten moeten weg,' zei hij, terwijl hij met hoge snelheid de brug af reed en ze op de stoffige rechte weg naar Gizeh kwamen. 'Fouad en Abed al-Fattah Yahya Pasha moeten ook weg.'

Abed al-Fattah Yahya Pasha was de premier, en omdat hij kortgeleden benoemd was, wist Davina niet veel van hem.

'Hij is een marionet van Whitehall.' Darius spuugde de woorden zowat uit. 'Hij en de koning dansen allebei naar de pijpen van de Britten. En we hebben ook een nieuwe hoge commissaris. Sir Percy Loraine is weg... het gerucht gaat dat hij is benoemd tot ambassadeur in Turkije. Een man die me heel sterk aan jouw vader doet denken heeft zijn plaats ingenomen.'

Davina zweeg. Ze had sir Miles Lampson, de nieuwe hoge commissaris, heel even gezien toen hij in Nile House op bezoek kwam. Ze vond de opmerking van Darius zeer scherpzinnig. 'Lampson gaat demonstrerende studenten veel harder aanpakken,' had haar vader na het vertrek van sir Miles gezegd.

Het was geen gerucht dat ze aan Darius wilde doorspelen. Het leek haar ook niet zo verstandig hem te vragen wat er met zijn polopony's en zijn sportauto zou gebeuren als zijn vader hem onterfde.

Aan weerszijden van de weg lagen akkers met luzerne en maïs. Ze vormden een schitterend schaakbordpatroon van groen en goud, hier en daar doorsneden door smalle irrigatiekanalen. Davina liet haar arm rusten op de bovenkant van het lage portier. Ze kon meevoelen met zijn woede en frustratie over de Britse weigering Egypte onvoorwaardelijke onafhankelijkheid toe te staan en ze was bang voor wat hij uit woede en frustratie zou kunnen doen.

Als hij terroristische acties ondersteunde, zou zijn vader hem onterven. Haar eigen vader zou, als hij erachter kwam, zorgen dat Darius gearresteerd werd. Aan zijn loopbaan bij een van de meest prestigieuze advocatenfirma's van de stad zou een einde komen. Toch had Darius gelijk waar het de Britse bedoelingen betrof.

'Buitenlandse zaken acht de tijd nog niet rijp voor de Egyptische onafhankelijkheid,' had haar vader gezegd toen ze hem ernaar gevraagd had. 'Egypte is niet in staat zichzelf te besturen zonder Britse hulp.'

Ze wist dat het, als haar vader er zo over dacht, was uitgesloten dat de regering er anders over zou denken.

'Niet één Britse minister zou ook maar een greintje interesse in Egypte hebben als het Suezkanaal er niet was geweest,' onderbrak Darius haar gedachten. 'Soms zou ik willen dat dat verdomde ding nooit was aangelegd!'

Hij reed door de poort van het Mena House Hotel. Vandaar was het niet ver lopen naar de manege. Zodra hij uit de auto was gestapt, veranderde zijn stemming.

'Heb je zin om naar de trappiramide van Djoser te rijden?' vroeg hij. 'Ik heb rekening gehouden met de geringe kans dat je ja zegt: ik heb water en fruit bij me.'

De trappiramide van Djoser lag in Sakkara, ruim vijftien kilometer ten zuiden van Gizeh. Hij had haar hiermee naartoe genomen toen ze voor het eerst samen uit rijden gingen.

'Zolang we geen zandstorm hoeven te verwachten,' zei ze onverstoorbaar.

'Absoluut niet. Het is er de tijd van het jaar niet voor.'

Toen ze de manege binnenliepen vroeg hij: 'Je hebt nog niets over Londen verteld. Wat heb je daar gedaan?'

'Ik heb er twee van de aardigste mensen op aarde ontmoet. Mensen die vrienden voor het leven zijn geworden.'

En toen ze de enorme uitgestrektheid van de glinsterende woestijn binnenreden begon ze hem alles te vertellen over Toynbee Hall, de Sinclairs en de bijeenkomst van de aanhangers van sir Oswald Mosley.

De volgende weken was ze vaak te vinden in het pas geopende paardenhospitaal in de Bayram el Tonsi-straat. En als ze niet samen met een andere vrijwilliger in het hospitaal was, was ze in de straten van Caïro op zoek naar afgeleefde paarden, die ze opkocht zodat ze de laatste dagen van hun leven liefdevol verzorgd konden worden.

'Het is niet altijd uit wreedheid dat die paarden zo slecht behandeld worden,' vertelde een van de vrijwilligers die al langer voor het hospitaal werkte. 'Je moet niet vergeten dat oude cavaleriepaarden veel meer voer nodig hebben dan ezels of muilezels en dat hun eigenaars vaak zo arm zijn dat ze hun eigen kinderen niet eens te eten kunnen geven. En daarbij komt dat veel eigenaars niet weten dat dieren ook pijn kunnen lijden.'

Ze deed haar best om al haar vrienden en vriendinnen voor te lichten.

'Neem nooit een huurrijtuig met een paard dat er halfdood uitziet,' las ze hen vurig de les. 'Vraag een koetsier nooit om op te schieten, ook al heb je nog zo'n haast. Dan krijgt het paard met de zweep. Geef nooit fooi aan een koetsier die zijn paard volledig uitput en stap nooit met meer dan vier personen in een rijtuig. Een paard kan zoveel gewicht gewoon niet aan.'

Weldra begonnen de kennissen van haar moeder meer aandacht te krijgen voor het lot van de paarden in de stad en Davina moest denken aan Fergus, die haar had verteld dat educatie van wezenlijk belang was als je sociale verandering op gang wilde brengen.

Kort voor de kerst werd ze aangenomen als leerling-verpleegster in het Anglo-American Hospital. 'Ik begin na Pasen,' zei ze tegen haar moeder. 'Ik zou het fijn vinden als u een beetje uw best deed om een blijer gezicht te zetten.'

Delia, wier ergernis voornamelijk gespeeld was, zei: 'Ik zou blijer zijn als je je ging verloven met een van die begerenswaardige jongemannen die je in Londen hebt ontmoet. Je vader heeft tot tweemaal toe veel geld gestoken in een Londens seizoen, met als enige gevolg dat Petra nu een veredelde secretaressebaan heeft en jij binnenkort de hele dag ondersteken moet legen.'

'Het enige waar het op aankomt is dat we gelukkig zijn. Dat ík gelukkig ben,' voegde Davina eraan toe, omdat ze betwijfelde of Petra het was.

Haar moeder maakte een geluid dat van alles kon betekenen en ging door met de brief die ze aan Wallis Simpson zat te schrijven.

Eind januari kondigde haar moeder aan dat ze voor drie maanden naar Londen terugging, stierf koning George een vredige dood in Sandringham en ontstond in Caïro chaos door een hele reeks anti-Britse demonstraties.

'In de Ezbekiya-tuinen hebben studenten slag geleverd met de politie,' zei haar vader. 'Er zijn twintig jongeren gearresteerd, allemaal studenten van de universiteit.'

Ongeveer een uur later vroeg Adjo of hij Davina even kon spreken.

'Ik was erbij toen het rumoer begon, juffie Davina,' zei hij op gedempte toon. 'Een van de leiders van de demonstratie was de zoon van Zubair Pasha.'

'Darius?'

Hij knikte en haar maag kromp ineen.

'Misschien vergis je je wel, Adjo. Er waren heel veel mensen en het moet een warrige...'

Adjo schudde zijn donkere hoofd. 'Het was Darius, juffie Davina. Ik ken hem al vanaf dat hij een klein jongetje was. Ik kan me niet vergist hebben.'

'Het is beter als niemand anders het hoort, Adjo. Zubair Pasha zou enorm van slag zijn en Darius wordt misschien wel gearresteerd. Hij zou zelfs in de gevangenis kunnen belanden. Terwijl de studenten niets anders hebben gedaan dan uiting geven aan wat de meeste Egyptenaren vinden.'

Adjo's gezicht stond ernstig. 'Er hadden mensen gewond kunnen raken. De politie had op de betogers kunnen schieten.'

'Maar dat is niet gebeurd.' Haar mond was droog. 'Ik zal met Darius praten. Ik weet zeker dat het niet meer zal gebeuren.'

Drie dagen later zei Darius tegen haar dat het wel degelijk opnieuw zou gaan gebeuren, dat het zijn democratisch recht was om te demonstreren.

Ze schreef aan Aileen:

Als hij verliefd op me was, zou er misschien een kans zijn dat hij naar me luistert als ik zeg dat het één ding is om lid van de WAFD te zijn, maar iets heel anders om aan te zetten tot geweld. Maar aangezien ik niet zijn vriendin ben, heb ik die invloed niet.

Aileen schreef terug:

Lieve Davina
Wie is zijn vriendin dan? Uit alles wat je me over hem hebt verteld, blijkt dat er een vriendin moet zijn. Hij lijkt me niet het type dat als een monnik leeft.

Het schrijven van het antwoord kostte Davina meer pijn dan ze voor mogelijk hield.

Hij gaat met een heleboel meisjes uit en dat zijn allemaal meisjes uit wat in Caïro de 'vissende vloot' heet. Debutantes die uit Engeland naar Egypte komen in de hoop een rijke echtgenoot in hun netten te strikken. Ze zijn erg aantrekkelijk en enorm stijlvol en dat ben ik niet. En omdat ik er niets voor voel met een ander verkering te krijgen, vrees ik dat ik op weg ben een ouwe vrijster te worden.

Davina onderhield ook een briefwisseling met haar moeder. Aangezien David nu koning was, schreef haar moeder voornamelijk over diens liefdesrelatie met Wallis. Eind februari schreef Delia:

De zaken zijn hier in een stroomversnelling gekomen. In de paleiskringen wordt er stevig geroddeld. Steeds als de koning een feest geeft treedt Wallis als gastvrouw op. Ze is zo'n open type dat ze niet eens beseft dat dit veel kwaad bloed zet aan het hof. En als David het wel beseft, dan trekt hij zich er niets van aan. Wallis is alles voor hem, zijn zon, zijn maan en sterren.

'Ik begrijp niet dat je moeder jou deelgenoot maakt van dit soort prietpraat,' zei haar vader toen Davina hem over de brief vertelde. 'Ze vergeet schijnbaar dat je pas negentien bent.'

'Heel veel meisjes zijn op hun negentiende al getrouwd.'

Het was laat op de avond. Ze was naar zijn studeerkamer gekomen om hem welterusten te zeggen.

'Ik ben blij dat jij nog niet getrouwd bent. Ik vind het prettig om jou en Petra in mijn buurt te hebben.'

'Mama wekt een heel andere indruk. Voor haar was het een fikse teleurstelling dat ons seizoen in Londen niet met een verloving is bekroond.'

Hij grinnikte. 'Dat klopt. Ze zou het liefst gelijk op gaan met haar Londense vriendinnen. Maar uiteraard zou zij haar dochters liefst ook in haar buurt hebben.'

'Ze zou jóú het liefst bij haar in Londen hebben, papa. Ze dacht verleden jaar al dat je weer thuis zou komen, maar je bent nu nog steeds in Caïro.'

'Ja. Maar het eigenaardige is dat ik jarenlang gehoopt heb om te worden teruggeroepen naar Londen, maar nu niet meer weg wil uit Egypte. Zoveel Londense vrienden van mij zijn al gestorven – George Curzon, Herbert Asquith, Cuthbert Digby. En je moeder heeft een compleet nieuwe kring van vrienden om zich heen verzameld, allemaal mensen van haar eigen leeftijd. Kun je je mij soms voorstellen in het clubje playboys rond-om de koning?'

Ze legde haar arm om zijn schouders en gaf hem een kus op zijn kruin. Zijn haar was dunner geworden bij zijn slapen, maar het had nog altijd dezelfde bleekgouden tint als haar eigen haar.

'Nee,' zei ze giechelend, 'maar niet al uw intieme vrienden zijn gestorven. Oom Jerome is bijvoorbeeld nog springlevend.

'Jerome?' Hij keek verschrikt, alsof de gedachte dat Jerome in Londen was hem vreemd voorkwam. Na even gezwegen te hebben, zei hij: 'Jerome is eigenlijk veel meer een vriend van je moeder dan van mij, Davina. Hij is een heel stuk jonger dan ik, weet je.' Hij fronste. 'Ik heb met hem te doen. Als hij de schuld voor zijn echtscheiding niet op zich had genomen, zat hij nu in het kabinet. Nu slijt hij zijn dagen op de achterste banken in het Lagerhuis.'

Sinds Sylvia hertogin was geworden, was haar naam in Nile House niet meer gevallen. Davina dacht eraan dat ze Sylvia in Olympia had gezien en was blij dat haar vader verder zweeg.

Er werd aangebeld en even later kwam Adjo melden dat Kate Gunn er was.

'Ach, ja.' Ivor stond op. 'Ik verwachtte haar al.'

Tegen Davina zei hij: 'Ik heb een rapport dat snel uitgetypt moet worden. Kate draait er haar hand niet voor om.'

Davina knikte. Ze wist dat hij erg afhankelijk van Kate was geworden. Waar hij ook naartoe ging, Kate vergezelde hem bijna altijd.

'Als het Delia niet uitmaakt, zie ik niet waarom jij je er druk om zou maken,' zei Petra toen Davina haar bezorgdheid hier-over had uitgesproken. 'Onze moeder is heel erg dol op Kate. Ze hoort bij de familie.'

En dat was waar. Kate maakte al deel uit van hun leven sinds Petra en zij klein waren.

Toch vroeg Davina zich af of Kate niet een van de redenen was waarom haar vader in Caïro wilde blijven.

Een week later ontving Davina weer een brief van Aileen. Davina zat op een bankje in de Citadel, dicht bij de Mohammed Ali-moskee. Ze keek een tijdje naar de piramides in de verte en haalde toen de envelop uit haar zak.

Allerliefste Davina,
De baby is twee weken te vroeg geboren! Hij weegt maar liefst acht pond en twee ons en we noemen hem Andrew Fergus Hamish. Andrew omdat dat de patroonheilige van Schotland is en omdat we het een mooie naam vinden. Fergus spreekt voor zich. En hij heet Hamish naar mijn vader, die eind vorig jaar gestorven is. Ik kan je niet zeggen hoe gelukkig we zijn, Davina. Fergus loopt weer, zij het nog met krukken. Maar tegen de zomer kan hij die krukken aan de wilgen hangen en we maken alweer plannen om naar Whitechapel terug te gaan.

Davina liet de brief op haar knie rusten. Ze wenste dat Groot-Brittannië niet zo ver weg was en dat ze Andrew Fergus Hamish een welkomstknuffel kon geven, zich afvragend of ze ooit zelf een zoon in haar armen zou hebben.

19

Na Pasen begon Davina aan de verpleegstersopleiding. Ze leidde een volslagen ander leven dan Petra. Als zij thuiskwam uit het ziekenhuis, begon Petra's sociale leven net. Zwemfestijnen in het Mena House Hotel werden gevolgd door picknicks in de schaduw van de piramide in Sakkara. In Shepheard's werd 's middags gedanst, in het Continental 's avonds. Petra miste geen enkele polowedstrijd op de Gezira Club en tenniste er verschillende keren per week.

De nieuwtjes die Petra daar oppikte hadden meestal een politiek karakter. Aan het begin van de zomer zei ze veel ernstiger dan normaal tegen Davina: 'Je moet een einde maken aan je vriendschap met Darius, Davvy. Hij heeft zich aangesloten bij een anti-Britse groepering, die uit halve terroristen bestaat. Zelfs Fawzia heeft de moed al opgegeven wat hem betreft.'

'Dat weet ik.'

'Hoe weet je dat dan?' Ze zaten samen aan een haastig ontbijt. 'Je ziet Fawzia toch bijna nooit meer? Je bent ofwel in het ziekenhuis ofwel in de Bayram el Tonsi-straat.'

'Jack schreef het in zijn laatste brief.' Ze schonk zichzelf een glas mangosap in. 'En Darius heeft me verteld dat hij niet meer met zijn vader praat.'

Petra pakte een sneetje geroosterd brood. 'Hoe weet Jack dat?' vroeg ze. Haar stem klonk anders dan eerst.

'Omdat Fawzia hem de ene brief na de andere stuurt.'

'O,' zei Petra met een frons. Ze schoof haastig haar stoel

achteruit zonder de toost nog aan te raken. 'Ik moet weg. Ik ben al bijna te laat. Tot ziens, Davvy.'

Die zomer liet Petra steeds vaker de naam vallen van een diplomaat die niet lang daarvoor in Caïro was aangekomen, Sholto Monck.

'Hij is Anglo-Iers. Erg aantrekkelijk. Ik mag hem graag, Davvy,' vertelde ze. Ze zag er blijer uit dan Davina haar in lange tijd gezien had.

Een jaar later trouwden ze, in de St. Margaret's in Londen. Davina, Fawzia en Sholto's jongere zus waren bruidsmeisje.

De Conisborough-familie was niet erg uitgebreid, maar haar vader had zijn best gedaan om hun kant van de kerk te bezetten met een indrukwekkend legertje voorname vrienden en kennissen.

Toen ze over het middenpad van de kerk liep, zag Davina de bejaarde gestalte van lady Asquith, zoals altijd in het zwart, Winston Churchill en Clementine, sir John Simon en – tot haar verwondering – Wallis Simpson.

Met moeite wist ze haar ogen los te maken van het fraai geklede figuur van Wallis. Een tijdlang had niemand geweten wie ze was, behalve een aantal intimi aan het hof, maar inmiddels ging ze in de gehele high society aanhoudend over de tong.

'Als koning George nog zou leven, was dit niet gebeurd,' had haar moeder gezegd. 'Nu David koning is, grijpt hij elke gelegenheid aan om zich publiekelijk met haar te vertonen. Het is pure domheid van hem dat hij haar vooruitschuift als gastvrouw bij officiële gelegenheden. De zenuwen van die arme Wallis worden zwaar op de proef gesteld. Ze wil eigenlijk niet scheiden van Ernest, maar de koning probeert voortdurend haar zo ver te krijgen. Als dat eenmaal bekend wordt, breekt de hel pas echt los!'

Davina realiseerde zich dat Wallis bijna net zoveel ogen naar zich toe trok als Petra. Begeleid door muziek van Mendelssohn passeerde ze tante Gwen, Pugh en haar moeder op de voorste rij. Ze vroeg zich af of Delia al in tranen was.

Haar vader en Petra waren bij het altaar aangekomen. Sholto stond rechts van haar, met zijn getuige naast hem. Petra haalde haar hand van Ivors arm en reikte Davina haar boeket aan.

Toen bestegen Sholto en Petra het altaar.

Davina bleef met Fawzia in het middenschip achter en richtte haar aandacht op de man die over een paar minuten haar zwager zou zijn.

Hij was niet de zwager die ze zich gewenst had en ze voelde Jacks afwezigheid nog sterker toen ze Jerome zag zitten in een van de banken die voor de familie waren gereserveerd.

'Natuurlijk heb ik hem uitgenodigd,' had Petra op bittere toon geantwoord toen Davina informeerde of Jack op de bruiloft zou zijn. 'Maar hij kan niet komen. Hij heeft andere verplichtingen.'

Davina had het erbij gelaten, maar ze wist zeker dat, als Jack inderdaad was uitgenodigd, dit alleen maar was geschied in de wetenschap dat hij niet zou komen.

'Beminde gelovigen,' zei de bisschop plechtig. 'We zijn hier bijeen voor het aangezicht van God en van al degenen die zich hier verzameld hebben om deze man en deze vrouw in de echt te verbinden...'

Van achteren leek Sholto griezelig veel op haar vader. Hij was lang – minstens één meter negentig – en slank. Ook wat teint en haarkleur betrof leek hij erg op haar vader. Sholto's haar was licht van kleur, maar niet licht genoeg om blond genoemd te worden en het was net zo sluik en glad als van Ivor. Zijn ogen waren echter niet grijs, maar verbijsterend blauw. Hij had een brede, beweeglijke mond en bezat het soort charme dat veel Ieren kenmerkte.

Haar ouders waren meteen voor die charme gevallen, maar Davina om de een of andere reden niet. Hij was in haar ogen net iets te glad. Maar Petra was gelukkig en dus had Davina zich stevig voorgenomen om aardig tegen hem te zijn, puur om haar zus te plezieren.

'... een heilige status,' vervolgde de bisschop, 'die door God is ingesteld en de mystieke verbintenis tussen Christus en zijn Kerk symboliseert...'

Davina keek naar Fawzia. In de afgelopen maanden had Fawzia, de altijd zo gehoorzame Fawzia, zo nu en dan laten zien dat zich onder haar tere schoonheid een pantser van staal verschool.

'Ik ga na Petra's bruiloft niet terug naar Caïro,' had ze gezegd toen ze de laatste keer hun bruidsmeisjeskleding gingen passen. 'Je moeder heeft gezegd dat ik aan Cadogan Square mag blijven logeren zolang ik wil. Mijn vader is des duivels, maar ik ben tweeëntwintig. Ik heb lang genoeg gedaan wat hij wil en nu ga ik het mezelf naar de zin maken.'

Fawzia had het niet over Jack gehad, maar Davina wist zeker dat hij de reden was dat ze in Londen wilde blijven. Davina vroeg zich af wat er zou gebeuren als Jack Fawzia een aanzoek deed. Zubair Pasha zou als Egyptische Kopt alleen een Egyptenaar als schoonzoon willen accepteren. Maar ze vermoedde dat Fawzia zich niets aan de wensen van haar vader gelegen zou laten liggen. Net als Darius zou ze haar eigen zin doen.

'In deze heilige staat,' vervolgde de bisschop, 'zullen de twee mensen hier aanwezig verenigd worden. Indien iemand wettige bezwaren kan inbrengen tegen het sluiten van dit huwelijk, laat hij dan nu spreken, of er anders voorgoed het zwijgen toedoen.'

In de stilte die volgde zag ze dat Petra verstrakte, alsof ze verwachtte dat Jack zijn stem zou verheffen, maar er gebeurde niets.

De bisschop voltooide de huwelijkssluiting. Hij legde de rechterhand van Petra en Sholto ineen met de woorden: 'Wat God verbonden heeft, dat zal de mens niet scheiden.'

Het was gebeurd. Petra was mevrouw Monck.

Een maand later schreef Delia Davina een brief om te melden dat de liefdesaffaire van de koning bij het grote publiek bekend begon te worden.

Wallis is een echtscheidingsprocedure begonnen en David – ik moet eens ophouden hem David te noemen nu hij koning Edward is – heeft het jacht van lady Yule, de Nahlin, gecharterd voor een cruise op de Middellandse Zee. Ze zullen natuurlijk niet alleen aan boord zijn, want er gaat een hele coterie mee, maar ik zie niet hoe een dergelijk plezierreisje uit de kranten kan worden gehouden.

Dankzij de censuur die koningsgetrouwe krantenmagnaten zichzelf oplegden, werd het nieuws wél uit de kranten gehouden – dat wil zeggen uit de Britse kranten. De Amerikaanse kranten lieten zich zo'n buitenkansje niet ontgaan.

Hoezeer Delia was aangedaan bleek uit de zwierige halen van haar pen.

De Amerikaanse pers gedraagt zich schofterig. In plaats van de zaak te sussen, drukken ze koppen af als WORDT WALLIS KONINGIN? Ze is ontzettend bang dat haar verhouding met de koning zijn positie in gevaar brengt. Ik geloof niet dat ze ooit heeft doorgekregen wat een taboe echtscheiding in hofkringen is en dat het simpelweg onmogelijk is dat de koning met een vrouw trouwt die niet één maar zelfs twee keer gescheiden is.

Ze heeft hem twee brieven gestuurd in een poging een einde aan de situatie te maken, maar hij heeft ze compleet genegeerd. Ik zou niet weten wat die arme meid nog meer zou kunnen doen. Hij is volkomen van haar afhankelijk en houdt stug vol dat hij met haar zal trouwen, wat de gevolgen ook mogen zijn.

In oktober hoorde Davina dat Wallis' echtscheiding erdoor was. Delia was ten einde raad.

Dat betekent dat ze over zes maanden weer mag trouwen. Wat er dan zal gebeuren, weet niemand. De meeste mensen die ooit beweerden dat ze met Wallis bevriend waren, hebben zich nu van haar gedistantieerd, omdat ze bang zijn dat de koning zijn troon zal verliezen. Ik kan me overigens niet voorstellen wat er zou gebeuren als zijn broer Bertie hem opvolgt. Hij heeft nog geen greintje van Davids charisma en het arme schaap kan nog geen twee woorden achter elkaar zeggen zonder te stotteren.

Toen de koning in december troonsafstand deed, en prins Albert koning werd en aankondigde dat hij de naam koning George VI zou gaan dragen, waren de Conisboroughs geenszins verrast.

Ook Egypte kreeg een nieuwe koning, de zestienjarige Farouk.

'Niet dat er veel zal veranderen volgens mij,' zei Darius somber toen ze, vijftien maanden later, aanwezig waren bij de inhuldiging van Farouk. 'De Britten zijn nog altijd meester over het Suezkanaal en Britse troepen blijven aanwezig op Britse bodem, ondanks het nieuwe verdrag waarin aan Egypte onafhankelijkheid is verleend.

De ceremonie vond plaats in de zaal van de afgevaardigden. De koningin-moeder en andere hoogwaardigheidsbekleders zaten tegenover de Egyptische koning. Achter hen zaten leden uit de koninklijke entourage. Davina zag Zubair Pasha's corpulente gestalte en tientallen hoge functionarissen en Europese dignitarissen – onder wie haar ouders en sir Miles en lady Lampson.

Formeel gezien had Darius naast zijn vader moeten zitten, maar hij baande zich een weg naar Davina en dwong de mensen naast haar om dichter op elkaar te kruipen.

'Wat is hij nog jong,' fluisterde Davina toen de gouden kroon die Toetanchamon 3300 jaar eerder had gedragen op Farouks hoofd werd geplaatst. 'Hij zal net zo over Egypte gaan denken als jij, Darius.'

'Mooi,' zei hij. Hij boog zijn hoofd zo dicht naar het hare toe dat zijn lippen haar oor bijna raakten. 'Het is tijd dat

Egypte gaat veranderen, Davina – en hetzelfde geldt voor onze relatie.'

Ze hapte naar adem, terwijl de imam de kroon boven Farouks hoofd bleef vasthouden en verkondigde: 'In de naam van Allah! Farouk, koning van Egypte!'

'Laten we straks als we hier weg zijn naar Gizeh gaan en in de woestijn gaan rijden,' zei Darius, terwijl hij haar in de ogen keek.

Er was die avond een groot bal op het paleis, maar ze aarzelde geen seconde.

'Ja,' zei ze. Haar hart ging wild tekeer.

Ze reden uit Garden City weg met champagne, pitabrood, hummus en vijgen om te picknicken.

Het viel niet mee om uit Caïro weg te komen. Duizenden mensen waren naar Caïro toegestroomd om de kroning mee te vieren. De straten stonden volgepakt met fellahin die met vlaggen zwaaiden. Overal zagen ze portretten van Farouk. De Kasr el Nil-brug, waar het meestal wemelde van de ezelskarren en huurkoetsjes, was nu verstopt met limousines en Cadillacs die voortkropen in de richting van het Abdin-paleis.

Tegen de tijd dat Darious' Mercedes-Benz Gizeh in reed, begon het al te schemeren.

Ze parkeerden bij het Mena House Hotel. In de tuinen en op de balkons bevonden zich massa's feestvierders. Darius en Davina begaven zich linea recta naar de manege.

Sakkara en de trappiramide – Davina wist zeker dat dat hun bestemming was – was een uur rijden naar het zuiden. Tegen de tijd dat ze de aparte vorm van de piramide zagen opdoemen, waren hun paarden nat van het zweet.

Darius hield zijn paard in en steeg gehaast af. Even later drukten zijn handen warm om haar middel toen hij haar hielp met afstijgen en haar onstuimig naar zich toe trok.

'Waarom nu?' vroeg ze, met haar mond op een millimeter afstand van de zijne. Haar hart klopte wild in haar keel.

'Omdat het tijd is,' zei hij. Met een hand pakte hij het lint dat haar haar uit haar gezicht hield vast en trok het los, zodat haar ivoorkleurige haar op haar schouders viel.

Het bloed kolkte door haar lichaam. Hij drukte snel zijn mond op de hare.

Het was een lange, zalige kus. Toen hij eindelijk zijn hoofd ophief, zei hij: 'Tot nu toe was je te jong voor een relatie als deze.'

'Ik ben eenentwintig,' zei ze. Ze kon zich bijna niet staande houden, zozeer verlangde ze naar hem. 'Je had me al jaren geleden kunnen kussen.'

'Nee, dat kon ik niet,' zei hij, en schonk haar zijn zeldzame glimlach. 'Toen je zeventien was, droeg je nog een haarband en sokjes. Vergeleken bij andere meisjes was jij altijd erg jong voor je leeftijd. Dat was waarschijnlijk ook de reden dat je moeder je dubuteerseizoen heeft uitgesteld tot je negentien was.'

'Ik ging niet eerder, omdat ik niet wilde.'

Het was eigenlijk nauwelijks te geloven op dat moment, maar ze besefte dat ze op het punt stonden ruzie te maken.

Hij besefte het ook en zei zachtjes: 'Kom, we leggen een deken op het zand en gaan eten, en dan leg ik je haarfijn uit waarom je het erg moeilijk zou hebben gekregen als we eerder met verkering begonnen waren – en waarom het ook nu nog moeilijk zal zijn.'

Hij haalde de opgerolde deken van zijn paard en spreidde hem uit onder een dadelpalm. Toen zette hij de kommen met hummus en vijgen neer.

Terwijl hij de Heidsieck in glazen schonk, ging ze op de deken zitten met haar benen onder zich.

'Ik heb mijn politieke koers al lang geleden uitgezet, Davina,' zei hij. De champagne stroomde over het glas dat hij haar aanreikte. 'Jouw familie heeft onze vriendschap alleen maar vanwege mijn vader getolereerd. Maar tegen een echte liefdesrelatie zullen ze heel anders aankijken.'

'Een echte liefdesrelatie,' zei ze. Haar stem klonk erg wankel. 'Dat is wat ik wil.'

Bij het zien van de passie in zijn ogen voer er een siddering door haar heen.

'Niet alleen je vader zal ertegen zijn, Davina – en neem maar van mij aan dat hij zich heftig zal verzetten –, maar ook mijn nationalistische vrienden zullen er niets van willen weten.'

'Denk je dat ze je niet meer geloofwaardig vinden als je een Britse vriendin hebt?'

Hij schudde zijn hoofd. 'Dat hoeft niet per se. Het uitgaan met meisjes van de vissende vloot wordt bij ons als een geintje gezien, althans bij de kopten onder ons. Maar een Britse echtgenote, dat is een ander verhaal.'

Hij keek haar diep in de ogen.

Ze wist dat hij wachtte op een teken dat ze begreep dat het allemaal niet gemakkelijk voor hen zou worden. Er zou geen sprake zijn van een verloving die ze zouden kunnen vieren met hun beider families en die door de Egyptische en Britse gemeenschap zou worden toegejuicht.

Het maanlicht bescheen zijn knappe gezicht en accentueerde de strenge trekken. Ze was zich als nooit tevoren bewust van de intense passie die zo'n groot onderdeel van zijn persoonlijkheid uitmaakte. Van de gevaarlijke kant die hij in zich had.

Ze zette haar champagneglas neer. 'Ik hou van je,' zei ze. 'Het kan me niet schelen wat voor problemen ons wachten, Darius, als we ze maar samen te lijf kunnen gaan.'

Ze zag de enorme opluchting in zijn ogen en besefte verwonderd dat hij getwijfeld had hoe ze zou reageren. Hij strekte zijn armen naar haar uit, zijn handen krachtig, maar toch behoedzaam. Ze besefte dat zij voor hem net zo belangrijk was als hij voor haar. Nog nooit was ze zo gelukkig geweest.

'En dus zijn we nu niet meer gewoon vrienden, maar een stel,' zei ze tegen haar vader.

Het was vroeg in de avond en ze bevonden zich in zijn studeerkamer. Hij was net teruggekeerd van een ontmoeting met Nahas Pasha, de nieuwe eerste minister.

'Wát zeg je?' Ivor gooide een document neer op zijn bureau en draaide zich wild naar haar om. 'Wou je me vertellen dat jij je onofficieel hebt verloofd met een van de grootste politieke oproerkraaiers van Caïro?'

Ze had hem nog nooit zo kwaad gezien. Ze wist dat anderen zich vaak door hem geïntimideerd voelden, maar zij was nooit bang voor hem geweest, evenmin als Petra. Hij was nooit bijzonder liefhebbend geweest, maar wel aanspreekbaar.

'Ik weet niet waneer we kunnen trouwen, maar we hebben verkering. Ik vond dat ik het je maar beter kon vertellen, voordat je het van iemand anders hoort.'

Ze had haar vader, die altijd de zelfbeheersing in eigen persoon was, nooit eerder zien sputteren, maar dat deed hij nu wel. 'Verkering. Wat mag dat in vredesnaam betekenen? Is zijn familie op de hoogte van deze verkéring? Moet ik erop voorbereid zijn dat Zubair Pasha erover begint als we elkaar de volgende keer ontmoeten? Er moet een eind aan komen, Davina. Heb je dat begrepen? Darius is een gevaarlijke jongeman. Zijn politieke opvattingen zijn gevaarlijk en de manier waarop hij ze in praktijk brengt zijn ook gevaarlijk.'

'Daar weet u niets van,' zei ze. Ze probeerde redelijk te blijven. 'De meeste verhalen die over Darius de ronde doen zijn roddels. Als het om harde feiten ging, zat hij allang in een Britse gevangenis.'

'De enige reden dat hij daar nog niet zit, is dat zijn vader zo pro-Brits is. Omdat Groot-Brittannië elke vriend aan het koninklijk hof hard nodig heeft, willen we Zubair Pasha niet graag voor het hoofd stoten door zijn zoon gevangen te zetten!'

Hij beende naar het raam.

'Het moet uit zijn met die onzin, Davina,' zei hij. 'Ik heb altijd al gevonden dat het geen goed idee was om jou je vriendschap met Darius te laten voortzetten. Zijn politieke gedrag heeft zijn vader al veel verdriet gedaan. Zelfs Fawzia heeft nog nauwelijks contact met hem.'

'Dat kan wel zijn,' zei ze, 'maar ik zal met hem blijven omgaan, papa.'

Ivor zag asgrauw. 'Dan kun je maar beter ergens anders onderdak gaan zoeken, Davina. Dat is mijn laatste woord over de kwestie.'

'U verlangt van me dat ik uit Nile House vertrek?'

'Alleen maar om je bij zinnen te laten komen.'

'Ik zou denken dat u gezien de omstandigheden wel wat meer begrip zou kunnen tonen.'

'Welke omstandigheden?' Hij ademde scherp in, zijn neusvleugels zagen bleek.

'Kate Gunn,' zei ze.

En ze liep de kamer uit.

'Ik ben thuis weg,' zei ze de volgende dag tegen Petra. 'Ik ben naar het verpleegstershuis verhuisd. Ik krijg het daar vast heel gezellig.'

Petra staarde haar zachtaardige zus aan. 'Wou je me soms vertellen dat jij en Darius nu minnaars zijn en dat je dat aan Ivor hebt verteld?' vroeg ze ongelovig.

'Ik heb hem niet verteld dat we minnaars zijn,' zei Davina. 'Ik heb gezegd dat we verkering hebben.'

'En hoe zit dat met Kate?' vroeg Petra, terwijl ze een keurig getekende wenkbrauw optrok. 'Hoelang wist je al van hun geheimpje?'

Ze zaten op het terras van Shepheard's. Vanaf hun tafel hadden ze goed zicht op de Moorse Zaal, een favoriete ontmoetingsplek voor mannen.

'Ik weet het niet,' zei Davina langzaam. Ze keek naar een aantal vrienden van hun vader, die met een glas in hun hand in gesprekken verdiept waren. 'Het was geen plotse onthulling. Ik begon geleidelijk aan te beseffen welke rol ze in het leven van papa speelde. Ik denk dat mama het ook wel weet, denk jij ook niet?'

'O, reken maar,' zei Petra, met de gebruikelijke harde bijklank in haar stem als het over hun moeder ging. 'En aangezien zij er zich totaal niet druk om maakt, moeten wij dat ook maar niet doen.' Ze leunde achterover in haar stoel, haar mahoniekleurige haar glansde in het zonlicht. 'Over Ivor en Kate zullen nooit roddels de ronde doen, daarvoor zijn ze allebei veel te voorzichtig. Maar jij verkeert in een andere positie, Davvy. Als het nieuws van jou en Darius bekend wordt, zal de high society van Caïro jou gaan zien als een nieuw lid van de vissende vloot.'

'Ze mogen me zien zoals ze willen,' zei Davina op haar bedaarde manier. 'Het kan me echt niet schelen. Voor mij telt alleen maar hoe mijn echte vrienden over me denken. En aangezien die weten hoe het zit tussen ons, zal hun mening over mij ook niet veranderen.'

Het geklets over Davina binnen de Britse gemeenschap in Caïro viel in het niet bij de gesprekken die over een dreigende oorlog in Europa werden gevoerd. Opeens waren er veel meer Duitsers in de stad dan nog maar enkele maanden eerder. Het gerucht ging dat Farouk de Duitsers bewonderde.

'Dat zou nog wel eens een lastig probleem kunnen worden als Groot-Brittannië Duitsland de oorlog verklaart,' zei Sholto loom tegen Davina. 'Het recente Anglo-Egyptische verdrag is wat dat betreft heel duidelijk. Als Groot-Brittannië een vijandige natie de oorlog verklaart, dan dient Egypte zich daarbij aan te sluiten – maar als Farouk zich niet aan het verdrag wenst te houden, dan zal het moeilijk worden hem te dwingen.'

Toen Kerstmis naderde en Delia naar Caïro kwam voor

haar gebruikelijke langere verblijf, had ze nieuws dat ze blijkbaar liever niet aan Petra wilde meedelen.

'Maar waarom dan niet?' vroeg Davina, geheel perplex. 'Het is al zes jaar geleden dat Petra haar relatie met Jack beëindigde. Ze is al meer dan twee jaar met Sholto getrouwd. Waarom zou ze van streek raken als ze hoort dat Jack met Fawzia gaat trouwen? En waarom gaan ze in Londen voor de wet trouwen, niet in Caïro?'

'Hoe dat zit met trouwen voor de wet, weet ik ook niet, lieverd. Ik weet alleen dat Fawzia koptisch is en Jack niet. En ik weet ook niet waarom ze in Londen trouwen, maar het zou kunnen zijn omdat Zubair Pasha Jack weliswaar graag mag en enorm veel respect heeft voor Jerome, maar waarschijnlijk eigenlijk een ander soort huwelijkspartner voor Fawzia in gedachten had. Waarschijnlijk had hij gehoopt dat Farouk zijn oog op haar zou laten vallen en dat ze dan koningin van Egypte werd. Maar Farouk trouwt in januari met Safinez Zulfiquar. Volgens je vader gaat ze trouwens koningin Farida heten, niet koningin Safinez. Farouk heeft net als zijn vader iets eigenaardigs met de letter "F". Volgens hem brengt die geluk. Wat wel eens zou kunnen betekenen dat Fawzia, als ze maar in Caïro was gebleven, hoge ogen bij hem had kunnen gooien.'

'Ze is te oud; ze is al drieëntwintig. Farouk zelf is nog geen achttien en Safinez is pas vijftien.'

'Zestien,' verbeterde haar moeder haar.

'Vijftien,' herhaalde Davina. 'De officiële mededeling dat ze zestien is, is alleen maar een zoethoudertje voor de Britten.'

Omdat haar moeder in Caïro was, moest haar vader Davina wel vragen om met Kerstmis naar Nile House te komen. Hij deed dat stijfjes. Davina wist dat hij hun verwijdering net zo erg vond als zij en voldeed aan zijn verzoek. Hij nodigde Darius niet uit, maar dat deed er niet toe: die zou de uitnodiging toch niet hebben aanvaard.

Tijdens een receptie op het Amerikaanse gezantschap, op kerstavond, hoorde Davina hoe haar moeder Petra over het voorgenomen huwelijk van Jack vertelde.

Petra droeg een rugloze jurk met een halter van smaragd-groene lamé. Haar dikke bos haar was modieus opgestoken. Petra had net staan lachen om iets wat iemand haar vertelde. Ze zag er modern en gesoigneerd uit – en alsof ze veel moeite moest doen om het naar haar zin te hebben. Die indruk wekte ze wel vaker.

Toen hun moeder naar Petra toe liep, stralend in een mauve japon met glinsterende kristallen kraaltjes, kreeg Davina een akelig voorgevoel. Misschien had haar moeder wel gelijk dat ze zo terughoudend was. Misschien was er met Petra's breuk met Jack wel veel meer aan de hand dan zij had beseft.

Delia tikte Petra's elleboog aan om haar aandacht te krijgen. Petra draaide zich om en glimlachte voluit naar haar moeder. Terwijl haar moeder sprak, verdween Petra's glimlach.

Het bloed trok weg uit haar gezicht.

Het glas champagne dat ze in haar hand had, viel op de grond in scherven uiteen en de inhoud bespatte haar japon.

Sholto, die aan de andere kant van het vertrek had staan praten met een jonge diplomaat van de Argentijnse legatie, verontschuldigde zich en liep haar kant uit.

Ook Davina liep op haar toe, maar Petra wendde zich af en vluchtte de zaal uit.

Petra's abrupte vertrek zou de gemoederen de komende weken in Caïro blijven bezighouden, dat wist Davina wel zeker.

Het was overduidelijk dat ook haar moeder dit besefte. Ze zei luid: 'Arme meid! Ik vertelde haar van de dood van een goede vriendin uit Londen. Ik vrees dat het een heel verkeerd moment was.'

Sholto nam deze verklaring voor zoete koek aan en zei al-leen: 'Dan wil ze waarschijnlijk even alleen zijn,' waarna hij op zijn gemak weer terugliep naar de Argentijnse diplomaat.

Haar moeder zei zacht: 'Alsjeblieft, Davina, ga niet achter Petra aan. Sholto heeft gelijk. Ze wil vast het liefst even alleen zijn.'

Omdat Davina altijd op het oordeel van haar moeder vertrouwde, deed ze wat ze zei, maar het viel haar zwaar. Ze had het er ook moeilijk mee dat haar moeder blijkbaar meer wist over de breuk tussen Jack en Petra dan zij.

De volgende morgen verliet Davina Nile House meteen na het ontbijt en ging naar Petra's villa.

Petra zat op het terras, haar ontbijt stond onaangeroerd op de rieten tafel voor haar. Ze was nog in ochtendjas en ze had haar haar nog niet gekamd.

'Vraag me niets, Davvy,' zei ze mat, voordat Davina nog maar iets tegen haar gezegd had. 'Het was de verkeerde tijd van de maand. Ik verwachtte het nieuws niet en ik reageerde er heel slecht op. De koffie is nog warm. Neem een kopje en vertel me dan eens wat je naar Farouks bruiloft aantrekt.'

Omdat Petra haar zo overduidelijk niet in vertrouwen wilde nemen, stak Davina met tegenzin van wal over het onderwerp dat Petra zo abrupt had aangesneden. Maar ze vond het vreselijk dat Petra geheimen voor haar had en hoopte vurig dat ze uiteindelijk haar hart bij haar zou uitstorten.

Dat deed Petra niet.

Petra sprak met geen woord meer over haar reactie op het nieuws dat Jack ging trouwen, maar toen Jack en Fawzia bij Fawzia's familie op bezoek waren, deed ze net alsof ze blij was voor hen. Jack leek volkomen op zijn gemak. De enige die zich nogal gereserveerd gedroeg, was Sholto.

'Dat komt waarschijnlijk doordat hij jaloers is,' zei haar vader toen Davina daarover begon. 'Jack is overgeplaatst naar MI6. Nu er oorlog dreigt, zou Sholto maar wat graag voor de inlichtingendienst werken en hij vindt het vast niet leuk dat Jack hem voor is.'

Haar vaders voorspelling dat er spoedig oorlog zou uitbreken bleek te kloppen. Op 3 september kondigde premier Chamberlain in het Lagerhuis aan dat Groot-Brittannië vanaf het middaguur in oorlog met Duitsland was.

'Maar Egypte?' zei Ivor grimmig. 'Welke kant zal Egypte kiezen? Die van Duitsland? Of de onze?'

Deel IV

Darius

1940

20

$\mathcal{D}$arius verkoos de vestiging van Groppi's die zich het dichtst bij de opera bevond. Hij vond de tuin hier aangenamer dan de beroemdere tuin aan het Soliman Pasha-plein. Het was er intiem en lang niet zo vol. Hier bloeiden witte jasmijn en rode bougainvillea tegen de muren met traliewerk, die voor een intieme sfeer van afzondering zorgden. Hij was te vroeg voor zijn afspraak, maar dat vond hij niet erg. Hij had heel wat te overpeinzen en er was geen betere manier om dit te doen dan bij een glaasje sterke Turkse koffie en in honing en rozenwater gedrenkt gebak.

De Egyptische regering deed voor de buitenwereld mee met het Anglo-Egyptische 'Vriend- en Bondgenootschapsverdrag'. De oorlogstoestand was van kracht. Bekende nazi's in de stad – en daar waren er heel wat van – waren geïnterneerd in de Italiaanse school in Alexandrië. De spoorwegen en vliegvelden stonden de Britten ter beschikking. Egypte steunde Groot-Brittannië op allerlei manieren, maar het had Duitsland niet de oorlog verklaard. En dat zou ook niet gaan gebeuren, bedacht Darius grimmig.

Hij vroeg zich af of sir Miles Lampson, die niet langer hoge commissaris maar ambassadeur was, namelijk sinds de ondertekening van het Brits-Egyptische verdrag, zich liet bedotten door de plichtsgetrouwe acties die werden ondernomen door premier Ali Maher. Darius betwijfelde het. Lampson was daar te slim voor. En Duitsland wist drommels goed dat Egypte het land waar het zo graag vanaf wilde, geen echte steun zou verlenen.

Hij bestelde nog een koffie en vroeg zich af wat er met het machtige Britse wereldrijk zou gebeuren als het de oorlog verloor. Het zou zijn imperiale macht kwijt zijn – en daardoor zou er een einde komen aan de aanwezigheid van de Britten in Egypte. Dit was voldoende reden voor hem om niet te wensen dat Groot-Brittannië als overwinnaar uit de strijd zou komen. Iemand anders die dat ook niet wenste, was een Roemeen met wie hij bevriend was geraakt. Constantin Antonescu was diplomaat van het Roemeense gezantschap en hij was degene met wie Darius hier had afgesproken.

Aan een tafel in de buurt deelde een oude zakenman met een rode fez op het hoofd en gestoken in een kostuum van Savile Row wat gestolen momenten met een mooi jong meisje dat zijn kleindochter had kunnen zijn, althans zo kwam het Darius voor. Aan een tafel verder weg sloegen twee Egyptische matriarchen een flinke bres in een berg slagroomtaartjes op een glazen etagère. Niemand schonk aandacht aan hem.

Hij keek op zijn horloge, niet omdat Constantin laat was – dat was hij niet – maar om te kunnen bedenken waar Davina op dat moment was en wat ze aan het doen was. Het was bijna vijf uur en omdat het woensdag was zou ze in het paardentehuis zijn en daar alles wat ze leerde op de verpleegstersopleiding ten dienste van de dieren inzetten.

Er viel een schaduw over zijn tafeltje. 'Ik zie dat we de tuin min of meer voor onszelf hebben,' zei Constantin, want op dat moment keerden de twee matrones een leeg taartplateau de rug toe. Hij keek naar de zakenman en diens metgezellin en voegde eraan toe: 'Misschien kunnen we beter nog even wachten tot we helemaal alleen zijn, voordat ik je mijn plannen uiteenzet. Als ze slagen, wint Duitsland de oorlog.'

Die avond gingen Davina en hij dineren in het Continental Hotel. Het bevond zich tegenover de Ezbekiya-tuinen en bezat een dakrestaurant met een dansvloer waar ze allebei heel graag kwamen.

Toen ze door de drukke openbare ruimten liepen, kwamen ze langs de bar, waar ze Sholto zagen zitten, te midden van een luidruchtig groepje mensen. Darius keek even snel naar Davina om te zien of zij Sholto had gezien. Uit de manier waarop ze oogcontact vermeed, leidde hij af dat dit zo was.

'Je mag hem niet, hè?' zei Darius nuchter toen ze in de lift-kooi naar het restaurant stapten.

'Nee, niet erg. Hij maakt Petra niet echt gelukkig.'

'Omdat hij drinkt?' vroeg hij toen ze aan hun tafeltje zaten. 'Of omdat hij gokt?'

'Ik denk niet dat ze het leuk vindt dat hij meer hier in de bar en in het Shepheard's zit dan thuis, maar dat hij drinkt zou Petra voor lief nemen als verder alles maar goed was.'

Davina zei niets over het gokken, maar ze had een ongelukkige uitdrukking op haar gezicht en Darius wist dat ze aan het afwegen was of ze hem iets zou vertellen waarvan Petra niet zou willen dat hij het wist.

Uiteindelijk zei ze, terwijl ze haar champagneglas liet rond-draaien: 'Sholto's achtergrond is ietsje anders dan hij beweerde. Dat hij erover heeft gelogen, heeft haar vertrouwen in hem beschaamd.'

'Was er een vrouw in het spel?'

'Nee, seks heeft er niets mee te maken.'

Ze keek naar de kleine band die Cole Porters 'Night and Day' speelde. Niemand danste. Het was nog te vroeg.

Darius zei niets, keek alleen maar naar haar.

Haar haar werd met ivoren kammen bijeengehouden en hing satijnglad op haar schouders. Haar avondjurk had dezelfde glanzende kleur als haar ogen. Haar nagels waren in een zilverkleur gelakt en ze had haar lippen niet vuurrood gestift, zoals in de mode was, maar zachtroze. Hij vond haar eruitzien als een oud-Egyptische maangodin en dat vond hij veel opwindender dan de glamour van Petra of de harde werelds-heid van de vrouwen van de vissende vloot.

Davina, die nog steeds naar de band zat te kijken, zei:

'Sholto heeft tegen Petra – en de hele wereld – gelogen dat hij Anglo-Iers is. Hij is gewoon Iers.'

'Is er verschil dan?'

'Als het om klasse gaat wel. De grondbezittende elite is Anglo-Iers.'

'Dus een Anglo-Ierse schoonzoon was wel acceptabel voor je vader en een Ierse niet. Zit het zo?'

Ze knikte.

'Dan is het toch niet meer dan logisch dat hij niet helemaal eerlijk was?'

'Ja, maar tegen Petra hoefde hij niet te liegen.' Davina nam een slokje champagne en keek eindelijk weer naar hem in plaats van naar de band. 'Het is ook een kwestie van geld. Sholto heeft altijd de indruk gewekt dat zijn familie rijk is en dat hij veel geld zal erven, maar in werkelijkheid heeft hij nauwelijks familie en heeft hij helemaal geen geld, ook al gedraagt hij zich alsof het wel zo is. Petra is doodsbenauwd voor wat er gaat gebeuren als hij door de mand valt.'

'Je vader zal hem wel steunen,' zei Darius. Hij stond op en geleidde Davina naar de nog altijd lege dansvloer. 'Het verbaast me niet dat Petra doodsbenauwd is. Als ik je vader zoiets zou moeten melden, zou ik ook doodsbenauwd zijn.'

Na dit gesprek merkte Darius dat hij Sholto Monck meer in de gaten begon te houden. En op advies van Constantin toonde hij zijn anti-Britse gevoelens niet meer zo duidelijk tegenover de buitenwereld.

'Jij hebt een sociaal netwerk zoals maar heel weinig Egyptenaren hebben,' had Constantin tegen hem gezegd. 'Dat kan voor je medenationalisten wel eens erg nuttig blijken. Denk je eens in, Darius. In het huis van een man als lord Conisborough bevind je je in het centrum van de Britse regering in Caïro!'

Darius had wel ingezien dat het een bruikbaar advies was. Binnen enkele maanden was het hem gelukt de sociale banden met Davina's vader weer aan te halen. Maar Constantins overtuiging dat Nile House het centrum van de Britse regering in Caïro was, bleek te optimistisch.

Lord Conisborough had weliswaar jarenlang het vertrouwen van koning Fouad genoten, hoofdzakelijk in zijn functie als adviseur, maar toen Farouk zijn vader was opgevolgd, was zijn positie inhoudsloos geworden. Doordat hij Farouk al zo lang kende – het grootste deel van diens jeugd – was hij nog altijd welkom in het Abdin-paleis, maar de tijd dat Farouk nog beïnvloed kon worden door een man die met zijn vader bevriend was, was allang voorbij. Darius wist dit van zijn eigen vader, wiens rol op het paleis eveneens was uitgespeeld.

'Het probleem is dat de koning te jong is voor zijn taak,' had zijn vader gezegd op een van de zeldzame momenten dat ze bijna vriendschappelijk met elkaar hadden gepraat. 'Hij denkt meer aan zijn auto's dan aan politiek. Het is bijna onmogelijk hem de ernst van de huidige situatie te doen inzien.'

Ivor Conisborough, die intussen tegen de zeventig liep, was niet naar Londen teruggeroepen en bezette geen hoge officiële post meer. Maar hij had er niet voor gekozen om naar Engeland terug te gaan.

'Hij is nu al zo lang in Caïro, dat hij er niet aan moet denken om weer in Londen te moeten acclimatiseren,' had Davina uitgelegd. 'De meeste vrienden die hij daar had zijn gestorven en de premier heeft hem laten weten dat er voor hem geen post in oorlogstijd beschikbaar is. Dus heeft hij besloten niet terug te gaan. Hier in Caïro is hij, gezien zijn jarenlange ervaring met Egyptische aangelegenheden, in ieder geval nog een grote steun voor sir Miles Lampson.'

Darius wist dat Davina's vader zijn relatie met Kate Gunn in Londen ook minder gemakkelijk kon voortzetten dan in Caïro.

Darius' bezoeken aan Nile House beperkten zich gewoonlijk tot de momenten dat hij zeker wist dat Ivor Conisborough er niet was, en zelfs dan parkeerde hij zijn Mercedes discreet op enige afstand van het huis.

Tijdens een van die bezoeken was Davina zich boven aan het klaarmaken voor een avondje op de Sporting Club en zat hij in de salon met een groot glas gin-tonic. De ruime kamer keek uit op de gazons en de tuindeuren stonden open. Toch hoorde hij Ivors Rolls-Royce niet de oprit op komen. Dat Ivor thuisgekomen was, merkte hij pas toen hij diens onmiskenbare heldere stem vanaf het terras hoorde.

Darius zuchtte geïrriteerd, want hij wist heel goed dat zijn aanwezigheid niet op prijs zou worden gesteld. Hij ging op de sofa zitten met één been nonchalant over het andere geslagen, in een pose alsof hij van zijn drankje zat te genieten.

In plaats van het huis binnen te gaan, lieten Ivor en zijn metgezel zich neer in de gemakkelijke stoelen op het terras.

'Wat jammer dat je zo'n strak schema hebt,' zei Ivor. 'Petra en Davina zouden het heerlijk vinden om je te zien.'

'Ik zal mijn best doen om in ieder geval een keertje met hen te lunchen,' antwoordde de ander. Darius schrok enorm.

De stem was van sir Jerome Bazeljette.

'Dus het is jouw taak om vast te stellen of de burgers van Caïro wel op oorlog zijn voorbereid?' vroeg Ivor. 'Tja, moeilijk doen over iets onbelangrijks, laat dat maar aan Chamberlain over.'

Jerome lachte instemmend en zei toen: 'Belangrijk of niet, ik ben blij dat ik nu in de gelegenheid ben jou te spreken. Want jij en ik hebben een probleem, en daar moeten we het over hebben.'

Darius hoorde Ivor een diepe zucht slaken, alsof hij maar al te goed wist wat het probleem was.

'Je kunt Delia niet in haar eentje in Londen laten blijven,' zei Jerome onomwonden. 'De stad zal zeker gebombardeerd worden. Jij moet naar Londen terug of anders moet Delia, nu het nog kan, hier bij jou komen wonen. Winston is weer minister van Marine geworden. Het is geen probleem om haar uit Engeland weg te krijgen.'

'Maar het probleem is zeker dat ze niet uit Londen weg wil?'

Darius voelde Bazeljettes ergernis over het feit dat Ivor kennelijk niet eens overwoog om naar Londen terug te keren. 'Natuurlijk wil ze niet! Goeie god, Ivor! Als ze hierheen komt zijn we van elkaar gescheiden zolang deze hele poppenkast duurt – en anders dan de optimisten in het kabinet denk ik dat het wel eens verduiveld lang kan gaan duren. Ik wil net zomin van Delia gescheiden worden als zij van mij, maar ik wil dat ze veilig is. Het is niet waarschijnlijk dat Caïro gebombardeerd zal worden.'

'Het zou wel in vijandelijke handen kunnen vallen. Ethiopië maakt deel uit van het Italiaanse rijk. En ten westen van ons, in Libië, zitten ook Italianen. Het kan niet anders dan dat in beide landen Duitse troepen worden samengesteld.'

'Italië is nog niet met ons in oorlog en ook al was het wel zo, dan nog zou de strijd zich mijlenver hiervandaan afspelen, in de woestijn. Als Caïro werkelijk bedreigd zou worden, dan komt er een massale evacuatie van Britse vrouwen en kinderen naar Palestina op gang.'

Het duizelde Darius. Niet door het gepraat over de veiligheid van Caïro in vergelijking met Londen, maar door de manier waarop de twee mannen over Delia Conisborough zaten te praten.

Sinds hun gezamenlijke uitstapje naar het oude Caïro was Darius altijd bevriend gebleven met Davina's moeder. Het was niet iets waarover hij met Davina had gesproken, maar hij wist dat Davina besefte dat hij haar moeder graag mocht, en hij wist ook dat Delia geen geringe sympathie koesterde voor het Egyptische nationalisme.

Nu vroeg hij zich af hoelang ze Jerome Bazeljettes maîtresse al was. En hoelang Ivor Conisborough hiervan al op de hoogte was. Was Jack op de hoogte van zijn vaders verhouding?

Hij had Jack al jaren niet meer gezien, maar ooit waren ze dikke vrienden geweest.

'Ik heb jouw hulp nodig om haar zo ver te krijgen dat ze uit Londen weggaat,' zei Jerome. 'Ze hecht grote waarde aan jouw oordeel en als jij haar ervan weet te overtuigen dat ze híér nodig is, dan kan dat haar over de streep trekken.'

Het was even stil en toen zei Ivor ernstig: 'Ja, Jerome, je hebt gelijk. Delia moet niet in Londen zijn als de Duitsers de stad gaan bombarderen. Ze moet hierheen komen. Laat het maar aan mij over, ik zal zorgen dat ze komt.'

Darius hoorde Jerome een zucht van verlichting slaken en besefte dat het tijd werd om zich uit de voeten te maken.

Zo zachtjes mogelijk stond hij van de sofa op en liep het vertrek uit. Het laatste dat hij Ivor hoorde zeggen was: 'Neem nog even de tijd voor een borrel, Jerome, voordat je naar de ambassade verdwijnt.'

Davina kwam net de trap af toen Darius deze bereikte. Hij legde een vinger tegen zijn lippen.

'Je vader is met een gast op het terras,' zei hij heel zachtjes. Hij zei er expres niet bij wie die gast was. 'Laten we maken dat we wegkomen.'

Ze knikte, gaf hem haar hand en liet zich meevoeren naar de voordeur.

Een maand later, twee weken na Jeromes vertrek uit Caïro, arriveerde Delia.

'Lieve hemel! Ze heeft Fawzia bij zich!' riep Davina tegen Darius toen de trein uit Alexandrië het station binnenstoomde en ze de twee gestalten uit een open raam zag leunen.

Lord Conisborough, Petra en Sholto waren er ook om hen te begroeten. Darius was zo benieuwd te zien op wat voor manier Ivor Conisborough zijn vrouw begroette, dat hij nauwelijks oog had voor zijn zusje.

'Sorry dat je op zo'n primitieve manier met een legertrein moest reizen, lieverd,' hoorde hij Ivor zeggen, terwijl Delia hem op de wang kuste en er een hele lading soldaten langs hen heen begon te stromen. 'Ik neem aan dat het in deze omstandigheden geen pretje was.'

Hij kon Delia's antwoord niet verstaan, want op dat mo-

ment wierp Fawzia zich in zijn armen, in een volkomen onverwachte uitbarsting van zusterlijke genegenheid. Hij reageerde even innig, maar vroeg zich intussen af of Fawzia door
haar huwelijk soms vergeten was dat ze het niet zo goed met
elkaar konden vinden.

Toen hij Fawzia losliet, zag hij nog net de uitdrukking op
Petra's gezicht. Die veranderde meteen in een hartelijke, verwelkomende blik, maar Darius had begrepen dat Petra grote
moeite had met de terugkeer van zijn zus als mevrouw Bazeljette en er niet blij mee was.

'Is dit niet fantastisch?' zei Delia terwijl ze omgeven door
militairen het perron af liepen. 'Ik was blij te horen dat het zo
goed met je gaat in je nieuwe praktijk, Darius,' vervolgde ze,
en schonk hem een brede, bekoorlijke glimlach. Ze doelde op
zijn groeiende reputatie als jurist.

'Heb je nog nieuws over onze Londense vrienden?' vroeg
Ivor, en trok haar aandacht op deze wijze weer naar zichzelf
toe. 'Hoe gaat het met Margot Asquith? Toen Jerome hier
was vertelde hij dat ze nog nauwelijks buiten de deur komt.'

'Dat klopt, maar ik geloof niet dat ze dat erg vindt. Marie
Belloc-Lowndes houdt haar gezelschap. Ze zijn al eeuwen-
lang bevriend en delen dezelfde zorgen.'

'Welke dan?' vroeg Ivor. Zijn Rolls kwam aangereden.

'Familie in het buitenland. Margots dochter zit in Roemenië. Haar man was de Roemeense ambassadeur in Parijs totdat de oorlog uitbrak, en toen hij naar Boekarest werd teruggeroepen, ging ze met hem mee. Margot is verschrikkelijk
bang dat ze niet lang genoeg zal leven om haar nog terug te
zien. En wat Marie betreft: haar hele familie zit in Frankrijk.'

De chauffeur opende het portier en Ivor zei langs zijn neus
weg: 'Fawzia rijdt met ons mee, en Petra en Sholto komen
achter ons aan. Davina en Darius hebben een afspraak.'

Dat was niet waar, maar toen Davina haar mond opendeed
om te protesteren, kneep Darius even in haar arm. Het was al
een hele verbetering geweest dat hij zich bij het familiegroep-

je had kunnen voegen om haar moeder af te halen. Hij vond het geen probleem als lord Conisborough hem verder niet bij de reünie wilde hebben. Er kwamen wel weer andere gelegenheden om Nile House te bezoeken en, met een beetje geluk, wat nuttige informatie op te pikken.

Toen Davina en hij enkele dagen later met Petra in de Sporting Club aan de thee zaten, maakte Petra Davina deelgenoot van de Londense verhalen van haar moeder. 'Volgens Delia neemt Winston Churchill binnenkort het stokje over van Chamberlain,' zei ze en voegde er met een wrang lachje aan toe: 'Dan zal Hitler op z'n tellen moeten gaan passen. Ivors oude vriend, sir John Simon, wordt waarschijnlijk aan de kant gezet. Winston vindt hem niet besluitvaardig genoeg.'

'En hoe staat het met oom Jerome?' vroeg Davina. Darius deed intussen alsof hij zich niet voor het gesprek interesseerde door te kijken naar de cricketwedstrijd die vlakbij gespeeld werd.

'Jerome?' Petra's stem klonk bestudeerd onverschillig. 'Jerome heeft nog steeds geen eigen ministerspost, maar Chamberlain heeft hem sinds de oorlogsverklaring stevig aan het werk gehouden. En Winston zal wel hetzelfde doen, aangezien hij en Jerome het altijd goed hebben kunnen vinden.'

Later deelde Darius zijn nieuws met Constantin, die jaloers opmerkte: 'Jij weet geloof ik veel meer van wat er achter de schermen in de Britse regering gebeurt dan wie dan ook in Caïro, Darius.'

Dat Fawzia weer terug was in Caïro had voor Darius zowel goede als lastige kanten.

'Ik geloof er niets van dat je nu plotseling je felle anti-Britse gevoelens hebt laten varen,' zei ze, toen hij haar opzocht in het huis van zijn ouders – waar hij al jaren niet meer was geweest.

'Ik heb ze helemaal niet laten varen. Ik ben er alleen mee

opgehouden er luidruchtig maar vruchteloos uiting aan te geven.'

Ze lag in een hangmat die aan de laagste tak van de ceder in de tuin was bevestigd. Haar oranje zonnejurk liet een groot deel van haar gladde olijfkleurige huid onbedekt en de nagels van haar vingers en tenen waren vuurrood gelakt.

Ze bespeurde zijn afkeuring. 'Vader is het er ook niet mee eens,' zei ze. 'Maar ik ben nu een getrouwde vrouw en hij heeft niets meer over me te zeggen.'

'Maar waar is Jack?' vroeg Darius. 'Is hij in Londen?'

Hij lag uitgestrekt op het gras, met een drankje in zijn hand.

Ze lachte. 'Geloof het of niet, maar ik weet het niet. Londen is Caïro niet. Geen mens praat er in Londen over waar iemand gestationeerd is, als hij het al weet. Vrijwel niemand zou het je ook kunnen zeggen. Iedereen is daar erg op veiligheid gespitst. Zoiets zou in Caïro ook nuttig zijn. Ik heb gehoord dat het hier stikt van de spionnen. Jij bent er toch niet een van, Darius?'

Hij keek haar vernietigend aan. 'Wat dacht je nou? Wat weet ik nu van troepenbewegingen en aantallen soldaten? Nee, waar ik nieuwsgierig naar ben, dat ben jij. Waarom heb je ervoor gekozen met Delia naar Caïro te komen? Je had het toch zo naar je zin in Londen?'

'Dat was zo de eerste keer dat ik er was. Toen ik nog niet getrouwd was. Maar toen ik eenmaal getrouwd was, ging de lol er al gauw af. Ik kon zonder Jack niet meer naar feesten toe, want dat is niet volgens de etiquette. Jack is dan wel in Londen gestationeerd, maar toch wordt hij steeds opnieuw naar het buitenland gestuurd.'

Ze kwam overeind zitten, zwaaide haar lange benen over de zijkant van de hangmat en raakte met haar roodgelakte teennagels het gras.

'Jack is ook lang niet zo rijk als ik dacht. Ik kon niet gaan winkelen zoals ik in Caïro gewend was...'

'Toen vader nog betaalde.'

'... en we woonden ook niet in zo'n mooi huis als ik me had voorgesteld,' vervolgde ze zonder zich iets van zijn onderbreking aan te trekken. 'We woonden in een flatje in Knightsbridge dat twintig keer in deze villa zou passen.'

'Maar hoe is het leven daar aan het hof dan?' vroeg hij.

Ze trok een lelijk gezicht. 'In Engeland bestaat er helemaal niet zoiets als leven aan het hof. Koning George en koningin Elizabeth zijn zó'n saai stel... Daar wil je helemaal niet bij op bezoek. En Jack kent ze trouwens nauwelijks. Hier in Caïro zal het wel anders zijn. Met een koning zo jong als Farouk is het hofleven hier natuurlijk schitterend.'

'Misschien,' zei hij droogjes. 'Ik weet er niets van. Ik ben al sinds mijn tienertijd niet meer in het Abdin-paleis geweest. Farouk is wat mij betreft al net zo waardeloos en corrupt als zijn vader en zijn grootvader, maar ja, wat kun je ook verwachten? De familie is pas drie generaties weg uit Albanië.'

Fawzia was niet geïnteresseerd in Farouks afkomst en ging er verder niet op in. Wat ze wel zei, was: 'Ik heb geruchten opgevangen dat hij koningin Farida nu al ontrouw is. Ik vraag me af hoe gul hij is voor een maîtresse. Wat denk jij, zou hij een minnares met juwelen overladen?'

Ze zei het nonchalant, maar Darius' ogen vernauwden zich.

Hij had heel goed door wanneer iemand niet tevreden was. En hij kende zijn zus.

'Blijf bij Farouk uit de buurt,' zei hij zonder omwegen. 'Een verwende lastpost als hij kun jij beslist niet aan.'

21

*J*n februari en maart werd de stad overspoeld door nog meer geallieerde militairen. Het wemelde van de mannen in uniform: Engelsen, Nieuw-Zeelanders, Zuid-Afrikanen, Indiërs. Caïro leek onder kaki te bezwijken en Darius zag het – net als veel van zijn landgenoten – tandenknarsend aan, al bewaarde hij een onverschillig uiterlijk. Hij haatte wat er gebeurde.

'Je struikelt tegenwoordig over de suède laarzen en rottinkjes in Shepheard's. Het lukt gewoon bijna niet meer om er iets te drinken te krijgen,' mopperde hij.

Ze bevonden zich op zijn woonboot, de Egyptian Queen, die lag afgemeerd aan de noordkant van het eiland Gezira. Hier had Darius altijd gewoond vanaf het moment dat hij het huis van zijn vader had verlaten.

Davina lag in de holte van zijn arm, naakt op een crèmekleurig zijden slipje na. Hij droeg een galabiya van kostbare zwarte stof, met een weelderig borduursel van gouddraad afgezet. Op de woonboot droeg hij altijd een galabiya. Zijn westerse kleding trok hij aan als hij de Britten en Europeanen publiekelijk iets duidelijk wilde maken.

Davina liet haar arm over zijn borst glijden en hij trok haar nog dichter tegen zich aan. Hij dacht na over de Britten.

Ze hadden hem al heel erg dwarsgezeten voordat ze Duitsland de oorlog hadden verklaard, maar nu ergerden ze hem nog des te meer. Egypte was zelf niet in oorlog, maar toch was de stad in een militaire basis veranderd. Hotel Semira-

mis op de Nijloever was omgebouwd tot het militaire hoofdkwartier van de Britse troepen in Egypte en stond inmiddels
simpelweg bekend als BTE. Een heel blok met luxe appartementen was gevorderd ten behoeve van het generale
hoofdkwartier Midden-Oosten, en afgezet met prikkeldraadversperringen. Overal waren openluchtbioscopen als pad-
denstoelen uit de grond geschoten om de troepen bezig te
houden. De bordelen in de smerige wijk El Birkeh waren
dag en nacht overvol en de Britse Tommy's maakten hun
aanwezigheid overal lawaaierig – en vaak stomdronken –
duidelijk.

Gedreven door afkeer speelde Darius elk flintertje informatie dat hij maar te pakken kon krijgen door aan de Roemeense legatie. Hij wist niet zeker wat ze ermee deden, maar hij
wist wel tamelijk zeker dat de Duitse zaak ermee gediend
werd.

'Als Duitsland de oorlog wint, is dat voor Egypte de best
mogelijke uitkomst,' had hij zonder erbij na te denken tegen
Davina gezegd.

Ze had met zoveel afschuw gereageerd dat hun relatie er
bijna door was stukgelopen.

'Ik ben net zo voor een onafhankelijk Egypte als jij,' had ze
heftig gezegd, 'maar hulp aan Duitsland is niet de manier om
die te bereiken. Heb je enig idee hoe de wereld eruit zou gaan
zien als Hitler de oorlog wint? Dan komt er misschien wel een
einde aan de Britse aanwezigheid hier, maar dan nemen de
Duitsers de plaats van de Britten in. In plaats van Britse zouden er Duitse soldaten bij Suez gelegerd worden. De Duitse
propaganda houdt de Egyptenaren voor dat Duitsland Egypte de onafhankelijkheid zal schenken, maar dat is een grove
leugen. Het past helemaal niet bij de aard van nazi-Duitsland
om een land vrijheid te schenken.'

Wat ze zei was waar, dat wist Darius ook. Constantins netwerk van informanten – barkeepers, kelners, schoenpoetsers
en prostituees – was opgezet om Berlijn te steunen. Darius

had ooit gedacht dat dit de belangen van Egypte kon dienen, maar hij was er intussen niet meer zo zeker van.

Davina bewoog zich. 'Is het al vijf uur, lieveling?' mompelde ze. Haar ogen waren nog gesloten. 'Ik moet weg.'

Ze werkte tijdelijk in een kliniek in het noorden van de stad en op dat uur van de dag was het verkeer heel erg druk, vooral op de Bulaq-brug.

'Nee,' zei hij zacht, 'we hebben nog een uur.'

Hij boog zich over haar heen en kuste haar. Haar lippen voelden aan als bloemblaadjes en hij voelde een trilling door zich heen gaan. Het verbaasde hem altijd weer dat hij zo innig van haar hield. Hij koesterde voor niemand anders bijzonder veel liefde, ook niet voor Fawzia. En wat zijn ouders betrof... Hij was dol op zijn moeder geweest en toen ze stierf, zestien jaar eerder, was hij intens bedroefd geweest. Voor zijn pro-Britse vader koesterde hij alleen maar verachting.

Toen zijn mond de hare raakte, sloeg Delia haar ogen op. Ze hadden een bijzondere grijze kleur, met een zweempje blauw erin. Jaren geleden had hij haar vader horen zeggen dat het de kleur was van Engelse grasklokjes, vlak voordat ze opengingen. Darius had nog nooit Engelse grasklokjes gezien, maar hij had die omschrijving altijd onthouden.

Alles aan haar vond hij verrukkelijk. Davina's schoonheid had, anders dan die van Fawzia en haar vriendinnen, niets opdringerigs, en ze gebruikte haar uiterlijk ook nooit om iets gedaan te krijgen. Ze was trouwens niet alleen anders dan de Egyptische meisjes, ze leek ook niet op de andere Engelse meisjes. Ze deed nooit haar best om er oogverblindend uit te zien, terwijl Darius zich Petra niet kon voorstellen zonder glanzend rode lippen en lange gelakte nagels in Hollywood-stijl.

Davina droeg bijna nooit make-up en als ze het wel deed, was het niet meer dan een klein beetje poeder op haar gave huid en lipstick in een zachtroze tint. Ze kleedde zich nooit uitdagend. Hij was geen moslim, maar had wel een hekel aan de opzichtige kleding van de meisjes van de vissende vloot.

Davina kleedde zich altijd onopvallend. Ze was deze middag in haar verpleegstersuniform naar de woonboot gekomen, maar hij wist dat ze, als ze niet had hoeven werken, een eenvoudige katoenen jurk zou hebben aangehad, met haar horloge als enig sieraad.

Met zijn armen onder zijn hoofd keek hij toe hoe ze zich aankleedde.

'Als je geen zin hebt om je in het avondverkeer te storten, kan ik ook een taxi naar de kliniek nemen,' zei ze, toen hij geen aanstalten maakte om zijn overhemd of broek te pakken.

'Hoe moet ik dan weten of je veilig bent aangekomen?' vroeg hij, en zwaaide zijn benen uit bed.

Ze lachte terwijl ze zich bukte om in haar sandalen te stappen. Haar lichtblonde haar viel naar voren, glanzend als zijde. 'Ik loop kriskras in mijn eentje door heel Caïro, dat weet jij ook best.'

Hij wist het inderdaad, maar de gedachte beviel hem helemaal niet, niet nu de stad wemelde van de Tommy's. Maar dat zei hij niet. Davina was in de loop der jaren volkomen thuisgeraakt in Caïro. Haar werk voor het paardenhospitaal, dat ze bleef doen ondanks haar volledige baan in de verpleging, bracht haar in delen van de stad waar hij zelf niet graag voet zou zetten.

Hij maakte zijn riem van hagedissenleer dicht, stopte zijn witzijden overhemd in zijn broek, pakte zijn jasje en liep met zijn arm om haar schouder geslagen over de loopplank naar zijn geparkeerde auto. Intussen dacht hij alweer na over manieren waarop Egypte zich van de Britten zou kunnen ontdoen.

In april, toen de nazi's Denemarken en Noorwegen bezet hielden, leek het erop dat Duitsland de oorlog zou winnen. Een maand later waren de Duitsers Frankrijk, België, Luxemburg en Nederland binnengevallen. In juni verklaarde Italië de oorlog aan de geallieerden.

Enkele dagen daarna zei Constantin: 'Het hoofd van het Italiaanse gezantschap is gevraagd te vertrekken, maar of de

Italiaanse vrienden van koning Farouk geïnterneerd zullen worden is nog de vraag. Persoonlijk denk ik dat de koning hun de hand boven het hoofd zal houden.'

Darius was het met hem eens. Al sinds de dagen van koning Fouad werkten er heel veel Italianen als bediende op het paleis. Farouk was te midden van hen opgegroeid en vertrouwde hen. Als hij erop stond dat ze bleven zou de Britten dat mateloos irriteren.

Tot Darius' grote vreugde weigerde Farouk afstand van zijn personeel te doen. Het deed hem zelfs nog meer plezier dat de koning daarbij zijn voordeel deed van de achilleshiel van de Britse ambassadeur. De vrouw van sir Miles Lampson was een Italiaanse, en weldra had heel Caïro grote pret om het antwoord van de koning op de eis van de ambassade dat de Italianen uit het paleis geïnterneerd werden: 'Als Lampson zich van zijn Italiaanse ontdoet,' zou Farouk gezegd hebben, 'dan ontdoe ik me van mijn Italianen.'

Twee weken later capituleerde Frankrijk,

'Het is niet te geloven,' zei Petra toen ze zich in het Shepheard's bij Davina en Darius had gevoegd om samen iets te drinken. 'Langs de hele Champs-Elysées wapperen nazivlaggen! Stel je toch voor: swastika's op de de Eiffeltoren en de Arc de Triomphe!'

Ze zaten aan een van de tafeltjes in de Moorse Zaal. Petra droeg een cocktailjurk van goudlamé met een lage halslijn, die één lichtgebruinde schouder volledig onbedekt liet. Darius was zich ervan bewust dat hun tafeltje het middelpunt vormde van grote mannelijke belangstelling. Sholto zou zich bij hen voegen en dan zouden Petra en hij doorgaan naar een feest op het Spaanse gezantschap. Maar voorlopig liet Sholto zich niet zien en Darius merkte op dat Petra, als ze haar champagneglas niet vasthield, voortdurend aan haar trouwring zat te draaien.

'Mama heeft met bijna niemand gesproken sinds ze het nieuws gehoord heeft,' zei Davina bedrukt. 'Voor haar is het enige lichtpuntje het feit dat Winston nu premier is. Ze zegt dat hij dat maanden geleden al had moeten worden.'

Dit soort inkijkjes in het Britse militaire moreel interesseerden Darius altijd bovenmatig.

'Arme Delia,' zei Petra, maar er klonk weinig oprecht medeleven in haar stem door. 'Het ene ogenblik was ze helemaal in de wolken omdat Winston premier was geworden, en het volgende zat ze diep in de put omdat hij sir Oswald Mosley, die engerd, gevangen heeft gezet.'

Darius was meteen geïntrigeerd. 'Waarom zat ze in de put? Mosley is toch een fascist, of niet?'

'Ja, tegenwoordig wel, maar vroeger was hij een zeer gerespecteerd parlementslid en verkeerde hij op zeer vriendschappelijke voet met Delia. Zijn overleden vrouw was de dochter van lord Curzon, een oude vriend van de familie. Mijn moeder gelooft niet dat hij niet loyaal zou zijn; hij is onderscheiden voor zijn moed in de Grote Oorlog.' Haar ogen gingen naar Petra. 'Wat denk jij, Davvy? Jij hebt hem ontmoet, ik niet.'

Davina dacht terug aan de uitwerking die deze duivel in eigen persoon op de duizenden mensen in zaal Olympia had gehad. 'Hij zou van alles kunnen doen,' zei ze rustig. 'Ik denk dat Winston een goede reden had om hem veilig op te bergen.'

Alle tafeltjes om hen heen waren bezet en er liepen voortdurend mensen door de zaal in de richting van de Long Bar.

Een lid van het corps diplomatique zag hen zitten en kwam naar hen toe.

'Als u op uw man wacht, mevrouw Monck,' zei hij joviaal, 'dan zit u hier nog wel een poosje. Ik was net nog bij hem in de Mohammed Ali Club en hij gaat helemaal op in een spelletje chemin de fer. De koning zit aan een tafel ernaast te gokken en ik weet eigenlijk niet wie er meer inzet, hij of de koning. Eén ding moet ik uw man nageven, hij heeft stalen zenuwen als hij zit te kaarten.'

Hij liep goedmoedig lachend en ietwat wankelend bij hen vandaan, richting het terras.

Petra stond op met een gespannen uitdrukking op haar gezicht. 'Het heeft geen zin hier te blijven zitten als Sholto toch niet komt opdagen,' zei ze. Ze deed alsof het haar onverschillig liet. 'Ik denk dat ik Kate maar even opbel om haar te vragen of zij zin heeft in een avondje feesten met de Spanjaarden.'

Darius glimlachte alsof hij er helemaal niets raars aan vond dat haar man haar niet kwam ophalen. Hij verwonderde zich over haar onbekommerde vriendschap met Kate Gunn, want hij wist dat Petra heel goed op de hoogte was van Kates band met hun vader.

Hij had nog geen poging gedaan om uit te vinden of Davina en Petra enig idee hadden van de verhouding van hun moeder met sir Jerome Bazeljette. Maar Petra was veel meer een vrouw van de wereld dan Davina en het was best mogelijk dat zij het wel wist, maar Davina er niets over vertelde om haar te beschermen.

In augustus vielen de Italianen Brits Somaliland aan vanuit Ethiopië. Nu de oorlog zoveel dichter in de buurt woedde, steeg de spanning in Caïro. Dat werd nog erger toen toen Italiaanse troepen de Libische grens overstaken en een basis in de Egyptische woestijn vestigden.

Er werd heel wat afgepraat over de aantallen Duitsers die bij de Italianen zouden zijn, maar over de hoeveelheden tanks en de gevechtsplannen van de Britten viel geen harde informatie te krijgen en juist daarop was Constantin zeer gebrand.

'Maar daar kom ik nog wel aan,' zei Constantin optimistisch tegen Darius. Ze zaten tegenover elkaar aan een tafeltje in een van de populairste nachtclubs van de stad. 'Ik heb nu contact met een hoge ome, Darius. Een heel hoge ome.'

'Iemand van het Britse leger?'

'Nee, het corps diplomatique.'

Darius was oprecht verbijsterd. Op gedempte toon vroeg hij: 'Hoeveel Duits goud is daaraan te pas gekomen?'

'Ik weet het niet. Ik heb hem zelf niet omgekocht. Maar het

is iemand die al jaren door de nazi's betaald wordt en hij heeft contact met me opgenomen. Ik denk dat hij zo'n beetje hetzelfde vangt als de premier heeft gekregen.'

Alom ging het gerucht dat de Egyptische premier met Duits goud was omgekocht. Het enige wat Darius verbaasde, was dat de Duitsers het blijkbaar nodig vonden hem om te kopen. De koning hield zich weliswaar aan het Anglo-Egyptische Verdrag en beleed lippendienst aan de Britse zaak, maar de realiteit was heel anders, en dat kwam door de wijdverbreide overtuiging dat Berlijn steun zou geven aan de Egyptische onafhankelijkheid na een Duitse overwinning.

Alle Egyptenaren die hij kende, dachten dat Egypte beter af zou zijn als de strijdkrachten in de woestijn het Britse leger de zee in dreven.

Een probleem was uiteraard om te weten te komen hoeveel Britse manschappen er precies in de woestijn aanwezig waren. Men was het er algemeen over eens dat de Britten ver in de minderheid waren.

Davina kon hij die avond niet zien omdat ze nachtdienst had. Darius liet Constantin, die naar een buikdanseres zat te lonken, aan zijn lot over en liep door de Soliman Pasha-straat naar een exclusievere nachtclub.

Hij was daar pas enkele minuten toen de koning zijn entree maakte. Farouk droeg een dandyachtig kostuum en een donkere zonnebril en werd vergezeld door een aantal mensen die Darius niet kende, evenals door zes gespierde lijfwachten.

Als jongen had Darius zijn vader vele malen naar het Abdin-paleis vergezeld en hij had toen ondanks het verschil in leeftijd met Farouk in de paleistuin gespeeld.

Tot zijn verrassing herkende Farouk hem. De koning bracht zijn entourage geheel van de wijs door niet aan de tafel te gaan zitten die permanent voor hem werd vrijgehouden, maar naar Darius te lopen.

'Goedenavond,' zei hij minzaam, toen Darius ging staan. 'Het is al lang geleden dat wij het genoegen hadden je te zien.'

'Ja, majesteit, verscheidene jaren.'

Farouk was als jongen knap geweest en dat was ook nog wel te zien, maar zijn trekken waren vervaagd doordat zijn gezicht zo bol was geworden.

'Dan maken we die goed,' zei Farouk, terwijl hij ging zitten. Zijn metgezellen wisten niet goed wat ze moesten doen en bleven op enkele passen afstand staan.

Darius had geen andere keuze dan weer te gaan zitten. Er werd meteen champagne gebracht. 'Je bent toch een goede vriend van lord Conisborough?' vroeg de koning.

Lord Conisborough zou hun relatie heel anders omschrijven en daarom antwoordde Darius ontwijkend: 'Ik ken de familie van lord Conisborough al bijna twintig jaar, mijnheer.'

'Ach. Ja. Zijn dochters ook? We zien mevrouw Monck bij veel evenementen in Caïro. Ze is net als haar moeder een grote schoonheid, vind je ook niet?'

'Ja, majesteit.' Darius vroeg zich af waar het met dit buitengewone gesprek naar toe ging. 'Mevrouw Monck is inderdaad erg mooi.'

Hij nam een slok champagne. Farouk, een moslim, raakte zijn glas niet aan.

'Wij vinden dat mevrouw Monck op Rita Hayworth lijkt. Wij zouden haar graag vaker zien,' zei Farouk minzaam. 'Misschien wil ze de kunstschatten op het paleis wel een keer zien. Zou jij haar hiervoor willen uitnodigen?'

Darius verslikte zich bijna in zijn champagne, maar herstelde zich snel en antwoordde al even minzaam: 'Ik weet zeker dat mevrouw Monck en haar man een dergelijke uitnodiging zeer op prijs zullen stellen.'

Farouk glimlachte en hief loom een vermanende vinger. 'Wij hebben gemerkt dat Engelse heren veel minder in kunst zijn geïnteresseerd dan Engelse dames. Het was prettig onze kennismaking te hernieuwen. Maar de volgende keer dat we elkaar zien gaan we geen kinderspelletjes spelen. Kunst en mevrouw Monck, daar gaat het dan om.' Farouk stond op en de zangeres op het podium onderbrak haar gezang eerbieding toen hij naar de voor hem gereserveerde tafel liep.

Even later verliet Darius de club. Een ader in zijn slaap klopte verwoed. Achter hem hervatte de zangeres haar lied. Buiten op de stoep zoog hij zijn longen vol; hij kon maar niet geloven dat de eenentwintigjarige koning hem had gevraagd als pooier op te treden.

Farouks ontrouw was legendarisch. Overal werd erover gepraat dat veel hoffunctionarissen hun vrouw liever niet meebrachten naar officiële gelegenheden aan het hof, omdat ze bang waren dat Farouk zijn oog op haar zou laten vallen. Als dat gebeurde, was er maar weinig wat een echtgenoot verder kon doen, want als hij zich niet schikte naar de wensen van de koning, was het afgelopen met zijn carrière. Darius had niet veel op met Farouk, maar hij had gehoopt dat het om een vals gerucht ging.

Nu wist hij dat het klopte.

Hij stak een sigaret op en begon in de richting van de rivier te lopen. Hij kon er nog steeds niet over uit dat Farouk het lef had een van de dochters van lord Conisborough te benaderen. Er waren Europese vrouwen in de stad die gevleid zouden zijn bij de gedachte aan intiem contact met de koning, maar Petra hoorde daar beslist niet bij.

Toen hij eraan dacht hoe ze zou reageren – als ze het althans te weten kwam – begonnen zijn mondhoeken te trillen. Toen, juist op het moment dat hij twee militaire politieagenten met een rode pet op passeerde, barstte hij in lachen uit. De gedachte aan Petra die naakt met Farouk tussen de kunstschatten van het paleis ronddartelde was zo absurd dat hij deze het liefst met iemand zou delen.

Maar uiteraard kon daar geen sprake van zijn.

Als hij Petra niet naar het paleis begeleidde, zou Farouk daar ernstig aanstoot aan nemen. En als een koning geïrriteerd raakte, kon er van alles gebeuren.

22

Enkele dagen later kreeg Darius op zijn kantoor onverwacht bezoek.

'Lady Conisborough zou graag vijf minuutjes van uw tijd in beslag nemen,' zei zijn secretaresse. 'Zal ik haar zeggen dat ze kan binnenkomen?'

'Natuurlijk,' zei hij, zonder zijn verbijstering te tonen. 'Laat thee brengen. Earl grey.'

Hij veegde al zijn papieren in de bovenste lade van zijn bureau en stond op, zich afvragend waarom Delia hem wilde spreken. Zelfs Davina kwam hem nooit op kantoor opzoeken.

'Dus je bent écht advocaat,' zei Delia plagend toen ze de kamer binnenkwam, gekleed in het keurige uniform van de St. John's Ambulance Brigade.

Haar slanke figuur kwam goed uit in het sobere zwarte jasje en de strakke rok en onder haar hoge zwarte hoed zag haar rode haar er vlammender uit dan ooit te voren. De hoed was gesierd met een gestreepte kokarde waarvan hij vermoedde dat het een eresymbool van haar rang was. Het paste allemaal uitstekend bij haar extraverte persoonlijkheid en niet voor het eerst vond hij het opmerkelijk dat een vrouw van tegen de vijftig zo oogverblindend mooi kon zijn.

'Ik heb altijd gedacht dat je praktijk alleen maar een façade was, dat je alleen maar zei dat je advocaat was omdat anders iedereen zou denken dat je een playboy bent,' vervolgde ze terwijl ze plaatsnam.

Hij lachte en toen zei ze: 'Ik ben hier om je te vragen of je me misschien wat namen kunt geven voor het grote bal van het Rode Kruis dat ik help organiseren. De bedoeling ervan is geld in te zamelen voor de militairen. Lady Lampson en ik hebben al contact gehad met iedereen binnen de Britse gemeenschap en je vader was zo vriendelijk om de gehele inhoud van zijn adressenboekje met me te delen. Maar de mensen uit jouw sociale omgeving zijn veel jonger en ik vroeg me af of ik jou om dezelfde gunst kan vragen? Ik moet vierhonderd kaarten zien te verkopen, dus ik kan wel wat hulp gebruiken.'

Hij had moeite om ernstig te blijven. 'Ik kan je de namen van een aantal polospelers geven, Delia, maar ik denk niet dat ik aan de vierhonderd kom.'

'Dat geeft niet,' zei ze. Ze trok haar handschoenen uit. 'Alle beetjes helpen.'

Zijn secretaresse kwam binnen met de thee.

Delia controleerde de inhoud van de porseleinen theepot en schonk toen thee in.

Terwijl hij naar haar keek vroeg hij zich af wat er aan het huwelijk van de Conisboroughs had ontbroken dat ze al zo lang een verhouding had met sir Jerome.

Waarschijnlijk was Ivor als eerste ontrouw geweest en had ze toen troost gezocht bij Jerome. Het vreemde was dat haar relatie met haar man heel goed leek. Conisborough was met Bazeljette bevriend gebleven. En Delia accepteerde Kate. Althans, Darius wist eigenlijk wel bijna zeker dat ze op de hoogte was van de verhouding van haar man. Die twee waren immers vaak samen aanwezig bij polowedstrijden en paardenraces.

Hij vroeg zich af of Jack wist van de affaire van zijn vader met Delia. Sinds Jack met Fawzia was getrouwd, had Darius het moeilijk gevonden te accepteren dat ze nu zwagers waren. Jack en hij waren vrienden geweest toen Jack vaak in Nile House logeerde, maar hun vriendschap had altijd een sterk competitief karakter gehad. Het had hen zelfs bijna het leven gekost bij die ene polowedstrijd op de Gezira Club.

Het was al lang geleden dat ze elkaar gezien hadden. Niet meer sinds Jack en Fawzia als pasgetrouwd stel in Caïro waren. Dat Jack nu bij de militaire inlichtingendienst werkte, maakte hun band er ook al niet hechter op.

Voordat hij verder kon peinzen over de problemen die zouden ontstaan als Jack naar Caïro werd overgeplaatst, zei Delia: 'Ik ben ook nog met iets anders bezig, Darius. Ik probeer te bedenken wat er voor de soldaten gedaan zou kunnen worden als ze verlof hebben. Ze moeten iets hebben om even niet meer aan vechten te hoven denken. Op het ogenblik gaan de meesten linea recta naar El Birkeh en belanden vervolgens in de kliniek voor venerische ziekten. Er is behoefte aan alternatieven. Heb jij soms goede ideeën?'

Hij zou geen andere vrouw van haar leeftijd en klasse kunnen bedenken die zo onverbloemd over prostitutie en venerische ziekten praatte.

Hij mocht haar erg graag, dat besefte hij opnieuw, en hij zei: 'Je zou theekransjes, concerten en historische trips naar de moskeeën van de stad kunnen proberen, maar ik betwijfel of je met dergelijke activiteiten soldaten bij het bordeel weglokt, vooral omdat er maar zo weinig vrouwen in de stad zijn.'

'Maar wat dacht je van echte clubs? Bijvoorbeeld waar de soldaten dingen van thuis kunnen eten – eieren met frites, versgebakken taart en zo meer?'

'Als ze in zo'n club dan ook een warme douche of een warm bad kunnen nemen en naar de kapper kunnen gaan, dan zou je daarmee wel eens succes kunnen hebben. Als de Britten niet zo klassebewust zouden zijn, hoefden dat soort clubs er helemaal niet bij te komen. Als gewone soldaten en onderofficieren toegelaten zouden worden in Shepheard's, het Continental, de Gezira Club, de Turf Club of de andere keurige gelegenheden waar niemand binnenkomt die geen officier is, dan zou het probleem helemaal niet bestaan.'

Het was provocerend wat hij zei, maar hij gokte erop dat ze het met hem eens was; ze was tenslotte een Amerikaanse. Hij

wist wel zeker dat Amerikaanse soldaten deze vorm van se-
gregatie niet zouden pikken.

Hij had goed gegokt.

Ze maakte een vertwijfeld gebaar. 'Ik ben het helemaal met
je eens, Darius. Maar in het Britse leger is die strikte scheiding tussen officieren en lagere militairen er altijd al geweest.
Daarom is het ook nodig dat de Britse Tommy's ergens anders
naartoe kunnen.'

Darius schoof zijn halfvolle theekopje van zich af. 'Ik denk
niet dat ik iets kan verzinnen als ik niet eerst een kop koffie
met een lekker taartje nuttig. Wat vind je ervan om naar Groppi's te gaan?'

'Een geweldig idee,' zei ze. 'Ik ben dol op Groppi's. Ze hebben er de beste gesuikerde amandelen van heel Caïro.'

Met de souplesse van een vrouw van twintig jaar jonger
kwam ze overeind en stak haar hand kameraadschappelijk
door zijn arm.

'Ik hoorde dat je mijn moeder geëscorteerd hebt naar Groppi's,' zei Davina plagend toen ze elkaar op de Gezira Club ontmoetten om samen naar een polowedstrijd te kijken.

'Ik weet niet zeker wie wie escorteerde.' Darius schermde
zijn ogen af tegen de zon terwijl de pony's het veld op kwamen. 'Het was mijn idee om erheen te gaan, maar pas nadat ze
mijn kantoor was komen binnenvallen. Ze wilden een lijstje
met namen van mensen om uit te nodigen voor een liefdadig-
heidsbal van het Rode Kruis. Ze heeft me ook gevraagd of ik
alternatieve ideeën had voor het bezoek van soldaten aan El
Birkeh en de kliniek voor venerische ziekten.'

'Jeminee! En wat hebben jullie samen verzonnen? Of kan
ik dat maar beter niet weten?'

'Nee. Zij had het idee om een goed geleide club op te zetten
waar soldaten alles kunnen krijgen wat ze in het Hilmiyakamp niet vinden.'

De Britten hadden dit kamp gevestigd op een plek buiten de

stad die met de tram te bereiken was, bij Heliopolis. Iedereen wist dat er behalve een zee van tenten niets anders was dan een bar en een voetbalveld waar nauwelijks op te spelen was.

De scheidsrechter gooide de bal tussen de twee teams en de wedstrijd begon met veel geklap van hamers. Darius werd onmiddellijk gegrepen door de heftige opwinding van het spel en hun gesprek hield op.

Tijdens de pauze liepen ze samen met andere toeschouwers het veld op om aan het ritueel van het aanstampen van losgeslagen graszoden mee te doen.

'Petra is heel gelukkig op het moment,' zei Davina, speurend naar een graspol die door de hamer van poloërs was uitgerukt. Ze vond er een en drukte hem met haar teen terug de grond in. 'Ze heeft pas gehoord dat een van haar beste vriendinnen, Boudicca Pytchley, als ambulancechauffeuse naar Caïro komt. Een andere oude vriend van haar, Archie Somerset, is al in Caïro. Ze kwam hem tegen op een feestje in de Scarabée Club.'

'Is hij gewoon militair?'

'Nee, hij zit bij Speciale Operaties.'

Er was een behoorlijk aantal van dit soort speciale eenheden die diep in de woestijn achter de Duitse en de Italiaanse linies verkenningsacties en overvallen uitvoerden.

Darius dacht nog na over de speciale operaties toen Davina zei: 'Moeder heeft een geweldige aanvaring met sir Miles gehad. Ze vindt dat hij zich krachtiger zou moeten verweren tegen de legerverordening dat vrouwen en kinderen van militair personeel geëvacueerd moeten worden en dat alleen vrouwen die officieel oorlogswerk doen mogen blijven.'

Ze waren weer bij de tribune aangekomen en een welkom briesje deed de rok van haar ijsblauwe zijden jurk tegen haar benen wapperen.

'En hoe reageerde sir Miles daarop?' vroeg Darius. Hij had een dergelijke confrontatie wat graag willen meemaken.

O, hij was het met haar eens dat het onnodige paniek veroorzaakte, maar hij zei dat hij er niets aan kon doen. Wij hebben geen militairen in de familie en omdat Petra als secretaresse op de ambassade werkt en ik verpleegster ben, zouden wij er toch geen last van hebben. Intussen zorgt het wel voor veel verdriet en onrust, en veel vrouwen van militairen proberen een administratieve baan te vinden om maar te kunnen blijven.

Darius kon totaal geen medelijden hebben met Engelse vrouwen die zo graag in een land wilden blijven waar ze niet thuishoorden. Hij legde zijn arm om Davina heen en zei: 'Zullen we de tweede helft van de wedstrijd maar laten zitten? We kunnen naar de boot gaan.'

Ze leunde tegen hem aan terwijl ze verder liepen. 'Ja,' zei ze, genietend van zijn lichaam tegen het hare en van het feit dat hij zo'n behoefte had om met haar te vrijen.

Ze liepen langs de tribunes en verlieten het terrein van de club, waarbij ze het Lido-terras, waar altijd veel kennissen te vinden waren, zorgvuldig meden.

Het was maar een klein eindje lopen naar Zamalek. Davina had haar arm losjes om Darius' middel geslagen terwijl ze over de rivieroever wandelden, en zei nu: 'Ik denk dat Fawzia tegenwoordig dikke vriendinnen is met koningin Farida. Gisteren waren we samen in warenhuis Cicurel om de nieuwe collectie hoeden te bekijken, toen er een politieagent naar ons toe kwam om te zeggen dat Fawzia's aanwezigheid op het paleis gewenst was. Toen nam hij haar mee de zaak uit en liet haar in een limousine stappen. Erg onbeschoft van hem.'

Darius bleef als aan de grond genageld staan. Hoog boven zijn hoofd beschreef een havik trage cirkels in de lucht. 'Zei die politieman erbij dat de koningin haar gezelschap wenste?' vroeg hij. In zijn slaap begon een ader te kloppen.

'Nee, maar wie zou haar anders naar het paleis laten halen? Als het de koning was geweest zou ze niet gegaan zijn. Niet zonder begeleider. Ik heb je vader horen zeggen dat Farida soms erg eenzaam is.'

'Ja, dat is zo,' zei hij. Hij deed zijn best om geen emotie in zijn stem te laten doorklinken.

De havik had een prooi ontdekt en dook.

Davina, die altijd meeleefde met slachtoffers, trok een afkerig gezicht.

Ze liepen weer verder en Davina zei: 'Je vader zal het wel fijn vinden als Fawzia en koningin Farida met elkaar bevriend raken, want Fawzia is volgens mij ook eenzaam. Ik zie haar heel weinig en Petra en zij doen de laatste tijd nogal geïrriteerd tegen elkaar. De beste oplossing zou zijn als Jack naar Caïro werd overgeplaatst. Het is vast niet gemakkelijk als je als jonge bruid zo abrupt van je man gescheiden wordt. Ze zal hem wel heel erg missen.'

Hij zei niets. Hij bedacht dat Fawzia al na korte tijd erg ontevreden was geweest met haar huwelijk en dat Davina vreselijk geschokt zou zijn als ze hoorde waarom.

Hij herinnerde zich dat Fawzia zich had afgevraagd hoe gul Farouk voor een minnares zou zijn. Hij bedacht ook dat het vreemd was dat hij niets meer vanuit het paleis had vernomen, terwijl hij verzuimd had Petra daar af te leveren om de 'kunstwerken van Abdin te bewonderen', zoals Farouk het uitdrukte. Had dat er soms mee te maken dat Farouks interesse inmiddels naar een ander uitging? Naar Fawzia?

De volgende dag reed hij door straten die bijna verstopt waren door alle militaire voertuigen naar zijn ouderlijk huis in Garden City. Het huis stond aan een met bomen omzoomde boulevard en hij zette de auto stil voor een brede en hoge poort. Het was nog zo vroeg dat Fawzia nog in huis zou zijn, maar wel zo laat, hoopte hij, dat zijn vader al de deur uit was. Hij had geen zin om zijn vader de hoffelijke eerbied te betuigen die hij hem als zoon verplicht was te bewijzen.

Toen hij het lage portier van zijn Mercedes achter zich dichtsloeg, sprong de zwarte Nubische man, die met gekruiste benen voor de zware cederhouten deur van de poort zat, overeind. Hij had als enige taak om de deur voor bezoekers te openen en te sluiten en Darius kende nog steeds zijn naam niet, hoewel de man er al sinds zijn jeugd had gezeten.

Terwijl hij langs hem heen beende, de grote binnenplaats op, waar volop rozen bloeiden, was er in zijn hoofd slechts plaats voor één gedachte: of zijn zus Fawzia de hoer uithing of niet.

Zijn vaders majordomus kwam aangesneld om hem te begroeten.

Darius kreeg te horen dat Fawzia op het terras in de tuin aan het ontbijt zat. Hij liep er door de weelderig ingerichte vertrekken met hoge plafonds gehaast naartoe.

Toen ze hem zag liet ze bijna haar koffiekopje uit haar hand vallen.

'Darius! Wat... Er is toch niets aan de hand?' Ze zette het kopje met trillende hand neer op de prachtig gedekte ontbijttafel. 'Is er een ongeluk gebeurd?'

'Nee, er is geen ongeluk gebeurd. Maar er is wel een probleem.'

Ze verstijfde en het was hem onmiddellijk duidelijk dat ze wist waar hij op doelde.

'Davina vertelde me over je bezoek aan het paleis. Zij dacht dat koningin Farida je liet komen, maar dat denk ik niet. En ik denk ook niet dat het je eerste bezoekje was.'

Ze schoof haar stoel met een ruk achteruit en sprong overeind. Haar negligé zwierde om haar enkels. 'Wat ik doe en bij wie ik op bezoek ga is míjn zaak!'

'Niet als dat betekent dat je een van Farouks hoeren bent.'

'Ik ben geen hoer!' Haar ogen schoten vuur. 'Ik ben de maîtresse van mijn koning!'

Hij had haar nooit geslagen, ook niet toen ze nog kinderen waren, maar nu gaf hij haar zo'n harde klap in haar gezicht dat ze wankelde. Het volgende moment sloeg ze uit alle macht terug.

Hij had de bijna onbedwingbare aandrang haar vast te grijpen en haar een aframmeling te geven die ze nooit meer zou vergeten.

Ze was zich heel goed bewust van het gevaar dat haar bedreigde, maar ze gaf geen krimp en deinsde niet voor hem terug. Integendeel, ze kwam vlak voor hem staan.

'Bemoei je niet met mijn zaken!' Ze spuwde de woorden uit en haar ogen fonkelden. 'Dan bemoei ik me niet met de jouwe!'

'En wat wou je daar verdomme mee zeggen?'

'Dat wil zeggen dat ik alles afweet van jouw vriendschap met Constantin Antonescu... Als jij vader over mij vertelt, dan vertel ik Davina over jouw nauwe banden met de vijanden van de Britten!'

'Ik ben in ieder geval loyaal aan mijn land!' Zijn razernij maakte hem bijna duizelig. 'Hoe is het met jouw loyaliteit gesteld? Hoe denk je dat Jack zal reageren als hij dit te weten komt?'

'Ik denk ongeveer even verschrikkelijk als Davina, wanneer ze hoort wat jij aan het uitspoken bent.'

'En jij denkt zeker dat je weet wat dat is, hè?'

'O ja,' snauwde ze terug. 'Dat weet ik heel goed.'

De overtuigde manier waarop ze het zei, bracht hem ertoe te zeggen: 'Dan verrast het je zeker niet als ik je vraag om me op de hoogte te houden van interessante gesprekken die je in het Abdin opvangt. Als je dan toch de hoer moet uithangen, laat het dan in ieder geval iets opleveren dat meer waarde heeft dan de juwelen die je ongetwijfeld binnenhaalt.'

'Het is niet gering wat je daar vraagt. Mijn man is Brits inlichtingenofficier, weet je nog wel?'

Soms gedroeg ze zich zo schaamteloos, zo vermetel dat hij er bijna bewondering voor zou krijgen.

'Je had aan je man moeten denken voordat je met Farouk in bed stapte,' beet hij haar toe, terwijl ze weer plaatsnam aan de ontbijttafel.

Ze kruiste haar benen. 'Koning Farouk nog altijd,' verbeterde ze hem met brutale beheerstheid. 'Zijne majesteit, koning Farouk, bij de genade Gods koning van Egypte en van Sudan, vorst van Nubië, van Kordofan en van Darfur. Een van de rijkste mannen ter wereld. Een man die van koningin Farida gaat scheiden en mij tot zijn koningin zal maken.'

'God in de hemel,' zei hij vurig. 'Ik geloof echt dat je denkt dat dat mogelijk is.'

'Het is wel zeker. Ik heb de kaarten in handen.' Ze zei het vergenoegd. 'Ik speel net als jij hoog spel – en ik kan niet wachten tot je je aan de koninklijke etiquette zult moeten onderwerpen en achterwaarts van me weg moet lopen.'

'Die dag zal nooit komen, Fawzia,' zei hij, met zijn kaken opeengeklemd.

Hij liep bij haar weg en trok toen hij het huis weer binnenging de openslaande deuren met zo'n klap achter zich dicht dat de ruiten versplinterden en gevaarlijk grote scherven op zijn hielen neerregenden.

23

*H*et kan me niet schelen hoeveel feesten er met Kerstmis gegeven worden, dat op Nile House wordt de grootste en de beste,' zei Delia, die op het terras van Shepheard's aan een gin sling zat. 'We hebben zóveel te vieren. Generaal Wavell heeft de Italianen teruggejaagd door de woestijn en er zijn geen vijandelijk troepen meer op Egyptische bodem. Dat is reden genoeg voor een groots festijn, vind je ook niet?'

Haar levendigheid was altijd weer aanstekelijk en Darius hield zijn gedachten voor zich en zei mild: 'Het gerucht gaat dat Hitler generaal Rommel naar Libië stuurt.'

Het was vroeg in de avond en het terras zat vol militairen. Darius had Delia heel toevallig opgemerkt, terwijl ze met een vriendin op Ivor zat te wachten. Haar echtgenoot was niet op tijd en haar vriendin, die zelf ook een afspraak had, vond het prima dat ze Delia in het gezelschap van Darius kon achterlaten. 'Dat gerucht heb ik ook gehoord,' zei Delia, 'maar het lijkt me beter om het er hier niet over te hebben.'

'Waarom niet? Ik weet wel bijna zeker dat elke soldaat in de stad het ook heeft gehoord.'

'Dat kan wel zijn,' zei ze, 'maar toch is het niet juist om risico's te nemen. Volgens generaal Wavell wemelt het in de stad van informanten voor de Duitsers.'

In de drukke straat beneden het terras kwam een zwarte Rolls-Royce met chauffeur tot stilstand. Delia herkende de auto en begon haar handschoenen van witte mousseline aan te trekken. Ze droeg een breedgerande hoed in een tinblauwe kleur die hij haar nog nooit had zien dragen. Hij stond haar goed, maar hij had haar nog nooit gezien in iets dat haar níét stond. De rand van haar hoed, die met één enkele witte roos gesierd was, viel ver over haar ogen zodat ze tegen de zon beschermd waren.

Een zestal personeelsleden haastte zich de trap voor het hotel af om haar echtgenoot naar boven te begeleiden. Hij was onberispelijk gekleed in een donkergrijs kostuum en een zilverkleurige vlinderdas met grijze stippels en hij bewoog zich tussen de bedienden door als mes door de boter.

'Het spijt me dat ik te laat ben, Delia,' zei hij toen hij bij hun tafeltje was. 'Er wordt felle oppositie gevoerd tegen Lampsons plannen om de Hongaarse en Roemeense gezantschappen te sluiten. Ach! Darius. Wat onverwacht. Maar ik ben toch blij dat je mijn vrouw gezelschap hebt kunnen houden.'

Darius, die hongerde naar nog meer informatie, wist dat het een fatale vergissing zou zijn om rechtstreekse vragen te stellen. Ivor Conisborough was erg schrander en zou zijn interesse algauw verdacht vinden. Het was ook wel duidelijk dat Darius op dat moment *de trop* was, althans wat Ivor betrof, en dat hij diende op te stappen.

Een week later, toen Darius aan boord van de Egyptian Queen Turkse koffie zette voor Constantin, zei die tegen hem: 'Er is iemand aan wie ik je wil voorstellen. Heb je wel eens gehoord van een groep Egyptische officieren die zichzelf de Beweging van Vrije Officieren noemt?'

'Nee,' antwoordde Darius. Hij roerde in de pot tot de koffieprut naar de bodem zonk en de suiker was opgelost. 'Wie zijn dat?'

Toen hij de pot op het fornuis zette kwam Constantin in de deuropening van de kombuis staan. 'Het is maar goed dat je niets over ze gehoord hebt. Dat betekent dat hun beveiliging waterdicht is. De Beweging van Vrije Officieren is een subversieve organisatie binnen het leger die het juiste moment afwacht om in opstand te komen en een revolutie te beginnen. Ik heb een ontmoeting met een van de leiders voor je geregeld. Hij heet Anwar al-Sadat.'

Darius' eerste ontmoeting met Sadat vond kort na Delia's kerstfeest plaats. Darius was op Nile House aangekomen toen de oprit en de straten in de buurt al vol geparkeerde auto's stonden. Adjo deed open in een schitterende koningsblauwe galabiya, overdadig gesierd met goudbrokaat. Slechts één blik over Adjo's schouder overtuigde hem ervan dat iedereen die in Caïro ook maar iets te betekenen had, al aanwezig was.

Sir Miles en lady Lampson waren er, evenals alle hoofden van de buitenlandse gezantschappen, behalve die van Roemenië en Hongarije, en verder wemelde het van de hoge militairen die een overdaad aan medailles droegen, en hun echtgenotes die waren overladen met juwelen.

Prins Muhammed Ali, Farouks uiterst Britsgezinde oom, was er ook; hij zag er in zijn fluwelen smoking uit als om door een ringetje te halen. Alleen zijn tarboosh en opzichtige ring met robijn verrieden dat hij een Egyptenaar was.

Prinses Shevekiar had in een hoek van het vertrek een groepje bewonderaars om zich heen verzameld. Darius meed haar zorgvuldig, evenals zijn vader, die met een Amerikaan stond te praten, en ging op zoek naar Davina.

Haar gezicht begon te stralen toen ze hem zag en zoals altijd wanneer ze zo naar hem keek, leek het alsof alle adem uit zijn borst werd geperst.

'Liefste, is het hier niet fantastisch?' zei ze, zijn hand vastpakkend. 'Heb je de kerstboom al gezien? Hij is nep, uiteraard, maar hij is nog groter dan de boom op de ambassade. We waren maar net klaar met versieren toen de eerste gasten kwamen.'

Haar lichtblonde haar golfde zijdezacht over haar blote schouders. Ze droeg niet vaak een strapless japon – dat was veel meer iets voor Petra – maar deze, van zachtroze changeant tafzijde, stond haar betoverend mooi.

'Kom, ik zal je voorstellen aan Petra's vriendin, Boudicca Pytchley,' zei ze, en ze voerde hem mee naar een blonde, mollige jonge vrouw met prachtige handen die met Kate Gunn stond te praten. 'Ze zit bij het gemotoriseerde transportcorps en is pas aangekomen. Alle nieuwe ambulancechauffeurs van haar eenheid zijn vrouwen, en dat heeft in het Hilmiyakamp voor de nodige consternatie gezorggd.'

'... dertigduizend krijgsgevangen spaghettivreters. Dat is nog eens een kerstcadeautje, niet dan?' hoorde hij een officier tegen Sholto zeggen toen ze zich langs hen wrongen. 'En nu we Sidi Barrani weer in handen hebben, ziet het ernaar uit dat de overwinning ons niet meer kan ontgaan.'

Sidi Barrani was een van de dorpen aan de Egyptische zijde van de grens met Libië. De Italianen hadden er een basis willen vestigen om vandaaruit nieuwe operaties op te zetten. Darius had graag nog meer gehoord, maar Davina zei: 'Dit is Boo. Ze is al járen bevriend met Petra.'

Het eerste wat Boo Pytchley zei was: 'Als Kate en Darius het niet erg vinden, zou ik je straks graag even apart spreken, Davina. Jacks vader heeft me gevraagd om je het een en ander te vertellen over de stand van zaken op Toynbee Hall.'

Haar ogen hadden een zwaarmoedige uitdrukking gekregen en haar stem klonk ernstig, maar noch Kate noch Davina merkte dat haar stemming was veranderd.

'O, wat fijn.' Davina pakte Darius' hand weer vast. 'Nieuws van oom Jerome is altijd welkom.'

In het vertrek ernaast begon een jazzband 'Jingle Bells' te spelen en Kate Gunn klapte opgetogen in haar handen. 'Kerstliederen in jazzuitvoering! Dat is echt weer iets voor Delia.'

Overal om hen heen wedijverden gelach en gepraat met de inspanningen van een briljante saxofonist.

'Boo heeft ons verteld hoe vreselijk het nu in Londen is,' zei Kate. Ze moest moeite doen om boven alle herrie uit te komen. 'Met de kerst zijn de voedselrantsoenen heel magertjes. Het rantsoen suiker is gedaald tot iets meer dan één ons en dat van thee tot de helft daarvan. Ik begrijp niet hoe mensen het daarmee redden. Ik voel me schuldig omdat wij hier zoveel hebben. Ik heb vanochtend nog een vracht sinaasappels gekocht. Volgens Boo weten de mensen in Londen niet eens meer hoe een sinaasappel eruitziet.'

Darius had genoeg van de conversatie en keek het vertrek rond. Hij zag Ivor, die in een vrolijk gesprek met lady Wavell verwikkeld was, en vroeg zich af hoe het in 's hemelsnaam mogelijk dat Ivor het gezelschap van Kate prefereerde boven dat van zijn eigen vrouw.

Alsof het afgesproken was, kwam Delia op dat moment met uitgestrekte armen en een stralende verwelkomende glimlach naar hen toe. 'Waar bleven jullie toch? Ik dacht dat jullie nooit zouden komen. Is de band niet fantastisch? Ze spelen sinds kort iedere donderdag in het Continental en zodra ik hen hoorde wist ik dat ik hen hier móést hebben.'

Ze droeg een turkooizen japon en om haar hals, om haar polsen en in haar opgestoken haar schitterden diamanten.

Kate, die minstens tien jaar jonger was, zag er vergeleken met haar heel saai uit. Haar lila avondjurk van zijde had een strakke rok met plooien, geborduurd met paarse bloemetjes. Het was een mooie japon die haar perzikkleurige huid had moeten oplichten, maar in plaats daarvan zag ze er een beetje verwelkt uit.

Delia stak haar arm vol genegenheid door die van Kate en zei: 'Het was zo fijn om weer eens uit de eerste hand verhalen over Londen te horen. Jerome heeft Boudicca enkele dagen voordat ze met de andere meisjes van de medische eenheid uit Londen vertrok uit lunchen genomen en haar verteld dat Shibden Hall tot de nok toe vol zit met vluchtelingen. In Toynbee Hall is een compleet weeshuis uit East End geherhuisvest. Maar nu,' zei ze, hen een voor een aankijkend, bruisend van vitaliteit, 'wil ik mijn dochter voor eventjes ontvoeren. Dat vinden jullie vast wel goed. Bruno was een van de eerste mensen die het tehuis voor oorlogspaarden ondersteunden. Hij is maar zo zelden in Caïro dat hij heel benieuwd is naar hoe het er tegenwoordig mee staat.'

Davina kneep in Darius' hand en liet zich door haar energieke moeder meevoeren.

'Bruno?' zei Darius, terwijl hij vragend een wenkbrauw optrok.

'Bruno Lautens,' zei Kate. Ze keken beiden Delia na, die regelrecht afstevende op de man met wie de vader van Darius even tevoren had staan praten. 'Hij is een Amerikaans archeoloog die dicht bij de grens met Sudan aan het werk is. Voor de oorlog was hij een doorgewinterde woestijnreiziger.'

'Gossie,' zei Boo Pytchley. Ze was onder de indruk. 'Van wie is deze kostbare informatie afkomstig?'

'Van lord Conisborough.' Terwijl ze zijn naam uitsprak, bloosde Kate Gunn lichtelijk. Ze nam een slokje champagne. 'Volgens hem kan de heer Lautens de mensen van Speciale Operaties zeer goede diensten bewijzen.'

Darius verbaasde zich er elke keer weer over dat er op feesten als deze zo onvoorzichtig met informatie werd omgesprongen. Maar de hoop dat Kate haar mond nog eens voorbij zou praten werd de grond in geslagen toen Petra erbij kwam en Kate en daarna Boo op de wang kuste.

'Wat fijn dat jullie tweeën het zo goed met elkaar kunnen vinden,' zei ze. Ze negeerde Darius volkomen. 'Archie is er ook net,' zei ze tegen Boo. 'Als Rupert er nu ook nog was, dan zou het weer net als vroeger zijn.'

'Rupert is mijn broer,' legde Boo uit. 'Hij zit bij de RAF.'

'Alsof Darius iets afweet van de RAF, of van een andere tak van de Britse strijdkrachten,' zei Petra op bijtende toon. 'Hij zit niet eens in het Egyptische leger. Maar ja, Egypte is officieel ook niet in oorlog met Duitsland... Het is misschien goed om dat altijd in gedachten te houden, Boo.'

Het was zo overduidelijk wat ze hiermee wilde zeggen dat Darius begreep dat ze veel te veel gedronken moest hebben.

'O, gossie.' Boo keek verbijsterd in het rond, op zoek naar een manier om zich te bevrijden uit de plotseling ontstane netelige situatie. Ze zag Archie en zei: 'Excuseer me even, Petra. Ik wil even met Archie bijpraten.'

Zodra ze weg was, zei Darius op gedempte toon: 'Zullen we in de tuin verder praten? Ik denk niet dat Delia het ons in dank zou afnemen als we hier tegen elkaar gaan staan schreeuwen.'

Heel even dacht hij dat ze zou weigeren om samen met hem naar buiten te gaan, maar toen haalde ze onverschillig haar schouders op. Haar jurk van zilverlamé was op de rug zeer laag uitgesneden en deed al haar rondingen verleidelijk uitkomen.

Als Sholto Monck zag dat ze met Darius naar buiten liep, dan liet hij dat op geen enkele manier merken. Een dergelijke onverschilligheid zou ondenkbaar zijn als Petra een Egyptische echtgenoot had gehad.

De tuin was verlicht met kerstboomlampjes en er waren bijna evenveel stellen buiten als binnen. Darius stak het in schemer gehulde gazon over en liep door naar de Nijl. Pas toen hij bij het einde van de tuin was gekomen draaide hij zich naar Petra om.

'Wat was dat verdorie voor een scène in het bijzijn van je vriendin?' zei hij met opeengeklemde kaken. 'Je had net zo goed meteen kunnen zeggen dat ik niet te vertrouwen ben.'

'Ben je te vertrouwen dan? Ik weet het niet. Ik weet niet eens of je het zelf wel weet.'

Het zilver van haar jurk glinsterde in het maanlicht toen ze haar armen stevig voor haar borst vouwde.

'Ik heb je nooit erg gemogen, Darius. Jij bent iemand die altijd voor problemen zorgt. En het bevalt me al helemaal niet dat je verkering hebt met Davvy.'

'Dat ik verkering met Davina heb, gaat jou helemaal niets aan.'

'Ze is mijn zus. Het gaat me wel degelijk aan.' Hij zag voor het eerst dat ze geen schoenen aanhad. 'Waar loopt dit op uit? Ga je met haar trouwen?'

Het was een vraag die hij zichzelf vrijwel dagelijks stelde en niet kon beantwoorden. Toen hij zweeg veegde Petra haar prachtige haar woest weg uit haar gezicht en barstte uit: 'Maar toch geef je haar niet op? Zodat ze iemand kan vinden die niet alleen van haar houdt, maar die ook met haar trouwt!' Haar stem beefde, zo wond ze zich op. 'Jij bent wel het laatste waaraan Davvy behoefte heeft, Darius. Je hebt altijd al voor moeilijkheden gezorgd. Maar nu maak je het wel heel erg bont.'

Ze trok haar strakke klokrok een eindje op, draaide zich wild van hem af en stormde terug naar de lichtjes en de muziek.

Hij bleef met een grimmig gezicht naar het donkere gladde wateroppervlak staan staren en liep pas weer terug naar het huis toen hij een sigaret tot het puntje aan toe had opgerookt.

Binnen stond een meisje van de vissende vloot een lied te zingen en bijna iedereen was aan het dansen. Hij zag Davina nergens. Hij pakte een glas van een passerend dienblad en ging naar haar op zoek.

Hij vond haar in de studeerkamer. Ze lachte om iets wat Bruno Lautens vertelde. Archie Somerset haalde zijn vinger langs de rijen boeken in de boekenkast. Hij had een papieren feesthoedje op. Een meisje dat met een van Archies vrienden op het feest verschenen was, had haar arm bezitterig om Lautens' schouder geslagen.

Davina's ogen lichtten op toen ze Darius zag. 'We houden hier even pauze. Bruno vertelt allerlei grappige dingen. Bijvoorbeeld dat de fellahin ten zuiden van Aswan geloven dat Hitler een moslim is!'

Hij glimlachte beleefd, maar de bewonderende uitdrukking in Bruno's ogen toen hij naar Davina keek, beviel hem helemaal niet.

Hij wilde net voorstellen dat ze zich weer in het feestgedruis zouden begeven, toen Boudicca Pytchley zich langs hem heen de kamer in wrong.

'Hemeltje. Wat een feest!' Je moeder heeft net beloofd dat

ze "Dixie's Land" zal zingen. Luister eens, Davina, ik moet je nog iets vertellen en het is hier net even rustiger.' Ze haalde even diep adem. 'Jacks vader vroeg me je te vertellen dat een arts en zijn vrouw die jij vroeger kende – meneer en mevrouw Sinclair – bij een auto-ongeluk zijn omgekomen. Het was verschrikkelijk. Ze waren allebei op slag dood en er is een kind... een jongetje...'

Boo besefte duidelijk niet hoe innig Davina's vriendschap met de Sinclairs was geweest, wat dit afschuwelijke moment nog afschuwelijker maakte.

Davina slaakte een zachte kreet en ging tegen de vlakte. Bruno ving haar op en liet haar op de dichtstbijzijnde stoel zakken.

'Waar?' vroeg ze schor. Ze zag lijkbleek. 'Hoe...'

'Bij Dunbeath, in Sutherland. Ik wist niet dat jij en de Sinclairs zulke goede vrienden waren, Davina,' zei Boo. Haar stem liep over van berouw.

'Ik denk dat Davina even tijd nodig heeft om van de schok te herstellen,' zei Darius bruusk.

Alsof hij niets gezegd had vroeg Davina: 'Hoe is het gebeurd, Boo...?'

'Het gebeurde 's nachts op een weg langs de kust. Volgens sir Jerome was het een steile weg en was er een scherpe bocht. Het was een frontale botsing. De bestuurder van de andere auto was dronken.'

Davina beefde zo hevig dat Darius bang was dat ze volledig zou instorten.

'Haal cognac voor haar,' zei hij kortaangebonden tegen Bruno. 'En een sjaal of een deken of zoiets.'

Niemand had ooit het lef gehad – of was ooit zo dom geweest – om op zo'n manier tegen Bruno te praten, maar bij het zien van Davina's asgrauwe gezicht zei hij alleen maar: 'Ja, natuurlijk, komt eraan.'

'Hun zoontje...' Davina klappertandde. 'Andrew. Is hij gewond?'

'Hij was niet bij hen in de auto. Ik weet niet waarom, maar sir Jerome dacht dat ze geen van tweeën familie hebben die voor hem kan zorgen. Muriel Scolby is naar de begrafenis geweest en toen ze van de situatie hoorde heeft ze Andrew meegenomen naar Londen. Met toestemming van de advocaat van de familie woont hij nu op Shibden Hall.'

'Kan hij geadopteerd worden?'

Het was zo'n onverwachte vraag dat Boo met haar ogen knipperde.

'Ik denk het wel,' zei ze weifelend. 'Maar daar is hij misschien al een beetje te oud voor. Hij is zes jaar en ik weet dat oudere wezen meestal niet veel kans maken.'

'Deze wel.' De uitdrukking in Davina's ogen was even gedecideerd als de klank van haar stem.

Bruno kwam terug met een glas cognac en een Schotse plaid. Darius gaf Davina het glas in haar hand en legde de deken om haar schouders.

'Als deze rottige oorlog voorbij is,' zei ze met onvaste stem, 'dan adopteer ik hem, Darius. Dat is wel het minste dat ik voor Aileen en Fergus kan doen.'

Er verschenen zweetdruppels op zijn voorhoofd. Met een Engelse vrouw trouwen, dat kon nog net, maar vader worden van een Britse stiefzoon, daar zou hij nooit over peinzen.

Hij kon dat moeilijk tegen haar zeggen terwijl dat Pytchleymeisje, Bruno Lautens en Archie Somerset zo bezorgd om haar heen stonden. In plaats daarvan zei hij heel ernstig: 'Ik denk dat we Davina beter even alleen kunnen laten.'

'Ja, tuurlijk, ouwe jongen.' Het was Archie die dat zei. En toen hij gehoorzaam de deur opende, hoorden ze Delia's stem, die het allesbehalve harmoniërende 'Dixie's Land' zong.

24

*L*ater die nacht, toen hij weer terug was op de Egyptian Queen, zat hij op het dek met in zijn ene hand een sigaret en in de andere een glas arak. Het was geen optie om Davina het adopteren van het zoontje van de Sinclairs uit het hoofd te praten. In de eerste plaats zou dat niet lukken, en in de tweede kon hij volledig meevoelen met wat ze van plan was. De Sinclairs waren haar beste vrienden geweest. Als hun kind zonder familie achterbleef zou Davina, als ze anders had gereageerd, niet de persoon zijn die hij liefhad.

Toen Sadat volgens afspraak arriveerde voor een ontmoeting brak de dageraad al aan.

'Jij bent jurist,' zei Sadat, toen hij op een stoel aan dek had plaatsgenomen. 'Wanneer we de macht in Egypte overnemen, is er een vitale rol weggelegd voor een goed jurist als jij. We hebben dan behoefte aan mensen die hun loyaliteit en betrokkenheid bewezen hebben. Een minister van Justitie die al vanaf het begin met ons is geweest.'

Darius zou een dergelijke opmerking van ieder ander als ijdele dagdromerij hebben opgevat, maar Constantin had hem voldoende over Sadat verteld om te weten dat hij door en door realistisch was.

'Er is nu een nieuw soort officieren in het Egyptische leger te vinden,' had Constantin gezegd. 'Ze zijn gereed om een opstand te organiseren wanneer de tijd er rijp voor is. Hun werkelijke leider is een officier die Gamel Nasser heet. Anwar al-Sadat is zijn plaatsvervanger.'

Constantin had Darius niet verteld dat Anwar pas begin twintig was. Hij had iemand verwacht die veel ouder was, maar was weldra over de schok heen. 'We moeten niet alleen de Britten verdrijven,' zei Anwar onomwonden. 'We moeten ook de monarchie omverwerpen. Zolang er een koning is, zal Egypte een arm en achterlijk land blijven. Alle rijkdom die onze katoen en het kanaal oplevert, verdwijnt in de zakken van een handjevol zelfzuchtige, corrupte lieden. De koning moet weg. De grootgrondbezitters moeten weg. Het parlement zoals het nu is, moet van zijn macht worden ontheven en er moet een nieuw congres gekozen worden.'

De toekomst die Anwar schilderde – een toekomst waarin het feodale grootgrondbezit had opgehouden te bestaan en waarin de opbrengsten van de katoen benut zouden worden om een moderne staat op te bouwen – ging verder dan alles waarvan Darius ooit had durven dromen.

Tegen de tijd dat Anwar Sadat de boot verliet, had Darius een besluit genomen over zijn eigen toekomst. Samen met Anwar, Nasser en de idealistische jonge officieren die ze om zich heen hadden verzameld, zou hij gaan meewerken aan de wedergeboorte van Egypte. Hij zou er mede voor zorgen dat het land nooit meer aan een ander land onderworpen zou zijn.

'En dat geldt ook voor Duitsland,' had Anwar gezegd, terwijl hij zijn pijp stopte. 'Ik weet dat het er op het moment uitziet alsof het tij van de oorlog zich tegen Duitsland heeft gekeerd, maar dat zal niet lang zo blijven. Hitler zal Duitse troepen sturen onder aanvoering van Rommel. Het is van vitaal belang dat we direct contact leggen met de generaal als hij aankomt. We kunnen geen opstand organiseren die hem zal helpen Caïro in te nemen als hij ons niet de garantie geeft dat Egypte onafhankelijk wordt als de oorlog voorbij is.'

'Wat voor contact?' had Darius gevraagd. 'Draadloos?'

'Alleen om de ontmoeting te arrangeren,' had Anwar geantwoord, terwijl hij zijn pijp aanstak. 'Het ligt in onze bedoeling een van onze officieren per vliegtuig naar hem toe te sturen voor een persoonlijk onderhoud. Maar dat is uiteraard riskant. Als de Britten in de gaten krijgen dat het vliegtuig op weg is naar de vijandelijke linies, zullen ze proberen het neer te halen. Tenzij de Duitsers voor dekking zorgen, schiet de RAF het de lucht uit nog voor het kan landen. Constantin heeft al contact met Berlijn en de Duitsers zullen hem de golflengte voor hun basis in Libië doorgeven. Als de tijd rijp is, zullen we in staat zijn om contact te leggen.'

Darius stak opnieuw een sigaret op en schonk zich nog een glas arak in. De hemel baadde nu in een gouden gloed en verguldde het oppervlak van de Nijl. Over enkele uren zou Davina komen.

Hij vroeg zich af wat hij haar veilig kon vertellen en wat niet.

En hij vroeg zich af of het wel eerlijk was om haar hoe dan ook iets te vertellen.

'Ik heb mijn moeder pas aan het ontbijt over de dood van Aileen en Fergus verteld,' zei ze, terwijl ze zich vermoeid neerliet in een van de ligstoelen. 'Ik kon het niet over mijn hart verkrijgen om het gisteravond te doen. Ze had het zo naar haar zin.'

'En vanochtend?'

Haar gezicht vertrok. 'Het was vreselijk. Ze had grote bewondering voor hen en ze had ook grote genegenheid voor hen opgevat; ze was vooral dol op Aileen.'

Haar ogen waren roodomrand en haar hele gezicht was getekend door verdriet.

Het sneed hem door de ziel haar zo treurig te zien.

'Wil je koffie?' vroeg hij. Hij zou willen dat er iets was waarmee hij haar kon troosten.

Ze knikte. 'Alsjeblieft. Maar geen Turkse.'

Hij liep de kajuittrap naar de kombuis af. Hij had niet in

bed gelegen maar had de westerse kleding die hij naar Delia's feest had gedragen verwisseld voor een galabiya. Die was zwart en had een rand van zilverbrokaat. Hij wist zeker dat hij er nooit Egyptischer had uitgezien – en zich ook nooit Egyptischer had gevoeld dan nu.

Toen hij weer terug was op het zonnedek, zei hij: 'Ik heb een zeer opmerkelijke jongeman ontmoet, Davina. Hij heet Anwar Sadat en hij is een Egyptisch legerofficier.'

Hij beschreef Sadats visioen van een Egypte zonder buitenlandse overheersing, zonder een zelfzuchtige monarchie en zonder een corrupte Egyptische elite. Hij vertelde dat Sadat hem had verteld dat hij een positie zou kunnen bezetten binnen de nieuwe republikeinse regering. Hij wist dat hij haar behoorde te vertellen hoe moeilijk ze het in de toekomst zouden krijgen, maar hij kon zichzelf er niet toe brengen. In ieder geval niet zolang ze nog zo was aangeslagen door de dood van haar vrienden.

Omdat ze elkaars gedachten zo goed konden lezen, sneed ze het onderwerp zelf aan.

'Ik betwijfel of de Vrije Officieren ook een toekomstige minister van Justitie voor zich zien die met een Engelse vrouw is getrouwd,' zei ze. Ze klonk wanhopig. 'En dat ik Andrew wil adopteren, maakt het allemaal nog gecompliceerder, hè?'

Hij wilde zeggen dat het niet zo was. Maar hij kon het niet, want ze waren altijd eerlijk tegenover elkaar geweest.

Ze legde haar vingertoppen tegen haar voorhoofd, alsof ze een zware hoofdpijn had die ze op deze manier probeerde tegen te gaan. 'Misschien moeten we dan nu meteen een eind aan alles maken, Darius. Misschien is het wel het gemakkelijkst...'

Hij greep haar bij haar armen vast en trok haar ruw overeind. 'Nee,' zei hij heftig. Hij wist dat hij zoiets niet zou overleven, nog niet. 'Er hoeft nu niets te gebeuren. Het duurt nog jaren voordat de droom van de Vrije Officieren werkelijkheid wordt. En het zou ook nog heel lang kunnen duren voordat jij Andrew kunt adopteren. Wie weet hoelang deze vervloekte oorlog nog gaat duren? Wie weet wie hem gaat winnen en hoe de omstandigheden erna zullen zijn? Voorlopig gaan we door met wat we al heel lang doen. Samen.'

Ze liet zich tegen hem aan vallen, slap van opluchting.

Hij sloot haar in zijn armen. Terwijl hij haar stevig tegen zich aan drukte wist hij dat hij de dag waarop ze hem voor altijd zou verlaten alleen maar uitstelde.

Een maand later werd een Roemeens diplomaat van zijn gezantschap weggestuurd op verdenking van spionage. Maar het gezantschap werd niet opgedoekt.

'Gaat niet, ouwe jongen,' zei Archie Somerset met zijn ergerlijke Britse kostschooljongensaccent. 'Je moet weten dat Egypte niet in oorlog is met Roemenië – of met welk land dan ook. Ambassadeur Lampson zou de Hongaarse en Roemeense legaties verdomd graag sluiten, maar dat kan niet. Het enige wat Lampson kon doen was een spion het land uitzetten. Hij zal zich de haren wel uit het hoofd rukken van woede.'

Archie was het joviale Engelse type waar Darius de grootste moeite mee had. Hij was altijd uitbundig en maakte altijd grappen. Soms was hij ineens weken weg uit Caïro om dan terug te komen met witte plekken rondom zijn ogen die verrieden dat hij met een bril ter bescherming tegen woestijnzand had rondgelopen. Als enige verklaring voor zijn afwezigheid zei hij dan dat hij *in the blue* was geweest – Brits slang voor de Westelijke Woestijn.

Als hij in Caïro was, was Archie overal en nergens. Er was geen feest of hij liep er rond. En Darius kwam hem ook geregeld tegen op plekken waar Britse soldaten normaal nooit kwamen. Op een dag zei Archie tegen hem: 'Waarom geef je niet eens een feestje op je boot, Darius? Daar zijn woonboten toch voor? Een beetje muziek, heel veel dansen. Heb je een grammofoon? Ik heb zat platen die je kunt lenen.'

Darius antwoordde met een stalen gezicht dat hij nooit feestjes gaf. Hij begon zich echter steeds vaker af te vragen of Archie misschien Constantins Britse contact was.

De Britse euforische stemming over de ineenstorting van het Italiaanse offensief sloeg in februari om in spanning toen generaal Rommel in Libië landde met twee elitepantserdivisies.

Nog voor de maand voorbij was, raakte zijn Deutsches Afrika Korps slaags met Britse troepen bij El Aghelia, de plaats in Libië waar de Britten een aantal maanden eerder de Italianen hadden verslagen. Nu was er geen sprake van dat de Duitse troepen tot een halt werden gebracht en ineens leek het niet meer onmogelijk dat Rommel het Shepheard's zou komen binnenwandelen om de beste suite op te eisen.

Sadat probeerde vanaf de Egyptian Queen met Constantins draadloze zender contact te maken met het hoofdkwartier van Rommel in Libië. Tot zijn grote ontsteltenis ontving hij geen antwoord.

In maart, toen de Duitsers nog meer succesvolle aanvallen lanceerden, vloog de Britse minister van Buitenlandse Zaken, Anthony Eden, naar Caïro, om daar uit de eerste hand informatie te verzamelen voor Churchill. Hij werd vergezeld door de chef van de imperiale generale staf, sir John Greer Dill, en sir Jerome Bazeljette.

Hoewel de drie mannen vrijwel al hun tijd besteedden aan gesprekken met de militaire leiding, lukte het Jerome toch om er even tussenuit te knijpen en een feestje te bezoeken dat speciaal voor hem door Delia georganiseerd was.

Darius en zijn vader behoorden tot de vele genodigden.

Hun gastvrouw straalde. Darius vroeg zich enigszins grimmig af of hij dan werkelijk de enige persoon – afgezien van haar echtgenoot en Jerome – was die wist waarom Delia zo door en door gelukkig was.

'Sylvia en Girlington zijn op Skooby voor zolang als het duurt,' hoorde hij Jerome zeggen tegen lady Tucker, de vrouw van een generaal van de landmacht.

Hij had geen idee over wie ze het hadden.

Davina merkte dat hij probeerde mee te luisteren en fluisterde hem behulpzaam in het oor terwijl ze langs hem heen liep: 'Sylvia is de voormalige lady Bazeljette. Girlington is haar echtgenoot, de hertog van Girlington. Skooby is een van hun grote landgoederen, een kasteel in het noorden van Engeland.'

Zijn mond kreeg een geamuseerde trek, die echter meteen weer verdween toen hij Fawzia aan de arm van hun vader zag binnenkomen.

Ze zag er zoals altijd betoverend uit. Haar blauwzwarte haar was in een ingewikkelde wrong opgestoken. Ze droeg een cocktailjurk van robijnrode brokaat en aan haar oren en om haar hals fonkelden magnifieke diamanten. Hij keek er met argusogen naar, want hij was er zeker van dat ze geen geschenk waren van haar echtgenoot, wat ze haar vader ook op de mouw mocht hebben gespeld.

Hij dacht aan Anwar Sadats gepassioneerde belofte dat als de Beweging van Vrije Officieren Egypte had bevrijd, Farouk en alles waarvoor hij stond zouden moeten verdwijnen. Darius keek naar de waterval van diamanten die aan de oren van zijn zus hingen en vond dat die dag niet snel genoeg kon komen.

'Was je soms vergeten dat sir Jerome mijn schoonvader is?' zei Fawzia tegen hem toen hun vader was weggelopen om met Ivor te praten. 'Jammer genoeg heeft hij niet meer nieuws over Jack dan ik. Het laatste dat we hoorden was dat hij in Palestina zat.'

Darius zei niets. Palestina lag zo dicht bij Egypte, dat het hem een onrustig gevoel bezorgde. Nu Sadat pogingen deed om via een draadloze zender vanaf de Egyptian Queen in contact te komen met Rommel, was een Britse inlichtingenofficier die in Caïro zou kunnen komen opdagen wel het laatste waar Darius behoefte aan had – vooral als die inlichtingenofficier zijn zwager was en nog een vriend op de koop toe.

Achter hen had Delia Jeromes arm heel even in de steek gelaten. Ze zei vrolijk tegen lady Tucker: 'Het is toch zo heerlijk om betrouwbaar nieuws te horen over de hertog en de hertogin. Ik schrok wel even toen ik hoorde dat de hertog gouverneur van de Bahama's was geworden. Het is zo ver bij Europa vandaan dat ik me niets anders kon voorstellen dan dat ze het als een vorm van verbanning zouden zien, maar blijkbaar doet de hertog zijn werk fantastisch en heeft Wallis zich, lief als altijd, op liefdadigheidswerk voor het Rode Kruis gestort.'

Lady Tuckers gezichtsuitdrukking was de moeite waard. Darius wist allang dat niemand in de hele Britse gemeenschap ook maar één goed woord overhad voor de vrouw voor wie koning Edward VIII zijn troon had afgestaan, maar Delia liet er nooit enige twijfel over bestaan wat haar standpunt was ten aanzien van de kwestie-Wallis Simpson. Wallis was haar vriendin en, zoals ze vaak zei, 'een geweldige meid'.

Lady Tucker veranderde stijfjes van onderwerp. Ze begon over Delia's zeer succesvolle club voor soldaten en onderofficieren. Darius keek intussen naar Davina, die zich tussen de gasten bewoog. Haar lichtblauwe cocktailjurk was van eenvoudige snit, en haar schouderlange haar werd achter op haar hoofd bijeengehouden met een kam van paarlemoer. Ze was vijfentwintig, maar leek amper twintig en hij moest heel sterk denken aan een plaatje van Alice uit het kinderboek *Alice in Wonderland*.

Jerome omhelsde haar stevig toen hij haar zag. Petra bewaarde meer afstand, zag Darius, maar ze volgde Jerome wel steeds met haar ogen. Hij probeerde wijs te worden uit de uitdrukking die erin lag opgesloten, maar het lukte hem niet. Het enige wat hij kon bedenken was dat ze op de hoogte was van Jeromes verhouding met haar moeder en dat ze daarom zo weinig mogelijk met hem te maken wilde hebben.

Jerome en Davina waren intussen in een ernstig gesprek

verwikkeld geraakt. Darius ving 'Shibden Hall' en 'Andrew' op, en voelde zich erg gespannen worden. Hij wendde zich af, wilde niet herinnerd worden aan de vreselijke dag dat Davina Andrew zou adopteren en zijn leven verwoest zou zijn.

Hij verliet het feest al vroeg. Toen hij even na middernacht terugkeerde op de Egyptian Queen trof hij Constantin aan in een van de zonnestoelen op het dek.

'Wat is er?' vroeg hij bits. Hij was niet in de stemming voor nachtelijk gebabbel. 'Ik had je toch gezegd dat ik vanavond op het feestje bij de Conisboroughs was?'

'O ja? Dat was ik vergeten. Maar als je geen zin hebt in een borrel, dan ga ik wel weer.' Hij wachtte of Darius hem niet zou tegenhouden, maar omdat die bleef zwijgen, kwam hij moeizaam overeind. *'Noaptre bruna,'* zei hij, Roemeens voor 'goedenacht'.

'Welterusten,' zei Darius, die besefte dat hij zich erg ongastvrij en onbehouwen gedroeg.

In april rukte Rommel in zo'n hoog tempo naar Egypte op dat de Britten, die vreesden dat de Egyptische legereenheden bij de grens zich zouden overgeven, deze vervingen door geallieerde troepen.

'En daar hebben onze generaals zich bij neergelegd!' zei Anwar briesend tegen Darius. 'Als Rommel nu maar contact met ons had opgenomen en erin had toegestemd om een van onze officieren te ontmoeten en het verdrag te tekenen, dan was dit een uitstekend moment geweest om een opstand te beginnen. Maar Rommel laat nog steeds niets van zich horen. Waarom, Darius? Waarom?'

In mei woedde de oorlog in de woestijn op zo'n grote schaal dat de straten van Caïro geheel verstopt raakten door alle koeriers en vrachtwagens met manschappen en materieel. In de Long Bar in het Shepheard's werd er al over gesproken dat de Duitsers binnen een week bij de piramides konden zijn.

Tobruk, een kustplaats die vanwege zijn diepe haven van grote strategische waarde was, was door Rommel omsingeld. Darius verwachtte dat er over niets anders gepraat zou worden, maar daarin had hij ongelijk. Het nieuws waarmee Davina bij hem aankwam, deed meer stof opwaaien dan het beleg van Tobruk, althans binnen de Britse gemeenschap.

'Mijn ouders gaan scheiden,' zei ze, terwijl ze aan boord van de woonboot stapte. Ze zag erg bleek.

'Ga zitten,' zei hij, 'dan maak ik koffie.'

Pas toen de koffie klaar was, vond hij het goed dat ze verderging met haar verhaal.

'Mijn vader gaat met Kate trouwen,' zei ze, als kon ze het nog steeds niet begrijpen. 'Maar het ongelofelijke is dat mijn moeder het niet erg vindt. Ze zegt dat Kate al negenendertig is en heel graag een baby wil en dat het daarom maar het beste is als ze zo snel mogelijk trouwen, voordat het daar te laat voor is.'

Davina veegde met haar hand over haar ogen. 'Ik voel me zo eigenaardig, Darius. Ik wist dat Kate een verhouding had met mijn vader, en dat was tot daaraan toe. Maar ik had nooit kunnen denken dat mijn vader van mijn moeder zou scheiden zodat hij en Kate konden trouwen. Mijn moeder en hij zijn altijd zo innig met elkaar geweest. Hij vertelt haar altijd alles. En mijn moeder zegt dat dat ook zo blijft. Ze zegt dat ze altijd elkaars beste vrienden zullen blijven.'

Ze nam een slokje koffie en voegde eraan toe: 'Het lijkt wel op mijn moeder ópgelucht is dat ze gaan scheiden. Ze zegt dat het niet had gekund zolang mijn vader nog adviseur was van koning Farouk. In het geval van een echtscheiding zou hij dan onmiddellijk naar Londen zijn teruggeroepen, en zou het met zijn carrière gedaan zijn. Maar nu geloof ik dat het hen allebei niet uitmaakt, zelfs als hun sociale leven eronder lijdt. Maar dat zal denk ik ook wel loslopen, want de oorlog heeft alles veranderd. De mensen zijn heel anders gaan denken.'

'Waar trouwen Kate en je vader?' vroeg hij verwonderd.

'Ik weet het niet. Volgens de Anglicaanse Kerk mogen mensen die gescheiden zijn niet meer in de kerk trouwen. Maar omdat het voor Kate zo belangrijk is, hoopt mijn moeder dat ze na hun huwelijk voor de burgerlijke stand in de Engelse kathedraal toch de zegen over hun huwelijk kunnen ontvangen.'

'Als jouw moeder dat hoopt, dan durf ik te wedden dat ze haar zin krijgt,' zei Darius. Hij bedacht dat Davina weldra een nog grotere schok te verwerken zou krijgen, namelijk als ze hoorde dat haar moeder verliefd was op sir Jerome Bazeljette.

'Wie is degene die uit Nile House verhuist?' vroeg hij. Hij vroeg zich af hoe de drie medespelers in het drama de stortvloed van roddels zouden overleven.

'Mijn vader. Hij is al verhuisd naar een huis hier op Gezira, vlak bij de Sporting Club.'

Davina zag er doodmoe uit en hij zei abrupt: 'Laten we bij Flaurent's gaan lunchen. En vertel me dan, met een glas wijn erbij, hoe Petra op het nieuws gereageerd heeft.'

Volgens Davina had Petra op geen enkele manier laten blijken hoe ze over de situatie dacht. Ze deed alsof het haar volkomen onverschillig liet. In de Britse gemeenschap ging het er wel anders aan toe. Waar Darius ook kwam, overal hoorde hij over de echtscheiding van de Conisboroughs en over het voorgenomen huwelijk van lord Conisborough. Als het om een ander stel was gegaan zou dat sociaal dood zijn verklaard. Maar de Conisboroughs doorstonden de storm met bewonderenswaardig elan, wat hoofdzakelijk aan Delia te danken was. Die gedroeg zich alsof er niet veel bijzonders aan de hand was. Ze ging gewoon door met het geven van feesten in Nile House, de beste van heel Caïro.

Om hun zaak geen verdere schade te berokkenen bezocht Ivor noch Kate ook maar een van die feesten, maar zelfs de grootste sufferd had wel door dat ze, als het aan Delia had gelegen, meer dan welkom waren geweest.

'Maar ja, ze is ook Amerikaans,' hoorde Darius mensen in Shepheard's of Groppi's vaak zeggen, maar ze zeiden het altijd met bewondering.

'Het is een toffe meid,' hoorde hij lady Lampson een keer zeggen. Het was het soort uitdrukking dat Delia vaak gebruikte.

Darius vond het grappig. Hij vroeg zich af of lady Lampson ook wel eens dingen tegen haar man zei als: 'Het is uit met de pret.'

Toen de eerste consternatie geluwd was, gingen de gesprekken weer vaker over het beleg van Tobruk. Het garnizoen daar bestond uit de Australische 9e divisie onder generaal Morshead en uit Britse troepen die zich hier voor het begin van de belegering hadden teruggetrokken.

'Het zijn in totaal 25.000 man,' zei een brigadegeneraal in de Long Bar van het Shepheard's.

Het was het soort loslippigheid waar Constantin dol op was.

Twee dagen later ontvingen de Vrije Officieren een gecodeerd bericht van Rommel. Hij was bereid een van hen te ontmoeten en zou zijn gedachten laten gaan over het verdrag. Hij vroeg naar de precieze datum en het tijdstip van de vlucht van de officier naar de Duitse linies om de veiligheid van het vliegtuig te kunnen garanderen.

Sadat belde Darius op en zei: 'Ik ben vanavond om twaalf uur op de woonboot om een boodschap te verzenden.'

Darius had die avond een feest waar hij heen moest – in Caïro waren er altijd feesten om naartoe te gaan. Davina en hij waren uitgenodigd door Momo Marriott, de vrouw van brigadegeneraal sir John Marriott. Momo had de kelder van haar huis omgetoverd in een luxueuze privénachtclub en was als gastvrouw bijna even populair als Delia.

Darius dacht er niet over om niet naar het feest te gaan, ook al betekende het dat hij alweer vroeg weg zou moeten. Het gebruikelijke clubje zou weer aanwezig zijn, met inbegrip van Bruno Lautens. Darius wist dat Bruno stapelverliefd was op Davina en dat hij niets liever wilde dan in haar buurt zijn als Darius niet in de buurt was.

Zodra ze binnen waren in Chez Marie – de naam die Momo voor haar nachtclub had verzonnen – bevonden ze zich te midden van glans en glitter, want Momo deed altijd haar uiterste best om zoveel mogelijk koninklijke Europeanen naar haar feesten te halen; het betrof koninklijke hoogheden die in Egypte hun toevlucht hadden gezocht nadat de Duitsers hun land onder de voet hadden gelopen.

Koning Zog van Albanië danste met zijn vrouw Geraldine. Koning Victor Emmanuel van Italië was ook aan het dansen, maar niet met zijn echtgenote. Prins Wahid al-Din, de zoon van prinses Shevekiar, stond aan de bar met Petra te praten. Jacquetta, lady Lampson, lachte om iets wat Sholto Monck vertelde. De zoon van Winston Churchill, Randolph, die als persofficier in Caïro was, stond met Momo te flirten.

Aanwezig waren verder enkele tientallen mondaine meisjes van de vissende vloot; een hele stoet Britse officieren die met verlof waren van het front; een luidruchtig clubje Nieuw-Zeelanders, eveneens met verlof; en een nog luidruchtiger clubje Australiërs. De zanger die Momo aan nachtclub Scarabée had ontfutseld zong 'Jeepers Creepers' van Johnny Mercer. Archie Somerset danste een energieke quickstep met Boo Pytchley.

'Wring je door de menigte heen en haal een paar glazen champagne!' schreeuwde Davina boven het lawaai uit. 'Ik wacht hier op je!'

Hij stortte zich in het gewoel. Prinses Shevekiar botste per ongeluk tegen hem op. Ze was inmiddels bejaard en hij greep haar onmiddellijk vast zodat ze niet zou vallen.

'Dank u wel,' zei ze hooghartig. Blijkbaar herkende ze hem niet. Ze keek in de richting waar hij vandaan was gekomen en zag Davina staan. 'Lady Russell Pasha had het er zojuist nog over dat Bruno Lautens een geweldige partij zou zijn voor Davina Conisborough. Hij is een weduwnaar met een zoontje van zeven, wist u dat? Zijn kleine jongen zou volmaakt zijn als stiefbroertje van de jongen die Davina wil adopteren.'

Darius draaide zich met een ruk om. Er bevonden zich nu een aantal stellen tussen hem en Davina in, maar ze was niet langer alleen. Lautens stond bij haar. Toen hij hen samen zag, was het alsof hij in de toekomst keek, een toekomst waarin de oorlog voorbij was en hij deel uitmaakte van de regering van een onafhankelijk Egypte. Een toekomst waarin Andrew Sinclair Davina's zoon was. Een toekomst waarin zij en Bruno getrouwd waren en hij, Egyptes minister van Justitie, gedoemd was hen samen te zien op elk sociaal evenement dat hij bezocht.

In één verblindend helder ogenblik wist hij dat een hoge regeringspost nooit voldoende compensatie zou zijn voor het verlies van Davina, hoe hartstochtelijk veel hij ook van zijn land hield. Ze was voor hem van even vitaal belang als ademhalen. Wat gaf het dat haar vader Engels was? Of dat haar geadopteerde zoon Schots was? De Beweging van Vrije Officieren zou dat simpelweg moeten accepteren.

En als dat niet zo was?

Als dat niet zo was, dan had hij altijd Davina nog. En zolang hij Davina had was zijn leven de moeite waard.

Terwijl de zanger aan 'All the Things You Are' begon, begreep hij voor het eerst waarom koning Edward VIII zijn troon had opgegeven om mevrouw Simpson niet te hoeven opgeven.

Darius zigzagde tussen de dansers door terug naar Davina. Hij zag dat Bruno zich naar hem omdraaide, maar schonk geen aandacht aan hem.

Davina glimlachte. Het was de glimlach die hem al had betoverd toen ze nog weinig meer dan een kind was geweest. Het was de glimlach die hem zou blijven betoveren, zolang hij leefde.

Hij pakte haar handen en hield ze stevig in de zijne. Hij wist dat hij, als Petra hem nu zou vragen of hij van plan was met Davina te trouwen, 'Natuurlijk!' zou zeggen. Het was volkomen ondenkbaar dat ze ooit níét bij elkaar zouden zijn.

Deel v

Jack

1941

25

Toen Jacks meerdere hem vertelde dat hij naar Caïro zou worden overgeplaatst, was hij zo in de wolken dat hij zich moest inhouden om zijn vuisten niet in de lucht te steken.

'Je blijft deel uitmaken van de Inlichtingendienst Midden-Oosten, maar wordt gekoppeld aan de SIB, de Special Investigation Branch in Caïro.'

De officier stopte zijn papieren terug in een dossier.

'Alle gebruikelijke regels zijn van toepassing. Je kunt burgerkleding dragen, of het uniform van een rang onder die van jezelf, al naargelang de situatie. En die situatie is beroerd, dat mag ik er wel bij zeggen. Iemand in Caïro verzendt geheime informatie naar de vijand. Het is jouw taak hem op te sporen voordat Rommel een biertje kan bestellen op het terras van Shepheard's.'

De officier leunde naar voren, met zijn ellebogen op het bureau steunend en zijn vingers gekromd.

'Ik zie in je dossier dat je vrouw een Egyptische is en dat ze in Caïro woont.' Hij fronste even. 'Dat kan een goede dekmantel opleveren voor het inlichtingenwerk, maar je kunt het maar beter voor je houden. Er is ook geen mogelijkheid om bij elkaar te wonen. De echtgenotes van het legerpersoneel zijn allemaal geëvacueerd, behalve die van brigadegeneraals en generaals. Die vrouwen zijn lang niet allemaal vrijwillig vertrokken en je kunt je wel voorstellen dat het kwaad bloed zou zetten als jij bij je vrouw intrekt.'

Jack knikte. Zodra hij van zijn overplaatsing had gehoord,

waren zijn gedachten meteen naar Fawzia gegaan en de problemen die ze door zijn werk zouden ondervinden. Als ze niet bij elkaar konden wonen, zou dat een aanmerkelijke verlichting van deze problemen opleveren.

Hij vloog van Jeruzalem naar Caïro met anderen samen in een bommenwerper, op elkaar gepakt als sardines in een blikje. Onderweg realiseerde hij zich beschaamd dat hij vooral aan Petra dacht, niet aan Fawzia.

De laatste keer dat hij Petra had gezien, was tijdens een bezoek aan Caïro nadat hij getrouwd was. Ze had haar best gedaan om zo min mogelijk bij hem in de buurt te zijn, en de keren dat ze wel in zijn buurt was, had ze niet met hem willen praten. Het leek zelfs alsof ze een volkomen andere vrouw was geworden. Ze was zo gespannen geweest, zo verkrampt, dat het leek alsof ze elk moment uit elkaar zou kunnen klappen. Eén ding was echter wel duidelijk: als ze ooit verliefd op hem was geweest, dan was dat voorbij. Hun verhouding was ten einde. En alsof ze dat hem wilde inpeperen, was ze met die lange slungel getrouwd, Sholto Monck, een charmant maar oppervlakkig type.

Hij wist dat Monck nog in Caïro was en gezien zijn positie op de ambassade zou Jack hem geregeld tegen het lijf lopen. Het was niet iets waar hij naar uitzag.

Toen de Wellington in de buurt van Hilmiya landde, zette Jack de gedachten aan Petra resoluut uit zijn hoofd en gaf zich over aan het blijde gevoel weer in Caïro te zijn. Caïro was en bleef zijn lievelingsstad op aarde.

Toen hij op het tarmac stapte en de vertrouwde hete, kruidige lucht inademde, voelde hij zich ineens volkomen ontspannen. Na achttien maanden zou hij zijn vrouw weer zien en al was zijn huwelijk altijd al wankeler geweest dan hij ooit zou willen toegeven, was hij vastbesloten er het beste van te maken.

Hij wist uit verscheidene bronnen – Davina's brieven, Delia's brieven, de reisjes van zijn vader naar Caïro – dat Darius zijn anti-Britse activiteiten had opgeschort. Dat zou het er, wat hun vriendschap betrof, een stuk gemakkelijker op maken.

Een jonge luitenant salueerde hoffelijk, nam Jacks koffertje over en begeleidde hem naar een gereedstaande stafauto.

'Caïro is een smerige stad, majoor Bazeljette,' zei de luitenant, die aannam dat Jack er nog nooit was geweest. Hij gleed achter het stuur. 'Die bruinjoekels zijn een nachtmerrie. Je kunt ze voor geen meter vertrouwen.'

Jack haalde een pakje Camels uit zijn zak. 'Mijn vrouw is een Egyptische,' zei hij, terwijl hij er een opstak.

De jeep reed bijna de weg af. 'Neemt u me niet kwalijk, majoor! Het spijt me ontzettend...' De luitenant putte zich uit in excuses. 'Ik wist het niet... Ik heb er geen moment bij stilgestaan dat... Christus!'

Jack stelde hem op geen enkele manier gerust. Hij liet hem zweten. Het nieuws dat zijn vrouw een Egyptische was zou zich nu als een lopend vuurtje door de hele Britse gemeenschap verspreiden. Dat ging volledig in tegen het advies dat hij had meegekregen, maar dat kon hem niet schelen. Het zou als effect hebben dat hij niet ieder moment het woord 'bruinjoekel' hoefde aan te horen en dat was voor zijn humeur van het allergrootste belang.

Het Hilmiyakamp lag op zo'n tien kilometer afstand van het centrum van de stad en omdat hij de stad nog nooit vanaf deze kant was binnengekomen, leunde hij achterover om van de rit te genieten. Op de smalle weg was zoveel verkeer van militaire voertuigen dat hij af en toe het gevoel had dat hij beter had kunnen gaan lopen.

Het zou misschien sneller zijn geweest, maar ook veel uitputtender. Het was juli en het was zo snikheet dat het zweet hem over de rug liep. Tegen de tijd dat de citadel en de glimmend witte albasten muren van de Mohammed Ali-moskee in zicht kwamen, zou hij bijna een moord doen voor een ijskoud biertje.

Toen ze de stad in reden, zag hij dat de cafés overvol waren met militairen die hetzelfde idee hadden als hij: Britten, Australiërs, vrije Fransen, Zuid-Afrikanen en Indiërs in uniform. Caïro was altijd al een drukke stad geweest, maar leek nu uit zijn voegen te barsten. De vertrouwde straatbeelden gingen bijna schuil achter al dat kaki. Sorbetverkopers baanden zich een weg door het verkeer heen. Op iedere straathoek stonden bedelaars. Oude mannen in galabiya duwden handkarren voort waarop fruit en groenten in bergen lagen opgetast; hun stoffige leren slippers klepperden tegen hun blote voetzolen. Veel te zwaar beladen ezels wedijverden met auto's om een plekje op de weg en vochten om in leven te blijven. De oude muziektent bij de Ezbekiya-tuinen was verlaten.

In een etalage van warenhuis Cicurel op de hoek van het Operaplein en de Kasr el Nilstraat waren hoeden uitgestald die zo modieus waren dat ze aan de Champs Elysées niet misstaan zouden hebben.

De langgerekte jammerende klanken van de muezzins riepen de gelovigen op tot het gebed toen ze de Kasr el Nil-straat uitreden en even later ving Jack de eerste glimp op van de Nijl.

Zijn chauffeur sloeg links af, de weg op die langs de rivieroever liep, in de richting van het Britse legerhoofdkwartier.

Dat bevond zich in een rij moderne appartementengebouwen, Grey Pillars genaamd, aan de zuidkant van Garden City, niet ver van het huis van zijn schoonvader en dicht bij Nile House. Hij had moeite zijn ongeduld te bedwingen, maar hij wist dat zijn weerzien met Fawzia moest wachten totdat hij zich bij zijn meerdere had gemeld. Intussen vroeg hij zich af of de bevelvoerend officier in Jeruzalem gelijk had gehad toen hij zei dat Jacks belangrijkste opdracht het opsporen van een bepaalde spion was.

Brigadegeneraal Haigh, het hoofd Militaire Inlichtingen, liet hier geen twijfel over bestaan.

'We moeten die smeerlap te pakken krijgen, majoor, maar we zijn hem nog niet op het spoor. We weten alleen dat het Duitse leger al weet wat we gaan doen, voordat we het doen. De informatie kan overal vandaan komen. De voormalige premier, Ali Maher Pasha, heeft nog altijd politieke macht en hij is zo pro-Duits dat hij geen duwtje nodig heeft om onze plannen aan de Duitsers te verraden. Met de koning is het al net zo. Ambassadeur Lampson heeft de grootst mogelijke moeite om zijne majesteit een beetje in toom te houden.'

Dat de brigadegeneraal Lampsons verhouding tot de koning omschreef als die van een schoolmeester en een lastige leerling zou komisch zijn geweest als het niet had betekend dat goede betrekkingen met het paleis vrijwel onmogelijk waren.

Jack, die hoopte zijn meerdere iets meer over de situatie aan zijn verstand te kunnen brengen, zonder het risico te lopen meteen weer op het vliegtuig naar Jeruzalem te worden gezet, zei mild: 'Egypte heeft Duitsland nooit de oorlog verklaard, dus Farouk zal altijd blijven dwarsliggen. Het kan niet leuk voor hem zijn dat al zijn steden wemelen van de buitenlandse soldaten.'

'Die klootzak mag blij zijn dat wij hier zijn!' snauwde de brigadegeneraal. 'Als wij er niet waren geweest, waren de Italianen al een jaar geleden over Caïro uitgezwermd en hadden ze hem zijn biezen laten pakken. U bent hier, majoor Bazeljette, omdat u de stad kent en in Oxford Arabisch hebt gestudeerd. Voor uw taak is het geen vereiste om vriendjes met de Gyppo's te zijn. En u maakt er ook geen Britse vrienden mee.'

Jack achtte het raadzaam zijn gedachten verder voor zich te houden, salueerde en verliet de kamer van de brigadegeneraal.

De volgende twee uur besteedde hij aan de kennismaking met zijn staf en zijn kantoor. Grey Pillars leek een uitgestrekt konijnenhol. Vroeger waren het tientallen afzonderlijke appartementen geweest, maar er waren heel veel tussenmuren weggehaald om kantoorruimte te creëren. Elke centimeter was benut. In de nauwe gangen die vroeger tussen de appartementen door liepen verdrong zich het geplaagde militair personeel.

Jacks eigen hoekje was uitgerust met een bureau, een stoel, een dossierkast en een telefoon, en bezat tot zijn grote opluchting een raam.

'Ik ben Doris, uw typiste, meneer,' zei een in een uniform gestoken jonge vrouw met een aardig gezicht. Ze legde een fikse stapel dossiers op zijn bureau. 'Ik doe ook het typwerk voor nog zes andere officieren, dus als u me nodig heeft, moet u maar heel hard roepen. Wilt u een kopje thee? Sommige van deze dossiers hebben maandenlang alleen maar stof verzameld. U zult wel merken dat het dorstig werk is.'

Hij was in Jeruzalem niet gewend geweest om op zo'n manier door vrouwelijk militair personeel te worden bejegend, maar deze vlotte, gemoedelijke werksfeer vond hij verre te verkiezen boven stijf en formeel gedoe. 'Een kop thee is het halve werk, Doris. Ik heb begrepen dat kapitein Reynolds en korporaal Slade tot mijn staf behoren. Is een van hen in de buurt?'

'Kapitein Reynolds is naar een andere eenheid overgeplaatst, meneer. We wachten op een vervanger, maar die is nog niet komen opdagen. Korporaal Slade is op jacht naar een dienstauto die u kunt gebruiken. In Caïro is niets zo georganiseerd als u waarschijnlijk gewend bent. Ik geloof dat korporaal Slade ook een kijkje is gaan nemen in uw onderkomen. Of nee, hij is op zoek naar een plekje voor u. Een slaapplaats is hier kostbaarder dan goud. Omdat u voor inlichtingen werkt, zult u wel ergens in een appartement terechtkomen dat u met een aantal andere officieren moet delen. De kazerne zit tjokvol.'

Een uur later, na kennis te hebben gemaakt met het team van de radiokamer, verliet hij Grey Pillars om het korte stukje naar het huis van Fawzia's familie te lopen.

Het was achttien maanden geleden dat hij haar voor het

laatst had gezien. Ze hadden afscheid genomen na een akelige, heftige ruzie over geld. Fawzia kon maar niet begrijpen waarom zij er niet dezelfde levensstijl op nahielden als Delia, of als zijn moeder en Theo Girlington. 'Maar je vader is toch baronet en je moeder hertogin?' had ze gezegd. 'Waarom wonen wij dan in een appartement dat zes keer in het huis van mijn vader past?'

Dat het naar Londense maatstaven een paleiselijk onderkomen was maakte haar niets uit. Het was niet hetzelfde als een herenhuis aan Cadogan Square – en een herenhuis aan Cadogan Square, dat was wat ze verwacht had.

Ze hadden ook problemen gehad over juwelen. Als huwelijkscadeau had Jack Fawzia een broche met diamanten en smaragden geschonken, die van zijn grootmoeder van zijn vaders kant was geweest. De familietiara die zij onder normale omstandigheden gekregen zou hebben, was in het bezit van zijn moeder, en hoewel die door haar huwelijk met Theo een fabelachtige collectie juwelen in haar bezit had gekregen, had ze er geen ogenblik over gepeinsd om de tiara en andere familiejuwelen op te geven. Als compensatie had zijn vader Fawzia een schitterende tiara van Aspreys ten geschenke gegeven.

Hij kon eenvoudigweg niet voldoen aan de wensen die Fawzia op grond van valse verwachtingen koesterde. Zijn salaris bij Buitenlandse Zaken en het privévermogen dat zijn grootmoeder hem had nagelaten garandeerden een relatieve welstand, maar dat hij zo rijk zou worden als Fawzia voor ogen stond was niet waarschijnlijk, ook in de toekomst niet.

Hij gaf zichzelf er de schuld van dat ze vooraf zo weinig idee had gehad wat het zou betekenen om de vrouw van Jack Bazeljette te zijn. In Caïro was ze opgegroeid in een weelderige afgeschermde omgeving. Ze was met Petra en Davina bevriend geweest, maar ze had nooit hetzelfde leven geleid als zij, afgezien van de uren dat ze samen onderwijs hadden gehad. Toen Davina vijftien was had ze zich als vrijwilligster gemeld bij een weeshuis, waar ze in haar eentje met het openbaar vervoer naartoe ging. Fawzia had van haar leven nog nooit in een tram in Caïro gezeten, dat wist Jack wel zeker.

In Londen was ze als gast van Delia ook aldoor beschermd geweest. Delia was veel strenger voor Fawzia geweest op het punt wat ze wel en wat ze niet mocht, dan ze ooit voor haar eigen dochters was geweest.

Toen Jack aankwam bij de zware deur van cederhout richtte hij in het Arabisch het woord tot de Nubische man die deze bewaakte. Even later betrad hij de vertrouwde koelte van de beschaduwde binnenplaats.

Twee bedienden kwamen aangesneld. Ze waren gekleed in een verblindend witte galabiya met een donkerrode sjerp. Op hun hielen volgde Zubair Pasha, die hem met een glimlach op zijn gegroefde gezicht verwelkomde.

'Dus je bent eindelijk weer terug in Caïro, Jack,' zei hij bijna jubelend. Hij sloeg zijn schoonzoon als teken van genegenheid op zijn schouder. 'Fawzia zei dat je hemel en aarde zou bewegen om een post in Caïro te krijgen. Ik zal de logeerkamer onmiddellijk in gereedheid laten brengen. Maar waar zijn je spullen?'

'Die heb ik niet bij me, vrees ik,' antwoordde Jack met een berouwvolle glimlach. 'Ik heb orders geen aandacht te vestigen op het feit dat ik een vrouw in de stad heb. De evacuatie van de vrouwen van militairen is hier blijkbaar een gevoelige kwestie.'

Zubair knikte. Hij had zijn hele leven aan het hof gediend, eerst onder koning Fouad en daarna onder koning Farouk, en hij wist tot in de finesses hoe een gevoelige of potentieel gevoelige situatie moest worden aangepakt.

'Je moet even wat drinken,' zei hij. Een bediende kwam al aanlopen met een glas water met rozenessence op een zilveren dienblad. 'Ik moet je helaas vertellen dat Fawzia niet thuis is. Ze brengt erg veel tijd in Nile House door, met Davina.'

Jack was blij dat Zubair Pasha blijkbaar niet de bedoeling had hem binnen te vragen. Hij dronk het akelig zoete water op en liep even later weer langs de elegante bochtige lanen van Garden City.

Adjo begroette hem met grote genegenheid.

Delia stond in de salon gele lelies in een vaas te schikken. Toen Jack onaangekondigd kwam binnenlopen, liet ze de bloem die ze in haar hand had vallen en rende met een kreet van blijdschap en met een gezicht dat straalde op hem af. 'Jack! Wat geweldig dat je er bent!' hijgde ze terwijl hij haar stevig omarmde. 'We hadden geen idee dat je zou komen! Wist Fawzia het wel? Als dat zo is, hoe heeft die kleine kattenkop het dan voor zich kunnen houden?'

'Niemand wist het,' zei hij, vervuld van het heerlijke gevoel dat Delia de mensen van wie ze hield altijd weer gaf. 'Ik wist het zelf pas twee dagen geleden. Is ze hier?'

'Hier?' Delia deed een stap achteruit. Ze liep tegen de vijftig, maar was nog altijd een bloeiende schoonheid, en hij wist dat het nooit anders zou zijn. Ze had een witlinnen jurk aan met een rechte rok en om haar middel droeg ze een brede, korenbloemblauwe ceintuur. 'Nee, hier is ze niet,' zei ze. Ze keek nogal verrast. 'Ik kom Fawzia af en toe op feesten tegen, maar verder heb ik haar al weken niet meer gezien. Als ze niet op het paleis is, zal ze wel thuis zijn.'

'Ze is niet thuis,' zei hij nonchalant. Hij liet niets van enige onrust blijken. 'Waarom zou ze op het paleis zijn?'

Delia legde haar hand op zijn elleboog. 'Ze is altijd op het paleis. Farouk verwaarloost zijn kleine koningin schandalig en Farida heeft vriendinnen als Fawzia nodig om haar gezelschap te houden. Ze doet soms zelfs te vaak een beroep op ze. Davina vertelde dat het al meerdere keren is voorgekomen dat er, als zij tweeën ergens waren, een koninklijke auto kwam aanrijden met een bediende die Fawzia meldde dat haar aanwezigheid op het paleis gewenst was. En dat Fawzia dan werd afgevoerd, of ze het nu zelf wilde of niet.'

Sinds de laatste keer dat hij op Nile House was geweest, was er een pergola neergezet op het terras. Ze stonden inmiddels onder de schaduw van de druivenranken waarmee deze begroeid was. Jack zei: 'Zubair Pasha had het niet over haar paleisbezoekjes. Die zei dat ze haar tijd grotendeels met Davina doorbracht.'

'Dat zou ze waarschijnlijk ook doen als dat mogelijk was,' zei Delia op een droge toon, 'maar Davina heeft het altijd erg druk. Verpleegsters in Caïro werken allemaal achttien uur per dag, als het niet meer is. En Zubair Pasha weet niet goed wat er allemaal gaande is op het paleis. Zijn trots zal hem er wel van weerhouden om het je te vertellen, maar hij is al een tijdje bij de koning uit de gratie – waarschijnlijk omdat hij Britsgezinder is dan de koning lief is.'

Ze liepen de trap van het terras naar het gazon af en Delia zei: 'Eens kijken, wat heb ik je voor nieuws te vertellen? Om te beginnen over onze echtscheiding, natuurlijk. Ivor gaat eindelijk een fatsoenlijke vrouw van Kate maken en krijgt dan hopelijk een zoon, een erfgenaam. Ik hoef je natuurlijk niet te zeggen dat alles in een zeer vriendschappelijk sfeer verloopt, al heb ik wel eens het idee dat de high society in Caïro graag zou zien dat het anders was. En wat Engeland betreft... In Shibden Hall zijn heel veel evacués en wezen ondergebracht, onder andere een kleine jongen die denk ik binnenkort lid van onze familie zal worden.'

Het nieuws dat Delia en Ivor gingen scheiden, was geen grote verrassing voor hem, maar die kleine jongen was een compleet mysterie.

'Hoe zit dat met die wees?' spoorde hij Delia aan. Het amuseerde hem dat het gazon bij de rivier was getransformeerd in een weide voor bejaarde ezels.

'Davina's vrienden, Aileen en Fergus Sinclair, zijn omgekomen bij een auto-ongeluk in Schotland. Miriam Scolby, de receptioniste van Toynbee Hall, heeft jouw vader op de hoogte gesteld. Ze is naar de begrafenis gegaan en kwam erachter dat er geen familie is die voor het zesjarige zoontje van de Sinclairs kan zorgen. Andrew verblijft voorlopig op Shibden

Hall, waar je vader hem zo vaak mogelijk opzoekt. Het plan op langere termijn is dat Davina hem gaat adopteren.'

Ze kwamen bij de stenen kade van de rivier aan en Delia zei: 'Als de oorlog voorbij is, blijft Shibden trouwens een kindertehuis. Ivor heeft er niets aan – Kate en hij zijn van plan in Caïro te blijven wonen. Ik ga weliswaar terug naar Londen als de geallieerden Hitler zijn vet hebben gegeven, maar ik kan er verder ook weinig mee. Het is onderhand uit de tijd om er een huis zo groot als Shibden Hall op na te houden.'

Ze draaide zich naar hem toe om hem aan te kijken. Een briesje dat vanaf de rivier kwam deed haar haar, dat nog altijd een uitdagend rode kleur had, zachtjes wapperen. 'Hetzelfde geldt natuurlijk voor Sans Souci. Maar toch ben ik van plan om daar veel tijd te gaan doorbrengen als de wereld weer bij zijn verstand is gekomen.' Een blijde glimlach verspreidde zich over haar hele gezicht. 'En als ik terugga naar Sans Souci,' zei ze, in een polotselinge uitbarsting van vertrouwelijkheid, 'dan ga ik iets doen wat ik al achtentwintig jaar heb gewild, Jack. Dan neem ik je vader mee.'

Een duidelijker hint van wat ze na haar scheiding van plan was, kon ze niet geven. Zijn vader en zij zouden de rest van hun leven samen doorbrengen.

Eindelijk stelde Jack Delia de vraag die hem al bezighield vanaf het moment dat hij naar Egypte was gekomen: 'Hoe gaat het met Petra, Delia?'

26

'Met Petra', zei Delia, naar het huis kijkend, 'gaat het goed. Je blijft toch wel eten? Ik lunch laat vandaag. We moeten nodig bijpraten. Boo Pytchley is in Caïro, en Archie Somerset ook. Ik geloof niet dat Petra nog nieuws heeft van Rupert en het enige dat we van Annabel en Fedja weten is dat Fedja bij de RAF zit. Het is onmogelijk om contact met Suzi te krijgen. Het is moeilijk voor te stellen hoe het is om in het bezette Parijs te leven, maar Suzi is in ieder geval niet joods. Ik bid iedere avond voor de Fransen die dat wel zijn. En wat Magda betreft...'

Ze stak haar arm weer door de zijne en ze begonnen naar het huis terug te lopen. 'Ja, Magda... Ik mag hopen dat ze Hitler niet meer als de redder van Duitsland ziet. In de tijd dat zij hem bewonderde deden heel wat mensen van de Engelse high society dat ook. In 1936, toen Von Ribbentrop ambassadeur voor Duitsland was in Londen, werd hij door bijna iedereen ontvangen. Ik heb hem twee keer ontmoet toen we allebei voor hetzelfde diner waren uitgenodigd. Ik geloof dat Sholto hem zelfs erg goed kende. En de arme Wallis...'

Ze haalde haar schouders op om aan te geven dat het er voor Wallis wanhopig uitzag. 'Volgens jouw vader wordt er rondverteld dat Von Ribbentrop en zij minnaars waren. Flauwekul, natuurlijk, zoals gebruikelijk. Wallis zou haar relatie met David nooit op zo'n manier op het spel hebben gezet. Waarom mensen iedere keer weer zo schofterig over haar doen is mij een raadsel.'

De litanie klonk Jack vertrouwd in de oren en zijn gedachten gingen weer naar Petra. Delia's beknopte, nietszeggende antwoord op zijn vraag naar haar was om razend van te worden. Hij wist vrijwel zeker waarom ze bliksemsnel op een ander onderwerp was overgestapt. Ze wilde niet dat hij Petra's huwelijk zou verstoren, of zijn eigen huwelijk met Fawzia.

En ze had natuurlijk gelijk wat dit risico betrof. Het Britse sociale leven in Caïro speelde zich in een klein kringetje af: de Gezira Club, de Turf Club, Shepheard's, het Continental, Groppi's en nog een handjevol andere gelegenheden. Het was onvermijdelijk dat hij Petra overal zou tegenkomen. En als hij haar zag, zou dat zijn toch al wankele huwelijk gemakkelijk verder kunnen verstoren.

Hij nam zich opnieuw voor het beste van zijn huwelijk te maken en richtte zijn aandacht weer op wat Delia zei. Ze stapten de schemerige koelte van de eetkamer binnen.

'Je vader krijgt tegenwoordig nauwelijks kans meer om paard te rijden,' zei Delia, terwijl ze aan de prachtig gedekte tafel plaatsnamen. 'In Virginia zal hij kunnen paardrijden zoveel hij maar wil.'

Het amuseerde Jack dat Adjo zonder meer had aangenomen dat hij zou blijven eten en de tafel voor twee personen had laten dekken.

'Toen ik nog een meisje was, had ik het prachtigste paard dat je je maar kunt voorstellen,' zei Delia. Haar groene ogen kregen een dromerige uitdrukking. 'Hij heette Sultan. Afscheid van hem nemen was een van de moeilijkste dingen die ik ooit in mijn leven heb gedaan.'

Een jonge bediende, naar Jack vermoedde een van Adjo's achterneven, schonk wijn in en liet hen toen alleen om van hun maaltijd te genieten.

'Was dat toen je met Ivor trouwde?' vroeg Jack. Hij doopte een stukje warm pitabrood in een kommetje hummus.

'Ja,' zei ze, voor haar doen ongewoon bedachtzaam. Ze

pakte een zwarte olijf van een zwart met wit geglazuurd schaaltje, beet erin en zei: 'Hij was niet verliefd op me toen we trouwden, maar hij voelde zich wel erg tot me aangetrokken en koesterde oprechte genegenheid voor me... Die genegenheid is gelukkig blijven bestaan.'

Het was iets wat hij al lange tijd had vermoed, maar het kwam als een schok dat ze het nu zo openlijk uitsprak. 'Maar waarom trouwde hij dan met je, als hij niet van je hield?' vroeg Jack, behoedzaam, want hij wist dat hij zich op gevaarlijk terrein begaf.

Ze schepte wat tuinbonensalade op haar bord en legde er een kleine gevulde paprika bij. 'Hij was weduwnaar en had geen erfgenaam. Ik was jong en hij dacht dat ik hem een zoon zou schenken. Maar na Petra en Davina hebben we geen kinderen meer gekregen. Hij was erg teleurgesteld, maar heeft zich er op een fantastische manier overheen gezet.'

'Als Ivor niet van jou hield,' vroeg Jack, 'van wie hield hij dan wel?'

Haar wenkbrauwen gingen iets omhoog, alsof ze verbaasd was dat hij dat nog moest vragen. 'Van je moeder natuurlijk,' zei ze.

Ze keek hem in de ogen, een en al openhartigheid.

'Jouw moeder was voor Ivor toen hij nog jong was de liefde van zijn leven. Hij hield al van haar voordat hij met Olivia trouwde en hij hield nog steeds van haar toen hij met mij trouwde... En ze bleef ook nog lang zijn grote liefde nadat zij een einde aan hun verhouding had gemaakt en met Theo Girlington trouwde.'

Er klonk geen bitterheid of wrok in haar stem door en hij realiseerde zich dat ze al heel lang geleden haar wrok en verdriet opzij had gezet.

'Kate, die in alle opzichten volkomen van jouw moeder verschilt, heeft weer geluk in zijn leven gebracht.' Het was duidelijk dat Delia warme genegenheid voor Kate koesterde. 'Ik ben haar altijd dankbaar geweest. Met een beetje geluk geeft zij hem eindelijk de zoon die hij zich al zo lang wenst.'

Jack hoefde niet te vragen wie degene was die Delia gelukkig maakte, maar er was één vraag die hij haar moest stellen, nu ze in zo'n openhartige bui was.

'Waarom,' vroeg hij, terwijl zij een slokje wijn nam. 'was je er zo op tegen dat ik met Petra zou trouwen?'

Zodra hij het zei was het alsof alle zuurstof uit de kamer was gezogen. De spanning was om te snijden.

Delia aarzelde, en juist op het moment dat ze zou gaan antwoorden, ging de deur van de eetkamer open en kwam Fawzia binnen. Ze droeg haar zwarte haar in een knot boven op haar hoofd. Haar huid glansde als licht goud. Ze had een jurk aan van smaragdgroene brokaat die beter paste bij een cocktailparty dan bij dit vroege middaguur. Ze leek wel een prinses uit de verhalen van Duizend-en-één-nacht.

'Papa zei dat je hier was!' zei ze, lichtelijk buiten adem. 'Is het niet heerlijk? Dat we nu weer samen zijn?'

Hij stond van tafel op, in het ergerlijke besef dat het moment van openheid tussen hem en Delia voorbij was.

Hij kuste Fawzia zo gepassioneerd als Delia's aanwezigheid toeliet en merkte dat haar parfum al net zo ongeschikt was voor de vroege middag als haar jurk. Het was zwaar, exotisch en heel, heel sexy.

'Hoelang blijf je?' vroeg ze, met haar armen nog om zijn nek geslagen. 'Je vader was enkele maanden geleden in Caïro met meneer Eden, maar hij bleef toen maar drie dagen. Daarna vlogen ze naar Ankara. Ga jij dat ook doen, Jack?'

'Nee,' zei hij grinnikend. Haar naïviteit amuseerde hem. 'Ik ben hier waarschijnlijk zolang de oorlog duurt. Maar we kunnen niet bij elkaar wonen. Had je vader dat al gezegd? We zullen ons als stiekeme geliefden moeten gedragen.'

Ze lachte. 'Oei, dat is leuk! Woon je dan in een appartement of op de kazerne?'

'Een appartement. Ik moet het delen met een aantal andere officieren.'

Ze trok even een pruilmondje, maar het was duidelijk dat ze zich bij de woonsituatie zou neerleggen. Daar was hij erg blij om. Maar weinig vrouwen zouden zoveel begrip tonen, en het wees erop dat Fawzia tijdens de achttien maanden dat ze van elkaar gescheiden waren geweest een heel stuk volwassener was geworden.

'Adjo brengt zo champagne,' zei Delia, toen ze met de armen om elkaars middel geslagen bij haar aan tafel kwamen zitten. 'Dus als jullie tortelduifjes het kunnen opbrengen om nog heel even te blijven, dan heffen we een glas op het weerzien. Heb je al een dienstauto, Jack? Zo niet, dan mag je mijn auto wel lenen. Als jullie een beetje privacy willen, kunnen jullie het beste naar het Mena House Hotel gaan.'

Een half uur later waren ze in Delia's open coupé op weg naar Gizeh.

Toen ze buiten Caïro waren, raakte Fawzia's haar plotseling los en viel het lang en zwaar op haar schouders neer.

Hij haalde zijn ogen van de weg om haar even geamuseerd op te nemen. 'Je hebt je haar kennelijk in allerijl opgestoken,' zei hij.

'Van die speldjes kun je nooit op aan,' zei ze, lichtelijk blozend.

Toen ze het hotel eindelijk bereikten, was er geen kamer meer vrij. Maar de naam van Fawzia's vader deed wonderen, want ineens was er wel een kamer, en wat voor een; hij lag op het zuiden en bood een schitterend uitzicht op de piramides.

'Het is maar goed dat de sfinx niet te zien is,' zei ze, terwijl hij de liftjongen een fooi gaf en de deur van de kamer op slot deed. 'Ze hebben hem helemaal met zandzakken afgedekt. Blijkbaar zijn ze bang dat de Duitsers er een bom op gooien.'

Hij was niet in de sfinx geïnteresseerd.

Hij wilde alleen maar met haar naar bed.

Het feit in aanmerking genomen dat Fawzia zeer beschermd was opgegroeid en op zo'n strenge school, Mère de Dieu, had gezeten, gaf Fawzia zich in bed altijd volledig, iets wat Jack altijd had verbaasd en in verrukking had gebracht. Maar nu merkte hij al binnen een paar seconden dat ze gedurende de lange maanden van hun scheiding veranderd was. Ze gaf zich niet meer met verrukkelijke passie aan hem over. Ze gedroeg zich als een wellustige lichtekooi – en was daar zeer bedreven in.

Jack besefte wat haar expertise te betekenen had en maakte zich even van haar los, maar zijn lichaam maakte het hem onmogelijk om op te houden. Het was alsof hij zich in een achtbaan bevond zonder mogelijkheid om uit te stappen. Hij moest de rit tot aan de grote climax uitrijden.

Toen hij zich eindelijk in het dooreengewoelde bed op zijn rug liet zakken, uitgeput en met zweet overdekt, wist hij dat ze hem ontrouw was geweest. Dat ze een minnaar had gehad – en misschien nog had. Een minnaar die, te oordelen naar de seksuele hoogstandjes die ze hem had laten zien, een Egyptenaar was, geen Engelsman.

Hij gleed van het bed af, pakte zijn kaki onderbroek en trok hem aan. Toen greep hij naar zijn overhemd en haalde er een pakje Camel en zijn aansteker uit.

Fawzia bewoog zich niet. Ze lag op haar rug en maakte een tevreden geluid, met haar ogen gesloten.

Hij dacht terug aan de eerste woorden die ze tegen hem gezegd: 'Hoelang blijf je?' Hij had gedacht dat ze het vroeg omdat ze zo graag wilde dat hij zou blijven. Maar het omgekeerde was het geval. Ze had gehoopt van hem te horen dat hij binnen achtenveertig uur weer terugvloog naar Palestina. Het feit dat ze zo moeiteloos accepteerde dat ze niet bij elkaar konden wonen, had niets met begrip te maken. Ze was gewoon opgelucht. Haar jurk, het exotische parfum, haar haar dat ze zo slordig had vastgezet – hij begreep het ineens allemaal. Toen ze hoorde dat hij was aangekomen, was ze regelrecht vanuit het bed van haar minnaar naar hem toe gekomen.

Hij liep naar het raam en keek naar de piramides. Het was alsof er in zijn binnenste een mes werd rondgedraaid.

Toen hij van Jeruzalem naar Caïro werd overgeplaatst, had hij voorzien dat Fawzia en hij emotionele problemen zouden krijgen, maar dit had hij niet verwacht. Fawzia's affaire trof hem als een mokerslag.

Hij moest beslissen wat hem te doen stond. Eén ding was wel duidelijk: hij moest redelijk blijven.

Ze waren achttien maanden van elkaar gescheiden geweest, en het was oorlog. Oude waarden en normen waren onderuitgehaald. Zij had niet geweten dat ze op korte termijn weer bij elkaar zouden zijn. Als ze het wel had geweten, had ze ongetwijfeld meteen een einde aan haar verhouding gemaakt.

Hij vroeg zich af hoeveel mensen ervan op de hoogte waren. Iemand had Fawzia over zijn komst verteld, maar hij dacht niet dat het haar vader was. Hij wist dat Zubair Pasha liever een Egyptische schoonzoon gehad zou hebben, maar kon zich niet voorstellen dat hij akkoord zou gaan met Fawzia's overspel. Degene die geweten had waar Fawzia uithing en haar over zijn komst had ingelicht was waarschijnlijk een huisbediende die door Fawzia in vertrouwen was genomen. Het zou haar persoonlijke dienstmeisje wel zijn.

Het was wel duidelijk dat Delia niet op de hoogte was van Fawzia's ontrouw. Het was iets waarover ze in geen miljoen jaar haar mond zou hebben gehouden.

Maar dit betekende nog niet dat er geen anderen waren die wisten dat er een andere man in Fawzia's leven was.

Hij hoorde Fawzia achter zich in beweging komen.

Hij draaide zich om. Terwijl ze zichzelf tegen de kussens omhoogwerkte, waarbij haar haar als zwarte zijde over haar borsten streek, vroeg hij: 'Die minnaar van je, Fawzia... wie is het?'

Haar gezicht kreeg onmiddellijk een gesloten uitdrukking. Hij was zeer vertrouwd met deze oogopslag. Egyptenaren waren, als het nodig was, als geen ander volk dat hij kende, uiterst bedreven in het verbergen van hun gevoelens.

'Ik weet niet wat je bedoelt,' zei ze kribbig. 'Ik heb geen minnaar.'

Op een tafeltje naast hem stond een grote bronzen asbak. Hij drukte er zijn sigaret in uit. 'Maak het nu niet moeilijker dan het al is, Fawzia. Ik ben niet gek. Ik weet dat je een minnaar hebt. Ik moet weten hoe hij heet.'

Hij zag iets flikkeren in haar ogen en wist meteen wat het te betekenen had. Ze dacht dat iemand het hem had verteld. Dat hij het al voor zijn vertrek uit Jeruzalem geweten had.

Ze zwaaide boos haar benen uit bed en kwam overeind. 'Als je weet dat ik een verhouding heb, dan weet je ook met wie.' Ze graaide haar met kant afgezette zwarte beha van een stoel.

'Dat weet ik toevallig niet.' Hij keek toe terwijl ze haar zijden slipje pakte. Ze was niet lang, maar haar lichaam was schitterend geproportioneerd: ze had volle borsten, een wespentaille en slanke, prachtig gevormde benen.

In het besef dat Fawzia's lichaam hem nooit meer iets zou doen, zei hij: 'Ik weet alleen dat je vader gelooft dat je veel tijd met Davina doorbrengt, maar Delia vertelde dat Davina niets anders doet dan werken. Delia gelooft dat je vaak bij koningin Farida bent, maar ik betwijfel of je bij het paleis in de buurt bent geweest. Dus vertel maar waar je dan wel bent geweest.'

Vanaf de andere kant van het bed keek ze naar hem met het venijn van iemand die zich in de val gelokt voelt. Als ze had geweten hoe weinig hij wist, zou ze haar tanden stijf op elkaar hebben gehouden.

'Jij bent toch inlichtingenofficier!' beet ze hem toe. 'Zoek het maar uit! Ik ga het je niet vertellen.'

Hij voelde een bijna onbedwingbare lust opkomen om haar geweldig door elkaar te rammelen. Hij zei met zijn tanden opeengeklemd: 'Reken maar dat ik erachter kom. En als ik weet wie het is, zal ik zorgen dat hij nooit meer probeert bij je in de buurt te komen!'

'Hoe wou je dat doen dan, hè?' schreeuwde ze. Ze stapte in haar jurk van brokaat.

'Ik zal hem aan zijn verstand brengen dat ik hem vermoord als hij dat doet.'

Het was geen loos dreigement. Jack had nog nooit met iemand gevochten zonder gehakt te maken van zijn tegenstander.

Ze stak haar voeten in haar sandalen met hoge hakken en zei spottend: 'Jij wou mijn minnaar tegen de grond slaan? Een minnaar die ik niet van plan ben op te geven? Publiekelijk?'

Hij keek haar recht in de ogen. 'Ja,' zei hij. Zijn lippen waren wit weggetrokken. 'Dat is een vrij accurate beschrijving van wat ik met hem ga doen, Fawzia.'

Ze begon te lachen.

Hij pakte zijn overhemd en trok het over zijjn hoofd aan. 'Ik ga terug naar het hoofdkwartier,' zei hij. 'Neem jij maar een taxi. Aangezien je niet van plan bent te breken met degene met wie je het bed deelt, zijn we nu voor het laatst bij elkaar geweest. Het is afgelopen tussen ons, Fawzia.'

Ze had moeite haar lachen in te houden. Ze zei: 'Maar wou je hem nog steeds tegen de vlakte slaan als je weet wie het is?'

'Jazeker,' zei hij grimmig en hij rukte de deur open. 'Dat plezier laat ik me niet ontgaan.'

Ze begon weer te lachen. Hij sloeg de deur met een klap achter zich dicht en beende weg, zich realiserend dat het gedaan was met zijn dwaze huwelijk.

Terwijl Delia's helgele sportauto voor hem werd opgehaald van het parkeerterrein, nam hij het besluit om Zubair Pasha hiervan bij de eerste gelegenheid die zich voordeed op de hoogte stellen. Hij zou hem niet vertellen waarom. Hij zou alleen maar zeggen dat Fawzia en hij eigenlijk al vanaf het begin niet goed bij elkaar pasten en dat ze het besluit gezamenlijk hadden genomen. Wat Fawzia hem wilde vertellen, moest ze zelf weten.

Hij startte de motor. Hij had besloten het ook aan Delia te vertellen. Hij wist dat ze zou denken dat de gevoelens die hij nog altijd voor Petra koesterde een grote rol hadden gespeeld bij de breuk, en dat ze er enorm door van slag zou raken. Dat moest dan maar. In het verleden waren er al meer dan genoeg zaken voor haar geheim gehouden, hij ging er niet nog een geheim aan toevoegen.

Het was vijf uur toen hij weer op Grey Pillars aankwam en na de middagpauze vanwege de hitte bruiste het hier weer van activiteit.

'Ik heb nog een stapel dossiers op uw bureau gelegd,' zei Doris meteen toen hij zijn kantoor betrad. 'De vervanger van kapitein Reynolds is er nog niet. Korporaal Slade heeft u ingekwartierd bij twee andere officieren in een flat aan Sharia el Walda. Hij zegt dat het nogal een gribus is, maar de locatie is echt prima. Het is zo dicht bij de ambassade dat u daar in de tuin kunt kijken.'

'Dank je, Doris. Het zou fijn zijn als je ergens een beker thee vandaan kunt halen.' Hij liet zich neer op een gehavende draaistoel, legde zijn voeten op het bureau en reikte naar de dossiers. 'Twee klontjes, graag.'

En toen verdiepte hij zich in zijn lectuur, terwijl boven hem de bladen van de ventilator aan het plafond krakend ronddraaiden. Twee uur later kende hij de namen van alle informanten die door de Britten betaald werden – en de namen van veel anti-Britse spionnen.

'Maar naar wie de anti-Britse spionnen hun informatie doorsluizen, weten we niet zeker,' zei Slade, een jonge vent uit een Londense volksbuurt. Hij gaf Jack de sleutel van de flat aan Sharia el Walda. 'Roemenen zijn altijd verdacht. Een van hen is al uitgewezen. Peter, de barman van de Long Bar in het Shepheard's, gooit ook hoge ogen, maar eerlijk gezegd valt er nauwelijks bewijs om deze verdenking te ondersteunen. Het enige wat iedereen weet is dat de vijand ergens militaire informatie vandaan krijgt en dat het gaat om een bron die dicht bij het vuur zit. Iemand op het legerhoofdkwartier of op de ambassade.'

Jack knikte alleen even, want hij was zelf ook al tot die conclusie gekomen. Hij ging door met lezen. Rommel had inmiddels de bijnaam 'Woestijnvos' gekregen en Jack constateerde wrang dat die bijnaam nu ook al in officiële communiqués te vinden was.

Militair gezien was de situatie van het moment dat de Australiërs nog steeds standhielden bij Tobruk, de havenstad die door Rommel omsingeld was, en dat de Britten grootscheepse aanvallen ondernamen om de stad te ontzetten.

Tot dan toe hadden ze geen succes gehad. De Britten zetten grote aantallen tanks en manschappen in, maar Rommel beschikte over geavanceerde kanonnen en elk Brits offensief liep uit op een bloederige nederlaag. De gigantische kanonnen waren diep in het zand ingegraven en hun lopen werd aan het zicht onttrokken door zandkleurige tenten. Zelfs met een verrekijker waren ze niet van de omgeving te onderscheiden.

Rommels tactiek was om lichte tanks een nepaanval te laten uitvoeren. Als de Britse tanks dan in gevecht waren, trokken de Panzers zich terug en openden de enorme Flak-kanonnen het vuur, met een dramatisch bloedbad als gevolg.

Het was geen plezierige lectuur en Jack was blij toen Doris weer dartel zijn kantoor betrad. 'De vervanger van kapitein Reynolds is er, meneer. Zal ik hem binnenlaten?'

'Ja, Doris, pronto alsjeblieft.'

Hij haalde zijn benen van het bureau en op dat moment kwam Archie binnengewandeld.

Jacks ogen gingen wijd open en toen het besef daagde dat Archie zijn directe ondergeschikte was, verdwenen alle ellende, woede en spanning van die middag als sneeuw voor de zon.

In een oogwenk was hij bij Archie, 'Archie, jij ouwe rakker!' zei hij en omarmde hem stevig. 'Ik dacht dat je bij Speciale Operaties zat.'

'Ach, je moet ook niet denken, makker,' zei Archie met een brede grijns op zijn goedmoedige gezicht. 'Denken is nergens goed voor.'

'Kom mee, dan gaan we een biertje pakken.' Jack greep zijn pet van de hoek van zijn bureau. 'Jij en ik moeten een spion zien te vangen.'

Drie dagen later was Jack in de Khan el Khalili-bazaar. Een betrouwbare informant, een kapper, had hem verteld over een gesprek dat hij had afgeluisterd. 'De vader is groenteboer en de zoon zit in het Egyptische leger,' had hij gezegd. 'De zoon wil geld van zijn vader om zijn rekeningen te kunnen betalen, maar de vader wil hem dat pas geven als de zoon hem een contract bezorgt om de Britten groente te leveren. Wat hij precies tegen hem zei was: "Je zou er beter aan doen dat contract te regelen dan je te laten betrekken bij krankzinnige militaire complotten die tot mislukken gedoemd zijn."'

De woorden 'krankzinnige militaire complotten' kon Jack onmogelijk negeren en hij had een manier bedacht om harde informatie over deze twee mannen te verzamelen.

De Khan el Khalili-bazaar was een enorme doolhof van kronkelige steegjes, waar de stalletjes zo dicht op elkaar stonden dat de mensen die ertussendoor liepen voortdurend langs elkaar heen schuurden. In de bazaar was veel en veel meer te koop dan alleen fruit en groente. De Egyptenaren verkochten hier ook parfum, tapijten, specerijen, zilver, albast – en ook sieraden die zo verfijnd waren dat dit de enige plek in het oude Caïro was waar altijd wel Europeanen te vinden waren.

Jack baande zich een weg door de drukte. Enkele meters voor hem kwam Petra plotseling uit een donker winkeltje met rollen zijde in haar armen.

Jack bleef zo abrupt staan dat de Arabier achter hem tegen hem opbotste en viel.

'*Maleesh*,' zei Jack, terwijl de man weer opkrabbelde. 'Sorry.'

Ook Petra was blijven stilstaan. Met de winkelier naast zich bekeek ze de zijde in het zonlicht dat door een gat in het langgerekte dak boven hun hoofd viel.

Het was voor het eerst dat hij haar zag sinds zijn terugkeer in de stad. Haar prachtige mahoniekleurige haar viel in warrige golven op haar schouders en werd met een kam van schildpad uit haar gezicht weggehouden. Haar ranke gestalte was gehuld in een witlinnen mantelpakje en ze droeg rode sandalen. Haar benen waren gebruind en ze droeg geen kousen.

Het was of zijn hart stilstond.

Ze ging helemaal op in wat ze aan het doen was. Ze fronste van concentratie terwijl ze de ene rol zijde na de andere bevoelde.

Hij zag, als was het voor het eerst, haar lange dichte wimpers, de kuiltjes onder haar prachtig gevormde jukbeenderen, de genereuze welving van haar mond.

Op dat moment wist hij dat zijn liefde voor haar nooit zou slijten en dat hij altijd naar haar zou blijven verlangen.

Maar ze hield niet meer van hem. Jarenlang had hij geprobeerd zich dit in te prenten, maar nog altijd was een deel van hem niet bereid het te geloven. Hij had geprobeerd om door te gaan met zijn leven; hij had geprobeerd om bij Fawzia zijn geluk te vinden. Maar zijn huwelijk was geëindigd met de weerzinwekkende scène in het Mena House Hotel.

Aan bittere wanhoop ten prooi dronk hij het beeld in van de vrouw van wie hij al hield zolang hij zich kon herinneren. Plotseling hief ze haar hoofd en hun ogen ontmoetten elkaar.

Ze liet een van de rollen zijde uit haar hand vallen en de winkelier schoot erop af om hem op te pakken.

Jack dwong zichzelf in beweging te komen. Hij liep naar Petra toe, waarbij hij zijn best deed er normaal en ontspannen uit te zien.

'Hallo,' zei hij. Ze stond daar met een rol bloedrode stof tegen haar borst gedrukt. 'Ik vroeg me al af wanneer we elkaar zouden tegenkomen. Heeft je moeder je verteld dat ik weer in de stad was?'

'Ja.' Het kwam er afgeknepen uit, alsof iemand haar een stomp had gegeven. 'Het moest een keer gebeuren, hè?' zei ze. Haar stem klonk nu gemaakt vrolijk, alsof ze tegen een vage kennis praatte. 'Jij kent Caïro zo goed en je spreekt Arabisch. Er zijn maar weinig inlichtingenofficieren in Caïro die Arabisch spreken. Ivor zegt dat het een wonder is dat ze je niet al een jaar geleden hierheen hebben gehaald.'

'Ik wou dat het waar was. Kan ik een rol zijde van je overnemen voordat hij de andere achternagaat?'

Zonder haar antwoord af te wachten pakte hij de zijde uit haar armen. Toen zijn handen de hare raakten, beefde ze.

'Kunnen we niet samen iets gaan drinken, Petra?' vroeg hij. Bij zijn mondhoek trilde een spiertje, precies als bij zijn vader wanneer hij aan enorme druk blootstond. 'Op het terras van Shepheard's, of misschien bij Groppi's?'

'Ik... Nee.' Ze keek wild om zich heen, op zoek naar een manier om te ontsnappen. 'Ik kan onmogelijk, Jack. Ik heb een afspraak...'

'Sholto,' zei hij, vastbesloten haar in ieder geval nog eventjes aan de praat te houden. 'Hoe is het met hem? Ook hem ben ik nog niet tegengekomen.'

'Sholto?' Haar gezicht kreeg een uitdrukking die wel een beetje leek op die van Fawzia toen hij haar had gevraagd de naam van haar minnaar te noemen. 'Met Sholto gaat het goed. Dank je. Het spijt me, Jack, maar ik moet nu echt gaan.'

Ze draaide zich om en vermorzelde de hoop van de winkelier dat hij een berg koopwaar aan haar zou slijten. Ze stortte zich in de mensenmenigte die zich in de nauwe steeg verdrong.

Jack ging haar niet achterna, want hij wist dat ze dat niet wilde.

Een ogenblik later zag hij te midden van een bewegende massa witte tulbanden en zwarte sluiers alleen nog maar haar

Rita Hayworth-achtige massa haar. Hij wist het niet zeker, maar het leek wel alsof hij haar schouders zag schokken terwijl ze door de menigte werd opgeslokt – alsof ze huilde.

27

'Ik had niet gedacht dat de hoge pieten akkoord zouden gaan met dat leverancierscontract,' zei Archie enkele dagen later toen ze terugkeken op de resultaten van hun succesvolle operatie 'Groenteboer en zoon', zoals ze die zelf noemden.

'Ze konden niet anders.' Er klonk wrange humor door in Jacks stem. 'Het was de enige manier om de zoon aan het praten te krijgen. Zodra het contract voor de levering van groenten voor elkaar was had ik hem precies waar ik hem hebben wilde. Hij kon kiezen: zijn mond opendoen of het contract verspelen. Hij schrok zich lam toen ik blufte dat ik veel meer afwist van zijn 'krankzinnige militaire complotten' dan het geval was. De arme schavuit dacht dat hij van verraad beschuldigd zou worden als hij niet meewerkte.'

Archie stak een sigaret op. 'Dus we weten nu dat er een groep Egyptische legerofficieren is die niet kan wachten om een opstand te ontketenen, en we hebben de naam van een van de leiders. Kapitein Anwar Sadat,' zei hij intens tevreden. 'Het verbaast me niks dat de brigadegeneraal in zijn nopjes is.'

Het was laat op de avond en ze zaten in Jacks kantoor. Doris was allang weg, net als de meeste andere mensen die op het generale hoofdkwartier werkten. Jack had zijn favoriete positie ingenomen: behaaglijk achterover leunend in zijn draaistoel, met zijn voeten op het bureau.

'Maar daarmee zijn we nog geen stap dichter bij het vinden

van onze spion,' zei hij fronsend. 'De informatie die het Duitse leger ontvangt, kan niet afkomstig zijn van een kapitein in het Egyptische leger. We moeten hier in de buurt op zoek. Ik ben geïnteresseerd in alle medewerkers met een hoge rang op het generale hoofdkwartier die een Egyptische vriendin hebben. Ik denk dat dat de manier is waarop de informatie wordt doorgegeven, Archie. In bed.'

'En Sadat?' vroeg Archie. Hij zat op de rand van het bureau en zwaaide een been heen en weer. 'Wat is onze volgende stap wat hem betreft?'

'Onze informant zal ons van inlichtingen blijven voorzien – hij zit er nu al zo diep in dat hij niet meer terug kan. En Sadat wordt gevolgd. Ik heb Slade daarmee belast. Als Sadat op wat voor manier dan ook in verbinding staat met de vent die we moeten hebben, dan nemen we hem te pakken.' Hij keek op zijn horloge. 'Het is al middernacht geweest, Archie. Wat dacht je ervan om de nachtclubs af te gaan om eens te kijken welke officieren met een Egyptisch meisje uit zijn? Waar zullen we beginnen? De Kit-Kat of de Sphinx?'

'Er is een kleine club vlak bij de Kasr el Nil-straat, niet ver van de Turf Club, die lijkt me beter. Ze hebben daar een fantastische buikdanseres.'

'Oké, laten we gaan dan.' Jack haalde zijn voeten van het bureau en pakte zijn Sam Browne riem en holster. Hij was ervan overtuigd dat zijn theorie over een Britse officier met een Egyptisch meisje klopte. Hij kon zich niet voorstellen dat een Brits officier willens en wetens informatie zou doorgeven aan een Duitse spion, maar Caïro was een stad waar, gezien het grote aantal militairen, een chronisch gebrek aan vrouwen was. De Egyptische vriendin van een Britse officier zou informatie kunnen doorspelen omdat ze er geld voor kreeg of omdat ze patriottisch was. Hij stelde zich zo voor dat zo'n meisje als haar vriend in slaap was gevallen papieren uit zijn koffertje haalde om informatie te vinden die ze kon doorspelen aan een Duitse spion. Die speelde de informatie dan op zijn beurt door naar het Duitse leger.

Voordat hij wegging uit Jeruzalem had Jack gedacht dat het opsporen van zo'n officier tamelijk eenvoudig zou zijn. Op het generale hoofdkwartier konden naar zijn idee nooit veel officieren zijn die toegang hadden tot geheime of zelfs uiterst geheime informatie en bovendien gerechtigd waren om geheime documenten mee het gebouw uit te nemen. Zo'n officier moest een zeer hoge rang bezitten, wat de lijst met verdachten al meteen behoorlijk inkortte.

Maar toen hij eenmaal had gezien hoeveel hoge officieren er in Grey Pillars op een kluitje zaten, was het hem gaan dagen dat het niet gemakkelijk zou zijn om zijn mannetje te pakken, zelfs al klopte zijn theorie.

De club in een zijstraat van de Kasr el Nil-straat was erg klein en toen Jack door het kralengordijn de ruimte betrad betwijfelde hij of hij er veel officieren zou aantreffen.

'Welkom in Club King Cheops, majoor,' zei een ober, die de kroontjes op Jacks epauletten snel had geteld. 'Wilt u champagne? Gezelschap? We hebben heel lieve meisjes bij King Cheops. Heel goede danseressen.'

'We willen graag een tafeltje en twee Stella's,' zei Jack vriendelijk. 'Geen meisjes. Vanavond niet.'

Toen ze naar een tafeltje vlak voor het podium werden gebracht zei Archie: 'Vanavond niet? Ik dacht dat je gelukkig getrouwd was en dat Fawzia in Caïro was.'

'Fawzia is ook in Caïro,' zei Jack terwijl hij ging zitten, 'maar ons huwelijk is voorbij. En bespaar me je medeleven, want ik heb er geen behoefte aan. Zeg, hoelang denk je dat het gaat duren voordat die buikdanseres van je het toneel op komt?'

Ze zaten een belabberd acrobatennummer uit en een nog belabberdere slangenbezweerdersact, maar toen klonk er tromgeroffel en steeg de spanning in het zaaltje. De luidruchtige klanten aan de andere tafeltjes werden nog rumoeriger.

'Zahra is goed,' zei Archie, al bij voorbaat genietend, 'echt heel goed.' Hij moest zijn stem verheffen om zich verstaanbaar te maken. 'Ik denk dat haar vader eigenaar is van deze tent, want anders begrijp ik niet dat ze niet in de Sphinx of in de Kit-Kat werkt.'

Toen Zahra op blote voeten elegant het podium betrad, gekleed in een goudkleurige, met lovertjes bezette haltertop en een heuprok van chiffon, met armbanden om haar polsen, kettingen om haar enkels, en kleine cimbalen aan haar vingers, zag Jack dat ze buitengewoon mooi was. Haar schoonheid leek op die van Fawzia. Haar met kohl omrande gazellenogen stonden enigszins scheef, haar wenkbrauwen waren volmaakt symmetrisch gewelfd en haar haar, dat tot haar middel reikte, was als een blauwzwart gordijn.

Jack had in zijn leven al veel buikdanseressen gezien, maar toen de muziek begon en Zahra haar heupen traag en sensueel begon te bewegen, dacht hij dat Archie wel eens gelijk kon hebben. Zahra danste veel te goed voor zo'n kleine nachtclub.

Archie zat geheel naar voren gebogen naast hem, als gehypnotiseerd. Jack wist wel zeker dat hij in andere omstandigheden ook gehypnotiseerd zou zijn geweest, maar hij had te veel aan zijn hoofd. Eerder die dag, toen brigadegeneraal Haigh hem had gefeliciteerd met de infiltratie in de groep Egyptische subversieve officieren, had hij ook waarschuwende woorden van hem mee gekregen: 'Nu Claude Auchinleck generaal Wavell is opgevolgd als opperbevelhebber zal alles op alles worden gezet om Tobruk te ontzetten. Nu er een groots offensief in de maak is, is het van het grootste belang dat de Duitsers er geen lucht van krijgen. Hun spion in Caïro moet zo snel mogelijk gevonden worden, Jack.'

Dat was gemakkelijker gezegd dan gedaan, peinsde Jack nu.

De muziek werd woester en woester. Met haar rug achterover gekromd en haar hoofd achterover hangend bewoog Zahra haar heupen steeds sneller in het rond.

Op dat moment kreeg Jack Darius in het oog.

Hij zat met een andere man aan een tafeltje in de hoek. Toen hun ogen elkaar ontmoetten, besefte Jack dat Darius hem al een poosje had zitten opnemen. Later zou hij zich afvragen of het Darius' bedoeling was geweest zijn aanwezigheid kenbaar te maken.

Nu zei hij alleen maar tegen Archie: 'Ik zie daar een oude vriend zitten. Misschien is het een goed idee als jij doorgaat naar de Kit-Kat. Deze tent is veel te armetierig voor de officier die we zoeken.'

'Best,' zei Archie, terwijl Zahra onder daverend applaus het podium verliet.

Jack was al op weg naar Darius' tafel. Toen hij Jack zag aankomen, stond de man met het magere gezicht die bij Darius zat meteen op en liep haastig naar de bar.

Darius kwam ook overeind. 'Ik had al gehoord dat je in de stad was,' zei hij terwijl ze elkaar als oude vrienden op de schouders sloegen. 'Ben je op doorreis of blijf je hier?'

Zijn woorden deden Jack denken aan de manier waarop Fawzia hem had begroet en hij zei op wrange toon: 'Voor zover ik weet blijf ik hier tot de oorlog voorbij is. Hoe gaat het met jou? De enige met wie ik tot nu toe echt heb kunnen bijpraten is Delia.'

'En Fawzia dan? Haar heb je toch zeker wel gezien?'

'Dat wel, maar Fawzia heeft het met een ander aangelegd en is niet van plan hem op te geven. Ik ben van plan om echtscheiding aan te vragen zodra ik in de gelegenheid ben.'

Darius zei met een eigenaardig lachje: 'En ben je van plan de naam van haar vriendje te vermelden als degene met wie ze overspel heeft gepleegd?'

'Ja zeker. En als jij weet wie het is, zou ik het erg op prijs stellen als je me zijn naam gaf.'

Darius bleef heel lang zwijgen, wat Jack irriteerde.

'Kom op nou, Darius,' zei hij ongeduldig. 'Probeer de boel nu niet te traineren. Daar heb ik geen tijd voor. Het ziet er

misschien niet uit alsof ik aan het werk ben, maar dat is wel
zo. Ik moet nog een stuk of wat clubs af voordat ik mijn bed
kan induiken.'

'Dus je bent in de King Cheops om een Duitse spion te zoeken?' Hij schonk zijn glas bij. 'Het gerucht gaat dat de stad
ervan bulkt. Waarschijnlijk heb je al voor de ochtend een hele
cel vol zitten.'

'Ik betwijfel het, maar ik zou graag de naam van Fawzia's
minnaar van je horen. Ik neem aan dat het een Egyptenaar is
en dat jij weet hoe hij heet.'

'Je hebt op beide punten gelijk, maar ik weet nog niet zo
zeker of je zijn naam aan de rechtbank zult doorgeven.'

Ineens kwam Zahra, die nu een donkerrode cocktailjurk
droeg, naar hun tafeltje en ging zitten. 'Waar is Constantin
naartoe, Darius?' vroeg ze. 'Weet jij het?'

'Ik denk dat hij aan de bar staat. Mag ik je voorstellen aan
mijn zwager? Zahra, Jack Bazeljette. Jack, Zahra. Haar
vriend is een vriend van mij.'

Jack knikte en wendde zich toen weer tot Darius. 'Zijn
naam,' zei Jack, die zijn ongeduld nauwelijks kon verhullen,
'dan ben ik weg.'

'Farouk.' In Darius' stem klonk onmiskenbare walging
door. 'Zijne majesteit, de koning van Egypte en Sudan, vorst
van Nubië, van Kardofan en van Darfur. Als je hem met een
vinger probeert aan te raken, hakken zijn hulpjes je aan moot-
jes. En als je zijn naam noemt in je echtscheidingszaak krijg je
oneervol ontslag van je eigen regering.'

Jack wist meteen dat Darius de waarheid sprak. Alles was
ineens glashelder. Hij wist nu waarom Fawzia zo moest lachen toen hij zei dat hij haar minnaar zou afrossen, en waarom ze door koninklijke adjudanten naar het paleis was meegenomen. Ze ging niet bij de koningin op bezoek. Het was
steeds de koning geweest. En omdat het de koning was, kon
hij helemaal niets beginnen.

Als hij maar even met een beschuldigende vinger naar de

koning zou wijzen, werd hij het volgende moment Egypte uit-
gegooid. Het zou ook volstrekt geen zin hebben om de koning
te beschuldigen, want Farouk zou glashard ontkennen.

In opperste frustratie sloeg hij met zijn vuist op tafel.

De fles viel om.

De lamp werd met champagne besproeid. De lichten gingen
uit met een sissend geluid en de club werd in chaotisch duister
gehuld. Het was, zoals Jack later vaak bedacht, een passend
einde van zijn weerzien met Darius.

Een week later vond Jack het spoor waarom hij al zo lang
had gebeden. Zijn eenheid had een onbekende zender ontdekt in de wijk Zamalek op Gezira. 'We hebben het signaal al
een aantal malen opgepikt,' zei zijn radio-officier. 'Hij zendt
codes uit. Dat moet haast wel onze knaap zijn, denkt u ook
niet?'

'Het is in ieder geval een schoft die niets goeds in de zin
heeft. Hoelang zendt hij uit?'

'Niet lang, meneer. Te kort om zijn exacte positie te kunnen
bepalen. We kunnen alleen maar hopen dat hij binnenkort
meer babbels heeft.'

Later die middag reed Jack in diep gepeins verzonken naar
Gezira. Tot dan toe was hij ervan uitgegaan dat de zeer geheime informatie door een Duitser werd verzonden. Hij had
geen ander scenario kunnen bedenken. Maar Gezira was een
van de elegantste en duurste delen van Caïro, en dus de laatste plek waar een nazi zich zou verstoppen.

De Sporting Club domineerde de zuidkant van het eiland.
Het was ondenkbaar dat iemand van daaruit berichten verstuurde. Er was daar ook een ziekenhuis en een prachtige
wijk met brede lanen en vorstelijke villa's, waar voornamelijk
Britse overheidsdienaren woonden die aan de ambassade verbonden waren. Petra en Sholto woonden er ook. Alle Britse
diplomaten woonden er, tenzij ze een huis hadden in Garden
City.

Jack nam de weg die langs de zuidpunt van het eiland voerde. Links van hem stroomde de Nijl, die in ontelbare schakeringen groen glinsterde in de hete stralen van de middagzon. Rechts van hem waren de Khedeiwi Ismail-tuinen, waar maar weinig mensen kwamen. Ze werden doorsneden door kronkelpaden van gravel met aan weerszijden acacia's, en ze koesterden zich in de schaduw van bloeiende jacaranda's.

Terwijl hij verderreed langs de westkant van Gezira naderde hij de brug die de toegang vormde tot de weg naar Gizeh en de piramides. De brug stond bekend als de Engelse Brug, en vormde het beginpunt van een hele rij woonboten langs de oever. Jack zette zijn jeep stil en stak een sigaret op. Een woonboot was een prima schuilplaats – maar niet voor een Duitser. In een gemeenschap als die van de woonbootbewoners in Gezira kende iedereen elkaar en zou een vreemdeling meteen opvallen, vooral een vreemdeling met een onbekend accent.

Jack besloot dat alle woonboten doorzocht moesten worden en startte de jeep weer.

Weldra reed hij langs de westkant van de Sporting Club. Erachter lagen de botanische tuinen en toen hij die achter zich had gelaten was hij in de wijk Zamalek. Hier stonden verscheidene paleisachtige woningen die op de Nijl uitkeken, maar zoals aan de namen op de hoge poorten met houtsnijwerk te zien was, woonden hier rijke Egyptenaren, geen Britten.

Hij stopte weer en rookte nog een sigaret. Had hij zijn spion op de verkeerde plaatsen gezocht? Moest hij soms op zoek naar een adjudant van de koning? Maar zou die dan toegang hebben tot Britse militaire plannen?'

Jack reed door de stille straten en sloeg toen af naar de Bulaq-brug. Hier lag ook een aantal woonboten, maar veel minder dan bij de Engelse Brug. Hij besloot dat ook deze boten de volgende ochtend moesten worden doorzocht, en de eigenaars ervan ondervraagd. Hij zette zijn tocht voort langs de oostkant van het eiland tot hij weer uitkwam bij de Kasr El Nil-brug.

Toen hij langs de bronzen leeuwen reed die de toegang van de brug bewaakten, bedacht hij dat, als zijn radio-officier gelijk had, de Duitse zender zich in het gebied bevond dat hij zojuist had doorkruist. De huizen van rijke en invloedrijke Egyptenaren kon hij pas laten doorzoeken als hij hiervoor gegronde redenen kon aandragen, maar de mogelijkheid om de woonboten te doorzoeken was er wel en zijn intuïtie zei hem dat dit succes zou opleveren.

Die avond had hij een bespreking met brigadegeneraal Haigh en de commandant van de Egyptische politie. Later dineerde hij met Davina. Het amuseerde hem dat ze er nog altijd uitzag als een Engels schoolmeisje. Haar lichtblonde haar werd uit haar gezicht gehouden door een donkerblauwe haarband van fluweel en ze droeg een grijze plooirok en een pastelblauw twinset, met een parelketting als enig sieraad.

'Wat geweldig dat je weer in Caïro bent, Jack,' zei ze, toen ze besteld hadden van een menukaart waarover mensen in Engeland, die van rantsoenen leefden, alleen nog maar konden dromen. 'We hoopten allemaal dat je hier een post zou krijgen. Ik heb Fawzia nog niet gezien sinds je weer terug bent. Koningin Farida legt voortdurend beslag op haar tijd. Maar wat zal ze blij zijn dat je er weer bent.'

Hij had een fles Chablis Premier Cru besteld en terwijl de ober hun glazen vulde, zei hij: 'Ik had gedacht dat je moeder je wel verteld zou hebben over Fawzia en mij.'

Ze schudde haar hoofd. 'Het is zo krankzinnig druk in het ziekenhuis dat ik mijn moeder al heel lang niet gezien heb. Ik spreek haar alleen af en toe even aan de telefoon.'

Jack wachtte tot de ober zich verwijderd had en zei toen: 'Fawzia en ik gaan scheiden, Davina. Ons huwelijk heeft eigenlijk nooit een echt goede basis gehad. We koesterden verwachtingen van elkaar waaraan we geen van beiden konden voldoen en ze heeft op het moment een liefdesrealtie die ze veel te belangrijk vindt om op te geven.'

'Maar hoe kan dat nou!' reageerde Davina geschokt. 'Fawzia houdt erg van feesten, en in Caïro is iedere dag wel ergens feest. Maar als ze met een man zou afspreken, dan zou dat toch zeker allang bekend zijn! In Caïro is iedereen dol op roddels. Ik zou trouwens niet weten waar ze de tijd voor een verhouding vandaan zou moeten halen. Ze is vrijwel altijd op het paleis, bij koningin Farida.'

Hij glimlachte wrang. 'Je hebt gelijk dat ze bijna altijd op het paleis is. Maar dan is ze niet bij de koningin. Ze is bij de koning.'

Davina hapte naar adem. 'Dat meen je niet! Koning Farouk heeft een verschrikkelijke reputatie! Koning Farouk en Fáwzia!'

'Waarom niet?' zei hij op rationele toon. 'Ze is buitengewoon mooi. Ze is een Egyptische en ze komt uit een goede familie. Zubair Pasha zit in de Senaat en hij is meer dan dertig jaar lang in verschillende kabinetten minister geweest. Farouk zal Fawzia ongetwijfeld wel eens hebben gezien als ze met haar vader op het paleis was. Toen ze vanuit Londen weer in Caïro was teruggekeerd, moet ze bijna onmiddellijk zijn aandacht hebben getrokken. Vanuit Fawzia's gezichtspunt bekeken heeft ze ook veel te winnen. Farouk is een van de rijkste mannen op aarde en Fawzia kennende zal ze intussen een behoorlijke verzameling juwelen bij elkaar hebben gehamsterd. Misschien heeft Farouk haar wel voorgespiegeld dat hij van Farida gaat scheiden en met haar trouwt. Dan wordt ze koningin van Egypte.'

'Maar dan is ze toch een gescheiden vrouw! En ze is nog koptisch ook. De koning zal nooit met haar trouwen!'

'Hij is geen Brits koning, Davina. Hij kan niet tot troonsafstand gedwongen worden zoals koning Edward. Ik moet toegeven dat het niet waarschijnlijk is dat hij met haar trouwt, maar Farouk heeft zich nooit iets van conventies aangetrokken.'

'Maar als hij niet met haar trouwt? Wat moet er dan van haar worden?'

'Hij zorgt heus wel voor haar.'

Ondanks zijn harde, gedecideerde toon zei ze, omdat ze het niet begreep: 'Hoe kun je daar zo zeker van zijn? Niemand kan Farouk iets laten doen wat hij niet wil. Zijn eerste minister niet. Sir Miles Lampson niet. Niemand.'

Ineens kreeg zijn gezicht de verbeten trekken van een man die heel hard kan zijn. En die ook van plan was hard te zijn.

'Farouk gaat voor haar zorgen, reken maar,' zei hij grimmig. 'Want ik zal hem dwingen om goed voor haar te zorgen. Fawzia en ik hebben samen een geschiedenis en ik zal niet toestaan dat hij haar afdankt en zonder inkomen laat zitten. Ik kan de koning misschien niet opvoeren als overspelige in mijn echtscheidingszaak, maar ik kan hem wel de stuipen op het lijf jagen. En reken maar dat ik dat ga doen, Davina. Geloof me maar.'

Ze keek zo ongelukkig dat hij abrupt van onderwerp veranderde.

'Vertel eens over die kleine jongen die je wilt adopteren. Hoe heet hij ook weer? Angus? Alfred?'

'Andrew,' zei ze. Haar ogen glansden weer. 'Hij woont op het ogenblik in Shibden Hall en je vader bekommert zich zolang om hem. Ik denk dat Andrew het fantastisch zal vinden in Caïro. Ik weet wel dat ik het als kind geweldig zou hebben gevonden aan boord van de Egyptian Queen .'

'De Egyptian Queen ?'

'De woonboot van Darius in Zamalek.'

Het trio had tot dan toe langzame walsen gespeeld om zoveel mogelijk paren naar de dansvloer te lokken. Maar nu begonnen ze met wat vlottere muziek.

Het maakte Jack op dat moment totaal niet uit wat voor muziek er gespeeld werd. Hij zag het handjevol woonboten weer voor zich dat in het rustige gebied ten noorden van de Bulaq-brug aan de kant lag. Over slechts enkele uren zou de

Egyptische politie al deze boten binnenvallen. Als er ook maar iets verdachts op de Egyptian Queen te vinden was, dan zou dat gevonden worden ook.

Hij hoopte echter vurig dat er op de Egyptian Queen niets loos was.

28

'Jack was de volgende ochtend enorm gespannen terwijl hij toezicht hield op de zoekactie die door hemzelf op touw was gezet. Vele uren later, toen de actie voorbij was, werd hij heen en weer geslingerd tussen enorme teleurstelling en even grote opluchting.

Hij was erg teleurgesteld omdat er geen radiozender was aangetroffen, hoe rigoureus de speurtocht ook was geweest. En hij was erg opgelucht omdat Darius, net als alle andere woonbooteigenaren, vrij van verdenking was.

'Hoeveel peilingen wezen erop dat de zender zich ergens op Gezira moest bevinden?' vroeg hij aan zijn radio-officier. 'Kan er iets zijn misgegaan bij de driehoeksmeting?'

'Nee, meneer. Ik heb drie verschillende peilingen. De plaatsbepaling is zo accuraat dat onze afluistereenheid de volgende keer dat onze knaap gaat zenden een goede kans heeft zijn berichten te storen.'

Jack trommelde met zijn knokkels op zijn bureau. Het storen van de boodschappen was goed en wel, maar de Duitse ontvanger zou natuurlijk doorgeven dat er gestoord werd en dan zou er een einde komen aan het verzenden van berichten – en konden ze de hoop laten varen dat de spion die de informatie leverde werd gepakt. Het enige wat er dan zou gebeuren, was dat de berichten vanuit een andere locatie verstuurd zouden worden. Vanuit Alexandrië misschien. Of vanuit de woestijn. Rommel zou vitale informatie over het Britse leger blijven ontvangen en daarmee zou de kans verkeken zijn dat het verloop van de strijd voor de Britten een gunstiger wending kreeg.

En juist die kans was van levensgroot belang. Als ze de man die de berichten verzond op heterdaad konden betrappen – als ze zijn codeboek in handen kregen – dan konden ze Rommel valse informatie doorseinen, wat het verschil tussen het winnen en het verliezen van de oorlog in de Westelijke Woestijn kon betekenen.

'Omdat er zoveel op het spel staat, moeten we de uitzendingen wel laten doorgaan,' zei brigadegeneraal Haigh, en verwoordde daarmee het standpunt van Downing Street. 'Als we ze gaan storen, weten ze dat we hen op het spoor zijn en duiken ze onder. Maar we kunnen ook niet toestaan dat ze lang doorgaan. We moeten dat codeboek in handen zien te krijgen. Als we dat eenmaal hebben kunnen we Rommel in de pan hakken.'

Toen Jack weer terug was op zijn kantoor, bestudeerde hij het verslag dat het enige tastbare resultaat was van de grootscheepse zoekoperatie. Alle relevante details stonden erin vermeld, plus de namen van alle woonboten en die van de eigenaars, en ook de namen van degenen die een boot bewoonden zonder er eigenaar van te zijn.

Bij de naam Egyptian Queen stond Darius Zubair als eigenaar vermeld en als diens beroep was advocaat genoteerd. De politieman die de leiding had gehad bij het doorzoeken van de Egyptian Queen en die Darius had ondervraagd, had ook genoteerd dat Darius zich uiterst coöperatief had opgesteld.

In diep gepeins verzonken legde Jack het dossier weg. Hij zat nog steeds te peinzen toen Archie binnen kwam lopen.

'Wat doen we nu?' vroeg hij mistroostig. 'Beperken we ons nu tot een onderzoek naar het privéleven van iedere officier die gerechtigd is om geheime informatie mee te nemen als hij het pand verlaat?'

Jack vertelde Archie niet dat Darius een van de woonbooteigenaren was. Hij zei kortaf: 'Iedereen die we maar kunnen missen, moet daarvoor ingezet worden, maar volgens mij moeten we onze aandacht ook richten op het ambassadepersoneel. Ik weet wel dat het geen gebruik is zelfs maar de suggestie te wekken dat een Brits diplomaat een verrader zou kunnen zijn, maar één keer moet de eerste zijn. Wat heb je in je hand? Nog een dossier over de doorzoekingsoperatie?'

'Nee. Sadat is uit Caïro vertrokken naar Manqabad in Boven-Egypte. Dat is zijn officiële standplaats, dus daar is niets verrassends aan.'

'Nee. Als hij op goede voet staat met onze spion en diens radioman, dan zal hij in Manqabad geen contact met hen onderhouden, dus Sadat kunnen we voorlopig even vergeten. Maar zodra hij weer terug is, wil ik dat weten.'

Jack haalde zijn hand door zijn haar. 'Ik ga Haigh om toestemming vragen voor een gesprek met sir Miles Lampson. Iemand zal onze ambassadeur toch moeten vertellen dat de gangen van zijn diplomatieke staf zullen worden nagegaan. Wens me maar succes, Archie, want Lampson is bijna twee meter lang, weegt meer dan honderd kilo en is binnenkort een heel boze man.'

Lampson was zo kwaad dat Jack dacht dat hij zou exploderen.

'Een lid van mijn staf is spion?' brieste hij.

'De mogelijkheid bestaat, meneer. Vanuit Gezira worden berichten verstuurd naar Rommel en...'

Een lid van mijn diplomatieke staf is spion?'

'... en we moeten weten tot wat voor soort militaire informatie personeelsleden van de ambassade toegang hebben...'

'EEN LID VAN MIJN DIPLOMATIEKE STAF IS SPION?'

'... en dan moeten we iedereen natrekken die toegang heeft tot vitale informatie,' vervolgde Jack manmoedig, terwijl het hoofd van de ambassadeur van verontwaardigd rood in gloeiend pimpelpaars veranderde.

Sir Miles had een vol halfuur nodig om weer een beetje bij te trekken. En toen pas kreeg Jack de informatie die hij wilde hebben.

'Ambassadepersoneel op het niveau van attaché heeft toegang tot alles wat ze maar willen, majoor Bazeljette. En dat is op gezag van de allerhoogste bron.'

'Daar valt militaire informatie dus ook onder?'

'Natuurlijk. En als u ook maar een ogenblik denkt dat een lid van mijn staf dergelijke informatie naar de vijand lekt, dan bent u stapelgek. U bent op zoek naar een Engelsman? Ga toch op zoek naar een Duitser, dat is wat u moet doen! En anders zou u op zoek moeten gaan naar officieren van het Egyptische leger. Die komen feitelijk het meest in aanmerking als bron.'

Jack nam maar niet de moeite hem uit te leggen dat de Britten alle belangrijke militaire informatie zorgvuldig voor het Egyptische leger verborgen hielden. Hij had geen behoefte aan nog meer ruzie met sir Miles. Attachés op de ambassade hadden dus toegang tot die informatie en meer hoefde hij niet te weten.

Terwijl hij de ambassade verliet, bedacht hij dat Farouk onmogelijk intimiderender kon zijn dan sir Miles en dat het hoog tijd werd voor zijn confrontatie met hem.

'Waarheen, majoor?' vroeg korporaal Slade toen Jack naast hem plaatsnam in de dienstauto. 'Terug naar het hoofdkwartier?'

'Nee, Slade. Onze volgende halte is het paleis.'

'Het paleis, meneer?' Korporaal Slade keek alsof Jack had gezegd dat ze naar de maan gingen.

'Ja, Slade, het paleis. En nu rijden, want ik wil de koning spreken voordat hij aan een van zijn reusachtige maaltijden begint.'

'De koning, meneer?'

Slade keek hem nu aan alsof Jack aan een zonnesteek leed en misschien beter naar het ziekenhuis kon worden gebracht.

'Ga je nou nog rijden, Slade, of moet ik het zelf doen? Starten met die jeep.'

Het was niet ver van de ambassade naar het Abdin-paleis,

maar zoals altijd was een kort eindje in Caïro een langdurige kwestie. Dit keer waren het tanks die het verkeer in de richting van de Kasr el Nil-brug bijna lamlegden.

Toen Slade langs een steegje reed dat uitkwam op de Sultan Hussein-straat zag Jack Sholto Moncks opzichtige Chrysler op de hoek geparkeerd staan, en verderop zag hij Sholto zelf, die een klein café binnenging – in gezelschap van Constantin, de vriend van Zahra.

Er was absoluut geen reden waarom een van Darius' vrienden niet ook met Sholto bevriend zou kunnen zijn. Sholto was immers Davina's zwager. Toch vond Jack deze vriendschap opmerkelijk. Terwijl Slade zich door het verkeer heen worstelde, vroeg Jack zich af hoelang die vriendschap al bestond.

Toen ze bij het Abdin-paleis aankwamen, werden ze op een smadelijke manier tot stoppen gedwongen.

Jack liet de paleiswachters het pasje zien dat hem carte blanche verleende om te gaan waar hij maar wilde, maar ze toonden zich totaal niet onder de indruk.

Hij telefoneerde met brigadegeneraal Haigh om diens hulp in te schakelen. 'Ik heb gesproken met sir Miles en nu moet ik de koning spreken,' zei hij kort en bondig boven de ruis uit. 'Wilt u zorgen dat sir Miles dit voor mij regelt?'

Er ging twee uur voorbij. Jack bleef al die tijd met korporaal Slade in de jeep zitten, voor de hekken van het paleis.

'Mag ik misschien vragen wat we hier doen, meneer?' vroeg de jonge Londenaar op een gegeven moment. De hitte nam steeds verder toe en het zweet liep van zijn gezicht.

'Ik heb een appeltje te schillen met koning Farouk, Slade,' zei Jack. Wat wel heel erg zacht was uitgedrukt, vond hij zelf.

Juist toen Jack dacht dat hij de hitte geen seconde langer zou kunnen verdragen, kwam een van de paleiswachten naar hem toe.

'De opperkamerheer zal u ontvangen,' zei hij terwijl de reusachtige hekken openzwaaiden. 'Zijne Majesteit verleent geen audiëntie aan Britse legerofficieren. Zijne Majesteit spreekt alleen met generaals en met de Britse ambassadeur.'

Jack knikte, alsof hij de situatie accepteerde, maar toen Slade het paleisterrein op reed was hij vastbesloten Farouk te zien te krijgen, hoeveel hovelingen hij ook moest ompraten.

Jack liet korporaal Slade, die daar allerminst blij mee was, achter in de jeep, en werd toegelaten in een rijkelijk ingerichte wachtkamer waar hij thee kreeg aangeboden.

Bij elk contact met Egyptenaren werd er altijd eerst thee gedronken – zelfs aan het kopen van een tapijt kwam dit ritueel te pas – en Jack wist dat het geen zin had een poging te ondernemen de zaken te bespoedigen.

Na bijna een uur verscheen er een adjudant.

'De opperkamerheer zal u nu ontvangen, majoor Bazeljette. Wilt u mij maar volgen?'

Jack liep achter de man aan. Hij was voor de eerste keer in het paleis en hij vond de vertrekken van een overrompelende schoonheid. De grootste openbare ruimte in het gebouw, de Byzantijnse Zaal, was zo lang als een rugbyveld en had een hoog verguld plafond, schitterende mozaïeken en een imposant aantal kroonluchters. Ze liepen door nog verscheidene andere vertrekken en kwamen toen in de kamer waar de opperkamerheer hem opwachtte. Die droeg een tarboosh, maar zijn pak kon best eens van Savile Row afkomstig zijn.

'Ik heb van uw ambassadeur begrepen dat u iets met mij te bespreken hebt,' zei de opperkamerheer, zonder verdere inleiding. 'Heeft het misschien iets te maken met de veiligheid van zijne majesteit?'

'Nee, ik geloof dat de veiligheid van zijne majesteit zeer adequaat bewaakt wordt. Maar ik heb met u niets te bespreken, opperkamerheer, ik heb iets te bespreken met zijne majesteit. Ik neem aan dat de ambassadeur dat voldoende duidelijk heeft gemaakt?'

De opperkamerheer ademde met zoveel kracht in dat zijn neusvleugels bleek werden. 'Zijne majesteit bedient een Britse majoor niet op zijn wenken! En hij bedient ook de Britse ambassadeur niet op zijn wenken! Dus als u mij de aard van uw...'

Aan de andere kant van het vertrek stond een deur op een kier. Jack wist bijna zeker dat de koning erachter stond mee te luisteren.

Hij gaf de opperkamerheer niet de kans zijn zin af te maken, maar zei luid en duidelijk: 'Misschien is het de koning niet bekend dat de naam Bazeljette in Engeland zeldzaam is en dat er in heel Caïro maar één majoor Bazeljette is. Als u hem zou willen meedelen dat mijn vrouw de dochter van Zubair Pasha is en dat de reden van mijn komst verband houdt met een delicate familieaangelegenheid, dan wil hij mij misschien wél spreken. Zo niet, dan ben ik maar al te graag bereid om de kwestie aan u of aan wie dan ook voor te...'

De deur werd opengegooid.

De opperkamerheer schrok hevig.

De koning keek hem woest aan. 'Ik spreek zelf wel met de heer Bazeljette,' zei hij en gaf de man met een vorstelijk gebaar te kennen dat hij kon gaan. Aan zijn pink prijkte een enorme smaragd.

Terwijl de opperkamerheer zich ijlings uit de voeten maakte, bekeek Jack de minnaar van zijn vrouw vol interesse. De koning begon als gevolg van zijn gigantische eetlust al een aardig buikje te krijgen, maar was wel een knappe jongeman – met de nadruk op jónge. Hij was al vijf jaar koning, maar pas eenentwintig jaar oud. Jack had horen vertellen dat sir Miles Lampson koning Farouk vaak 'de jongen' noemde en begreep dat wel. Deze jongen bezat intussen wel het soort absolute macht dat Britse koningen al drie eeuwen kwijt waren.

'Hartelijk dank dat u mij deze audiëntie verleent, uwe majesteit,' zei Jack, de buiging makend die het protocol vereiste, hoewel hij niets liever zou doen dan de koning een knal voor zijn koninklijke kanis verkopen.

De koning was gekleed in een kostuum van uitzonderlijk

goede snit en droeg een tarboosh op het hoofd. Hij gaf een knikje.

Waarna hij in ijzige zwijgzaamheid wachtte op wat Jack ging zeggen.

Jack had zorgvuldig nagedacht over de beste manier om zijn doel te bereiken zonder Fawzia's leven te vernietigen. Als hij maar even de suggestie zou wekken dat hij van plan was de verhouding aan de grote klok te hangen, zou Farouk er onmiddellijk een einde aan maken. En omdat Jack zijn vrouw niet terug wilde, zou dat voor Fawzia desastreus zijn. Al was Jack nog zo boos op haar, hij wilde zien te bereiken dat Fawzia bescherming zou genieten wanneer de verhouding op een andere manier beëindigd werd.

Hij schraapte zijn keel. 'Het is mij ter ore gekomen, uwe majesteit, dat een zeer vooraanstaand lid van uw hofhouding een verhouding heeft met mijn vrouw, de enige dochter van Zubair Pasha. Zubair Pasha heeft veel ministersposten in de regering van uwe majesteit bekleed, meen ik.'

Farouk bleef hem zwijgend aankijken, maar in zijn ogen lag een onmiskenbaar zenuwachtige uitdrukking.

Jack vervolgde op aangename toon: 'Het ligt niet in mijn bedoeling uwe majesteit in verlegenheid te brengen door een lid van de hofkringen te noemen in het echtscheidingsproces dat ik wil beginnen. Ook zal de echtscheiding op geen enkele wijze van invloed zijn op de reputatie van mijn vrouw. De hoffelijkheid gebiedt dat zij als de onschuldige partij wordt beschouwd.'

'Ja,' zei Farouk, wiens ogen nu opluchting uitstraalden. 'De Engelse hoffelijkheid. Een zeer aanbevelenswaardige eigenschap.'

Jack knikte. 'Zeker, uwe majesteit. En dat brengt me op de kern van wat ik met u wil bespreken.'

Farouk stak zijn mollige hand in de zak van zijn jasje en liet een gebedssnoer door zijn vingers glijden.

'Ik denk dat het van hoffelijkheid van de zijde van de geliefde van mijn vrouw zou getuigen als hij een regeling voor haar treft voor het geval dat hij haar verlaat. Dat is het soort ruimhartige gebaar dat een Engelse gentleman zou maken,' zei Jack, al wist hij drommels goed dat dit zelden of misschien wel nooit het geval was. Maar hij zag geen reden om niet te proberen Farouk zo ver mogelijk over de streep te trekken.

'Een ridderlijk gebaar.'

'Ach ja.' Farouk begon er steeds blijer uit te zien. 'Precies. Als prins had ik een Engelse leraar. Ik ben bekend met historische voorbeelden van Engelse ridderlijkheid.'

'Dan neem ik aan, uwe majesteit, dat u het met me eens zult zijn dat het geschikte moment om een dergelijke regeling te treffen niet is wanneer de affaire eindigt, omdat er dan pijnlijke emoties meespelen, maar dat nu schriftelijk de belofte voor het treffen van deze regeling door de gentleman in kwestie wordt gedaan en dat deze schriftelijke belofte wordt gedeponeerd bij de advocaat van Zubair Pasha die, wanneer dit nodig zal zijn, alles op dit punt zal regelen zonder dat de betreffende gentleman hier verder bij betrokken hoeft te worden.'

Het geklik en gerammel van het gebedssnoer hield aan.

Jack wachtte.

'En wat voor soort... regeling... denkt u dat de gentleman in kwestie dient te treffen, majoor Bazeljette?'

'Aangezien ik niet op de hoogte ben van de omvang van het fortuin van de gentleman in kwestie, denk ik dat uwe majesteit dat misschien het beste kan beoordelen. Misschien kan uwe majesteit een indicatie geven van wat uwe majesteit een galante regeling acht.'

Farouks getuite lippen hadden veel weg van een rozenknopje. Na enig nadenken haalde hij een notitieboekje met een verguld omslag en een gouden pen uit zijn binnenzak. Hij krabbelde een getal neer, keek ernaar, en schreef toen nog iets op.

Hij reikte Jack het notitieboekje aan.

Jack slaagde er slechts met moeite in nonchalant te blijven.

'Dat lijkt me zeer bevredigend, uwe majesteit,' zei hij, de poppenkast voortzettend. 'Misschien is het goed als ik even wacht terwijl u overlegt met de gentleman in kwestie en er een rechtsgeldig document wordt opgesteld. Dan zal ik dit document overdragen aan de advocaat van Zubair Pasha. Fawzia zal pas iets te weten komen over de ridderlijke daad van haar minnaar op de dag dat het nodig is dat ze ervan weet. Maar misschien,' voegde hij eraan toe – hij kon niet nalaten om aan een duivelse opwelling toe te geven – '... misschien komt die dag wel nooit. Misschien trouwt haar minnaar wel met haar?'

Farouks donkere ogen glinsterden. 'Misschien doet hij dat wel, majoor Bazeljette,' zei hij, terwijl hij Jack zijn hand toestak. 'En al weet ik dat zoiets u zou verbazen, míj zou het niet verbazen. Als u nu wilt teruggaan naar de wachtkamer, dan zal een adjudant u het document zo spoedig mogelijk brengen.'

Met die woorden liep Farouk haastig het vertrek uit, lichtvoetiger dan Jack van zo'n mollige man zou verwachten.

Jack besefte dat hij in zijn opzet was geslaagd en slaakte een diepe zucht van verlichting. De koning had niet alleen een zeer royale financiële regeling voor Fawzia in gedachten, maar ook aangegeven dat de eigendomsakte van een grote villa in St. Tropez aan haar moest worden overgedragen. Farouk gaf blijk van een zeer vooruitziende blik – waar Jack hem stiekem om bewonderde: hij had ervoor gezorgd dat Fawzia, als de affaire zou eindigen, een flink eind bij hem vandaan zou gaan wonen.

Maar als de affaire nu eens niet eindigde? Toen Jack het paleis verliet, met het document dat Fawzia's toekomst veiligstelde in zijn borstzak, kon hij de gedachte niet onderdrukken dat Fawzia een bijzonder spectaculaire Egyptische koningin zou zijn.

Toen hij de volgende morgen bezig was met een poging de ambassade een lijst te ontfutselen met de namen en biografische bijzonderheden van het personeel van de ambassade, stak brigadegeneraal Haigh zijn hoofd om de hoek van de deur. 'Ik dacht dat je wel zou willen weten dat je vader op het punt staat op het vliegveld van Heliopolis te landen,' zei hij, veel hartelijker dan zijn gewoonte was. 'Hij komt hierheen voor een onderonsje met Auchinleck en om voor Churchill informatie uit de eerste hand over de situatie hier te verzamelen. Ik vergeet steeds dat jouw vader zo'n hoge piet is. Als je je bij het welkomstcomité wilt voegen, dan mag dat.'

Jack wist dat zijn vader waarschijnlijk nauwelijks tijd zou hebben om hem te spreken, behalve op het vliegveld, en was binnen enkele minuten buiten.

'Waarheen, meneer?' vroeg Slade terwijl hij de jeep startte.

'Vliegveld Heliopolis, om iemand af te halen.'

'Een belangrijk iemand, meneer? Toch niet de premier? Of de minister van Buitenlandse Zaken?"

'Nee, Slade,' zei hij toen Slade de Sharia Qasr el Aini op draaide, 'een nog veel belangrijker persoon.'

Slade tastte volledig in het duister en wierp een blik opzij, waardoor ze bijna tegen een kameel botsten die midden op de weg liep.

Jack grinnikte. 'Ik heb een ontmoeting met de afgezant van de premier, sir Jerome Bazeljette.'

'Tjee,' zei Slade, diep onder de indruk. 'Dat u nou dezelfde naam hebt als zo'n hoge piet. Ik wed dat hij opkijkt als hij merkt dat u dezelfde naam hebt. Maar hij is vast niet belangrijker dan de premier, majoor. Neem me niet kwalijk dat ik het zeg.'

Jack grinnikte. Hij was in een opperbeste stemming. 'Nee, ik neem je niks kwalijk, Slade. Maar ik vind van wel. Wat dacht je ervan om die kudde schapen te vermijden en binnendoor te gaan, door El Ahmer?'

Ze bereikten het vliegveld juist op het moment dat het vliegtuig de grond raakte. Toen Jack uit de jeep sprong, zag hij dat Ivor er was om zijn vader uit naam van de ambassadeur welkom te heten. En er was ook een brigadecommandant om hem uit naam van Auchinleck te verwelkomen. Er stonden ook nog wat lagere adjudanten op de landingsbaan en toen Jack op het groepje toeliep, groette Ivor hem met een knikje. De deur van het vliegtuig ging open.

Zijn vader had er nooit echt uitgezien als een Engelsman. Het haar van de zevenenvijftigjarige gezant van Winston Churchill was nog even donker als altijd, op wat grijs aan de slapen na, en ook zijn gezicht was donker, als van een Egyptenaar. Het litteken dat door zijn linkerwenkbrauw liep bezorgde hem een ruig uiterlijk, alsof hij rake klappen zou kunnen uitdelen als het op vechten aankwam, en alsof er ook weinig voor nodig zou zijn om een gevecht met hem uit te lokken.

Jerome kwam niet meteen de vliegtuigtrap af die naar de deur was toe gerold, maar draaide zich om om iets tegen iemand achter hem te zeggen. Even later stapte een jongen met zandkleurige haren onzeker uit het schemerige interieur van het vliegtuig en kwam naast hem staan.

'God in de hemel!' hoorde hij Ivor ongelovig zeggen. 'Hij heeft die weesjongen van de Sinclairs bij zich. Hoe heeft die duivelse kerel het klaargespeeld daar toestemming voor te krijgen?'

De brigadegeneraal zette grote ogen op. Jerome begon de trap af te lopen, met zijn hand geruststellend op Andrews schouder.

'Uit naam van sir Miles heet ik u welkom in Caïro,' zei Ivor, zoals het protocol vereiste,

Jerome schudde zijn oude vriend stevig de hand. 'Het is fijn om weer hier te zijn, Conisborough. Zoals je ziet heb ik een jonge metgezel bij me. Ik zal hem op Nile House afzetten alvorens mijn verder programma af te werken. Weet je ook of Davina daar is?'

'Dat lijkt me niet waarschijnlijk, Jerome,' zei Ivor, die het formele gedoe en de aanwezigheid van de brigadegeneraal en de adjudanten even vergat. 'Ze werkt, eet en slaapt in het zie-

kenhuis, maar ik zal haar bericht sturen, en ook haar directrice. Dan kan ik je denk ik wel garanderen dat zij op Nile
House is tegen de tijd dat jij en Andrew daar aankomen.'

Jerome knikte om hem te bedanken en richtte zijn aandacht
aan de brigadegeneraal. 'Ik meen dat ik straks om één uur een
onderhoud met generaal Auchinleck heb. Klopt dat?'

'Ja, meneer. Op het generale hoofdkwartier, meneer.'

Het was even na tienen en Jack zag dat zijn vader erg blij
was met de paar uurtjes die hij vrij had.

'Nee maar, majoor Bazeljette,' zei zijn vader toen hij Jack
als laatste begroette. 'Wie heeft u verteld dat ik kwam?'

'Brigadegeneraal Haigh, meneer,' zei Jack grijnzend. Ook
hij gedroeg zich, zoals Ivor tevoren, zoals bij een officiële gelegenheid paste.

'Dan doet het brigadegeneraal Haigh waarschijnlijk ook genoegen als u mij en Andrew naar Nile House vergezelt,' zei
Jerome. Hij draaide het ontvangstcomité de rug toe en voegde er toen zachtjes aan toe: 'Misschien is deze rit naar Caïro
wel de enige gelegenheid om elkaar te spreken, Jack.'

Jack hoopte dat de secretaris die met zijn vader was mee-
gereisd in een aparte auto naar Caïro zou rijden. Hij liep naar
Slade die op hem zat te wachten.

'Rij maar zonder mij terug naar het hoofdkwartier, Slade.'

'Ja, majoor,' zei Slade verwonderd. 'Hoe komt u dan terug
in Caïro?'

'Ik rij met mijn vader mee, Slade,' zei Jack. Slades mond
viel open. Jack liep terug naar zijn vader, die inmiddels met
Andrew op de achterbank van een zwarte limousine had
plaatsgenomen.

'Andrew, ik wil je graag voorstellen aan mijn zoon, Jack,'
zei Jerome toen de grote auto wegreed van de landingsbaan.
'Jack was niet veel ouder dan jij toen hij voor het eerst naar
Caïro kwam om op Nile House te logeren. Je zult het leven
daar heel anders vinden dan op Shibden Hall, maar je zult je
er wel gauw thuis voelen, denk ik.'

Andrew glimlachte verlegen naar hen beiden. 'Ik vind de zon nu al fijn, meneer. In Norfolk schijnt de zon maar heel weinig.'

Jerome probeerde de jongen op een vriendelijke manier op zijn gemak te stellen. Hij zei tegen hem: 'Jack en ik hebben heel veel met elkaar te bepraten, Andrew, en daar hebben we niet veel tijd voor. Het is misschien het beste als jij probeert niet naar ons te luisteren, maar uit het raampje kijkt of je kamelen en piramides ziet. Ik zou het fijn vinden als je niet doorvertelt wat je hier hoort. Oké?'

'Oké, meneer,' zei Andrew plechtig. 'Ik zit bij de welpen en ik heb geleerd om geheimen te bewaren.' Hij keerde hen zijn rug toe en ging aandachtig uit het raampje zitten kijken.

'Ik blijf hier achtenveertig uur, Jack.' Jerome gaf Jack een vaderlijk klopje op zijn hand. 'Het is weer zoals gewoonlijk. Winston wil dat ik met Auchinleck en sir Miles Lampson praat en dat ik de stemming hier peil. Ik hoef je niet te vertellen dat ik zoveel mogelijk tijd bij Delia probeer te zijn. Mijn secretaris gaat trouwens rechtstreeks naar het generale hoofdkwartier en Ivor volgt ons niet naar Nile House. Hij wil niet dat zijn echtscheiding van Delia in gevaar komt door een beschuldiging dat er sprake is van een complot. Maar hoe staat het met jouw opdracht?'

Jack antwoordde zonder aarzelen. 'Het ziet er somber uit. Mijn radioteam probeert een zender op te sporen die vanaf Gezira gecodeerde berichten verstuurt. Tot nu toe zijn ze er niet in geslaagd de precieze locatie te bepalen. De smeerlap die de berichten verstuurt blijft niet lang genoeg in de lucht. Ik ga ervan uit dat hij alleen maar degene is die de zender bedient, maar als we hem kunnen opsporen, krijgen we misschien ook onze spion te pakken. Dat moet iemand zijn die toegang heeft tot militaire geheimen, maar ik heb alle officieren al gecheckt die permissie hebben om geheime informatie van het generale hoofdkwartier mee naar buiten te nemen. Geen van hen heeft een Egyptische vriendin of kameraad die de informatie zou kunnen doorspelen.'

De limousine naderde de zeer armoedige buitenwijken van Caïro. Jack zweeg een ogenblik en vervolgde toen: 'Ik heb ook gehoord dat ambassadepersoneel op het niveau van attaché toestemming heeft om alle militaire informatie op te vragen die ze maar willen hebben. Dus ik ben mijn aandacht nu op hen aan het richten. Het valt niet mee om namen en gegevens van ambassadepersoneel los te krijgen, want de ambassade wil niet meewerken. Maar ik heb het sterke vermoeden dat het lek op de ambassade zit. Ik zou het heel erg op prijs stellen als je, wanneer je weer in Londen bent, me de informatie bezorgt die ik nodig heb.'

'Komt voor elkaar. Jij mag in verband met je opdracht toch gaan en staan waar je wilt?'

Jack knikte.

'Dan moet je niet schromen om de ambassade flink aan te pakken. Als Tobruk valt is Caïro beslist de volgende bestemming van Rommel. En het domino-effect is daarmee niet ten einde. Als Rommel Caïro in handen krijgt, heeft hij het Suezkanaal ook in handen en als dat gebeurt zijn we onze route naar India, Singapore en Australië kwijt, evenals onze toegang tot de Arabische olievelden.'

Jerome zei er niet bij dat de oorlog dan voorbij zou zijn, met de geallieerden als verliezers en de asmogendheden als winnaars, want dat was overbodig.

Dat ze de oorlog zouden kunnen verliezen was zo'n afschuwelijk vooruitzicht dat ze allebei een tijdje zwegen. Maar toen de limousine vast kwam te zitten in het chaotische verkeer op de Kasr el Nil-straat begon Jerome over de familie. 'Hoe is het met Fawzia, Jack? Ik had je natuurlijk veel eerder naar haar moeten vragen. Was ze erg verrast toen je naar Caïro kwam?'

'Ja. Maar het was geen aangename verrassing voor haar. We hebben besloten om te gaan scheiden.'

Jerome trok zijn wenkbrauwen op, maar tot Jacks opluchting gaf hij geen commentaar. Jack realiseerde zich dat Jerome het nieuws niet al te verrassend vond – al zou hij ongetwijfeld wel geschokt zijn als Jack Farouks naam zou laten vallen.

Toen de limousine door de lommerrijke straten van Garden City reed, zei Jerome: 'Ik heb gevraagd of de Royal Horse Artillery een polowedstrijd kon organiseren terwijl ik hier ben. Als het lukt, kunnen jij en Darius meespelen.'

'Geweldig. Ik heb Darius nog nauwelijks gezien sinds ik hier ben, en Davina zie ik ook niet vaak.'

Hij wist dat zijn vader op het punt stond naar Petra te vragen, maar op dat moment kwamen ze bij het huis aan. Andrew zat met grote ogen te kijken en vroeg: 'Ga ik hier wonen? Vlak bij de rivier?'

Jack zag Davina's kleine Morris aan het einde van de oprit geparkeerd staan, en op het moment dat Jerome tegen Andrew zei: 'Jazeker, Andrew. En achter het huis staan ezels in de wei', kwam Davina het huis uit gestoven.

De chauffeur opende het portier voor Jerome, terwijl Davina naar Andrews kant van de auto kwam rennen. 'Welkom op Nile House, Andrew,' zei ze met een stralende glimlach. 'Ik ben Davina. Kijk alsjeblieft niet zo verschrikt. Nile House is geen ziekenhuis. Ik heb mijn verpleegstersuniform alleen maar aan omdat ik van mijn werk direct hierheen ben gekomen om je te begroeten.'

'Het geeft niet,' zei Andrew eenvoudig terwijl hij uit de auto kwam. 'Ik dacht helemaal niet dat het een ziekenhuis was, hoor,' voegde hij eraan toe. Hij legde zijn hand in de hand die Davina naar hem had uitgestoken. 'Want een ziekenhuis heeft toch geen tuin en geen ezels?'

'Jerome! Jerome!' Delia kwam als op vleugels gedragen het huis uit gerend, met een verheerlijkte lach op haar gezicht.

Jerome slaakte een vreugdekreet en liep snel naar haar toe. Ze wierp zich in zijn armen en hij tilde haar op alsof ze een jong meisje was.

Het was nogal vreemd gedrag voor een staatsman van middelbare leeftijd, en Jack was blij dat er niemand in de buurt was behalve hij, Davina en Andrew – en een behoorlijk ver-schrikt kijkende chauffeuur.

'Je moet wat drinken,' zei Davina tegen Andrew, toen Delia, die weer op de grond was gezet, vooropging naar Nile House. 'Een welkomstdrankje is traditie en Adjo is vast heel benieuwd naar je. Toen ik in Caïro kwam, was Adjo mijn eer-ste Egyptische vriend en ik denk dat ook jij heel gauw vrien-den met hem zult worden.'

In de relatieve koelte van de grote salon zette Jack zijn hoge pet af en nam van een bediende een glas aan met een van die rozenwaterdrankjes die hij zo weeïg vond. Jerome en Delia stonden met hun arm om elkaars middel geslagen. Jack keek naar Davina om te zien wat zij vond van deze onmiskenbare demonstratie van het kennelijke voornemen van Delia en Jerome om voortaan in alle openheid te laten zien dat ze een verhouding met elkaar hadden.

Als Davina er al van opkeek dan was dat niet aan haar te merken en hij besefte dat zij, net als hij, al heel lang wist hoe de zaken er tussen zijn vader en haar moeder precies voor-stonden.

'Ik ga Andrew zijn kamer laten zien,' zei ze, terwijl Andrew manmoedig zijn glas leegdronk. 'En vanmiddag laat ik hem Caïro zien. De directrice heeft me de rest van de dag vrijaf gegeven.'

'Ik heb een bespreking met generaal Auchinleck om één uur,' hoorde Jack zijn vader tegen Delia zeggen. 'Daarna heb ik een ontmoeting met sir Miles Lampson. Morgen ga ik de woestijn in om onze situatie te bekijken. Winston wil een ver-slag uit de eerste hand. Ik hoop dat er een polowedstrijd kan worden georganiseerd, maar het is niet waarschijnlijk dat ik ernaar kan komen kijken. Deze paar uurtjes zijn de enige die we samen hebben, denk ik.'

Hun gesprek werd intiemer en daarom ging Jack een eindje bij hen vandaan staan. Toen Davina en Andrew weer beneden waren, zei de jongen opgetogen: 'Ik kan de piramides vanuit mijn slaapkamer zien. En ik ga met Davina mee op een zeilboot op de rivier. Adjo zegt dat de zeilboten felucca's heten.'

'Ik blijf hier nog even,' zei Jerome tegen Jack, terwijl hij zijn arm om diens schouders legde. 'Jij kunt de limousine nemen als je hem nodig hebt. Als je hem maar weer terugstuurt.'

'Ik heb hem niet nodig, pap. Als ik u niet mocht zien bij de polowedstrijd, dan hoop ik dat u een veilige vlucht terug hebt naar Londen.'

Ze omhelsden elkaar stevig, in het besef dat het wel eens heel lang zou kunnen duren voordat ze elkaar terugzagen. Jack liep achter Davina en Andrew aan de kamer en het huis uit.

Davina en Andrew wrongen zich al in haar Morris met open dak en Davina vroeg of hij een lift wilde.

Hij schudde zijn hoofd. 'Ik ga terug naar Grey Pillars. Het is denk ik meer moeite om me in en uit jouw autootje te worstelen dan dat kleine stukje te lopen.'

Op dat moment realiseerde hij zich dat hij zijn pet had laten liggen.

Met een geërgerde zucht draaide hij zich om en liep terug.

Toen hij vanuit de hal de salon in liep, waren Delia en Jerome nergens meer te bekennen. Hij pakte zijn pet en toen hij de salon weer uitliep hoorde hij gelach van boven komen en even later het dichtslaan van een slaapkamerdeur.

Hij keek op zijn horloge. Het was kwart voor twaalf. Terwijl hij het felle licht van de zon weer in liep, had hij een grijns op zijn gezicht. Hij wist wel waarom zijn vader zo blij was met het vrije uurtje voorafgaand aan zijn gesprek met Auchinleck.

De polowedstrijd vond plaats op de dag dat Jacks vader weer vertrok. Omdat deze op het laatste moment was georganiseerd, kwamen er alleen vrienden en familieleden op af. Het maakte Jack en Darius niet uit. Ze speelden voor het eerst van hun leven in hetzelfde team en terwijl hun pony's alle kanten op draaiden en galoppeerden was het alsof ze weer waren teruggekeerd naar de jaren van voor de oorlog, toen ze gewoon vrienden waren die met elkaar wedijverden.

Jack speelde als de nummer drie. Hij speelde een bal over naar Darius en slaakte een triomfkreet. Hij wist dat Darius zou scoren, ondanks de stevig aanval die de Royal Horse Artillery uitvoerde.

Darius reed als een woesteling, ontweek alle pogingen van de tegenstanders om hem tegen te houden en sloeg de bal met een forse klap tussen de palen door. Jack ging uitgelaten in de stijgbeugels staan, zijn poloshirt doordrenkt van het zweet. Hij kon zich de laatste keer dat hij zoveel plezier had gehad niet meer herinneren.

Rond het middaguur picknikten ze met de familie in een rustig hoekje op het terrein van de Sporting Club, waar heel veel bloemen stonden. Darius had een dringende afspraak en was er tot Jacks teleurstelling niet bij. Sholto, die de polowedstrijd niet had bijgewoond, was er ook niet.

'Ik heb Sholto en Petra nog niet één keer samen gezien sinds ik hier ben,' zei Jack. Davina en hij zaten een eindje van de plek af waar Petra een wit tafelkleed op het gras uitspreidde en Delia de picknickmand uitpakte die door de kok van de club was samengesteld. 'Toen ik Delia vroeg hoe het met Petra en Sholto ging, zei ze alleen maar "goed" en veranderde toen meteen van onderwerp. Toen ik Petra vroeg hoe het met Sholto ging begon ook zij meteen over iets anders te praten. Ik heb het gevoel dat het helemaal niet zo goed gaat met die twee.'

'Je zult wel gelijk hebben, Jack, maar eerlijk gezegd weet ik het niet. Petra praat nooit over haar huwelijk.'

Terwijl Delia zilveren bestek uit de mand haalde, zei Andrew vrolijk: 'Als wij in Caithness gingen picknicken zong mijn moeder altijd het blije liedje.'

'Het blije liedje?' Delia was een grote quiche in porties aan het snijden. 'Wat voor liedje is dat dan?'

'Het is altijd hetzelfde liedje. Het is een liedje dat je zingt als je heel blij bent. Wij zongen altijd "On the Bonnie Banks of Loch Lomond". Hebben jullie geen blij liedje?'

'O, jawel, dat hebben wij wel,' zei Davina. 'Het heet "Dixie's Land". Dat zong u altijd als we met de familie bij elkaar waren.'

'Dat is waar, Delia,' zei Jerome, met een glinstering in zijn met goud gespikkelde ogen. 'Al herinner ik me een keer dat Ivor je verbood het ooit nog te zingen.'

'Ach, ja,' zei Delia ondeugend. 'Dat was toen die lieve Ivor dacht dat hij met een heel ander meisje getrouwd was dan ik was. Zal ik het nu zingen? Vind je dat leuk, Andrew?'

Andrew knikte en Delia gaf het bord met quiche aan Jerome en begon het liedje te zingen dat altijd herinneringen opriep aan Sans Souci en aan de heerlijke eindeloze ritten te paard in het glooiende landschap van haar jeugd.

Jack keek naar Petra. Ze deed zoals altijd haar best om zo ver mogelijk bij hem vandaan te blijven. Ze had ook nauwelijks met de anderen gesproken. Steeds als hij naar haar had gekeken, had ze naar zijn vader zitten kijken, met een uitdrukking in haar ogen die hij totaal niet doorgrondde.

Toen Delia bij het laatste couplet was, zongen ze allemaal het refrein mee.

Na afloop zei Petra op gespannen toon: 'Ik ga even wandelen. Ik blijf niet lang weg, Jerome. Ik ben weer terug voordat u weggaat.'

Ze doelde op de auto met chauffeur die al klaarstond om Jerome naar het vliegveld te brengen. Binnen het uur zou Jerome alweer in volle vaart op weg zijn naar Heliopolis.

Jack stond op en haastte zich achter Petra aan.

Ze liep in de richting van het clubgebouw en hij haalde haar in op het paadje dat tussen bloeiende lavendel doorliep.

Hij pakte haar arm en draaide haar naar zich toe. 'Praat met me!' zei hij indringend. 'We zijn dan wel geen minnaars meer, maar we kunnen toch wel vrienden zijn! Scherm je niet zo voor me af. Ik hou van je. Ik heb altijd van je gehouden. Ik wil je helpen. Vertel me wat er aan de hand is.'

'Dat kan ik niet!' In het felle licht van de zon zag hij de donkere kringen onder haar ogen. Haar huid zag zo bleek dat hij bijna doorschijnend was. 'Er is zoveel aan de hand, Jack! Het gaat niet alleen over jou en mij, het zijn ook andere dingen! Dingen waarover ik niet kan praten. Niet zolang ik er niet zeker van ben.'

'Wat voor dingen?' Hij zei het opnieuw indringend, maar dit keer op een andere manier, want in haar groene ogen las hij het soort paniek dat hij maar al te vaak gezien had bij mensen die aan een verhoor werden onderworpen. Ze was bang – en hij moest weten waarom.

'Later, Jack! Ik heb nog wat meer tijd nodig.' Al het bloed was uit haar gezicht weggetrokken. 'Alsjeblieft, breng Jerome mijn excuses over. Ik kan niet teruggaan om afscheid te nemen. Dat gaat nu niet.'

Ze probeerde bij hem weg te lopen, maar hij hield haar vast. Zijn hart bonkte. 'Je móét me vertellen waarom je zo bang bent, Petra,' zei hij heftig. 'Ik wil iedere draak op aarde voor je verslaan, maar ik moet eerst weten waar het gevaar vandaan komt. Op mij kun je vertrouwen, altijd!'

'Dat weet ik, Jack! Alsjeblieft, je moet nooit denken dat ik dat niet weet!'

Er kwam een groepje mensen het pad op lopen en Petra maakte zo'n snelle beweging dat ze dit keer aan zijn greep wist te ontkomen. Hij probeerde opnieuw bij haar te komen, maar op het pad tussen hen in struikelde een vrouw en viel tegen hem aan. Tegen de tijd dat hij zich van haar had bevrijd, was Petra al meters bij hem vandaan. Ze rende naar het parkeerterrein.

Hij wilde haar achterna sprinten, maar op dat moment kwam een medewerker van de club naar hem toe. 'Er is telefoon voor u van het generale hoofdkwartier, majoor Bazeljette. Het is dringend.'

Jack vloekte, wat hij bijna nooit deed. Hij keek nog even naar Petra en liep toen naar het clubgebouw.

Het was Archie die belde.

'Sorry dat ik je stoor, Jack,' zei hij verontschuldigend, 'maar je moet weten dat Sadat weer in Caïro is. Zodra onze informant op het station belde, heb ik Slade gestuurd om hem te schaduwen en die meldde me zojuist dat Sadat aan boord van een woonboot in Gezira is gestapt.'

Jack had het gevoel alsof er een gewicht van een ton tegen zijn borst drukte.

'Aan de zuidkant van het eiland?' vroeg hij, biddend dat het een van de boten bij de Engelse Brug was.

'Nee,' zei Archie onbekommerd. Hij had geen idee van Jacks ongerustheid. 'In Zamalek. De woonboot heet Egyptian Queen.'

29

*J*ack moest zich bedwingen om niet rechtstreeks naar Zamalek te gaan. Er was geen misdaad gepleegd en Sadat werd alleen maar gevolgd omdat bekend was dat hij deel uitmaakte van een subversieve groepering. Daarvoor kon hij niet in de gevangenis worden gestopt. Er zou pas actie kunnen worden ondernomen tegen de Vrije Officieren als ze openlijk in opstand kwamen. Als Sadat doorkreeg dat hij geschaduwd werd – en dat kon niet missen als er een Britse inlichtingenofficier aan boord zou verschijnen – zou het onmogelijk worden hem van dichtbij in de gaten te houden. Het enige wat Jack kon doen was de surveillance opvoeren – en ook Darius te laten schaduwen.

Het was intussen het allerlaatste dat hij wilde.

Toen hij terug was op het generale hoofdkwartier aarzelde hij nog even, maar hij wist dat hij geen andere keuze had. Dat Sadat contact had met de eigenaar van de Egyptian Queen was inmiddels vastgelegd in de dossiers – evenals de naam van de eigenaar van deze boot.

Jack wist dat hij Darius zou moeten confronteren met zijn ontmoeting met Sadat. Darius mocht bij andere mensen de indruk hebben gewekt dat hij zijn felle nationalisme eraan had gegeven, maar Jack wist wel beter. De oorlog had Darius ertoe gedwongen ondergronds te gaan.

Jack schreef een beknopt verslag voor brigadegeneraal Haigh. Hij belde naar Petra's huis, maar kreeg geen gehoor. Hij belde naar Nile House en kreeg te horen dat lady Conisborough nog niet terug was van het vliegveld. Juist op het moment dat Jack zijn rapport naar de brigadegeneraal wilde laten brengen, riep de brigadegeneraal hem bij zich.

Met Sadats dossier onder zijn arm begaf Jack zich door de wirwar van gangen naar Haighs kantoor.

Het hoofd van de militaire inlichtingendienst was niet alleen.

Een vriend van de Conisboroughs, Bruno Lautens, was bij hem.

Jack was er als ervaren inlichtingenman in getraind niets van zijn gevoelens te laten merken, maar had er nu toch moeite mee.

'Ga zitten, Jack.' Sinds de brigadegeneraal eraan was herinnerd dat Jacks vader een intieme vriend was van de premier, was zijn houding tegenover Jack een stuk jovialer geworden. 'De omstandigheden vereisen dat we met ons drieën even een zeer besloten gesprek voeren.'

'Welke omstandigheden?' Zonder Bruno aan te kijken legde Jack het dossier op Haighs bureau neer.

De brigadier keek naar de naam die erop stond en tikte er met zijn vinger op. 'Nou, Jack,' zei hij veelbetekenend. 'Déze omstandigheden.'

Bruno zat aan een kant van het bureau. Jack nam de stoel tegenover de brigadegeneraal.

'De laatste bijzonderheden die in dit dossier zijn opgenomen,' zei brigadegeneraal Haigh, 'gaan over de onverwacht snelle terugkeer van kapitein Anwar Sadat naar Caïro en zijn bezoek aan de woonboot van jouw zwager. Ik weet dit allemaal, Jack, omdat wij niet de enigen zijn die in kapitein Sadat zijn geïnteresseerd. Hij wordt ook door anderen dan wij in de gaten gehouden. Ook de Amerikanen hebben grote interesse voor hem. Ik weet dat je de heer Lautens kent via je sociale contacten, maar wat hij tot nu toe niet heeft kunnen onthullen, is dat hij een hoge Amerikaanse inlichtingenofficier is.'

Jack keek naar Bruno. 'En die archeologie van je?' vroeg hij. 'Is dat alleen maar een façade?'

Bruno's grijns was minzaam als altijd. 'Nee, ik ben een prima archeoloog, al zeg ik het zelf. Tijdens een opgraving in de buurt van de grens met Sudan ben ik door Washington gerekruteerd.' Hij keek naar brigadegeneraal Haigh. 'Wilt u dat ik majoor Bazeljette de situatie schets, of doet u dat liever zelf, generaal?'

Haigh tuitte zijn lippen en zei: 'Laat mij maar, als u het niet erg vindt. Amerika neemt tegenover de Beweging van Vrije Officieren het standpunt in dat als de oorlog gewonnen is, Amerika en Groot-Brittannië er belang bij hebben dat de leden van deze groep een moderne Egyptische staat opbouwen, waarmee de Britten en de Amerikanen kunnen samenwerken. We weten allemaal dat de dagen van de monarchie geteld zijn. Farouk is zo corrupt als ik weet niet wat en hij is zeker niet de man die Egypte de twintigste eeuw kan binnenleiden. De gedachte is dat Gamel Nasser, de leider van de Vrije Officieren, dat wel kan.'

'En wordt er bij dit... scenario... van uitgegaan dat de Britten zich geheel terugtrekken uit Egypte?' vroeg Jack, die van de brigadegeneraal naar Bruno keek.

'Amerika houdt niet van imperialisme,' zei Bruno minzaam.

'En wij moeten realistisch zijn,' voegde brigadegeneraal Haigh er somber aan toe. 'Ik twijfel er geen moment aan dat we deze oorlog gaan winnen, maar als de oorlog eenmaal voorbij is, zal de wereld er heel anders uitzien. Misschien hebben de Amerikanen wel gelijk dat er in het naoorlogse Egypte geen plaats meer is voor Groot-Brittannië. En uitgaande van de kans dat Nasser en Sadat degenen zullen zijn met wie we dan te maken zullen krijgen, luiden mijn orders dat we hen en hun vrienden stevig in de gaten moeten houden, maar ook weer niet zo stevig dat we niet meer tot een vergelijk met hen kunnen komen, mocht deze situatie zich voordoen.'

'En behoort Darius Zubair ook tot die vrienden?'

Bruno boog zich naar voren, met zijn grote handen in elkaar gevouwen. 'Hij is niet alleen een vriend, maar volgens onze inlichtingenrapporten ook een vooraanstaand lid van Nassers toekomstige regering. Dat het Nasser en de zijnen zijn die deze regering ooit gaan vormen is van vitaal belang, willen we het gevaar afwenden dat de Moslim Broederschap de macht in Egypte in handen krijgt.'

'Daar moet niemand van ons aan denken,' zei Haigh, met enige passie. 'Waar het op neerkomt, Jack, is dat jullie Sadat en jouw zwager blijven schaduwen, maar dat jullie daarbij wel rekening houden met het bredere perspectief.' Hij nam niet de moeite het dossier te openen dat Jack had meegebracht en gaf het hem terug.

'Ja, meneer.' Jack stond op, salueerde en verliet het vertrek.

Toen hij terug was op zijn eigen kamer borg hij het dossier veilig op in de safe en probeerde Petra opnieuw te bellen. Weer kreeg hij geen gehoor.

Archie kwam binnen en dumpte een nieuw rapport met een roze label op zijn bureau. 'Een Britse Gladiator is twee uur geleden zonder toestemming opgestegen,' zei hij. 'Het schijnt dat het toestel door een Egyptenaar werd bestuurd en dat het linea recta naar de Duitse linies is gevlogen. Onze jongens hebben geprobeerd het uit de lucht te schieten, maar slaagden daar niet in. Een Duits kanon heeft het karwei voor ons opgeknapt. Wat de piloot in de zin had weet geen mens.'

'Laat maar aan mij over. Ik zal Haigh morgenochtend verslag uitbrengen. Ik begreep dat je vanavond een romantisch uitje hebt met Boo?'

Archie grijnsde. 'Klopt, maar ik moet eerst nog het een en ander afmaken.'

Terwijl Archie op zijn aftandse typmachine zat te rammelen probeerde Jack Petra nogmaals te bellen. Dit keer was het probleem niet dat er niet werd opgenomen. De telefoon ging niet eens over. Het gebeurde in Caïro met enige regelmaat dat telefoons het niet deden. Jack probeerde zijn ongeduld niet te laten blijken en zei: 'Ik ga maar eens naar huis, Archie. Ik ben toe aan een flinke borrel en een douche.'

Zijn 'huis', de flat die hij met twee andere officieren deelde, was maar vijf minuten lopen vanaf Grey Pillars, maar tijdens die korte wandeling viel de duisternis in. De hemel verkleurde van bleek geel in hel oranje en toen dieppaars.

Zodra hij de nauwe gang binnenstapte, wist hij dat er niemand thuis was. Opgelucht liep hij meteen door naar de badkamer en draaide de douchekraan knarsend open. De telefoon rinkelde nog voordat hij zijn overhemd had kunnen uittrekken. Hij vermoedde dat het wel weer een van de meisjes van de vissende vloot zou zijn die belde voor een van zijn huisgenoten. Hij liep de badkamer weer uit en de gang in om de telefoon op te nemen.

'Goddank dat je er bent, Jack.' Archies stem klonk zeer gespannen, wat zeer ongebruikelijk voor hem was. 'Petra was net hier. Ze was in alle staten en zei dat ze jou moest spreken. Toen ik zei dat je net weg was, vroeg ze je adres. Ik bood aan om met haar mee te lopen, maar dat wilde ze niet. Ze was bijna hysterisch en dus heb ik haar haar zin maar gegeven.'

'Hoelang is het geleden dat ze bij jou wegging?'

'Twee, drie minuten.'

'Blijf bij de telefoon voor het geval ik je nodig heb.' Jack gooide de hoorn op de haak. Hij wist dat er iets ergs aan de hand moest zijn, omdat Petra zo van streek was. Eerder op de dag was ze ook al bang geweest. Petra was niet iemand die gauw bang was.

Hij liep de badkamer weer in om de douchekraan dicht te draaien. Op dat moment werd er aangebeld.

Hij rukte de deur met zo'n kracht open dat ze bijna over de drempel naar binnen viel.

Tot zijn stomme verbazing zag hij dat ze een gehavend Duits gebedenboek in haar hand had.

Hij legde zijn arm om haar heen en liet haar tegen zich leunen.

'Ik moet je spreken, Jack...' Ze hijgde naar adem. 'Ik moet je iets vertellen...'

'Wacht, kom eerst zitten en neem wat cognac,' zei hij.

'Nee.' Ze schudde haar hoofd zo heftig dat enkele lokken uit haar grote bos haar losraakten. 'Geen tijd... Ik weet niet eens of hij zo gewond is dat hij er nog is, of dat hij weg is.'

'Wie? Sholto?'

Ze knikte. Worstelend om niet hysterisch te worden, zei ze: 'Hij is een spion. Ik verdacht hem er al maanden van maar toen ik dit vond...' Haar vingers omknelden het gebedenboek steviger. 'Toen ik dit vond, wist ik het zeker. Ik was er zelfs zo zeker van dat ik hem ermee confronteerde... Hij lachte alleen maar en toen vloog hij op me af. We hebben boven aan de trap gevochten en ik heb hem laten struikelen. Hij viel naar beneden en bonkte met zijn hoofd tegen de trapleuning. Ik heb hem daar laten liggen. Hij was buiten bewustzijn en bloedde. Maar als hij bijkomt, komt hij achter me aan.'

Hij vroeg niet waarom ze al maandenlang verdenking tegen Sholto had gekoesterd. Hij vroeg niet wat er in het gebedenboek stond.

Hij draaide zijn eigen nummer op het generale hoofdkwartier.

Archie nam op.

'Sholto Monck is onze man,' zei Jack zonder verdere toelichting. 'Hij is op Sharia Aziz, op Gezira. Ga er onmiddellijk heen met een gewapende eenheid. Ik wil dat hij in hechtenis wordt genomen, ook al beroept hij zich op zijn diplomatieke onschendbaarheid. En ik wil dat hij levend gepakt wordt. Gesnapt?'

'Gesnopen,' zei Archie, verbijsterd, maar zonder verdere vragen.

Jack haalde zijn Colt uit zijn holster en liep de slaapkamer in. Hij trok een la open en haalde er een doosje kogels uit, die hij leegschudde op zijn hand. Terwijl hij de revolver laadde, zei Petra met onvaste stem vanuit de deuropening: 'Sholto is niet Anglo-Iers. Hij is half-Duits en half-Iers. Ik was op zoek naar bevestiging van mijn vermoedens en toen vond ik dit in een doos met boeken die hij had meegenomen naar Caïro, maar nooit had uitegpakt.'

Jack liet een handvol kogels in zijn zak glijden, stak zijn revolver in zijn holster en pakte het stoffige gebedenboek van haar aan.

Op het schutblad stond een lijstje met namen en geboortedata, in het Duits genoteerd. De laatste naam op de lijst was die van Sholto met de geboorteplaats ernaast: München.

'Waardoor kreeg je argwaan?' vroeg Jack. Het deed hem deugd dat zijn verdenking wat de ambassade betrof juist bleek.

'Door een heleboel dingen.'

Petra wist dat zijn jeep binnen enkele seconden voor zou rijden en begon heel snel te praten.

'Hij had zoveel geld dat het leek alsof hij het zelf drukte. Ik kreeg door dat hij het via een diplomaat van de Roemeense legatie in handen kreeg. Hij ontmoette Constantin alleen als hij dacht dat niemand hen zou kunnen zien. Een collega van Constantin op de Roemeense legatie is op verdenking van spionage het land uitgezet.'

Ze haalde diep adem en veegde het haar uit haar gezicht weg. Ze stond te trillen. 'Hij had ook een enorme minachting voor sir Miles en voor al zijn collega's op de ambassade. Hij wist het altijd heel goed te verbergen, maar mij liet hij het wel merken. Ik realiseerde me uiteindelijk dat hij alleen maar met me getrouwd was om met Ivor en met Ivors vrienden in contact te komen. Als hij heel veel gedronken heeft en in zijn slaap praat, doet hij dat in het Duits. In het begin deed hij er lacherig over en dan zei hij dat hij droomde dat hij weer drieëntwintig was en voor zijn diplomatenexamen studeerde.'

De jeep kwam met gierende banden voor de flat tot stilstand.

Hij greep haar bij haar schouders. 'Jij blijft hier. Als hij al weg is uit Sharia Aziz dan zit hij nu achter je aan. Je moet niet naar Nile House gaan. Dat is een van de eerste plekken waar hij gaat zoeken. Ik denk niet dat hij dit adres kent, maar ik laat een gewapende sergeant bij je achter om je te beschermen tot ik terug ben. Oké?'

Ze knikte. 'Wees voorzichtig,' zei ze met beverige stem. 'Ik zou het niet kunnen verdragen als er met jou iets gebeurde, Jack. Ik zou doodgaan, Jack. Echt waar.'

Hij wist op hetzelfde moment dat zij nog van hem hield, wat er tussen hen ook was fout gegaan. Hij trok haar naar zich toe en kuste haar onstuimig.

Even later zat hij op de chauffeursstoel in de jeep en zei gebiedend tegen de officier die hij zo-even had laten uitstappen: 'Je laat niemand, maar dan ook niemand binnen in die flat tot ik er weer ben. De vrouw daarbinnen is de dochter van lord Conisborough. Bescherm haar met je leven. Begrepen?'

'Ja, majoor. Absoluut.'

Met gierende banden ging Jack ervandoor, richting de Kasr el Nil-brug. Met zijn handpalm hield hij de claxon van de jeep ingedrukt.

Het was inmiddels helemaal donker en de straten waren als gevolg van de halfhartig uitgevoerde verduisteringsregels slecht spaarzaam verlicht. Op de brug was het net als altijd heel druk en hij zat te vloeken en te tieren omdat het zo'n eeuwigheid duurde om eroverheen te komen. Jack keek op zijn horloge. Met een beetje geluk was Archie met zijn mannen al in Sharia Aziz.

Toen hij op het eiland was, sloeg hij af naar de rijke woonwijk waar zoveel Britse diplomaten woonden. Toen zag hij de weg naar Zamalek en het handjevol boten dat daar aan de kant lag.

Hij dacht eraan hoe goed Darius erin geslaagd was zijn nog

altijd bestaande anti-Britse sentimenten te verbergen. Hij dacht eraan dat Sadat, toen hij weer in Caïro was, meteen naar de Egyptian Queen was gegaan. Hij dacht eraan dat Constantin, die volgens Petra met Sholto onder één hoedje speelde, bij Darius was geweest toen hij, Jack, voor het eerst weer contact had met Darius – en dat Constantin zich meteen uit de voeten had gemaakt bij het zien van zijn uniform. Hij herinnerde zich ook weer dat hij Constantin samen met Sholto een café in een zijstraatje van de Kasr el Nil-straat had zien binnengaan.

Als Darius contact had met Anwar Sadat, zou hij dan ook betrokken zijn bij een ander vorm van anti-Britse activiteiten? Was Darius soms ook een Duitse spion, net als Sholto?

Jack bracht de jeep tot stilstand. Het zweet parelde op zijn voorhoofd. Het was een mogelijkheid. Hij keek naar de splitsing voor hem en bedacht dat Darius en Sholto heel dicht bij elkaar woonden. Hij gaf toe aan een intuïtieve ingeving en draaide de weg op die naar Zamalek voerde, bang voor wat hij zou aantreffen.

De weg langs de Nijloever liep in een bocht langs de Sporting Club. Aan de overkant van de brug glinsterden de lichtjes van restaurants en cafés. Aan de noordoostkant van het eiland waren alleen palmbomen die dicht op elkaar stonden en tot aan het water reikten.

Op een afstand van twintig meter tot de woonboten zette hij de motor af en liet de auto tot stilstand komen. Hij liep zo zachtjes mogelijk naar de Egyptian Queen. In het woongedeelte brandde licht, maar de gordijnen waren gesloten. De Mercedes van Darius stond vlak bij de boot onder dadelpalmen geparkeerd. Hij zag geen andere auto staan.

Toen hij de loopplank op liep, hoorde hij een vrouw huilen. Met een hand op zijn revolver begon hij de trap naar de huiskamer af te dalen. Hij hoorde de vrouw haar adem inhouden en stoppen met huilen, maar noch Darius noch Sholto verhief zijn stem.

Ze waren er niet.

Alleen Zahra zat binnen.

'Wat wil je?' vroeg ze. Ze herkende hem meteen. Met haar vuisten veegde ze woedend de tranen uit haar ogen. 'Als je voor je zwager komt, die is weg. Ze zijn allemaal weg.'

Haar stem klonk woedend en verbitterd.

'Wie ze?' vroeg hij, alsof het er niet zoveel toe deed. Hij wist dat zij zich ongetwijfeld zou herinneren dat hij behalve Darius' zwager ook een Brits officier was. Maar op het moment behandelde ze hem alsof hij een medesamenzweerder was.

'Die vent, Sholto, sleepte mij en Constantin hier naartoe. Hij zei dat hij ontdekt was en dat hij moest maken dat hij wegkwam, maar dat Constantin eerst nog een boodschap moest versturen.'

Jacks hart stond even stil. In één zin had ze bevestigd dat er een draadloze zender aan boord van de Egyptian Queen was en dat Darius dus ook een spion was.

'Wat voor boodschap verstuurde Constantin?' vroeg hij kortaf.

Ze keek hem vernietigend aan. 'Hoe moet ik dat weten? Hij zendt in code uit. Toen hij klaar was, kregen ze ruzie.'

'Ruzie waarover?' Kostbare minuten tikten weg, maar hij wist dat hij haar niet moest opjagen. Als hij nu zijn geduld verloor zou dat fataal zijn.

'Die vent Sholto zei dat Darius en Constantin met hem mee moesten komen en dat wilden ze niet. Constantin zei dat Sholto dan wel ontdekt was, maar híj niet en dat het ergste wat hem als diplomaat kon overkomen was dat hij naar Boekarest werd teruggestuurd. Hij zei ook dat hij, als hij werd teruggestuurd, zou zorgen dat ik daar ook naartoe kon.' Haar stem beefde van woede. 'Maar nu heeft dat zwijn van een Sholto hem meegenomen naar Duitsland.'

'Naar Dúítsland?' Jack was erin getraind om ijskoud te blijven, maar nu viel hij toch uit zijn rol.

Zahra was te furieus om zijn verbazing op te merken.

'Sholto zei dat er in Malaqua een vliegtuig landt waarmee ze naar Tripoli kunnen.'

Jack had nog nooit van Malaqua gehoord, maar als daar een Duits vliegtuig ging landen, moest het ergens diep in de woestijn zijn, vermoedelijk vlak bij de Duitse stellingen voorbij de Libische grens. Wat betekende dat ze naar een gebied op weg waren dat alleen door een Britse verkennerseenheid te bereiken zou zijn.

'Darius wilde niet mee.' Zahra was zo boos over het verraad van Constantin, die haar in haar eentje had achtergelaten, dat ze Jack maar wat graag alles vertelde. 'Maar Sholto zei dat Darius hem en Constantin in elk geval naar El Laban moest brengen. Hij had daar een contact bij de bedoeïenen die de route naar Malaqua kent. En hij zei ook dat ze de zender moesten meenemen zodat ze contact konden houden met de mensen die het vliegtuig sturen.'

Jack kende El Laban wel. Het was een nederzetting van verspreid staande lemen huizen bij een oase, ongeveer vijftig kilometer ten zuiden van Sakkara. Hij was er jaren geleden een keer met Darius geweest, maar of hij het dorp in zijn eentje in het donker zou weten te vinden was een andere kwestie. Hij was in ieder geval vast van plan een poging te wagen.

Hij wist dat hij nu alle informatie had die Zahra hem kon geven. Hij wist ook dat wat hij van plan was te gaan doen hem zijn carrière – en zelfs zijn leven – zou kunnen kosten. Hij klauterde de trap naar het dek weer op.

Tien minuten later reed hij in volle vaart over de Engelse Brug, richting Gizeh. Ondanks het avondlijk uur waren er nog steeds veel karren, kamelen en militaire voertuigen op de weg. Hij probeerde uit te rekenen hoeveel voorsprong Darius en de anderen op hem hadden. Sholto was waarschijnlijk al heel snel nadat Petra het huis was ontvlucht bij bewustzijn gekomen. Vandaar moest hij meteen naar de woonboot zijn gegaan, na onderweg Constantin en Zahra te hebben opgepikt. Hoeveel tijd zou hem dat gekost hebben? Een kwartier? Twintig minuten?

Hij haalde een gepantserde auto in. Volgens een ruwe schatting hadden Darius, Sholto en Constantin ruim een kwartier voorsprong op hem. Als hij hen vóór El Laban niet wist in te halen, zou de race voorbij zijn. Alleen een bedoeïen kon 's nachts door de woestijn reizen. Jack niet. Hij zou de sporen van Sholto's auto waarschijnlijk niet eens kunnen onderscheiden. Of het nu dag of nacht was, niemand ging in zijn eentje de Sahara in. Jack had geen noodvoorraad water bij zich en ook geen kleding om hem 's nachts tegen de bittere kou te beschermen.

Aan weerszijden van de weg strekten zich in duister gehulde suikerrietvelden uit, maar toen, in het licht van de maan, zag hij de vertrouwde vormen van de piramides zich tegen de donkere hemel aftekenen.

De weg naar de Westelijke Woestijn splitste zich hier af. een veel smallere weg leidde naar Sakkara.

Hij was nog maar even op deze weg of hij werd aangehouden door twee leden van de militaire politie. Hij liet hun zijn pasje zien en ze lieten hem verder rijden. Sholto had met zijn diplomatenpas ongetwijfeld hetzelfde bereikt.

Jack kende de weg goed. Als jongen had hij vaak een paard gehuurd in de manege van het Mena House Hotel en was hij met Darius of met Davina naar de trappiramide gereden.

Davina.

Hij kon zich niet eens een voorstelling maken van het verdriet dat Davina zou hebben als Darius Egypte samen met Sholto en Constantin verliet. Maar dat was nog niet eens het ergste scenario. Het ergste scenario zou zijn dat Darius in Egypte bleef, werd aangeklaagd en voor een vuurpeloton terechtkwam.

Aan beide kanten van de weg waren prikkeldraadversperringen en in de verte zag hij iets wat akelig veel weg had van een waarschuwingsbord met een schedel en gekruiste beenderen, dat aangaf dat er een mijnenveld lag. Hij bleef midden op de weg rijden, want hij wist dat de bermen uit een laag zacht zand bestonden. Vanuit het duister kwam hem een motorfiets tegemoet; de berijder droeg het blauwwitte uniform van een seiner.

Jack huiverde van de kou. Stel dat hij Sholto's Chrysler inhaalde, wat moest hij dan in godsnaam doen? Hij wilde Darius niet onder schot nemen, maar stel nu eens dat zij begonnen met schieten?

Jacks maag verkrampte. In het heldere schijnsel van de maan zag hij de trappiramide opdoemen. Van hier af had hij alleen nog kans om Sholto in te halen als hij de sporen van de banden van de Chrysler kon onderscheiden.

Hij legde de ene kilometer na de andere af terwijl de Sahara zich aan alle kanten eindeloos leek uit te strekken. Zijn gespannenheid nam toe. Stel dat de sporen die hij volgde niet die van de Chrysler waren. Stel dat hij ze uit het oog verloor en niet meer kon terugvinden, wat moest hij dan beginnen?

Na ongeveer een uur zag hij stekelige bosjes in het licht van zijn koplampen en even later zag hij de silhouetten van dadelpalmen. Hij was intens opgelucht. Ook al was dit niet El Laban, het was in ieder geval een oase – en een oase betekende water.

Minuten later zag hij lemen wallen en hij besefte dat zijn tocht hier een roemloos einde vond, tenzij Sholto nog in het dorp was om met zijn bedoeïenenvriend voorbereidingen voor zijn verdere reis te treffen.

Hij kon de oase onmogelijk binnenkomen zonder dat men daar van zijn komst op de hoogte was. In de woestijn droeg geluid mijlenver en de inwoners van El Laban moesten de motor van zijn jeep al tien minuten geleden gehoord hebben. Maar geen van hen leek nieuwsgierig naar hem te zijn.

Toen hij de motor stilzette en uit de jeep stapte, was er nergens beweging te zien. En hij zag ook nergens een auto.

In het licht van de sterren zag hij een magere hond die naar hem gromde. Achter een van de lemen huizen balkte een ezel. In het centrum van de slordige verzameling huiszen bevond zich de dorpsfontein. Op de muur van de fontein zag hij de donkere gestalte van een bekend persoon.

'Wie van ons', vroeg Darius op gemoedelijke toon, 'schiet het eerst, Jack? Schiet ik op jou? Of schiet jij op mij?'

30

*J*ack bleef staan. 'Waar is Monck?' vroeg hij.
'Die is allang weg. En je kunt hem onmogelijk inhalen, Jack. Tenzij er een bedoeïen met je meegaat als gids.'

'Ik heb behoefte aan een sigaret.' Jack wilde niet dat Darius dacht dat hij naar zijn Colt greep in plaats van naar zijn pakje Camels.

Hij haalde de sigaretten uit zijn borstzakje. 'Wil je er ook een?'

Het maanlicht was helder genoeg om Darius te kunnen zien knikken.

Jack was er nog niet aan toe om de laatste meters tussen hem en Darius te overbruggen, en gooide hem de sigaretten en de aansteker toe.

'Wat is er in Malaqua?'

Darius stak zijn sigaret op. 'Een verlaten Italiaans vliegveld. Over zes uur zijn Monck en Constantin in Tripoli.'

'En wat vind jij daarvan?'

'Dat Monck ontsnapt?' Darius haalde zijn schouders op. 'Dat maakt me niet uit. En Constantin? Die zou er beter aan doen om niet aan boord van dat vliegtuig te stappen. Maar ik denk dat Monck hem die kans niet zal geven.'

Jack inhaleerde diep. 'Vertel eens over Monck. Hoelang spioneert hij al voor Rommel?'

'Al zolang Rommel in Noord-Afrika is. Maar hij is niet Rommels spion, Jack. Volgens Constantin spioneert Sholto al sinds 1933 voor Von Ribbentrop. Hem is in het vooruitzicht gesteld dat hij een voorname rol gaat spelen in de toekomstige Duitse regering van Groot-Brittannië – ervan uitgaande natuurlijk dat Duitsland de oorlog wint.

Jack was zo verbijsterd dat hij even nodig had om tot zich te laten doordringen wat Darius hem vertelde. Hij had als jonge diplomaat op het ministerie van Buitenlandse Zaken gewerkt toen Von Ribbentrop als Hitlers speciale gevolmachtigde Londen geregeld had bezocht om gesprekken te voeren met Ramsay McDonald, en met diens minister van Buitenlandse Zaken, sir John Simon.

Von Ribbentrop had er ook een heleboel andere mensen ontmoet. Zes jaar voordat de oorlog met Duitsland begon, was Joachim von Ribbentrop een graag geziene gast op menig diner in societykringen. Jack herinnerde zich dat Delia hem had verteld over een diner waarbij zowel Von Ribbentrop als de prins van Wales te gast waren.

Had Von Ribbentrop soms de opdracht gehad de prins van Wales tot vriendschap met Hitler te verlokken, zodat die, als hij koning werd, aan het hoofd zou staan van een land waarop nazi-Duitsland een beroep zou kunnen doen als bondgenoot? Edward had niet alleen een groot aantal Duitse verwanten, maar sprak ook vloeiend Duits. Hitler had zoiets ongetwijfeld als een mogelijkheid gezien.

Von Ribbentrop had ongetwijfeld ook andere Britse aristocraten willen beïnvloeden. Jack herinnerde zich dat hij hem een keer samen met lord Rothermere had gezien. Toen de Duitse inlichtingendienst had uitgevonden dat Sholto een Duitse vader had, moest Von Ribbentrop gedacht hebben dat hij op een goudmijn was gestuit.

'Heeft Monck contact opgenomen met Constantin om hem als radioman te kunnen gebruiken?'

'Het heeft er alle schijn van, zou ik zeggen.'

'En hij verstuurde berichten vanaf de Egyptian Queen.'

'Het heeft er alle schijn van. Nogmaals.'

Jack hield even zijn adem in. 'De zender. Waar had je die verdorie verstopt?'

'In een radiogrammofoon. Onder de draaitafel. Toen jullie clubje de woonboot doorzocht, hebben ze alleen maar even het deksel opgetild. Maar vertel eens, Jack, wat ben je van plan te gaan doen nu je dit allemaal weet? Want als jij denkt dat ik me door jou laat meenemen naar Caïro om daar als spion terecht te staan, dan heb je het mis. Het lijkt me wel zo eerlijk om je dat maar meteen te vertellen.'

Hij bewoog zijn hand even en Jack hoorde het schuren van metaal over de muur van de fontein. Of het een revolver was of de sigarettenaansteker kon Jack niet uitmaken.

Vastbesloten erachter te komen wierp hij zijn sigaret weg. 'Als ik dat zou willen,' zei hij, met een harde klank in zijn stem, 'dan had ik het allang gedaan. En misschien komt het er nog van als jij niet alsnog bij zinnen komt.'

Darius bleef zwijgen, het puntje van zijn sigaret gloeide in de duisternis.

'Waarom heb je je met de Duitsers ingelaten, Darius? Ze zijn duizenden joden aan het afslachten en jij weet best dat ook de Arabieren een Semitisch volk zijn. Je gelooft toch niet dat Hitler, als hij de oorlog wint, zal toestaan dat Egypte zichzelf gaat besturen?'

'Het is een mogelijkheid, en dat is beter dan niets.'

'Er is ook een andere mogelijkheid, die mij veel beter bevalt.'

'En welke is dat dan?'

'Gooi mij de aansteker toe, dan zal ik het je vertellen.'

De aansteker kwam aangevlogen.

Jack ving hem en hoopte dat hij verder geen geluiden van schurend metaal meer zou horen.

'Tot aan vanavond wist ik niet dat jij contact met Sholto onderhield. En ik wist ook niet dat Constantin degene was die berichten voor hem verstuurde. Maar ik wist wel dat je nauwe banden hebt met de Beweging van Vrije Officieren – en met name met Anwar Sadat. De Amerikanen weten dat ook en zijn erg geïnteresseerd in de beweging.'

'De Amerikanen? Wat interesseert Egypte de Amerikanen nou?'

'Uiteindelijk zal Amerika aan de oorlog gaan deelnemen – en dan zal Egypte voor hen van grote betekenis zijn. Amerikanen zijn republikeins en anti-imperialistisch, Darius. Ze zouden het liefst te maken hebben met een Egypte zonder monarchie en zonder de aanwezigheid van Britten en hun imperialistische verleden. En dat is precies wat de Beweging van Vrije Officieren ook wil.'

Darius bleef weer zwijgen, maar Jack wist dat hij zijn volledige aandacht had.

'De regering van een onafhankelijk Egypte zal na de oorlog voor het grijpen liggen. De Moslim Broederschap heeft grote aanhang onder de bevolking. Maar het zou voor westerse landen lastig zijn om met een door molla's geleide theocratie samen te werken. Amerika geeft de voorkeur aan Nasser en zijn vrienden.'

'Weet je het zeker? Ben je soms vergeten dat Nasser en Sadat allebei moslim zijn?'

'Nee, dat ben ik niet vergeten. Wat voor de Amerikanen telt, is dat zij zich nooit hebben laten meeslepen door het extremisme van de Moslim Broederschap. En jij bent een kopt. De Amerikaanse inlichtingendienst gelooft dat Nasser en Sadat jou een belangrijke positie willen geven in de regering die ze mogelijk in de toekomst gaan vormen. De Amerikanen – die altijd op de toekomst zijn gericht – zouden jou graag bescherming bieden, als hun belangrijkste contact in die toekomstige regering.'

'Betekent dat dat ze liever niet zien dat ik als spion word doodgeschoten?'

'Reken maar. Ze willen beslist niet dat je als spion wordt doodgeschoten.'

'Dat is dan maar goed ook – voor de Britten.' Er klonk zwarte, droge humor in de stem van Darius door. 'Want de Britten zouden een onschuldig man nooit willen doodschieten, toch?'

De stilte die volgde was zo intens dat Jack zijn hart hoorde kloppen.

'Zou je dat nog een keer kunnen herhalen?' vroeg hij, benauwd dat hij het misschien verkeerd had gehoord.

'Ik zei dat de Britten een onschuldig man nooit zouden willen doodschieten.'

'Ben je onschuldig dan?' Jack werd bijna duizelig van hoopvolle verwachting. 'Leg uit.'

Darius tipte de as van zijn sigaret. 'Ik wist altijd al dat Constantin informatie voor de Duitsers verzamelde. Allemaal kleine dingen. Dingen die kappers, obers en prostituees hadden gehoord. En voorzover ik wist was het enige wat hij ermee deed er verslag over uitbrengen bij zijn superieuren op de legatie. Toen vertelde hij me dat een 'grote vis' op de Britse ambassade contact met hem had gezocht. Oppervlakkig beschouwd leek het onthutsende informatie, maar ik geloofde niet dat die grote vis een belangrijke spion was. Ik dacht dat Constantin opschepte. Hij noemde nooit de naam van deze man.'

'Wanneer kwam je er dan achter dat het Monck was?'

'Toen hij een uur of twee geleden aan boord van de Egyptian Queen stapte met een revolver in zijn hand en in het gezelschap van Constantin en Zahra.'

'Leuk verhaal, Darius, maar het verklaart nog niet waarom die zender aan boord was van de Egyptian Queen – en waarom de Britse inlichtingendienst regelmatig signalen opving.'

'Simpel,' zei Darius. Hij gooide zijn peuk het duister in. 'Constantin bracht mij in contact met Sadat, en nee – voordat je het me vraagt –, ik geloof niet dat Sadat iets afwist van Sholto, of dat Sholto van Sadat afwist. Constantin had verschillende ijzers in het vuur en hield die allemaal van elkaar gescheiden. Sadat vroeg zich af of een opstand binnen het Egyptische leger – een opstand die zo getimed was dat het Rommel kon helpen bij de verovering van Caïro – al dan niet gunstig zou zijn voor Egypte. Hij had geen vertrouwen in de

belofte van de Duitsers om Egypte volledige onafhankelijkheid te geven. Daarom had hij een verdrag opgesteld. Dat was
de reden dat Constantin met de zender naar de boot kwam.
Zodat Sadat – die radio-officier is – direct met Rommel een
regeling kon treffen voor het naar Libië sturen van een lid van
de Beweging van Vrije Officieren met het verdrag.'

De hond, die een tijdje stil was geweest, begon weer te
blaffen.

Jack dacht aan de Britse Gladiator die boven de Duitse
linies was neergeschoten. Wat Sadat ook had geregeld met
Rommel om zijn afgezant te beschermen, was kennelijk niet
doorgedrongen tot de Duitse kanonniers die Groot-Brittannië zonder het te weten een grote dienst hadden bewezen.

'Berichten naar Rommel over het sturen van een officier
zijn geen verklaring voor het aantal keren dat we signalen
opvingen van draadloze boodschappen die vanaf de Egyptian Queen werden verzonden.'

'Nee, waarschijnlijk niet. Gooi nog eens een sigaret.'

Jack stak een sigaret aan met de sigaret die hij aan het
roken was, en naderde Darius tot hij hem de sigaret kon aan-
geven.

Hij zag geen revolver, niet in Darius' hand en ook niet op
de muur.

'Wat ik denk dat er gebeurd is,' zei Darius, 'is dat nadat
Constantins collega naar Boekarest was teruggestuurd op
verdenking van spionage, het niet veilig genoeg meer was
om boodschappen te versturen vanaf de legatie, of waarvan-
daan Constantin ook uitzond. Toen de zender eenmaal aan
boord van de Egyptian Queen was, zodat Sadat hem kon gebruiken, heeft Constantin hem denk ik ook gebruikt voor het
versturen van berichten voor Sholto. Ik trof hem een keer op
mijn boot aan toen ik vroeger dan gepland van een feest
kwam.'

Jack wilde Darius niet alleen geloven, maar geloofde hem

ook echt. Hij draaide zich om zodat hij zich ook op het muurtje kon hijsen en ze als kameraden naast elkaar kwamen te zitten.

'Gewoon uit nieuwsgierigheid,' zei Darius terwijl hij een lok haar van zijn voorhoofd streek: 'Hoe denk je het idee dat ik Brits spion word te verzoenen met mijn liefde voor Davina? En voordat je die vraag beantwoordt, kun je de Amerikaanse inlichtingendienst maar beter laten weten dat ik met haar ga trouwen.'

'Ik denk niet dat je verhouding met Nasser en Sadat eronder zal lijden als je met Davina trouwt. Ze is om te beginnen half Amerikaans. En het feit dat ze al jaren vrijwilligerswerk doet onder de fellahin kan dienen als getuigenis van haar loyaliteit jegens Egypte. Waren er overigens nog anderen die dachten dat je een spion was? Petra bijvoorbeeld?'

Darius grinnikte en schudde zijn hoofd. 'Nee, Petra heeft me nooit erg gemogen, maar dat was vooral omdat ze geloofde dat ik Davina ongelukkig zou maken. Als ze erachter komt dat dat niet zo is, hoop ik dat onze verstandhouding zal veranderen. Fawzia denkt wel dat ik een spion ben, en dat zal ze altijd blijven denken ook. Daarom heb ik ook nooit de moeite genomen haar te overtuigen van het tegendeel. Ik heb trouwens iets waaraan je kunt zien dat ik geen spion ben. Ik heb het ingepikt toen Constantin even niet oplette.'

Uit zijn achterzak viste hij een dun boekje met ezelsoren.

'Constantins codeboek,' zei hij, terwijl hij het Jack overhandigde. 'De zender heb ik niet, die is onderweg naar Tripoli.'

Terwijl Jacks vingers zich om het boekje sloten, besefte hij dat Darius alle betrokkenheid had getoond waaraan de Britse en Amerikaanse inlichtingendiensten behoefte hadden.

Hij dacht aan Sholto Monck.

'Ik had Sholto graag voor een vuurpeloton gesleept zien worden,' zei hij heftig.

Darius' mond vertrok zich in een wrange glimlach. 'Hij moest van jou ook niet veel hebben. Onderweg hierheen heeft hij aardig wat interessante dingen verteld. Een ervan kan ik je denk ik beter maar meteen vertellen.' Hij nam een lange haal van zijn sigaret. 'Hij vertelde me dat Petra een dochter van je vader is.'

Jack lachte. 'Welnee. Toen ik zes was, kreeg mijn vader de bof. Hij is er onvruchtbaar door geworden. Daarom ben ik enig kind. Er is een verschil van zeven jaar tussen mij en Petra. Reken maar uit, dus.'

'Dan moet je er misschien met Petra over praten. Volgens Sholto vertelde de man van haar moeder, Theo Girlington, haar jaren geleden dat Jerome haar vader was. Dat heeft ze daarna altijd geloofd.'

Jacks adem viel stil.

In een flits werd alles hem duidelijk.

Hij wist nu waarom Petra volkomen radeloos Londen was ontvlucht en hem in de steek had gelaten.

Hij wist nu waarom ze zo bang was geweest om fysiek contact met hem te hebben.

En hij wist nu waarom Delia zo fel tegen hun liefde gekant was geweest. Ze had vermoedens gekoesterd, vermoedens die ze blijkbaar nooit tegen Jerome had geuit, vermoedens die ze altijd geheim had gehouden.

Een geheim dat nu als stof in de wind was.

Hij zoog zijn longen vol lucht. De wereld draaide weer.

'Kom mee,' zei hij tegen Darius. Het bloed in zijn aderen bruiste van vreugde. 'Het wordt tijd dat we teruggaan naar Caïro.'

Samen liep ze over het dorpsplein naar de jeep.

Jack ging achter het stuur zitten. In Caïro wachtte Petra op hem en wachtte Davina op Darius. Hij wist dat Petra nog van hem hield, had het al geweten sinds hij de angst in haar ogen had gezien toen hij wegging om jacht te maken op Sholto. Hij wist dat ze altijd van hem was blijven houden, zoals hij van haar hield.

Hij startte de motor, en terwijl hij El Laban uit reed, begon hij 'Dixie's Land' te fluiten, zo luid en jubelend als zijn longen maar toelieten.

Nawoord van de auteur

*J*n 1948 scheidde koning Farouk van koningin Farida en trouwde met een burgermeisje, Nariman Sadeq. In 1952 ging hij in Italië in ballingschap, hiertoe gedwongen door een revolutie onder leiding van Gamel Abdel Nasser. In 1954 werd Nasser president van Egypte; hij bleef dat tot zijn dood in 1970. Anwar Sadat werd toen tot zijn opvolger gekozen. Sadat werd in 1981 door moslimextremisten vermoord.

Lees ook de andere boeken van
Van Holkema & Warendorf

Witte Jasmijn
Linda Holeman

Witte Jasmijn is het spannende en fascinerende levensverhaal van Pree Fincastle, dochter van een excentrieke missionaris in Noord-India, halverwege de negentiende eeuw.

Haar jeugd brengt Pree van een bescheiden missieziekenhuis net buiten Lahore tot de nauwe straatjes en kleurrijke bazaars van Peshawar. Haar leven als fatsoenlijke missionarisdochter verandert volkomen als haar vader sterft en zijn vele geheimen een voor een worden onthuld. Verstoten door de kerk gaat Pree op zoek naar haar jeugdliefde, de waarheid van haar familiegeschiedenis en haar eigen identiteit.

ISBN 978 90 475 0801 4

Ana Veloso
In de schaduw van de amandelboom

Portugal, 1908. De vijftienjarige Jujú en de twee jaar oudere Fernando beloven elkaar de eeuwige liefde. Maar de hartstochtelijke passie van de twee jonge geliefden lijkt bij voorbaat kansloos: Jujú is de beeldschone dochter van een rijke grootgrondbezitter uit de Alentejo en Fernando is een arme boerenzoon.

Fernando ziet maar één mogelijkheid om de goedkeuring te krijgen van de ouders van Jujú: hij meldt zich aan bij het leger. Als hij na enkele jaren op doorreis terugkeert, blijkt Jujú getrouwd te zijn. Toch hebben ze na al die tijd maar één blik nodig om weer hopeloos verliefd te worden. Nooit zal Jujú meer van een man houden en ze geeft zich aan hem over. Ze delen een laatste onvergetelijke nacht voordat Fernando naar het front moet. Een nacht die meer gevolgen zal hebben dan de beide jonge geliefden kunnen vermoeden...

In de schaduw van de amandelboom is niet alleen het prachtige verhaal van een verboden liefde tussen twee jonge mensen, maar ook een aangrijpende familiegeschiedenis tegen de achtergrond van een roerige periode in de Portugese geschiedenis.

ISBN 978 90 475 0878 6